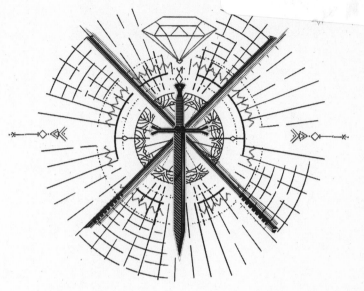

L'édition originale de ce livre a été publiée pour la première fois en anglais aux États-Unis
aux éditions Henry Holt, une maison de Macmillan Publishing Group, LLC,
175 Fifth Avenue, New York, NY 10010, sous le titre *Children of Blood and Bone*.

Copyright © 2018 Tomi Adeyemi Books Inc.
Tous droits réservés.

Maquette : Patrick Collins
Carte : Keith Thompson

Traduction française © 2019 Éditions Nathan, SEJER,
25, avenue Pierre-de-Coubertin, 75013 Paris

Loi n° 49-956 du 16 juillet 1949 sur les publications destinées à la jeunesse,
modifiée par la loi n° 2011-525 du 17 mai 2011.

ISBN : 978-2-09-258365-4
Dépôt légal : mai 2019

CHILDREN
OF BLOOD
AND BONE

I

DE SANG ET DE RAGE

TOMI ADEYEMI

Traduit de l'anglais (États-Unis)
par **Sophie Lamotte d'Argy**

᠕᠕Nathan

À Maman et à Papa
qui ont tout sacrifié pour m'offrir cette chance

&

À Jackson
qui a cru en moi et en cette histoire
bien avant que j'y croie moi-même.

TEMPLE SACRÉ

JIMETA

GOMBE

ORON

LOKOJA

KADUNA

BENIN CITY

LES CLANS MAJI

CLAN IKÚ
MAJI DE LA VIE ET DE LA MORT
TITRE MAJI : FAUCHEUR
DIVINITÉ : OYA

....

CLAN ÈMÍ
MAJI DE L'ESPRIT ET DES SONGES
TITRE MAJI : CONNECTEUR
DIVINITÉ : ORÍ

CLAN OMI
MAJI DE L'EAU
TITRE MAJI : MASCARET
DIVINITÉ : YEMOJA

....

CLAN INÁ
MAJI DU FEU
TITRE MAJI : BRASERO
DIVINITÉ : SÀNGÓ

....

CLAN AFÉFÉ
MAJI DE L'AIR
TITRE MAJI : ÉOLIEN
DIVINITÉ : AYAO

CLAN AIYE
MAJI DU FER ET DE LA TERRE
TITRE MAJI : TELLURIEN + SOUDEUR
DIVINITÉ : ÒGÚN

....

CLAN ÌMỌ̀LÈ
MAJI DE L'OMBRE ET DE LA LUMIÈRE
TITRE MAJI : ÉCLAIREUR
DIVINITÉ : OCHUMARE

....

CLAN ÌWÒSÀN
MAJI DE LA SANTÉ ET DE LA MALADIE
TITRE MAJI : GUÉRISSEUR + CANCER
DIVINITÉ : BABALÚAYÉ

....

CLAN ARÍRAN
MAJI DU TEMPS
TITRE MAJI : VOYANT
DIVINITÉ : ORÚNMILA

....

CLAN ẸRANKO
MAJI DES ANIMAUX
TITRE MAJI : DOMPTEUR
DIVINITÉ : OXOSI

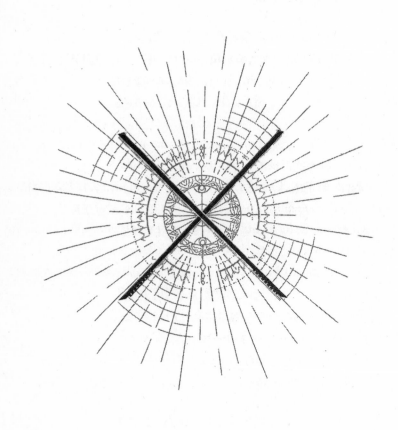

J'essaie de ne pas penser à elle.

Mais quand ça m'arrive, je pense au riz.

Lorsque Mama était parmi nous, une odeur de riz wolof flottait toujours dans notre ahéré.

Je pense aussi à sa peau sombre, dont l'éclat était pareil au soleil d'été. À son sourire qui faisait Baba se sentir vivant. À sa couronne de cheveux blancs qui frisait follement et qui était la vie même.

J'entends les légendes qu'elle me racontait le soir. Le rire de Tzain quand on jouait à l'agbön dans le parc.

Les pleurs de Baba quand les soldats ont enroulé une chaîne autour de son cou. Ses cris à elle, quand ils l'ont traînée dans le noir.

Ses incantations, vomies comme de la lave. La magie de la mort qui l'a mise en transe.

Je pense à son corps sans vie, pendu à cet arbre.

Je pense au roi qui nous l'a enlevée.

CHAPITRE UN

ZÉLIE

Choisis-moi.

Ne pas crier. Ne pas m'agiter. Pour m'en empêcher, j'enfonce mes ongles dans mon bâton en bois de marula et j'appuie de toutes mes forces. Des gouttes de sueur me dégoulinent dans le dos, je ne sais pas si c'est à cause de la chaleur matinale ou de mon cœur qui cogne contre ma poitrine.

Des lunes et des lunes qu'on passe mon tour.

Mais aujourd'hui, ça va changer.

Je coince une mèche de mes cheveux couleur de neige derrière mon oreille et m'efforce de rester tranquille.

Comme toujours, Mama Agba s'arrange pour que le moment du choix soit un supplice. L'une après l'autre, elle nous fixe droit dans les yeux jusqu'à ce qu'on se tortille dans tous les sens.

Elle se concentre. Ses sourcils froncés creusent un peu plus les rides qui sillonnent son crâne rasé. Avec sa peau sombre et son kaftan aux couleurs fanées, Mama Agba ressemble à n'importe quel autre ancien du village. Jamais on ne soupçonnerait qu'une femme de son âge puisse être si redoutable.

– Hum…

Postée devant l'entrée de l'ahéré, Yemi s'éclaircit la gorge. Manière peu subtile de nous rappeler qu'elle a déjà réussi cette épreuve. Tout en faisant tournoyer son bâton ouvragé, elle nous observe avec un petit sourire narquois. Elle a hâte de savoir à laquelle d'entre nous elle fera mordre la poussière, tout à l'heure. La plupart des filles tremblent à l'idée d'affronter Yemi, mais moi, aujourd'hui, j'en meurs d'envie. Je me suis bien entraînée. Je suis prête.

Je sais que je peux gagner.

La voix rauque de Mama Agba brise le silence.

– Zélie.

Une rumeur s'élève parmi les quinze filles qui n'ont pas été sélectionnées. L'écho de mon prénom rebondit contre les murs en roseaux tressés de l'ahéré, et je réalise enfin.

– Moi ?

Mama Agba émet un petit claquement de langue désapprobateur.

– Si tu préfères, je peux choisir quelqu'un d'autre…

– Non !

Je me relève tant bien que mal, esquisse un bref salut.

– Merci Mama ! Je suis prête.

Une foule de visages bruns s'écarte sur mon passage. À chaque pas, je me concentre sur la sensation de mes pieds nus foulant le sol en roseaux tressés. J'en évalue la friction afin d'optimiser mes chances de gagner ce combat et de pouvoir enfin terminer mon apprentissage.

Lorsque je pénètre dans la zone de combat dont le sol est teint en noir, Yemi s'incline la première. Elle attend que je m'incline à mon tour, mais son regard ne fait qu'attiser le feu dans mon cœur. Son attitude ne laisse transparaître aucun respect, aucune promesse d'un combat loyal. Elle me croit inférieure à elle parce que je suis une devîn.

Elle est sûre de me battre.

– Incline-toi, Zélie !

Malgré le ton clairement menaçant de Mama Agba, je suis incapable de lui obéir. Yemi est si près de moi que je ne vois plus que ses cheveux noirs et lustrés, sa peau couleur noix de coco, tellement plus claire que la mienne. Son teint est celui des Orïshan qui n'ont jamais passé la moindre journée à travailler au soleil. Cette existence privilégiée, Yemi la doit à un père noble, qu'elle n'a jamais connu et qui a acheté son silence tout en l'exilant au village pour y cacher sa honte.

Épaules en arrière et buste projeté en avant, je me redresse au lieu de m'incliner. La spécificité des traits de Yemi semble encore plus frappante au milieu de toutes ces devîns avec leurs cheveux blancs. Ces devîns sans cesse obligées de se courber devant elle et ses semblables.

— Zélie, je ne le répéterai pas une deuxième fois.

— Mais Mama…

— Tu t'inclines ou tu sors ! Tu nous fais perdre notre temps.

Pas d'autre choix que de serrer les dents et de m'exécuter. Le sourire moqueur de Yemi réapparaît, triomphant et plus insupportable que jamais.

— Tu vois, c'est pas si difficile, dit-elle, s'inclinant à nouveau pour faire bonne mesure. Puisque tu vas perdre, essaie au moins de garder la tête haute !

Des gloussements étouffés s'élèvent parmi les filles, mais d'un geste abrupt, Mama Agba leur intime le silence. Je leur lance un regard noir avant de me concentrer sur mon adversaire.

Vous rirez moins quand j'aurai gagné.

— En place !

On recule jusqu'au bord du tapis et, d'un habile coup de pied, on soulève nos bâtons du sol. Le sourire moqueur de Yemi a disparu ; à présent, elle plisse les yeux, laissant apparaître son instinct de tueuse.

Tout en se défiant d'un regard oblique, on attend le signal. Mama Agba semble prendre un malin plaisir à le repousser indéfiniment, mais elle finit par s'écrier :

— Allez-y !

Je me retrouve aussitôt en position défensive. Avant même que j'envisage de passer à l'attaque, Yemi a levé son bâton. Aussi rapide qu'un guépardaire, elle le fait d'abord tournoyer au-dessus de sa tête, puis tout près de ma nuque. Derrière moi, les filles retiennent leur souffle, mais je ne me laisse pas impressionner.

D'accord, Yemi est rapide, mais je peux l'être encore plus.

Elle attaque. Je me plie en deux pour esquiver son coup. Mais avant que j'aie pu me redresser, elle revient à la charge, déployant la force d'une géante.

Je plonge et roule sur le côté, évitant de justesse son bâton qui s'abat bruyamment sur le sol. Elle recule d'un pas et s'apprête à attaquer encore, me laissant à peine le temps de reprendre mes marques.

– Zélie ! lance Mama Agba.

Sa mise en garde est inutile. D'un mouvement souple, je me relève et brandis mon arme afin de bloquer le coup suivant.

Nos bâtons se heurtent dans un fracas qui fait trembler les murs de roseaux. Le mien vibre encore sous l'effet du choc quand, soudain, Yemi pivote sur elle-même et vise mes genoux.

Je projette aussitôt mon pied en avant et m'élance pour faire une roue. Au-dessus de son bâton tendu, j'entrevois ma première ouverture : ça y est, je vais pouvoir passer à l'offensive.

– Aaahhh !

Profitant de mon élan, je m'apprête à prendre Yemi par surprise. *Allez, vas-y !*

Mais son bâton heurte le mien.

– Patience, Zélie, s'écrie Mama Agba. Ce n'est pas encore ton tour d'attaquer. Pour l'instant, contente-toi d'observer, de réagir. Laisse venir ton adversaire.

Je me retiens de protester et j'acquiesce, tout en reculant. *Tu auras ta chance*, me dis-je pour m'encourager. *Ton tour viendra.*

– C'est bien, Zél, chuchote Yemi d'une voix si faible que je suis la seule à pouvoir l'entendre. Écoute Mama Agba. Sois un gentil petit cafard.

Ça recommence.

Ce mot.

Cette insulte si dégueulasse, si humiliante.

Proférée à voix basse. Enrobée d'un sale petit sourire arrogant.

Sans réfléchir, je frappe à l'aveugle ; mon bâton passe à quelques millimètres de son ventre. Cela me vaudra sûrement un blâme de

Mama Agba, tout à l'heure. Tant pis. La peur que je lis dans les yeux de Yemi en vaut largement la peine.

– Hé !

Indignée, elle se tourne vers Mama Agba pour qu'elle intervienne, mais je ne lui laisse pas le temps de pleurnicher. Lorsqu'elle me voit faire tournoyer mon bâton, prête à réattaquer, elle ouvre des yeux grands comme des soucoupes.

– Hé, ça se fait pas, ça ! proteste-t-elle, bondissant sur le côté pour éviter le coup que je lui lance dans les genoux. Mama...

Je ricane.

– Quoi ? Tu veux qu'elle vienne se battre à ta place ? Allez, Yem. Puisque tu vas perdre, fais-le *la tête haute* !

Les yeux de Yemi lancent des éclairs de rage, comme un lionaire sur le point de charger. Agrippée à son bâton, elle paraît ivre de vengeance.

Le vrai combat va commencer.

Le bruit des bâtons qui s'entrechoquent rebondit sans fin contre les murs de l'ahéré. L'une comme l'autre, nous guettons une ouverture, l'opportunité d'asséner le coup décisif. Cette opportunité, je la vois enfin se présenter lorsque soudain je chancelle. Pliée en deux, j'ai le souffle coupé et un haut-le-cœur me soulève la poitrine. Il me semble d'abord que mes côtes sont brisées mais, bientôt, une douleur dans l'abdomen m'ôte cette première crainte.

– C'est termi...

– Non ! je m'exclame, interrompant Mama Agba d'une voix enrouée.

M'efforçant de prendre une grande inspiration, je m'appuie sur mon bâton pour m'aider à me relever.

– Ça va, je peux continuer.

Pas question de m'avouer vaincue.

– Zélie... insiste Mama Agba.

Yemi n'attend même pas la fin de sa phrase. Elle se rue sur moi comme une furie, et son arme passe à quelques millimètres de ma tête.

Elle recule pour contre-attaquer, mais d'un bond, je me déporte sur le côté. Avant qu'elle puisse réagir, je lui enfonce mon bâton dans le sternum. Sonnée et grimaçante de douleur, elle fait un pas en arrière pour esquiver un nouvel assaut. Depuis qu'elle participe aux combats de Mama Agba, c'est la première fois que quelqu'un réussit à la toucher. Elle vient de découvrir que ça fait mal.

Sans lui laisser le temps de se remettre de ses émotions, je me retourne vers elle pour la frapper à l'estomac. Mais soudain, alors que je m'apprête à lui porter l'estocade finale, le drap ocre suspendu à l'entrée de l'ahéré s'entrouvre.

Bisi franchit le seuil, tout essoufflée. Ses longs cheveux blancs sont en désordre et sa frêle poitrine se soulève par saccades. Elle cherche Mama Agba du regard.

– Que se passe-t-il ? demande celle-ci.

Les yeux de Bisi se remplissent de larmes.

– Je… je suis désolée, hoquette-t-elle. Je me suis endormie et… je n'étais pas…

– Parle, mon enfant !

– Ils arrivent… finit-elle par articuler. Ils sont tout près !

Pendant quelques secondes, je ne respire plus. Visiblement, je ne suis pas la seule. Tout le monde est tétanisé par la peur.

Mais très vite, l'instinct de survie reprend le dessus.

– Dépêchons-nous, dit Mama Agba dans un souffle. Il faut faire vite !

J'aide Yemi à se relever. Elle est pâle, mais ce n'est pas le moment de m'assurer qu'elle va bien. Je m'empresse de ramasser son bâton ainsi que tous les autres.

Un vent de panique souffle dans l'ahéré. Des mètres d'étoffes bariolées volent dans les airs et, bientôt, une armée de mannequins de roseaux est sur pied. Les événements se bousculent à toute vitesse, je ne sais pas si nous réussirons à tout cacher à temps. J'essaie de me concentrer sur ma tâche, laquelle consiste à dissimuler les bâtons sous les nattes de roseaux tressés.

À peine ai-je terminé que Yemi me tend une aiguille à coudre. Et tandis que je me dépêche de regagner ma place attitrée, le drap qui masque l'entrée de l'ahéré se soulève de nouveau.

– Zélie ! aboie Mama Agba.

Je me pétrifie. Tous les regards sont braqués sur moi. Avant même que je puisse lui répondre, elle me donne une tape derrière la tête. Un coup dont elle a le secret et qui se répercute jusqu'en bas de ma colonne vertébrale.

– Reste à ta place, m'ordonne-t-elle. Tu as encore besoin de t'entraîner.

– Mama Agba, je…

Elle se penche vers moi, et je sens mon pouls s'accélérer. Elle n'a pas du tout l'air de plaisanter.

Une diversion…

Il faut qu'on gagne du temps.

– Je suis désolée, Mama Agba. Pardonne-moi.

– Retourne à ta place.

Réprimant un sourire, je baisse la tête en guise d'excuse et j'en profite pour regarder discrètement les deux gardes qui viennent d'entrer. Comme la plupart des soldats d'Orïsha, le plus petit a le même teint noix de coco et les mêmes cheveux noirs que Yemi. Bien qu'il ait affaire à une assemblée de jeunes filles, sa main reste agrippée au pommeau de son épée ; comme si, à tout moment, l'une de nous pouvait l'attaquer.

Le plus grand paraît figé. Sa peau est bien plus sombre que celle de son collègue. Il reste près de l'entrée, les yeux rivés au sol. Peut-être a-t-il honte de ce qu'il est venu faire.

Les deux hommes arborent le sceau du roi Saran, bien en évidence sur leur pectoral de fer ; à la vue du léopardaire blanc, mon estomac se révulse tandis que je repense au monarque qui les envoie.

Je me place devant mon mannequin de roseau en affichant une mine boudeuse. En réalité, je me sens beaucoup plus légère et soulagée. La zone de combat est redevenue un atelier de couture. Chacune des filles s'affaire sur son mannequin habillé d'étoffes bariolées à motifs ethniques qui portent la marque de fabrique de Mama Agba. En silence, nous brodons les ourlets des dashikis, comme nous avons l'habitude de le faire depuis tant d'années, et attendons que les gardes s'en aillent.

Mama Agba passe dans les rangs et inspecte le travail de ses apprenties. Malgré ma colère, je ne peux m'empêcher de sourire en constatant qu'elle s'obstine à ignorer les gardes, leur signifiant ainsi qu'ils ne sont pas les bienvenus.

– Que puis-je pour vous ? finit-elle par leur demander.

– On vient pour les impôts, grogne le garde à la peau plus sombre. Il faut payer !

Aussitôt, le visage de Mama Agba se rembrunit. Comme lorsque la chaleur disparaît d'un coup à la tombée de la nuit.

– J'ai déjà payé la semaine dernière, proteste-t-elle.

– Oui, mais ça c'était l'impôt sur le commerce, précise l'autre garde.

Balayant du regard toutes les devîns à longs cheveux blancs, il poursuit :

– L'impôt sur les cafards vient d'augmenter. Tu en as beaucoup, alors tu nous dois plus d'argent.

Évidemment. J'agrippe le tissu de mon mannequin à m'en faire mal aux mains. Non content de nous persécuter, il faut aussi que le roi s'en prenne à tous ceux qui essaient de nous venir en aide.

Je serre les dents tandis que je m'efforce de faire disparaître mentalement ce garde et ce vilain mot, *cafard*. Que nous ne puissions jamais accomplir notre destin de maji n'a pour eux aucune importance. À leurs yeux, nous ne sommes que des cafards.

Jamais ils ne nous considéreront autrement.

Mama Agba serre les dents, elle aussi. Elle n'a visiblement aucune intention de s'acquitter de ce nouvel impôt.

– Nous avons déjà payé celui sur les devîns à la dernière lune, ainsi que celle d'avant, rétorque-t-elle.

Le garde à la peau plus claire s'avance vers elle. Il tire son épée, prêt à s'en servir au premier signe de rébellion.

– Tu ferais mieux d'arrêter de fréquenter cette bande de cafards.

– Alors arrêtez de nous voler ! je m'écrie malgré moi.

Dans l'ahéré, chacune retient son souffle. Mama Agba se raidit ; ses yeux me supplient de me taire, mais j'insiste :

– Les devîns n'ont pas augmenté leurs revenus. Où voulez-vous que nous trouvions de quoi payer les impôts si vous n'arrêtez pas d'en créer de nouveaux ?

Le garde s'avance vers moi. Sa nonchalance me donne envie d'attraper mon bâton. D'un coup bien senti, je pourrais lui briser les jambes, ou même, en visant bien, lui trancher la carotide.

C'est alors que je remarque que son épée n'a rien d'ordinaire. La lame noire qui étincelle dans son fourreau est d'un métal plus précieux que l'or.

Du majacite...

Un alliage spécial que le roi Saran a forgé bien avant le Raid. Il a été conçu pour affaiblir nos pouvoirs magiques et brûler nos chairs.

Exactement comme la chaîne noire qu'ils ont enroulée autour du cou de Mama.

Seul un maji particulièrement puissant est capable de résister à l'influence de ce métal rare, mais pour la plupart d'entre nous il est fatal. Bien qu'il n'y ait en moi aucune magie à éradiquer, le garde me menace de son arme et j'ai l'impression de sentir des picotements.

– Tu ferais mieux de la boucler, petite.

Il a raison. Si je tiens à la vie, si je veux me réveiller demain, mieux vaut la boucler.

Mais quand il s'approche tout près de mon visage, je lutte pour ne pas planter mon aiguille à coudre dans son sale petit œil de fouine. Peut-être qu'en effet, je devrais me taire.

Ou peut-être que c'est lui qui devrait mourir.

– C'est vous qui...

Mama Agba me pousse alors si violemment de côté que je m'écroule par terre. Elle tend au garde une main pleine de pièces de monnaie.

– Tiens, prends ça.

– Non ! Mama…

Elle se tourne vers moi et me lance un regard si furieux que j'ai l'impression de me transformer en statue. Je me tais et m'accroupis pour disparaître sous le tissu à motifs de mon mannequin.

Les pièces en bronze tintent dans le creux de la main du garde. Après les avoir comptées, il grommelle :

– C'est pas assez.

– C'est tout, dit Mama Agba d'une voix brisée. C'est tout ce que j'ai. Je ne peux pas te donner plus.

Je sens la haine qui me brûle la peau. C'est trop injuste. Mama Agba ne devrait pas avoir à supplier. Je lève les yeux. Trop tard : mon regard croise celui du garde et, avant que je puisse détourner la tête ou cacher mon dégoût, il m'attrape par les cheveux.

– Aahh !

La douleur irradie dans tout mon crâne. Il me jette par terre et me plaque face contre sol en m'enfonçant son genou dans le dos. Je crache mes poumons.

– Tu n'as peut-être pas d'argent, dit-il, mais des cafards, tu n'en manques pas !

Il agrippe brutalement ma cuisse.

– Tant pis, je me contenterai de ça.

Je suffoque en serrant les poings pour ne pas trembler. J'ai envie de hurler, de broyer chacun de ses os, mais mes forces m'abandonnent un peu plus chaque seconde. Sa poigne m'anéantit, elle annule tout ce que j'ai dû faire pour devenir qui je suis.

Je redeviens la petite fille qui assiste, impuissante, à l'enlèvement de sa mère.

– Ça suffit ! rugit Mama Agba.

Elle repousse le garde puis m'attire contre elle, comme le ferait une lionaire pour protéger son petit.

– Je vous ai donné tout mon argent. Maintenant, partez !

Son audace rallume la fureur du garde. Il saisit la poignée de son épée, mais son acolyte le retient.

– Laisse tomber. On a encore tout le tour du village à faire avant le crépuscule.

Bien qu'il ait prononcé cette phrase d'un ton calme, il a les mâchoires crispées. Peut-être reconnaît-il dans nos visages celui d'une mère ou d'une sœur. Peut-être lui rappelons-nous quelqu'un qu'il a un jour voulu protéger.

Le premier garde reste un moment sans réagir. Je me demande ce qu'il va faire. À regret, il finit par lâcher son arme, mais nous transperce malgré tout de son regard.

– Si tu n'apprends pas à ce cafard à obéir, c'est moi qui m'en chargerai, lance-t-il à Mama Agba d'un ton menaçant.

Ses yeux se posent de nouveau sur moi. Je transpire à grosses gouttes, mais intérieurement je grelotte. Il me détaille des pieds à la tête, comme pour évaluer sa prise.

N'essaie même pas, ai-je envie de lui dire. Mais ma bouche est si sèche qu'aucun son n'en sort. Nous restons là, silencieuses, jusqu'à ce que les gardes s'en aillent et que le bruit pesant de leurs bottes à semelles métalliques s'évanouisse.

La force de Mama Agba s'est éteinte comme la flamme d'une bougie sous un coup de vent. Elle s'agrippe à un mannequin pour ne pas tomber. Où est passée la redoutable guerrière que je connais ?

– Mama…

Je me précipite pour l'aider, mais elle repousse ma main tendue.

– *Òdè !*

« Petite sotte ! » vient-elle de dire en yoruba, la langue – notre langue – maji interdite depuis le Raid. Une langue que je n'ai pas entendue depuis si longtemps qu'il me faut une seconde pour réaliser ce que ça signifie.

– Par tous les dieux, qu'est-ce qui t'a pris ?

Une fois de plus, tous les regards sont braqués sur moi. Même Bisi me dévisage avec insistance. Comment Mama Agba peut-elle me gronder ? En quoi est-ce ma faute si ces salauds de gardes sont des voleurs ?

— Je voulais te protéger.

— Me protéger ? Mais enfin, tu sais bien qu'avec eux, on ne peut pas discuter. Tu aurais pu toutes nous faire tuer !

La dureté de son ton me fait vaciller. Jamais encore je n'ai lu tant de déception dans ses yeux.

— Alors pourquoi on est là si c'est pas pour les combattre ?

Ma voix tremble, mais je retiens mes larmes.

— À quoi ça sert de s'entraîner si on ne peut même pas se défendre ?

— Au nom des dieux, Zélie, réfléchis un peu ! Et cesse de ne penser qu'à toi ! Qui protégerait ton père si tu blessais ces hommes ? Et qui assurerait la sécurité de Tzain s'ils venaient à faire couler notre sang ?

Je voudrais lui répondre, mais ne sais pas quoi dire. Elle a raison. Même si j'arrivais à vaincre une poignée de gardes, jamais je ne pourrais venir à bout d'une armée entière. Et tôt ou tard, ils finiraient par me retrouver.

Tôt ou tard, ils anéantiraient tous les gens que j'aime.

Les yeux pleins de larmes, Bisi s'agrippe au pantalon drapé de Yemi.

— Mama Agba ? demande-t-elle d'une toute petite voix de souris. Pourquoi ils nous détestent autant ?

Une grande lassitude semble soudain s'emparer de Mama. Elle ouvre ses bras à Bisi.

— Ce n'est pas toi qu'ils détestent, mon enfant, mais la personne que tu aurais dû devenir.

Tandis que Bisi se réfugie sous un pan du kaftan de Mama pour assourdir ses sanglots, celle-ci lève la tête et constate que toutes les autres filles contiennent également leurs larmes.

— Zélie se demande pourquoi nous sommes là. C'est une bonne question. Car si nous discutons souvent de l'art et la manière de se battre, jamais je ne vous ai expliqué *pourquoi* nous devons nous battre.

Mama se détache de Bisi et fait signe à Yemi de lui apporter un siège.

– Vous ne devez pas oublier que le monde n'a pas toujours été tel qu'il est aujourd'hui. Il fut un temps où tous ses habitants vivaient en paix.

Mama Agba s'assied sur une chaise et toutes les filles s'installent autour d'elle, avides d'entendre son récit. Chaque jour, Mama termine l'entraînement par un conte, une fable ou un enseignement d'autrefois. D'habitude, je m'arrange toujours pour être au premier rang afin de ne pas en perdre une miette. Mais aujourd'hui, j'ai tellement honte que je préfère rester à l'écart.

D'un geste lent et méthodique, Mama Agba commence par se frotter les mains. Malgré ce qui vient de se passer, elle sourit, comme chaque fois qu'elle s'apprête à nous raconter une histoire. Finalement, je ne résiste pas à l'envie de m'approcher, bousculant pour cela quelques filles au passage. Après tout, cette histoire – notre histoire – me concerne, moi aussi.

Elle témoigne d'une vérité que le roi a voulu enterrer en même temps que nos morts.

– Au commencement, Orïsha était un pays où prospéraient quelques maji. Ils étaient peu nombreux, et leur statut était sacré. Les dieux avaient doté chacun des dix clans d'un pouvoir spécifique. L'un contrôlait l'eau, un autre le feu, d'autres encore pouvaient lire dans les pensées ou même dans le passé !

Ce récit, nous l'avons toutes déjà entendu de la bouche de Mama Agba ou de celle de nos parents défunts, mais le fait de l'entendre encore et encore n'émousse en rien notre plaisir. Chaque fois, le miracle des mots opère, intact. Lorsque Mama Agba nous décrit la faculté qu'avaient certains maji de guérir ou au contraire de provoquer des maladies, nos yeux s'allument. Et quand elle évoque ceux qui avaient apprivoisé tous les animaux sauvages du pays, ou encore ceux qui tenaient la lumière ou les ténèbres dans le creux de leurs mains, nous nous penchons vers elle et buvons ses paroles.

– Quand un bébé naissait avec les cheveux blancs, c'était signe qu'il était béni des dieux. En grandissant, ces enfants mettaient leurs dons au service du peuple d'Orïsha, ce qui leur valait le respect de tous. Cependant, les maji étaient rares, poursuit Mama Agba en se déplaçant à travers l'ahéré et en faisant de grands gestes. Si bien que chaque fois qu'un des leurs venait au monde, des provinces entières se réjouissaient et célébraient l'apparition de ses premières boucles blanches. Les enfants élus ne pouvaient exercer leurs pouvoirs magiques qu'à partir de treize ans. Avant cet âge, on les appelait les *ibawi*, c'est-à-dire les « divins ».

À ces mots expliquant l'origine de notre titre de devîns, Bisi relève la tête et sourit. Mama Agba se penche alors vers elle et soulève une de ses mèches blanches, le signe distinctif qu'on nous a appris à cacher.

– Les maji gagnèrent en influence à travers tout Orïsha, au point d'en devenir les premiers rois et reines. À cette époque, tous vivaient en paix. Mais cette paix, hélas, ne devait pas durer. Ceux qui détenaient le pouvoir se mirent à abuser de leur don, si bien que pour les punir, les dieux le leur retirèrent. Et lorsque plus aucune magie ne coula dans leurs veines, leurs cheveux blancs disparurent eux aussi, comme pour leur rappeler leurs péchés. En quelques générations, le respect dont les maji faisaient l'objet se mua alors en crainte, puis la crainte en haine, laquelle se transforma à son tour en violence, en volonté farouche de les anéantir.

Les paroles de Mama Agba résonnent dans la pièce maintenant assombrie par le crépuscule. Nous connaissons toutes la suite de l'histoire qui concerne cette fameuse nuit que nous n'évoquons plus jamais mais qui restera pourtant toujours gravée dans nos mémoires.

– Jusqu'à cette nuit-là, les maji survécurent en recourant à leurs pouvoirs pour se défendre. Mais il y a onze ans, toute magie disparut, pour une raison que seuls les dieux connaissent.

Mama Agba ferme un instant les yeux et lâche un profond soupir.

– C'est ainsi que du jour au lendemain, ils ont été dépossédés de leurs pouvoirs magiques.

Pour une raison que seuls les dieux connaissent ?

Par respect pour Mama Agba, je m'abstiens de la contredire. Son discours est celui de tous les adultes qui ont survécu au Raid. Résignés, ils sont convaincus que les dieux nous ont privés de magie pour nous punir, ou par simple caprice.

Mais tout au fond de moi, je connais la vraie raison. Je l'ai sue dès que j'ai vu les maji d'Ibadan enchaînés : la vérité, c'est que les dieux ont disparu en même temps que la magie.

Et qu'ils ne reviendront plus jamais.

– En ce jour funeste, le roi Saran n'eut pas un instant d'hésitation, poursuit Mama Agba. Il profita alors de la faiblesse des maji pour sévir.

Je retiens mes larmes en repensant à la chaîne enroulée autour du cou de Mama. Aux taches de sang dans la poussière.

Le souvenir silencieux du Raid emplit toute la hutte, et l'air est soudain saturé de chagrin.

Cette nuit-là, nous avons toutes perdu les membres maji de notre famille.

Mama Agba soupire encore puis se lève, rassemblant ses forces. Nous la retrouvons enfin telle que nous la connaissons. Elle jette un rapide coup d'œil à toutes les filles, tel un général passant ses troupes en revue.

– Si j'ai décidé d'apprendre à celles qui le souhaitaient à se servir d'un bâton, c'est parce qu'il y aura toujours des hommes qui vous voudront du mal. Au début, cet entraînement était destiné aux devîns, à tous les enfants de maji déchus. Car même si vous avez perdu vos dons surnaturels, vous n'en restez pas moins en butte à la haine et à la violence. C'est pour cela que nous sommes là, c'est pour cela que nous nous entraînons.

D'un coup sec, Mama déploie son propre bâton en le frappant contre le sol.

— Vos adversaires portent des épées. Pourquoi donc vous exercer à l'art du bâton ?

D'une même voix, nous récitons alors le mantra que Mama Agba nous a si souvent fait répéter :

— Parce qu'il protège plus qu'il ne blesse, qu'il blesse plus qu'il ne mutile, et qu'il mutile plus qu'il ne tue – le bâton n'est pas une arme destructrice.

— Je vous apprends à devenir des guerrières dans un jardin pour que vous n'ayez jamais à être des jardinières à la guerre. Et si je vous insuffle la force de vous battre, vous devez aussi acquérir la force de la retenue.

Mama se tourne vers moi, très droite :

— Vous devez protéger ceux qui sont sans défense. C'est uniquement à cela que doit servir votre bâton.

Les filles acquiescent, mais je garde les yeux rivés au sol. Une fois de plus, j'ai failli tout gâcher. Une fois de plus, j'ai manqué à mon devoir envers les miens.

— Voilà, ce sera tout pour aujourd'hui, dit Mama Agba. Vous pouvez rassembler vos affaires. Demain, nous reprendrons la leçon là où nous l'avons laissée aujourd'hui.

Les filles se dirigent vers la sortie, heureuses de pouvoir retourner à leurs occupations. Je m'apprête à les suivre, mais la main ridée de Mama Agba m'attrape par l'épaule.

— Mama...

— Tais-toi ! ordonne-t-elle.

Les dernières à quitter l'ahéré me lancent un regard plein d'empathie. Elles se frottent les fesses, évaluant sans doute le nombre de coups de fouet qui bientôt s'abattront sur les miennes.

Vingt pour avoir ignoré les règles de l'exercice... cinquante pour avoir pris la parole sans y être autorisée... et cent pour avoir manqué de toutes nous faire tuer...

Non. Cent coups, ce serait encore bien trop indulgent.

Je réprime un soupir et me prépare à affronter la douleur. *Ce sera rapide*, me dis-je pour m'encourager. *Je n'aurai même pas le temps de…*

– Assieds-toi, Zélie.

Mama Agba me tend un bol de thé avant de se servir elle-même. Sa délicieuse odeur me chatouille les narines tandis que j'entoure le bol de mes mains pour les réchauffer.

– Tu as empoisonné mon thé ? je demande en fronçant les sourcils.

Elle esquisse un léger sourire, mais dissimule son amusement derrière une mine sévère. Pour cacher le mien, j'avale une gorgée, savourant le parfum de miel. Je tourne le bol dans mes mains, un doigt posé sur les brindilles de lavande incrustées sur le bord. Ma mère avait le même, autrefois, à ceci près que les brindilles étaient couleur d'argent en l'honneur d'Oya, déesse de la Vie et de la Mort.

L'espace de quelques secondes, ce souvenir me fait oublier la déception de Mama Agba, mais le goût du thé se dissipe et, aussitôt, je retrouve celui, nettement plus amer, de la culpabilité. Mama Agba ne devrait pas avoir à affronter tout ceci, et surtout pas à cause d'une devîn comme moi.

– Je suis désolée, dis-je en tripotant les brindilles sur le bord du bol pour éviter son regard. Je sais bien que je ne te facilite pas la vie.

Comme Yemi, Mama Agba est une kosidàn, une Orïshan dépourvue de pouvoirs magiques. Avant le Raid, nous pensions que naître devîn était un privilège accordé par les dieux ; mais à présent que la magie a disparu, je ne comprends pas en quoi cette distinction reste importante.

Avec son crâne rasé, Mama Agba pourrait parfaitement se fondre parmi les autres Orïshan et ainsi éviter les mauvais traitements des gardes. Si elle n'avait pas choisi de nous soutenir, ils ne lui causeraient probablement aucun ennui.

Je voudrais presque qu'elle nous abandonne, qu'elle s'épargne tant de souffrances. Avec ses talents de couturière, elle pourrait ouvrir un commerce et bien gagner sa vie, au lieu de se laisser dépouiller de tout son argent.

– Sais-tu que tu lui ressembles de plus en plus ? (Mama Agba boit une petite gorgée de thé et sourit.) C'est particulièrement frappant quand tu cries. Tu as hérité de sa rage.

Je reste bouche bée. D'habitude, Mama Agba n'aime guère évoquer nos défunts.

D'ailleurs, peu d'entre nous aiment ça.

– Je sais, dis-je en replongeant le nez dans mon bol pour cacher mon étonnement.

Je ne me souviens plus vraiment quand j'ai réalisé que Baba évitait de croiser mon regard, tant mon visage lui rappelle celui de sa femme assassinée.

Le sourire de Mama Agba se mue soudain en grimace.

– Tant mieux. Tu étais encore toute petite à l'époque du Raid. J'avais peur que tu aies oublié.

– Même si je le voulais, je ne pourrais pas.

Comment pourrais-je oublier le visage solaire de Mama ?

C'est de ce visage dont je veux me souvenir.

Pas de son cadavre ni du sang qui s'écoulait de sa nuque.

– Je sais que c'est pour elle que tu te bats, poursuit Mama Agba en passant sa main dans mes cheveux blancs. Mais le roi est impitoyable, Zélie. Il préférera massacrer tous les habitants du royaume plutôt que de tolérer une révolte maji. Si ton adversaire n'a aucun sens de l'honneur, tu dois te battre en trouvant d'autres moyens. Des moyens plus intelligents.

– Comme démolir ces salauds à coups de bâton ?

Mama Agba sourit, faisant apparaître mille petits plis autour de ses yeux acajou.

– Promets-moi seulement d'être prudente. Promets-moi de choisir le bon moment pour les affronter.

Je lui étreins les mains et incline la tête bien bas pour lui témoigner mon respect.

– C'est promis, Mama. Plus jamais je ne te désobéirai.

– Tant mieux, parce que j'ai quelque chose à te montrer, et je ne voudrais pas avoir à le regretter.

Elle plonge alors la main dans son kaftan et en sort une élégante baguette noire qu'elle secoue d'un geste énergique. Je bondis en arrière tandis que la baguette se déploie, devenant un bâton de métal rutilant.

– Par tous les dieux ! je m'exclame, luttant contre l'envie de m'emparer de ce chef-d'œuvre.

D'antiques symboles sont gravés sur toute la surface du métal noir, et chacun d'eux me rappelle une leçon enseignée par Mama Agba. Ce qui me saute immédiatement aux yeux, c'est l'*akofena* des lames croisées, « les épées de la guerre ». « Le courage ne rugit pas toujours, avait-elle dit ce jour-là en nous montrant ce symbole. Et ce qui a de la valeur ne brille pas nécessairement. » Mes yeux se posent sur l'akofena suivant, représentant « le cœur de la patience et de la tolérance ». Malgré les coups de fouet dont j'ai écopé ce jour-là, ce cours est presque un bon souvenir.

Chaque symbole m'évoque une autre leçon, une autre légende, une autre sagesse. Je lance à Mama Agba un regard interrogateur. Ce bâton est-il un cadeau, ou va-t-elle s'en servir pour me punir ?

– Tiens, c'est pour toi, dit-elle en le remettant entre mes mains.

Immédiatement, je ressens sa puissance. Gainé d'acier… conçu pour briser des crânes.

– C'est vrai ?

Mama acquiesce.

– Tu t'es battue comme une guerrière, aujourd'hui. Ce bâton, tu le mérites.

Je me lève pour faire tournoyer ma nouvelle arme et m'émerveille de sa force. Le métal fend l'air comme une lame, il est bien plus redoutable que tous les bâtons en bois que j'ai pu tailler moi-même.

– Tu te souviens de ce que je t'ai dit quand nous avons commencé l'entraînement ?

Je hoche la tête et, imitant la voix lasse de Mama Agba, je récite :

– *Si vous devez vous battre contre les gardes, apprenez d'abord à gagner.*

Bien qu'elle m'administre une petite tape sur la tête, son rire franc rebondit contre les murs de roseaux. Je lui tends le bâton qu'elle heurte d'un coup sec contre le sol. L'arme redevient alors une simple baguette de métal.

– Tu as l'étoffe d'une vraie championne, dit-elle. Tu dois juste encore apprendre à choisir le bon moment pour te battre.

Lorsque Mama Agba repose le bâton dans mes paumes ouvertes, je me sens à la fois fière et triste. Incapable de parler, je l'enlace et inhale l'odeur familière de propre et de thé parfumé de son vêtement fraîchement lavé.

D'abord un peu raide, elle finit par me serrer contre elle, chassant définitivement ma tristesse. Puis elle se dégage pour me parler, mais s'arrête net lorsque le drap de l'ahéré s'entrouvre à nouveau.

J'empoigne mon bâton de métal, prête à le cogner par terre pour qu'il se déploie, lorsque je reconnais mon frère, Tzain. Il se tient sur le seuil, grand et massif. Sa seule présence, tout en muscles et en tension, semble instantanément rétrécir l'espace de la hutte. Ses tendons saillent sous la peau sombre. Ses cheveux noirs et son front sont trempés de sueur. Lorsque son regard croise le mien, mon cœur s'arrête de battre.

– C'est Baba.

CHAPITRE DEUX

ZÉLIE

EXACTEMENT CE QUE JE REDOUTAIS d'entendre.

« C'est Baba », ça veut dire que c'est fini.

« C'est Baba », ça veut dire qu'il est blessé – ou pire.

Non ! Tandis que nous cavalons sur les planches en bois du quartier marchand, j'essaie de ne pas céder à la panique et me promets qu'il est hors de danger. *Quoi qu'il arrive, Baba vivra.*

Ilorin, notre village au bord de l'océan, s'éveille et reprend vie avec le soleil levant. Les vagues s'écrasent contre les pilotis qui le maintiennent au-dessus des flots, recouvrant nos pieds d'écume. Telle une araignée prise dans la toile de la mer, le village repose sur huit jambes de bois qui, toutes, convergent vers un même centre. Et c'est vers ce centre que nous courons ; vers ce centre qui nous rapproche de Baba.

– Attention ! s'exclame une kosidàn.

Dans mon empressement, je l'ai bousculée, évitant in extremis de faire tomber le panier de bananes plantain en équilibre sur ses cheveux noirs. Si elle savait que pour moi, le monde est en train de s'écrouler, peut-être me pardonnerait-elle.

Hors d'haleine, je demande :

– Qu'est-ce qui se passe ?

– Je n'en sais rien, répond Tzain. Ndulu a interrompu l'entraînement d'agbön pour nous avertir que Baba était en difficulté. Et avant que je rentre à la maison, Yemi m'a dit que tu avais eu un problème avec un des gardes.

Dieux du ciel, pourvu que ce ne soit pas celui qui s'en est pris à moi dans l'ahéré de Mama Agba ! La peur m'envahit à mesure que nous fendons la foule de marchandes et d'artisans agglutinée sur les passerelles en bois. Peut-être qu'ensuite il s'en est pris à Baba. Et que bientôt il s'en prendra à…

– Zélie !

Le ton de Tzain indique qu'il n'en est pas à sa première tentative pour attirer mon attention.

– Qu'est-ce qui t'as pris de le laisser seul ? C'était ton tour de veiller sur lui !

– Oui, mais aujourd'hui, il y avait les épreuves d'évaluation. Si je ratais ça, je…

– Mais enfin, Zél ! rugit Tzain, au point de faire se retourner les passants, tu es sérieuse, là ? Tu as abandonné Baba pour jouer avec ton stupide bâton ?

– Ce n'est pas un bâton, c'est une arme ! Et je n'ai pas abandonné Baba. Je l'ai laissé dormir, il avait tellement besoin de récupérer. Je suis restée près de lui tous les jours, cette semaine.

– Et alors ? Moi aussi, la semaine dernière, je l'ai fait !

Tzain saute par-dessus un enfant couché par terre ; lorsqu'il atterrit, on voit ses muscles onduler sous sa peau. Une jeune kosïdàn lui sourit, espérant qu'il la remarque et interrompe sa course. Une fois de plus, même dans ces circonstances, tous les gens du village gravitent autour de Tzain, attirés par lui comme par un aimant. Quant à moi, je n'ai aucune difficulté à me frayer un chemin : à la seule vue de mes cheveux blancs, tout le monde s'écarte comme si j'étais une pestiférée.

– Les jeux des Orïshan ont lieu dans seulement deux lunes, poursuit Tzain. Et tu sais très bien à quel point nous avons besoin de gagner cette compétition pour nous renflouer ! Quand je m'entraîne, *toi*, tu restes auprès de Baba. Ce n'est pourtant pas difficile à comprendre !

Arrivé devant le marché flottant du centre d'Ilorin, Tzain s'arrête net. Sur l'avancée de mer que borde une passerelle rectangulaire, des villageois installés dans des embarcations rondes comme des noix de coco marchandent ferme. D'habitude, avant le début du marché, nous pouvons regagner notre maison située dans le quartier des pêcheurs en empruntant le pont. Mais ce matin, il a débuté plus tôt et le pont est déjà levé. Nous devrons faire le grand tour.

Toujours aussi agile, Tzain s'élance sur la passerelle qui entoure le marché. Je commence par lui emboîter le pas, mais la vue des barques m'arrête dans ma course.

Maraîchers et pêcheurs échangent fruits frais contre poisson du matin et de premier choix. En général, les affaires se concluent dans un esprit bon enfant, chacun acceptant volontiers de donner un peu plus qu'il ne reçoit en retour. Mais aujourd'hui, les négociations semblent plus âpres, on exige de la monnaie sonnante et trébuchante et aucun poisson ne se vend à crédit.

Les impôts…

Ma douleur à la cuisse se réveille et, avec elle, le souvenir de la poigne brutale du garde me plaquant au sol. En revoyant son maudit visage, son regard mauvais, je sens mes forces redoubler. Ni une ni deux, je saute dans la première barque.

– Zélie, attention ! s'écrie Kana en levant les mains pour protéger les précieux fruits qu'elle transporte sur sa tête.

Et tandis que la maraîchère du village réajuste son gélé d'un air contrarié, je bondis dans une petite embarcation en bois où grouillent des poissons-lunes bleutés.

Je saute de barque en barque, telle une grenouille à nez rouge, et renouvelle à chaque fois mes excuses :

– Oh pardon… ! Oups… désolée… !

À peine arrivée sur le quai des pêcheurs, je repars aussitôt, rassurée de sentir à nouveau les planches de bois sous mes pieds. Bien que Tzain soit loin derrière, je décide de ne pas l'attendre. Je veux retrouver Baba la première. Si c'est grave, je pourrai ainsi préparer mon frère à accueillir cette mauvaise nouvelle.

Mais si Baba est mort…

À cette idée, mes jambes sont comme en plomb. C'est impossible, il ne peut pas être mort ! Le jour vient à peine de se lever ; il faut charger le bateau et gagner le large. Lorsqu'on aura posé nos filets, d'autres auront déjà pêché les meilleurs poissons. Mais qui me reprocherait ce retard, alors que Baba a disparu ?

Je le revois, juste avant mon départ, allongé dans notre ahéré. Même endormi, il semblait épuisé, comme si le plus long des sommeils ne pouvait lui rendre ses forces. J'espérais qu'il ne se réveillerait pas avant mon retour. Mais j'aurais dû le savoir : tout seul, dans le silence, Baba est forcément confronté à sa souffrance, à ses regrets…

Et il doit penser à moi, aussi.

À moi et à mes erreurs stupides.

Un attroupement devant mon ahéré m'oblige à m'arrêter. Tous ces gens me cachent la vue de l'océan, ils crient et pointent du doigt quelque chose que je ne peux pas voir. Avant que je ne parvienne de nouveau à me faufiler, je vois débouler Tzain qui, lui, n'a aucun mal à forcer le passage. Et tandis que les gens s'écartent, mon cœur s'arrête.

Au large, à environ cinq cents mètres du rivage, un homme fait de grands gestes, agitant désespérément ses mains sombres. De fortes vagues viennent percuter sa tête, qui disparaît sous l'eau à chaque impact. Il appelle à l'aide. Sa voix est étranglée, faible, mais c'est une voix que je reconnaîtrais entre mille.

La voix de mon père.

Deux pêcheurs ont sauté dans leur barque-noix de coco et rament frénétiquement dans sa direction. Mais la force des vagues est telle qu'elle les repousse chaque fois vers le rivage. Jamais ils ne le rejoindront à temps !

– Non !

Horrifiée, je réalise qu'un courant a happé Baba sous l'eau. J'attends qu'il refasse surface, mais rien n'apparaît au milieu des vagues déchaînées. C'est trop tard.

Baba est mort.

Ce constat, comme un coup violent en pleine poitrine. En pleine tête. En plein cœur.

Tout à coup, plus d'air. J'ai oublié comment on fait pour respirer.

Alors que je tiens à peine sur mes jambes, Tzain, lui, passe à l'action. Il plonge et se met à fendre les flots avec la puissance d'un requin à deux ailerons ; je laisse échapper un cri.

Jamais je ne l'ai vu nager avec une telle rage. Très vite, il rattrape les barques. En quelques secondes, il a rejoint l'endroit où Baba a coulé.

Il disparaît dans les profondeurs ; ma poitrine est si comprimée que j'ai l'impression de sentir mes côtes craquer. Quand il refait surface, il est seul.

Pas de corps. Pas de Baba.

Aussitôt, il prend une grande inspiration et replonge, d'un battement de jambes encore plus vigoureux. Les secondes sans lui me semblent une éternité. *Par tous les dieux…*

J'ai si peur de les perdre tous les deux !

Allez, je murmure sans quitter des yeux les vagues qui ont englouti Tzain et Baba. *Revenez !*

J'ai déjà murmuré ces mots-là.

Un jour, j'étais encore petite, j'ai vu Baba aller repêcher Tzain au fond d'un lac. Je l'ai vu arracher les algues qui maintenaient mon frère ligoté sous l'eau. Il a ensuite tenté un massage cardiaque en appuyant sur son thorax fragile, mais Tzain ne respirait toujours pas. C'est Mama et ses pouvoirs magiques qui l'ont sauvé. Pour lui, elle a tout risqué, transgressant la loi qui interdisait aux maji de recourir à leurs pouvoirs surnaturels. Après avoir imprégné le corps de Tzain de ses incantations, elle l'a fait revenir à la vie grâce à la magie des morts.

Tous les jours, je voudrais que Mama soit encore vivante, mais aujourd'hui je le voudrais plus que jamais. J'aimerais tant que la magie qui coulait dans ses veines coule aussi dans les miennes.

J'aimerais tant que Tzain et Baba me reviennent.

Je t'en supplie ! Même si je pense que les dieux ont disparu, je ferme les yeux et je prie, exactement comme j'ai prié ce jour-là.

Si parmi toutes nos divinités, il ne devait en rester qu'une seule, là-haut, dans les cieux, qu'elle m'entende. Là, maintenant !

– Je t'en supplie !

Des larmes perlent à travers mes cils, et tout espoir m'abandonne.

– Ramène-les, Oya, s'il te plaît ! Ne me les prends pas, eux aussi…

J'ouvre les yeux. Tzain, un bras passé autour de la poitrine de Baba, a surgi de l'océan. Baba tousse et recrache au moins un litre d'eau, mais il est là.

Il est vivant !

Je tombe à genoux et manque de m'écrouler sur la passerelle.

Loués soient les dieux…

Le soleil vient tout juste de se lever et déjà, par ma faute, deux êtres ont failli mourir.

Six minutes.

C'est le temps que Baba a passé à se débattre sous la mer.

Le temps qu'il a passé à lutter contre le courant, le temps durant lequel ses poumons ont été privés d'oxygène.

Maintenant, nous sommes assis, silencieux, dans notre ahéré. Ces chiffres n'arrêtent pas de tourner dans ma tête. À voir ainsi trembler Baba, je suis sûre que ces six minutes lui ont volé dix ans de sa vie.

Tout ceci n'aurait jamais dû arriver. Il est encore tôt, la journée ne sera pas entièrement gâchée. À cette heure-ci, je devrais être dehors, à nettoyer les restes de la pêche du matin avec Baba. Et Tzain serait revenu de son entraînement d'agbön pour nous aider.

Au lieu de quoi il fixe Baba, bras croisés et bien trop furieux pour risquer de regarder dans ma direction. À cet instant précis, je suis si seule que Nailah, ma fidèle lionaire, est mon unique amie. Je l'ai adoptée tout bébé, alors qu'elle était blessée. Maintenant, elle est plus grande que moi et arrive à la hauteur du cou de Tzain lorsqu'elle se tient sur ses pattes arrière. Si grande qu'avec les deux cornes dentelées qui pointent derrière ses oreilles, elle menace de perforer nos cloisons de roseaux. Je me lève et, d'instinct, Nailah baisse son énorme tête, manœuvrant avec précaution pour ne pas nous blesser avec ses crocs recourbés. Je lui gratte le museau et elle ronronne de plaisir. Elle, au moins, n'est pas en colère contre moi.

— Que s'est-il passé, Baba ?

La voix brusque de Tzain brise le silence. Nous attendons une réponse, mais le visage de notre père demeure inexpressif. Il fixe obstinément le sol. Son air absent me serre le cœur.

— Baba ? (Tzain se penche vers lui afin de capter son regard.) Est-ce que tu te souviens de ce qui s'est passé ?

Baba resserre sa couverture autour de ses épaules.

— Fallait que j'aille pêcher.

— Mais tu ne dois jamais y aller seul ! je m'exclame.

Baba grimace et Tzain me foudroie du regard, m'obligeant à adoucir ma voix. Je refais une tentative.

— Tu sais bien que tes absences ne font qu'empirer. Pourquoi tu n'as pas attendu mon retour ?

— Pas eu le temps, dit Baba en secouant la tête. Les gardes sont venus. Ils ont dit que je devais payer.

— Quoi ?! s'indigne Tzain en fronçant les sourcils. Je leur ai tout donné la semaine dernière !

J'agrippe le tissu drapé de mon pantalon, toujours hantée par la poigne du garde.

— Il y a un nouvel impôt pour les devîns, dis-je. Ils l'ont aussi réclamé à Mama Agba, et sans doute à tous les devîns d'Ilorin.

Tzain presse ses poings fermés contre son front, comme s'il voulait les faire pénétrer dans son crâne. Il s'obstine à croire que respecter les lois de la monarchie garantira notre sécurité. Mais rien ne pourra nous protéger tant que ces lois resteront motivées par la haine.

Une fois de plus, la culpabilité m'envahit. Elle m'étreint violemment avant de se terrer tout au fond de ma poitrine. Si je n'étais pas une devîn, ils ne souffriraient pas. Et si Mama n'avait pas été une maji, elle serait toujours vivante.

J'enfonce mes doigts dans mes cheveux et en arrache quelques-uns sans le vouloir. Parfois, j'envisage de me raser la tête, mais même sans mes cheveux blancs, ma famille n'en resterait pas moins damnée à cause de mon héritage maji. Nous autres sommes ceux qui emplissent les prisons, ceux que le royaume voue à rester de simples ouvriers. Nous sommes ceux dont les Orïshan veulent gommer les particularités, ceux qu'ils déclarent hors-la-loi, comme si nos cheveux blancs et notre magie des morts entachaient leur société de honte.

Mama disait qu'autrefois, avoir les cheveux blancs signifiait qu'on contrôlait le ciel et la terre. Nous représentions la beauté, la vertu et l'amour, et étions pour cela bénis des dieux. Mais quand les choses ont changé, la magie est devenue détestable. Désormais, notre héritage suscite la haine de tous.

Un fait cruel que j'ai dû accepter, mais quand je vois la souffrance infligée à Tzain et à Baba, ma propre souffrance enfouie se réveille. Baba n'en finit plus de tousser et de recracher de l'eau salée mais, déjà, nous devons réfléchir à la manière dont nous allons pouvoir joindre les deux bouts.

– Et si on les payait avec l'espadon-voilier ? suggère Tzain.

Je me dirige vers le fond de l'ahéré et ouvre notre petite boîte de métal. L'espadon-voilier à queue rouge pêché hier y barbote dans son bain d'eau de mer glacée. Ses écailles luisantes promettent une chair exquise. C'est une denrée rare dans la mer de Warri, bien trop coûteuse pour que nous la mangions, nous. Mais si les gardes voulaient l'acheter…

– Ils ont refusé d'être payés en poisson. Du bronze ou de l'argent, voilà ce qu'ils exigeaient, marmonne Baba.

Il se masse les tempes, accablé.

– Ils ont dit que si je ne leur donnais pas ce que je leur dois, ils obligeraient Zélie à rejoindre la Réserve.

Mon sang ne fait qu'un tour. Je m'agite, incapable de cacher ma peur. Dirigée par l'armée du roi, la Réserve constitue une force de travail qui se déploie dans tout le royaume d'Orïsha. Lorsqu'un sujet ne peut pas payer ses impôts, il doit s'acquitter de sa dette en travaillant pour notre roi. Ceux qu'on parque dans la Réserve doivent trimer sans fin pour bâtir des palais, construire des routes, extraire du charbon ou accomplir d'autres tâches harassantes.

C'est grâce à ce système qu'Orïsha a pu prospérer, jadis. Mais depuis le Raid, il est devenu une véritable condamnation à mort instituée par l'État, un prétexte pour rassembler mon peuple afin de mieux l'exterminer – si tant est que la monarchie ait jamais eu besoin de prétexte pour cela. Depuis que le Raid a rendu tous les devîns orphelins, nous n'avons pas les moyens de payer les impôts exorbitants qu'elle impose. En réalité, nous sommes la cible de chaque augmentation.

Impossible ! Je lutte pour contenir ma peur. Si on m'envoie à la Réserve, je n'en sortirai jamais. Personne ne s'en évade. Le travail est censé se terminer une fois la dette soldée ; mais comme les impôts ne cessent d'augmenter, la créance n'est jamais réglée. Affamés, battus et soumis aux pires traitements, les devîns sont transportés comme du bétail, contraints de travailler jusqu'à ce que mort s'ensuive.

Pour me calmer, je plonge mes mains dans une bassine d'eau de mer glacée. Baba et Tzain ne doivent pas savoir à quel point je suis effrayée. Cela ne ferait qu'empirer les choses pour nous tous. Mes doigts se mettent à trembler, et je ne sais pas si c'est à cause du froid ou de ma terreur. Comment est-ce possible ? Depuis quand les choses ont-elles à ce point empiré ?

– Non, je murmure.

Ce n'est pas la bonne question.

Il ne s'agit pas de savoir comment nous en sommes arrivés là, mais plutôt comment j'ai pu penser une seconde que la situation s'était améliorée.

Je contemple l'unique arum noir qui s'élance le long du grillage de la fenêtre ; le seul lien vivace qui me rattache encore à Mama. Lorsque nous vivions dans notre ancienne maison d'Ibadan, elle posait toujours des arums sur le bord de la fenêtre en souvenir de sa mère, perpétuant une coutume maji pour honorer les défunts.

D'habitude, à chaque fois que je regarde cette fleur, je me souviens du large sourire qui venait aux lèvres de Mama lorsqu'elle respirait son parfum de cannelle. Mais aujourd'hui, ses feuilles fanées ne m'évoquent rien d'autre que la chaîne en majacite noir qui avait remplacé l'amulette d'or qu'elle portait toujours autour du cou.

Ce souvenir déjà vieux de onze ans me semble plus réel que ce que j'ai sous les yeux.

C'est cette nuit-là où tout a basculé dans l'horreur. La nuit où le roi Saran a fait pendre les miens afin que tous sachent qu'il déclarait la guerre aux maji d'aujourd'hui comme à ceux de demain.

La nuit où la magie a disparu.

La nuit où nous avons tout perdu.

Baba frissonne. Je me précipite et pose ma main sur son dos pour qu'il puisse se redresser. Dans ses yeux, nulle colère. Juste de la résignation. Quand je le vois s'agripper ainsi à sa couverture usée, j'aimerais tant retrouver le vaillant guerrier de mon enfance. Avant le Raid, il était capable de faire fuir trois hommes armés, muni de son seul couteau à dépecer. Mais après les coups de fouet reçus cette nuit-là, il lui avait fallu cinq lunes pour retrouver l'usage de la parole.

Cette nuit-là, ils l'ont détruit. Ils ont brisé son cœur et son âme. Peut-être aurait-il pu s'en remettre si au réveil, il n'avait pas vu le corps sans vie de Mama, ligoté de chaînes noires. Mais il l'a vu.

Et depuis, il n'a plus jamais été le même.

— Bien, embarquons, soupire Tzain, qui ne se laisse jamais abattre. En partant maintenant…

Je l'interromps :

— C'est inutile. Tu as bien vu qu'au marché, les gens essayaient tous de rassembler l'argent pour les impôts. Même si nous ramenions du poisson, ils n'ont plus rien.

– Sans compter que nous n'avons plus de bateau, bougonne Baba. Je l'ai perdu ce matin.

– Quoi ?

Je n'avais pas réalisé que la barque n'était plus amarrée. Je me tourne alors vers Tzain, prête à entendre son plan B, mais il s'effondre sur le sol en roseaux.

Je suis fichue… Je m'adosse au mur et ferme les yeux.

Pas de bateau, pas d'argent.

Plus moyen d'éviter la Réserve.

Un silence pesant s'abat sur l'ahéré, cimentant ma sentence. Peut-être que je serai assignée au palais. Après tout, mieux vaut encore servir des nobles capricieux que de tousser dans la poussière de charbon des mines de Calabrar ou de tout autre endroit infâme où les dirigeants de la Réserve expédient les devîns. D'après ce que j'ai entendu, les bordels clandestins ne sont rien comparés à ce dont les contremaîtres sont capables.

Tzain se déplace à l'autre bout de la pièce. Je le connais, il va me proposer d'y aller à ma place. Je m'apprête à protester, mais l'évocation du palais royal me donne une idée.

– Et si on allait à Lagos ? je demande.

– Fuir ne servirait à rien.

– Pas pour fuir, dis-je en hochant la tête. Le marché de Lagos est très fréquenté par les nobles. Je pourrais y vendre l'espadon-voilier.

Sans même leur laisser le temps de commenter mon idée de génie, j'attrape un sac en tissu et cours vers l'espadon.

– Je reviendrai avec de quoi régler trois lunes d'impôts. Et aussi de quoi acheter un nouveau bateau.

Ainsi, Tzain pourra à nouveau se consacrer à ses compétitions d'agbön. Et Baba pourra enfin se reposer. *Je peux me rendre utile.* Je souris intérieurement. Enfin, je vais pouvoir faire quelque chose de bien.

Mais la voix lasse de Baba coupe court à mes pensées.

– Tu ne peux pas y aller. C'est trop dangereux pour une devîn.

– Plus dangereux que la Réserve ? Si je ne fais rien, c'est là qu'on m'enverra.

– C'est moi qui irai à Lagos, tranche Tzain.

– Non, pas question, dis-je en fourrant l'espadon dans mon sac. Tu ne sais pas marchander. Avec toi, la vente risque de nous passer sous le nez.

– Je ne le vendrai peut-être pas au meilleur prix, mais je saurai me défendre.

– Moi aussi.

Je brandis le bâton de Mama Agba.

– Baba, s'il te plaît ! insiste Tzain en me repoussant. Si on laisse Zél y aller, elle va encore faire n'importe quoi.

– Si j'y vais, je ramènerai plus d'argent que vous n'en avez jamais vu.

Sourcils froncés, Baba rend son verdict :

– Zélie ira vendre l'espadon…

– Merci.

– … et toi, Tzain, tu garderas un œil sur elle.

– Non, répond celui-ci, les bras croisés. Quelqu'un doit rester avec toi au cas où les gardes reviendraient.

– Emmenez-moi chez Mama Agba. Je me cacherai chez elle jusqu'à votre retour.

– Mais Baba, tu…

– Si vous ne partez pas maintenant, vous ne serez pas rentrés avant la tombée de la nuit.

Tzain ferme les yeux, ravalant sa frustration. Il commence à installer la selle de Nailah sur son dos massif, tandis que j'aide Baba à se relever.

– J'ai confiance en toi, me chuchote-t-il pour que Tzain ne puisse pas l'entendre.

– Je sais, dis-je en resserrant la couverture usée autour de ses frêles épaules. T'inquiète. Cette fois, je ne ferai pas tout rater.

CHAPITRE TROIS

AMARI

« Amari, tiens-toi droite ! »

« Au nom du ciel… »

« Cette part de dessert est bien trop copieuse ! »

Je pose ma fourchette pleine de gâteau à la noix de coco et redresse les épaules, ébahie par le nombre de reproches que Mère est capable de m'adresser en moins d'une minute. Elle préside à la grande table en cuivre. Son gélé doré impeccablement drapé sur sa tête semble capter toute la lumière de la pièce et rehausse son teint clair et cuivré.

Je réajuste, moi aussi, mon gélé bleu marine que la servante a trop serré et m'efforce d'avoir l'air altier. Pendant que je me tortille, les yeux d'ambre de Mère scrutent les oloyes parées de leurs plus beaux atours, comme si elle essayait de détecter les hyènaires cachées parmi elles.

Ces nobles dames sont tout sourire, mais je sais que dans mon dos, les cancans vont bon train.

« Il paraît qu'elle a été exilée dans les quartiers ouest… »

« Elle a la peau bien trop sombre pour que le roi… »

« Mes domestiques sont formels : la commandante porte l'enfant de Saran… »

Des secrets de polichinelle aussi peu discrets que leurs diamants étincelants ou les somptueuses broderies qui ornent leurs buba et leurs iro. Mensonges et parfums de lys se mêlent à la saveur de miel des pâtisseries qui en général me sont interdites.

— Et vous, princesse Amari, peut-on connaître votre opinion ?

Je relève la tête de ma délicieuse part de gâteau et croise le regard d'Oloye Ronke qui me dévisage, curieuse de m'entendre. Son iro, d'un vert émeraude choisi pour être rehaussé par le stuc blanc des murs, flatte parfaitement son teint acajou.

– Pardon ?

– Que diriez-vous de venir nous rendre visite à Zaria ?

Elle se penche, de sorte que l'énorme rubis suspendu à son cou frôle la table. Ce bijou tape-à-l'œil rappelle à tous et à chaque instant qu'à sa naissance, Oloye Ronke n'avait pas sa place parmi nous, et qu'elle a dû, elle, payer pour l'obtenir.

– Nous serions très honorées de vous recevoir dans notre manoir.

Tripotant sa grosse pierre rouge, elle croise mon regard et esquisse un sourire.

– Je suis certaine que nous pourrions vous trouver le même bijou.

– Comme c'est gentil, dis-je, songeant à la distance qui sépare Lagos de Zaria.

Plus loin encore que le massif d'Olasimbo, Zaria se situe tout au nord d'Orïsha, au bord de la mer d'Adetunji. La perspective de découvrir le vaste monde au-delà des murs du palais me fait battre le cœur.

– Merci, je réponds enfin. Votre invitation m'honore également…

– Hélas, Amari va devoir la décliner, intervient soudain Mère. (Ses sourcils froncés ne laissent transparaître aucun regret.) Elle ne doit pas se relâcher dans ses études, d'autant qu'elle a déjà pris du retard en arithmétique. Cette interruption serait tout à fait malvenue.

Mon excitation retombe comme un soufflé. Du bout de ma fourchette, je fouille dans la part de gâteau restée intacte dans mon assiette. Mère ne m'autorise que très rarement à sortir du palais. J'aurais dû éviter de me réjouir trop vite.

– Peut-être pourrons-nous reporter cette visite, dis-je, très calme, et priant pour que mon insistance ne déclenche pas le courroux de Mère. Ce doit être bien agréable de vivre là-bas, au bord de la mer et au pied des montagnes.

– Bah, ce ne sont jamais que des rochers et de l'eau, commente avec mépris Samara, la fille aînée d'Oloye Ronke. Rien à voir avec votre magnifique palais. (Elle décoche un large sourire à Mère, qui s'éteint aussitôt lorsqu'elle se tourne de nouveau vers moi.) De plus, Zaria est *infestée* de devîns. Au moins, à Lagos, tous ces cafards savent se faire discrets en restant terrés dans leurs bidonvilles.

La cruauté de ces paroles me glace. Elles restent en suspens au-dessus de nos têtes. Je me retourne pour voir si Binta les a entendues, elle aussi, mais ma plus vieille amie ne semble pas être dans la pièce. Unique devîn employée au palais royal, ma suivante s'est toujours démarquée en me suivant partout comme mon ombre. Malgré le bonnet qui dissimule ses cheveux blancs, elle est contrainte de se tenir à l'écart des autres domestiques.

– Puis-je vous être utile, princesse ?

Me tournant de l'autre côté, je me retrouve face à une servante inconnue ; elle a la peau sombre et de grands yeux ronds. Elle s'empare de ma tasse à moitié vide et la remplace par une autre. Je jette un œil au thé qu'elle vient de me servir ; si Binta avait été là, elle aurait profité d'un moment d'inattention de Mère pour y ajouter une cuillerée de sucre.

– As-tu vu Binta ?

La jeune fille a un brusque mouvement de recul ; elle reste silencieuse.

– Qu'y a-t-il ?

Tout en parcourant des yeux l'assemblée de femmes autour de la table, elle se résout enfin à répondre :

– Binta a été affectée à la salle du trône, Votre Altesse. Peu avant le déjeuner.

Je fronce les sourcils. Pourquoi Père a-t-il ordonné que Binta entre à son service ? Parmi tous les domestiques du palais, ce n'est jamais elle qu'il réclame. D'ailleurs, il n'en réclame que très rarement.

– A-t-elle dit pourquoi ? je demande.

La jeune fille secoue la tête. À voix basse, et choisissant ses mots avec soin, elle répond :

– Non. Mais des gardes l'escortaient.

Je la regarde, incrédule. Ici, au palais, les gardes n'escortent jamais personne. Ils exigent qu'on les suive.

Binta semble vouloir s'expliquer davantage, mais Mère la foudroie du regard avant de me pincer le genou sous la table.

« Tu ne dois pas adresser la parole aux domestiques », me signifie-t-elle ainsi.

Je me retourne et baisse la tête. Mais elle approche son visage du mien, plissant les yeux tel un faucon de feu aux aguets, prête à fondre sur moi au prochain faux pas. Malgré sa contrariété, je n'arrive pas à me sortir Binta de la tête. Père sait à quel point nous sommes proches. S'il avait vraiment besoin de ses services, pourquoi ne m'en a-t-il pas parlé ?

En proie à toutes ces questions, je regarde à travers les fenêtres lambrissées qui donnent sur les jardins, ignorant les rires stupides des oloyes. Brusquement, les portes du palais s'ouvrent.

À grandes enjambées, Inan entre dans la pièce. Sa haute silhouette s'immobilise.

Comme il a fière allure, dans son uniforme ! Pour la première fois, mon frère vient d'être nommé à la tête d'une patrouille, qu'il s'apprête à conduire à Lagos. Son casque sculpté indiquant sa récente promotion au grade de capitaine le distingue des autres soldats. Je souris malgré moi, même si je regrette de ne pouvoir prendre part à cette journée si particulière. Il attendait cela depuis si longtemps. Enfin, son rêve devient réalité.

– N'est-il pas séduisant ? dit Samara en posant sur mon frère ses yeux noisette. (Son regard est empreint d'un désir évident.) Le plus jeune capitaine de toute l'histoire du royaume ! Il fera un excellent roi.

– Assurément, confirme Mère, rayonnante. (Elle se penche un peu plus bas vers sa future belle-fille.) J'aurais cependant préféré que cette promotion ne s'accompagne pas d'une telle violence. Avec tous

ces cafards aux abois, on peut touj[...]

prenne au prince héritier…

Les oyoles acquiescent et émett[...]

mon thé en silence. Qu'elles comme[...]

des gelés rebrodés de diamants qui[...]

sont invariablement futiles. Je me[...]

donné des nouvelles de Binta. Bien q[...]

sa main ne cesse de trembler.

La voix de ma mère me tire [...]

attentive.

– Samara, t'ai-je déjà dit coml[...]

aujourd'hui ?

Je me tais et avale le reste de mon[...]

« élégante » signifie « pâle ». Aussi [...]

s'enorgueillissent de faire remonter leu[...]

mières familles royales d'Orïsha.

Pâle et non *vulgaire*, comme le sont[...]

champs de Minna, ou les marchands de [...]

journée en plein soleil. Pâle et non disgr[...]

cesse qui fait honte à sa mère.

J'observe Samara derrière ma tasse, et[...]

ron clair qui, il n'y a encore pas si longtem[...]

acajou que celui de sa mère.

– Sa Majesté est trop bonne.

Faussement modeste, Samara baisse le[...]

plique à y défroisser des plis inexistants.

– Tu devrais prodiguer tes conseils de b[...]

(Elle pose ses doigts pâles et glacés sur mon[...]

de se prélasser au jardin, elle commenc[...]

paysanne.

Comme si une horde de domestiques ne se[...]

ombrelles chaque fois que je risque un pied del[...]

aujourd'hui, elle-même ne m'avait pas recouv[...]

…e passions à table, maudissant ma peau sombre qui fait dire
…s de cour qu'elle a couché avec un valet.

…st inutile, Mère, dis-je, me hérissant au souvenir de sa der-
…coction cosmétique qui m'a tant irritée et empestait le

…, mais ce serait avec grand plaisir, répond Samara, radieuse.
…i mais…

…ari !

…m'interrompt d'un sourire si pincé qu'il pourrait lui déchirer
…Puis, se tournant vers Samara :

…le en serait ravie. D'autant que la saison des bals approche.

…aie de ravaler la boule qui monte dans ma gorge, mais cette
…entative me fait suffoquer. L'odeur du vinaigre est si forte que
…ns par avance sa brûlure sur ma peau.

…Je t'inquiète pas. (Se méprenant sur ma détresse, Samara prend
…in dans la sienne.) Tu verras, tu vas adorer les bals. C'est vrai-
…rès amusant.

…'efforce de sourire et tente de dégager ma main, mais Samara
…e sa poigne, comme si elle m'interdisait de m'y soustraire.
…gues en or me blessent. Elles sont toutes serties d'une pierre
…nte. L'une d'elles est prolongée d'une fine chaîne, elle-même
…à un bracelet arborant notre sceau royal : un léopardaire blanc
…n diamant.

…mara porte ce bracelet avec fierté. Sans doute un cadeau de Mère.
…peux m'empêcher d'admirer sa beauté. Il comporte même plus
…amants que le mien…

…iel !

…avais oublié. Il n'est plus en ma possession.

…a panique me gagne en repensant à ce que j'en ai fait. Je l'ai donné
…nta.

…lle n'en avait d'abord pas voulu, effrayée à l'idée de recevoir un
…eau royal si précieux. Mais Père venait d'augmenter l'impôt des

devîns. Si elle ne vendait pas mon bracelet, elle et sa famille allaient se retrouver sans toit.

Ils s'en sont sûrement rendu compte. Ils doivent être convaincus que Binta est une voleuse. C'est pour cela qu'ils l'ont affectée à la salle du trône. Pour cela qu'ils ont voulu *l'escorter.*

Je bondis de ma chaise. Ses pieds grincent sur le carrelage. J'imagine déjà les gardes brandissant les mains délicates de Binta.

J'imagine Père abattant son épée.

– Veuillez m'excuser, dis-je en marchant à reculons.

– Amari, reste assise.

– Mère, je…

– Amari !

– Mère, s'il te plaît ! je m'écrie d'un ton suppliant.

Beaucoup trop suppliant.

Je m'en rends compte au moment même où ces mots sortent de ma bouche. Ma voix aiguë rebondit contre les murs du salon de thé, faisant taire toute l'assemblée. Je bredouille :

– Je… je vous demande pardon… Je ne me sens pas très bien.

Tandis que je me précipite vers la porte, je sens tous les regards comme des lance-flammes dans mon dos. Je sens aussi enfler la colère de Mère. Mais je n'ai pas le temps de m'en préoccuper. Une fois la porte refermée, je soulève des deux mains le bas de ma robe empesée et me mets à courir. Mes hauts talons claquent sur le sol carrelé du hall.

Comment ai-je pu être si stupide ? me dis-je en louvoyant pour éviter une servante. J'aurais dû sortir tout de suite après que cette fille m'a informée de ce qui était arrivé à Binta. Si les rôles avaient été inversés, mon amie n'aurait pas perdu une seconde.

Maudit soit le ciel ! Dans le vestibule, je passe devant les lys Impala rouges qui se déploient dans leurs vases étroits, puis devant les portraits de mes ancêtres royaux qui me toisent à travers les siècles. *Je t'en supplie, tiens bon !*

M'accrochant à cet espoir secret, je bifurque vers le grand hall. La chaleur accablante rend ma respiration encore plus difficile. Lorsque j'arrive devant la salle du trône, celle que je redoute le plus, mon cœur bat à tout rompre. C'est dans cette salle que pour la première fois, Père nous a donné l'ordre de croiser le fer. Dans cette salle que j'ai été si souvent blessée.

J'agrippe les rideaux de velours qui recouvrent les sombres portes en chêne. Mes mains moites y laissent des traces humides. Et s'il refusait de m'entendre ? Puisque c'est moi qui ai voulu me séparer du bracelet, c'est aussi moi que Père devrait punir. Pas Binta.

La peur paralyse mes doigts. *Fais-le pour Binta.*

— Pour Binta, je murmure.

Ma plus vieille amie. Ma *seule* amie.

Je dois la protéger.

J'inspire profondément et essuie mes mains afin de faire durer ces dernières secondes. Mes doigts frôlent à peine la poignée étincelante derrière les rideaux quand soudain…

— Quoi ?

À travers les portes closes, la voix de Père rugit tel un gorille sauvage. Mon cœur s'affole. Je l'ai déjà souvent entendu crier, mais jamais aussi fort. *Est-ce que j'arrive trop tard ?*

Les portes s'ouvrent en grand. Je recule d'un bond et laisse passer un flot de gardes et de paysans qui s'élancent hors de la salle du trône comme des voleurs en fuite. Dans le grand hall, ils bousculent quelques nobles et des domestiques sur leur passage puis disparaissent.

Je me retrouve toute seule.

Vas-y ! Mes jambes vacillent tandis que les battants de la porte commencent à se refermer. Même si Père est d'une humeur exécrable, je dois trouver Binta. Elle est sûrement là, enfermée à l'intérieur.

Pas question de la laisser affronter Père toute seule.

Je m'élance vers la porte et parviens à retenir les battants juste avant qu'ils ne se referment complètement. Puis je glisse mes doigts dans l'interstice, maintenant une ouverture suffisante pour y coller un œil.

– Que voulez-vous dire ? hurle Père de nouveau en postillonnant dans sa barbe.

Sous la peau sombre qui contraste avec le rouge de son agbada, on peut voir battre les veines de son cou.

J'entrouvre un peu plus la porte, redoutant d'apercevoir la frêle silhouette de Binta. Mais c'est l'amiral Ebele que je surprends. Il s'incline devant le trône. Des gouttes de sueur dégoulinent de son crâne chauve, et son regard erratique fuit celui de Père. À ses côtés se tient la commandante Kaea, grande et droite ; ses cheveux sont rassemblés dans la nuque en une natte serrée et lustrée.

– Les artefacts ont échoué près de Warri, un petit village situé sur la côte, explique Kaea. Leur proximité a réactivé les pouvoirs latents de plusieurs devîns locaux.

– Quels pouvoirs ?

Kaea avale sa salive, ses muscles se tendent sous sa peau marron clair. Elle se tait afin de laisser parler l'amiral Ebele, mais ce dernier reste muet.

– Ces devîns ont muté, reprend Kaea en grimaçant, comme si ces mots lui causaient une véritable douleur physique. Les artefacts ont réveillé leurs pouvoirs magiques, Votre Altesse. Ces devîns sont redevenus des maji.

Je laisse échapper un petit cri, et plaque aussitôt une main sur ma bouche pour l'étouffer.

Des maji à Orïsha ? Après tout ce temps ?

La peur me gagne. Le souffle court, j'entrouvre un peu plus la porte afin d'élargir mon champ de vision. Je m'attends à ce que Père hurle. Mais d'une voix à peine audible, il murmure :

– C'est impossible.

Sa main agrippe le pommeau de son épée de majacite noir.

– Je crains fort que non, Votre Altesse. Je l'ai vu de mes propres yeux. Leurs pouvoirs étaient faibles, mais bien réels.

Par le ciel !... Mais alors, que va devenir la monarchie ? Les maji songent-ils déjà à nous attaquer ? Et dans ce cas, avons-nous la moindre chance de nous défendre ?

Des images de Père avant le Raid me reviennent en mémoire. C'était alors un homme paranoïaque, acariâtre et aux cheveux déjà grisonnants. Ce même homme qui, un jour, nous avait fait descendre dans les caves du palais, Inan et moi, pour nous mettre une épée entre les mains, alors que nous étions encore beaucoup trop jeunes et trop faibles pour pouvoir la soulever.

« Les maji viendront vous attaquer, avait-il déclaré d'un ton menaçant. Et ce jour-là, vous devrez être prêts. » Cette mise en garde, il nous l'a depuis répétée à chaque séance d'entraînement.

Ces souvenirs pénibles me reviennent tandis que j'observe le visage blême de Père. Son silence m'intimide encore plus que sa colère. L'amiral Ebele tremble comme une feuille.

— Où sont les maji ?

— Nous les avons éliminés.

Mon estomac se révulse. Pour ne pas vomir le thé que je viens de boire, je cesse de respirer. Ils ont donc été tués. Massacrés.

Puis jetés au fond de la mer.

— Et les artefacts ? demande Père, que la mort des maji laisse imperturbable.

Si cela ne tenait qu'à lui, il « éliminerait » aussi tous les autres.

— J'ai le parchemin, annonce Kaea en tirant de sa cuirasse un rouleau de papier racorni. Après l'avoir découvert, j'ai fait en sorte que personne ne me voie et je suis directement venue ici.

— Et la pierre de soleil ?

Kaea lance à Ebele un regard noir à lui figer le sang. Celui-ci se racle longuement la gorge, comme pour retarder le moment d'annoncer la nouvelle.

— La pierre a été volée avant notre arrivée à Warri, Votre Altesse. Mais nous avons déjà lancé les recherches. Nos meilleurs hommes sont sur l'affaire et je ne doute pas un instant que nous la retrouverons bientôt.

La colère de Père couve, telle la chaleur qui s'élève dans les airs.

– Tu avais pour mission de les détruire, siffle-t-il. Comment une chose pareille a-t-elle pu se produire ?

– J'ai essayé, Votre Altesse ! Après le Raid, je m'y suis consacré pendant des lunes et des lunes. J'ai fait tout ce que j'ai pu, mais ces artefacts sont ensorcelés.

Les yeux d'Ebele cherchent ceux de Kaea, qui regarde fixement devant elle. Il s'éclaircit à nouveau la voix. Des gouttes de sueur s'accumulent dans les plis de son menton.

– J'ai déchiré le parchemin, mais les morceaux se sont ressoudés d'eux-mêmes. Alors je l'ai jeté au feu, mais il s'est reconstitué d'entre les cendres. Quant à la pierre de soleil, mon garde le plus robuste a voulu la détruire à coups de masse : elle est restée intacte, sans la moindre éraflure. Comme il n'y avait vraiment pas moyen de venir à bout de ces maudits artefacts, je les ai enfermés dans un coffre en fer que j'ai jeté au fond de la mer de Banjoko. En aucun cas ils n'auraient pu échouer sur la côte si les maj…

Ebele se reprend juste avant de prononcer le mot tabou.

– Votre Altesse, je vous jure que j'ai fait tout mon possible, mais de toute évidence, les dieux ont d'autres projets.

Les dieux ? Ebele a-t-il perdu la tête ? Les dieux n'existent pas, voyons. Tout le monde au palais sait cela.

Je me demande comment Père va réagir en entendant de telles âneries, mais son visage demeure impassible. Il se lève de son trône, calme et pensif. Puis, aussi rapide qu'une vipère, il attaque. Saisissant Ebele à la gorge, il le soulève de terre en lui serrant le cou.

– Dis-moi, amiral, quels projets redoutes-tu le plus ? Ceux des dieux ou *les miens* ?

Ebele se met à suffoquer. Je détourne les yeux, horrifiée par la brutalité de Père. C'est précisément l'aspect de sa personnalité que je ne veux surtout pas voir.

– Je… je vous promets que je vais tout arranger, dit Ebele dans un râle. Je le jure !

Père le laisse retomber comme on jette un fruit pourri. Ebele inspire un grand coup et masse son cou endolori. Des hématomes noircissent déjà sa peau cuivrée. Père se tourne alors vers le parchemin que Kaea tient entre ses mains.

– Montre-le-moi, lui ordonne-t-il.

Kaea se dirige vers une personne hors de mon champ de vision. Un bruit de bottes résonne sur le carrelage. C'est alors que je la vois.

Binta !

Je me frappe la poitrine tandis qu'on la traîne au milieu de la pièce. Ses grands yeux argent sont remplis de larmes, et son bonnet d'ordinaire si soigneusement ajusté est tout de travers, révélant sa longue chevelure blanche et bouclée. Un foulard recouvre sa bouche et l'empêche de crier. Mais même si elle le pouvait, qui oserait la délivrer des griffes des gardes ?

Fais quelque chose, me dis-je. *Là, tout de suite.* Mais mes jambes restent de plomb.

Kaea déroule le parchemin et, à pas prudents, s'avance vers Binta comme si elle était une bête sauvage. Binta, l'adorable fille qui depuis tant d'années a toujours su sécher mes larmes ! Binta, la servante qui, au palais, renonce à sa ration de nourriture pour la donner à sa famille !

– Levez-lui le bras.

Binta secoue la tête ; ses cris sont étouffés par le bâillon tandis que les gardes maintiennent son poignet en l'air. Elle tente de se débattre, mais Kaea lui glisse le parchemin entre les doigts.

Un puissant faisceau lumineux surgit alors de sa main.

Ors étincelants, pourpres profonds et bleus chatoyants emplissent la salle du trône de leur magnificence. Des gerbes jaillissent de sa paume et se déploient en cascade, tel un feu d'artifice sans fin.

Je me retiens de crier, à la fois terrifiée et émerveillée.

Dieux du ciel, la magie !

La revoilà, après tant d'années.

Les mises en garde dont Père nous abreuvait autrefois me reviennent en mémoire. Des histoires de batailles et de feu, de ténèbres et de maladies. « La magie est la source de tout mal, disait-il. Elle sera la ruine d'Orïsha. »

Père nous a toujours répété, à Inan et à moi, que la magie finirait par nous tuer. Qu'elle était une arme puissante et dangereuse qui menaçait l'existence d'Orïsha. Tant qu'elle aurait cours, notre royaume lui ferait la guerre.

Durant les jours les plus sombres qui ont suivi le Raid, la magie était ce monstre sans visage qui occupait toute mon imagination. Mais voici qu'entre les mains de Binta, elle devient fascinante, un miracle à nul autre pareil. Telle la joie que procure le soleil d'été lorsqu'il se fond dans le crépuscule. L'essence même et le souffle de la vie…

C'est alors que Père frappe, prompt comme la foudre.

Binta se tient devant lui.

Il plonge son épée dans son cœur.

Non !

Je plaque ma main contre ma bouche pour ne pas crier. Une violente nausée me soulève la poitrine. Des larmes brûlantes me piquent les yeux.

Ce n'est pas possible. Autour de moi, le monde se met à vaciller. *Tout ceci n'est qu'un mauvais rêve. Binta est saine et sauve. Elle a fait cuire de la brioche et t'attend tranquillement dans ta chambre.*

Mais ces assertions dont j'essaie désespérément de me convaincre ne changent rien à la réalité. Jamais elles ne pourront ressusciter les morts.

Un sang écarlate s'écoule du foulard qui recouvre la bouche de Binta.

Des fleurs pourpres tachent sa robe bleu ciel.

Je réprime un autre cri lorsque, dans un bruit sourd, son corps s'effondre sur le sol. Il semble aussi lourd que du plomb.

Le visage innocent de Binta baigne dans des flaques rouges, qui teintent aussi ses mèches blanches. L'odeur cuivrée du sang se répand jusqu'à la porte entrebâillée derrière laquelle je me tiens cachée et me soulève le cœur.

Père se sert du tablier de mon amie pour nettoyer son épée. Impassible, il ne semble pas se soucier des marques écarlates sur ses vêtements royaux. Et évidemment, il ne se rend absolument pas compte que le sang de Binta tache aussi mes propres mains.

Je me redresse, titubante, et marche sur l'ourlet de ma robe en voulant faire demi-tour. Puis je m'élance vers l'escalier à l'angle du grand hall. Mes jambes tremblent à chaque pas, et ma vision se brouille tandis que j'essaie péniblement de regagner mon appartement. À mi-chemin, je dois me pencher au-dessus d'un vase en céramique. Agrippant le bord de mes deux mains, je vomis violemment une bile irritante, une substance acide mêlée de thé. Mon corps défaille, et je sens monter un premier sanglot.

Si Binta était encore là, elle viendrait me secourir. Elle me prendrait par la main pour m'emmener dans mes appartements, me ferait asseoir sur mon lit et essuierait mes larmes. Elle seule saurait recoller mon cœur brisé en mille morceaux.

Je plaque de nouveau ma main sur ma bouche afin de refouler un deuxième sanglot. Des larmes salées perlent entre mes doigts. L'odeur du sang emplit toujours mes narines. Je revois l'épée de Père s'enfoncer dans son sein.

Les portes de la salle du trône s'ouvrent dans un claquement sec. D'un bond, je me redresse, redoutant de voir apparaître Père. Mais je reconnais l'un des gardes qui ont amené Binta.

Il tient le parchemin entre ses mains.

Tandis qu'il monte les escaliers dans ma direction, mes yeux ne peuvent se détacher du rouleau de papier racorni. Ce rouleau qu'il suffit d'effleurer pour qu'aussitôt, la lumière soit. Désormais enfermée dans l'âme de ma douce amie, cette lumière incroyablement belle y brillera éternellement.

Le soldat approche. Je me tourne pour qu'il ne voie pas mon visage ravagé de larmes et murmure :

– Veuillez m'excuser, je ne me sens pas très bien. J'ai dû manger un fruit avarié.

Le garde acquiesce d'un air distrait et poursuit son ascension. Son poing sombre enserre le parchemin de toutes ses forces, comme s'il redoutait quelque catastrophe si cet objet magique venait à lui échapper. Je le regarde monter jusqu'au troisième étage, où il ouvre une porte peinte en noir. Et soudain, je réalise.

Cette porte est celle des appartements de la commandante Kaea.

Durant quelques secondes, je reste là à la contempler, dans l'espoir de je ne sais quoi. J'ai beau savoir que cela ne ramènera pas Binta ni son rire mélodieux, j'attends. Et soudain, je me fige. La porte vient de se rouvrir. Je me penche encore une fois au-dessus du vase, simulant un autre haut-le-cœur jusqu'à ce que le garde s'éloigne. Les semelles ferrées de ses bottes résonnent tandis qu'il redescend vers la salle du trône. Sans le parchemin.

D'une main tremblante, j'essuie d'abord mes larmes, étalant sans doute le talc dont Mère m'oblige à recouvrir mon visage, puis les traces de vomi autour de ma bouche. Tandis que je m'approche de la porte de Kaea, des questions se bousculent dans ma tête. Je sais que je devrais passer mon chemin et rejoindre au plus vite mes appartements.

Et pourtant, j'entre.

La porte se referme derrière moi dans un claquement sonore. Je sursaute, inquiète à l'idée que ce bruit éveille les soupçons. C'est la première fois que je pénètre dans la suite de la commandante. Et je crois bien que même les domestiques ne sont pas autorisés à en franchir le seuil.

Je détaille les murs bordeaux, si différents de ceux de ma propre chambre, peints en bleu lavande. Au pied du lit traîne un manteau royal. *Le manteau de Père…* Il a dû l'oublier là.

En d'autres circonstances, prendre conscience que Père a rendu visite à Kaea me choquerait. Mais cette découverte ne suscite pas d'émotion particulière comparée au choc que j'éprouve en voyant le parchemin. Là, sur le bureau de Kaea.

Je m'en approche, aussi vacillante que si je me tenais au bord d'une falaise.

Si près du rouleau, je m'attends à ressentir son aura. Pourtant, nulle vibration ne vient troubler l'atmosphère. Je m'apprête à le toucher, puis suspends mon geste. La peur me paralyse lorsque je repense au faisceau lumineux qui a surgi des mains de Binta.

À l'épée qui a transpercé son cœur.

Mais je me ressaisis, approchant de nouveau mes doigts du parchemin. Lorsqu'ils l'effleurent, je ferme les yeux.

Aucun prodige ne survient.

Alors je m'en empare, et je respire enfin. Une fois le parchemin déroulé, je passe un doigt sur les étranges symboles qui le recouvrent, essayant vainement d'en comprendre la signification. Ils ne m'évoquent rien de connu, et parlent une langue que mes études ne m'ont jamais enseignée. Tout ce que je sais, c'est que des maji ont sacrifié leur vie pour eux.

Ces symboles auraient pu être transcrits avec le sang de Binta.

Une brise s'engouffre par la fenêtre ouverte. Elle soulève quelques mèches de cheveux échappées de mon gélé. Derrière les rideaux mouvants, je découvre l'équipement militaire de Kaea : épées acérées, rênes de panthéraire, plastrons en cuivre. Mes yeux se posent sur un tas de cordes enroulées. Je lance mon gélé par terre et, sans réfléchir, j'attrape le manteau de Père.

CHAPITRE QUATRE

ZÉLIE

Tzain et moi sommes installés sur le dos de Nailah. Je me penche sur le côté de la selle pour observer le visage fermé de mon frère.

– Tu comptes bouder encore longtemps ?

Je m'attendais à une première heure de silence, mais cela en fait maintenant trois qu'il n'a plus dit un mot. Je retente ma chance :

– Comment s'est passé l'entraînement ? (Tzain ne résiste jamais au plaisir d'évoquer son sport favori.) Est-ce que la cheville de M'ballu va mieux ? Penses-tu qu'il sera rétabli à temps pour pouvoir participer aux jeux ?

Tzain entrouvre la bouche durant une fraction de seconde, puis se ressaisit. Mâchoires serrées, il fait claquer les rênes de Nailah. Elle accélère et poursuit sa course à travers les hauts ébéniers.

– Allez, quoi. Tu ne vas pas me faire la tête jusqu'à la fin de tes jours ?

– Et pourquoi pas ?

– Oh là là ! dis-je en levant les yeux au ciel. Qu'est-ce que tu attends de moi, exactement ?

– Eh bien, que tu t'excuses, par exemple. Baba a failli mourir, et toi, tu continues à faire comme si de rien n'était.

– Je me suis déjà excusée, je rétorque. Auprès de toi, et aussi de Baba.

– Ça ne change rien.

– Eh non, je n'ai pas le pouvoir de changer le passé !

Mes protestations se perdent dans les arbres ; de nouveau, le silence s'installe. Tandis que je passe mes doigts sur le vieux cuir fissuré de la selle de Nailah, je sens comme un trou se creuser dans ma poitrine. Les paroles de Mama Agba me reviennent en mémoire :

Au nom des dieux, Zélie, réfléchis un peu ! Qui protégerait ton père si tu blessais ces hommes ? Et qui assurerait la sécurité de Tzain s'ils venaient à faire couler notre sang ?

— Je suis vraiment désolée, Tzain, dis-je très calmement. Toute cette histoire me rend malade et tu n'as pas idée à quel point je regrette, mais...

Tzain soupire, excédé.

— Je savais qu'il y aurait un *mais* !

Sa remarque ravive aussitôt ma colère.

— Avoue que je ne suis pas entièrement responsable. Si Baba est parti en mer, c'est surtout à cause des gardes et de leurs impôts !

— Tu l'as laissé tout seul, rétorque-t-il. Par ta faute, il a failli se noyer.

Je renonce à argumenter. Comment un robuste et fringant kosidàn comme Tzain pourrait-il comprendre que je ne peux pas me passer des leçons de Mama Agba ? Tous les garçons d'Ilorin veulent être son ami et toutes les filles sont amoureuses de lui. Même les gardes l'admirent et louent son adresse à l'agbön.

Il n'a aucune idée de ce que c'est que de vivre comme moi dans la peau d'une devîn. D'être sur le qui-vive à chaque fois que je croise un garde ; de lui tenir tête sans savoir comment cela se terminera.

Je me contenterai de ça...

Je frissonne en repensant à sa poigne brutale. Tzain persisterait-il à me crier dessus s'il avait assisté à cette scène ? M'en voudrait-il toujours autant s'il savait à quel point j'ai eu du mal à retenir mes larmes ?

Nous poursuivons notre course en silence. Les arbres deviennent de plus en plus clairsemés à mesure que nous approchons de Lagos. La capitale est tout le contraire d'Ilorin. Au lieu de reposer sur des flots apaisants, elle est entourée d'une muraille en bois d'ébène et abrite une population innombrable. Même à cette distance, on peut la voir grouiller derrière l'enceinte. Comment ces gens peuvent-ils vivre en permanence dans une telle effervescence ?

Perchée sur le dos de Nailah, j'observe les contours de la capitale et note en chemin la présence de quelques devîns aux cheveux blancs. À Lagos, ils sont trois fois moins nombreux que les kosidàn, ce qui les rend facilement repérables. Et bien qu'intra-muros l'espace soit très étendu, les gens de mon espèce sont tous entassés dans des ghettos situés à la périphérie. Le seul endroit où on leur a permis de s'installer.

Je me cale tout au fond de la selle. La vue de ces taudis me serre le cœur. Autrefois, il y a de cela plusieurs siècles, les dix clans maji et leurs enfants devîns étaient dispersés à travers tout le royaume d'Orïsha. Tandis que les kosidàn peuplaient les villes, les clans, eux, vivaient dans les montagnes, dans les champs et sur les côtes. Mais avec le temps, les maji se sont aventurés au-delà de leurs territoires. Mus par la curiosité ou par quelque opportunité, ils ont migré vers d'autres contrées d'Orïsha.

Au fil des années, maji et kosidàn ont commencé à se marier et à fonder des familles mixtes comme la mienne. À mesure qu'elles se multipliaient, le nombre de maji s'est mis à croître dans tout Orïsha. Avant le Raid, c'est à Lagos qu'ils étaient les plus nombreux.

Aujourd'hui, il n'en reste plus aucun.

Nous approchons des remparts en bois ; Tzain tire sur les rênes de Nailah et nous nous arrêtons.

– Je préfère t'attendre ici. Toute cette foule pourrait la perturber.

Je glisse à terre en hochant la tête, puis dépose un baiser sur le museau sombre et humide de ma lionaire. Lorsqu'elle lèche ma joue de sa langue rugueuse, je ne peux m'empêcher de sourire, mais me rembrunis dès que je lève de nouveau les yeux vers Tzain. Entre nous, l'atmosphère reste lourde de non-dits. Tant pis, je continue à avancer.

– Attends !

Tzain descend du dos de Nailah et, d'un bond, me rattrape. Il me remet un poignard rouillé.

— T'inquiète, j'ai mon bâton.

— Je sais, dit-il, mais c'est juste au cas où.

Je glisse son arme dans ma poche.

— Merci.

Les yeux rivés sur le sol poussiéreux, Tzain donne un coup de pied dans une pierre. Je me demande lequel de nous deux brisera le silence le premier quand, soudain, il se décide enfin à parler.

— Tu sais, je ne suis pas aveugle. Je sais bien que ce qui est arrivé ce matin n'était pas entièrement de ta faute ; mais quand même, il faut que je puisse compter sur toi. (Le regard de Tzain s'allume, menaçant de révéler tout ce qu'il retient.) Baba va de plus en plus mal et les gardes t'ont à l'œil. Tu ne peux plus te permettre le moindre dérapage. Ta prochaine erreur pourrait bien être la dernière.

J'acquiesce en baissant les yeux. Je peux encaisser pas mal de choses, mais la déception de Tzain me fait l'effet d'un coup de couteau.

— S'il te plaît, fais un effort, dit-il dans un soupir. Baba ne s'en sortira pas sans toi… Et moi non plus.

Essayant de contenir l'émotion qui me submerge, je murmure :

— C'est promis, je ferai un effort.

— Tant mieux, répond-il en souriant. (Il m'ébouriffe les cheveux.) Bon, n'en parlons plus. Et maintenant, va vite vendre ce fichu poisson.

Je ris en ajustant les sangles de mon sac.

— Combien tu crois que je peux en tirer ?

— Deux cents.

— C'est tout ? Tu me crois vraiment si nulle ?

— C'est beaucoup d'argent, Zél !

— Je peux en obtenir bien plus. On parie ?

Le sourire de Tzain s'élargit.

– Si tu y arrives, je promets de m'occuper de Baba toute la semaine prochaine.

– Chiche.

Je m'imagine déjà prenant ma revanche sur Yemi. Je me demande d'ailleurs comment elle réagira face à mon nouveau bâton.

Je m'élance, prête à aller négocier ; mais devant le poste de contrôle, la vue des gardes royaux me noue l'estomac. Je tâche de garder mon sang-froid et glisse mon bâton replié dans la ceinture de mon pantalon drapé.

– Nom ? éructe un grand garde sans lever les yeux de son registre.

Ses cheveux sombres frisottent sous l'effet de la chaleur, et ses joues sont trempées de sueur.

– Zélie Adebola, dis-je d'un ton que je m'efforce de rendre le plus respectueux possible. *Tiens-toi à carreau.* J'avale ma salive. *Ne refais pas la même erreur que ce matin.*

Le garde me regarde à peine et inscrit mon nom.

– Origine ?

– Ilorin.

– Ilorin ?

Un autre garde s'approche en titubant ; petit et trapu, il marche en s'appuyant au mur. Une forte odeur d'alcool se dégage de sa déplaisante personne.

– C'est pas la porte à côté, ça, Ilorin ! On peut savoir pourquoi un p'tit cafard comme toi a fait un si long voyage ?

Ce qu'il dit est à peine intelligible ; ses mots sont de la bouillie, aussi visqueuse que la salive qui dégouline sur son menton. Je me fige à son approche. Ses yeux vitreux d'ivrogne ont quelque chose de menaçant.

– Motif de la visite ? s'enquiert le grand garde qui, fort heureusement, est sobre.

– Je viens vendre de la marchandise.

À ces mots, l'ivrogne esquisse un sourire répugnant. Il veut attraper mon poignet, mais je l'esquive en brandissant mon sac.

– C'est du poisson.

Malgré cette précision, il continue d'avancer vers moi, pose ses gros doigts sur mon cou et me plaque contre le mur en bois. Il est si près que je peux compter les taches noires et jaunes sur ses dents.

– Du poisson, voyez-vous ça ! s'esclaffe-t-il. Dis donc, Kayin, combien qu'on leur achète leur poisson, aux cafards ? Deux pièces de bronze le kilo ?

L'envie d'attraper mon bâton me démange. Depuis le Raid, maji et kosidàn ne sont plus autorisés à une telle proximité physique, mais cela n'empêche nullement les gardes de me tripoter comme si j'étais un animal.

Ma contrariété devient colère noire. Aussi sombre que celle de Mama lorsque les gardes ont osé se mettre en travers de son chemin. Mue par la même pulsion qu'elle, je m'apprête à repousser l'ivrogne et à briser chacun de ses doigts boudinés. Mais soudain, je repense à la promesse faite à Tzain. Au cœur fragile de Baba. Aux réprimandes de Mama Agba.

Réfléchis, Zélie. Pense à Baba. Pense à Tzain. Je leur ai promis de ne pas tout gâcher. Pas question de les décevoir.

Je n'arrête pas de me répéter ces mots jusqu'à ce que cette brute me relâche enfin. Il rit dans sa barbe et avale une autre rasade au goulot. Content de lui. À l'aise.

Je me tourne vers son acolyte, le regard plein de haine. Je ne sais pas lequel des deux je méprise le plus : l'ivrogne, pour m'avoir tripotée, ou ce salaud, qui n'a rien fait pour l'en empêcher.

– D'autres questions ? je demande à voix basse.

Le garde fait non de la tête.

Aussi rapide qu'un guépardaire, je m'empresse de franchir le portail avant que l'un des deux ne change d'avis. Mais à peine ai-je fait quelques pas à l'intérieur de l'enceinte que, déjà, l'effervescence de Lagos me donne envie de rebrousser chemin.

Dieux du ciel ! Au milieu de cette foule si nombreuse, la panique me gagne. Les larges rues poussiéreuses grouillent de villageois, de marchands, de gardes et de nobles. Tous marchent d'un pas décidé vers une destination précise.

Au loin se dresse le palais royal. Ses murs d'un blanc immaculé et ses arcades dorées brillent au soleil, marquant un saisissant contraste avec les bidonvilles des faubourgs !

Je n'en crois pas mes yeux. Tant de logements vétustes, de baraquements empilés les uns au-dessus des autres formant une sorte de labyrinthe vertical ! Parmi les façades délabrées d'un marron terne, quelques-unes sont ornées de fresques et se distinguent au contraire par leurs couleurs vives. Contestant ostensiblement leur statut de ghetto, elles revendiquent une forme de beauté que la monarchie ignore.

D'un pas hésitant, je me dirige vers le centre-ville. En traversant le quartier des devîns, je m'aperçois que la plupart de ceux qui y vivent sont à peine plus âgés que moi. Depuis le Raid, il leur est presque impossible d'atteindre l'âge adulte sans qu'on les jette en prison ou qu'on les envoie à la Réserve.

Un cri de désespoir retentit soudain.

– Pardon ! Je ne voulais pas… ahhh !

Je sursaute. Là, sous mes yeux, un garde affilié à la Réserve lève son arme sur un jeune devîn et transperce sa chair. Tandis que ses vêtements rougissent de sang, l'enfant chancelle au milieu de débris de céramique. Des tuiles brisées que ses bras maigres ne pouvaient sans doute plus porter. Le garde lève encore son arme, dont je reconnais soudain la lame étincelante en majacite noir, et l'enfonce cette fois dans le dos du garçon. Une odeur âcre de chair brûlée me prend à la gorge. De la fumée s'échappe de la plaie tandis qu'il tombe à genoux. Cette vision d'horreur me tétanise. Elle me rappelle quel destin m'attend si on m'envoie à la Réserve.

Le cœur serré, je passe mon chemin. *Allez, avance. Sinon, c'est toi qu'ils attraperont.*

Je cours vers le centre de Lagos, m'efforçant d'ignorer les odeurs d'égout qui flottent dans les rues. Bientôt, je me retrouve parmi les immeubles aux façades pastel du quartier marchand ; ici, plus de mauvaises odeurs, mais au contraire de délicieux effluves de brioche et de cannelle qui me font saliver. Le bourdonnement incessant des vendeurs du marché central commence à se faire entendre, m'incitant à aller les rejoindre. Pourtant, à l'approche du bazar, je ne peux faire autrement que de marquer un temps d'arrêt.

Même si Baba et moi sommes souvent venus ici pour écouler nos plus belles prises, le tumulte du marché me sidère toujours autant. Dans ce quartier, de loin le plus animé de Lagos, on trouve tout ce qu'Orïsha peut offrir comme marchandises. Sur un même étal, des céréales cultivées dans les vastes champs de Minna côtoient les objets de ferronnerie des célèbres forges de Gombe. Je déambule dans les stands, savourant l'odeur sucrée des bananes plantain frites.

Les oreilles grandes ouvertes, j'essaie de comprendre les techniques de vente des marchands, d'observer en combien de temps ils concluent leurs affaires. Chacun se bat pour être le plus convaincant, usant de mots comme d'armes. À la différence du marché d'Ilorin, on négocie âprement. Ici, pas de concessions, les affaires sont les affaires.

Je passe devant des bébés guépardaires installés dans leur caisse en bois et souris à la vue des cornes minuscules qui leur poussent sur le front. Je dois encore me faufiler entre des charrettes remplies de tissus bariolés avant d'arriver enfin dans le secteur des poissonniers.

— Quarante pièces de bronze…

— Pour un poisson-tigre ? Vous plaisantez ! Pas plus de trente !

Tous les marchands crient si fort que j'ai du mal à m'entendre penser. Nous sommes décidément bien loin du marché flottant d'Ilorin ! À Lagos, le troc n'existe pas. J'observe la foule et me demande comment faire pour sortir du lot. Quelle idiote, je…

— De la truite ! Est-ce que j'ai vraiment l'air de quelqu'un qui mange de la truite ?

Je me retourne. Un noble rondouillard vêtu d'un daishiki violet fronce les sourcils, comme si le marchand kosidàn venait de l'insulter. Celui-ci renchérit :

– J'ai aussi du grondin, de la limande, du bar...

– Je viens de vous dire que je voulais de l'espadon. Mes domestiques prétendent que vous refusez de leur en vendre.

– Mais ce n'est pas la saison !

– Pourtant, le roi en mange tous les soirs.

Le marchand se gratte la tête.

– Les rares espadons pêchés doivent être vendus au palais. C'est la loi.

Le visage du noble s'empourpre. Il brandit une petite bourse en velours.

– Combien le roi vous en offre-t-il ? (Il fait tinter ses pièces.) Je paie le double !

Le vendeur contemple la bourse avec convoitise mais reste inflexible.

– Non, je ne peux pas prendre un tel risque.

– Moi, je le prends ! je m'écrie.

Le noble me dévisage d'un air suspicieux. Je lui fais signe de me suivre et l'entraîne un peu en retrait de l'étal du poissonnier.

– Tu as de l'espadon ?

– Mieux que ça : j'en ai d'une espèce que vous ne trouverez nulle part ailleurs sur ce marché.

Il reste bouche bée. J'éprouve le même frisson d'excitation qu'à la pêche, quand un poisson se met à tourner autour de mon appât. Je déballe mon espadon avec soin et le brandis à la lumière afin de faire briller ses écailles étincelantes.

– Par le ciel, mais il est magnifique ! s'exclame le noble.

– Et encore plus délicieux que beau. Un espadon-voilier tout frais pêché au large des côtes d'Ilorin. Et comme il n'est pas de saison, vous pouvez être sûr que même le roi n'en mangera pas ce soir.

Le noble esquisse un sourire, et je sais que l'affaire est dans la poche. Il sort sa bourse.

– Cinquante pièces d'argent.

J'écarquille les yeux, mais me retiens de conclure trop vite. *Cinquante…*

De quoi payer la taxe, et peut-être même acheter un nouveau bateau. Mais si au prochain quart de lune, les gardes augmentent à nouveau les impôts, cette somme ne suffira pas pour m'éviter la Réserve.

J'éclate de rire et commence à remballer mon poisson.

Le noble fronce les sourcils.

– Qu'est-ce que tu fais ?

– Je m'en vais proposer mon poisson à des clients qui ont les moyens de se l'offrir.

– Comment oses-tu…

– Désolée, mais je n'ai pas de temps à perdre avec quelqu'un qui m'offre cinquante pièces pour un poisson qui en vaut dix fois plus.

Il bougonne un peu, mais finit par sortir de sa poche une autre bourse de velours.

– Trois cents, c'est mon dernier mot.

Par tous les dieux ! J'ancre fermement mes pieds dans le sol pour ne pas défaillir. Jamais nous n'avons possédé une somme pareille. Elle couvre au moins six lunes d'impôts, même augmentés !

À deux doigts de conclure, je me ravise. Quelque chose dans les yeux de mon client me fait hésiter. S'il s'est montré si prompt à me faire cette dernière offre, je peux peut-être encore faire monter les enchères…

J'imagine les recommandations de Tzain : *Prends cet argent. C'est largement suffisant.*

Mais impossible de reculer si près du but. Je hausse les épaules.

– Désolée, dis-je en achevant de remballer mon poisson, mais je ne vais pas brader un espadon qui ferait les délices du roi.

Les narines du noble se mettent à frémir. *Aïe.* Je suis allée trop loin ? J'attends qu'il me fasse une nouvelle proposition, mais il reste là, à fulminer en silence. Plus d'autre choix que de m'éloigner.

Je me traîne, accablée par le poids de mon erreur ; chacun de mes pas semble durer une éternité. *Tu trouveras forcément un autre noble qui voudra étaler sa richesse*, me dis-je pour me rassurer. Je peux forcément en obtenir plus de trois cents. Ce poisson en vaut bien davantage… non ?

J'évite de justesse de me cogner la tête contre le poteau d'un étal de crevettes. Que faire, à présent ? Qui sera assez stupide pour…

– Attends !

Je pivote et me retrouve nez à nez avec le gros noble qui fourre trois bourses tintinnabulantes dans la poche de ma chemise. De guerre lasse, il marmonne :

– Bon, voilà cinq cents.

Je le regarde, ébahie, mais il prend ma stupeur pour de la méfiance.

– Vas-y, compte.

J'ouvre une des bourses. Ce que j'entrevois me fait presque pleurer. Les pièces d'argent scintillent autant que les écailles de l'espadon, et leur poids est lourd de promesses. *Cinq cents !* En plus d'un nouveau bateau, cela signifie au moins un an de repos pour Baba. *Enfin !*

Enfin, j'ai réussi à faire quelque chose de bien.

Je lui tends le poisson, incapable de réprimer mon sourire radieux.

– Bon appétit. Ce soir, vous vous régalerez encore plus que le roi.

Le noble ne répond pas, mais les commissures de ses lèvres se retroussent avec satisfaction. Je glisse les trois bourses dans mon sac et me remets en marche. Mon cœur bat si vite qu'il s'accorde à la pulsation frénétique du marché. Mais soudain, je me fige. Des cris déchirants couvrent ceux des marchands. Qu'est-ce que…

Je bondis en arrière tandis qu'un étal de fruits s'écroule sous l'assaut d'une troupe de gardes royaux. Des mangues et des pêches d'Orïsha volent dans les airs. En quelques secondes, le marché est envahi de soldats. Ils cherchent quelque chose. Ou quelqu'un.

Médusée, je reste un moment à observer toute cette pagaille, puis je réalise que je ferais mieux de décamper. Mon sac contient cinq cents pièces d'argent. Pour une fois, ce n'est pas que ma propre vie qui est en jeu.

Animée d'une détermination toute neuve, je me fraie un passage à travers la foule, pressée de m'enfuir. Tandis que je suis presque arrivée au stand des tissus, quelqu'un m'attrape le poignet.

Par tous les dieux, qui…

Je déploie mon bâton, m'attendant à devoir frapper le bras d'un garde royal ou d'un voleur, mais lorsque je me retourne, je constate que je n'ai affaire ni à l'un ni à l'autre.

Une jeune fille aux yeux d'ambre et revêtue d'un manteau m'entraîne dans un passage situé entre deux étals. Elle m'agrippe si fort que je ne peux me libérer de son emprise.

— Je t'en prie, supplie-t-elle, il faut absolument que tu me sortes de là.

CHAPITRE CINQ

ZÉLIE

J'AI LE SOUFFLE COUPÉ.

La fille à la peau cuivrée tremble de tous ses membres. Sa peur est contagieuse.

Les cris s'amplifient à mesure que les gardes se rapprochent de seconde en seconde. Il ne faut surtout pas qu'ils me surprennent avec elle.

Sinon, je suis morte.

– Laisse-moi partir, dis-je, presque aussi désespérée qu'elle.

– Non ! Non, s'il te plaît. (Ses yeux d'ambre se remplissent de larmes tandis qu'elle s'agrippe à moi.) Je t'en prie, aide-moi. J'ai fait quelque chose d'impardonnable. S'ils m'attrapent…

La terreur que je lis dans son regard ne m'est que trop familière. Parce que, en effet, s'ils l'arrêtent, la question ne sera plus de savoir s'ils la tueront, mais quand. Sur place ? En la laissant mourir de faim en prison ? Ou les gardes la violeront-ils à tour de rôle, la détruisant d'abord de l'intérieur jusqu'à ce qu'elle se laisse mourir de désespoir ?

Tu dois protéger ceux qui sont sans défense. Les paroles de Mama Agba, prononcées ce matin même, résonnent encore dans ma tête. Je revois son regard sévère. *C'est à cela que doit servir le bâton.*

– Je ne peux pas, dis-je dans un souffle.

Mais tout en disant ces mots, je me prépare à combattre. *Les salauds !*

Même si je ne peux pas l'aider, je dois le faire.

Sinon, je m'en voudrai toute ma vie.

– Allez viens.

Je la saisis par le bras et l'emmène derrière une échoppe de vêtements un peu plus vaste que les autres. Avant que la marchande n'ait le temps de crier, je plaque ma main sur sa bouche et presse le couteau de Tzain contre sa gorge.

– Mais… qu'est-ce que tu fais ? demande la fille.

Avisant son manteau, je m'étonne qu'elle ait réussi à arriver jusqu'ici. La peau cuivrée, le velours rebrodé d'or, tout en elle respire la noblesse. Le sang bleu.

– Enfile ça, lui dis-je avant de me tourner vers la marchande.

Celle-ci transpire à grosses gouttes ; face à une voleuse devîn, le moindre faux pas pourrait lui être fatal. Je la rassure :

– Je ne vous ferai aucun mal, c'est juste un échange.

Tandis que la fille troque son manteau contre un autre plus discret, je jette un œil à l'extérieur de l'échoppe. La marchande laisse échapper un cri étouffé, m'obligeant à presser un peu plus fort ma main contre sa bouche. Le marché grouille de gardes. Ils sont maintenant si nombreux qu'ils pourraient constituer toute une armée. Les marchands et villageois courant dans tous les sens n'arrangent rien à ce chaos. Je cherche un moyen de nous échapper, mais aucune issue ne semble se présenter à nous.

Plus d'autre choix que de tenter l'impossible.

À l'intérieur de l'échoppe, la fille relève la capuche de son nouveau vêtement sur sa tête, dissimulant ainsi la partie supérieure de son visage. Je m'empare de son précieux manteau et le remets entre les mains de la marchande. Du bout des doigts, elle caresse le velours soyeux, et aussitôt la peur dans son regard semble s'atténuer.

Je pose le poignard pour, à mon tour, enfiler un manteau et cacher mes cheveux blancs sous une capuche.

– Tu es prête ?

La fille parvient à hocher la tête. Même si une lueur de détermination allume son regard, elle est toujours tétanisée par la peur.

– Suis-moi.

Nous sortons de l'échoppe pour nous fondre dans la cohue. Des gardes s'immobilisent juste devant nous, mais nos manteaux nous protègent. Ils recherchent du sang bleu. *Grâce aux dieux.*

– Dépêche-toi, dis-je à voix basse tandis que nous nous faufilons entre les étals de textile. Mais ne… (J'agrippe son manteau avant qu'elle n'aille trop loin.) Ne cours pas. Cela attirerait l'attention. Fonds-toi dans la foule.

Elle acquiesce et veut parler, mais aucun son ne sort de sa bouche. Elle me suit tel un bébé lionaire, ne s'éloignant jamais de plus de deux pas.

Nous nous frayons un chemin à travers la foule jusqu'aux confins du marché. Deux soldats sont postés devant l'entrée principale, mais sur le côté j'aperçois une autre issue surveillée par un seul garde. Lorsqu'il s'avance de quelques pas pour interroger un noble, je saisis notre chance.

– Vite !

Je me glisse derrière la réserve d'une échoppe et sors du marché. Une fois dans les rues pavées du quartier marchand, je pousse un soupir de soulagement en constatant que la fille a réussi à me suivre. Mais lorsque nous nous retournons, deux mastodontes nous bloquent le passage.

Je m'arrête net. Les pièces d'argent tintent dans mon sac. Je lance un coup d'œil à ma compagne : sa peau brune semble s'être décolorée d'un coup.

– Un problème ? je demande aux gardes d'un ton faussement innocent.

L'un des deux croise ses bras épais comme des troncs d'arbre.

– Une fugitive a disparu dans la nature. Personne ne sort d'ici avant qu'on l'ait retrouvée.

– Désolée, dis-je en m'inclinant avec respect. Dans ce cas, nous attendrons à l'intérieur.

Et merde. Je fais demi-tour et tout me dirigeant à nouveau vers les stands, je balaie le marché du regard. Toutes les issues sont surveillées, il nous faut trouver une autre solution. Un autre moyen de…

Minute !

J'ai déjà presque regagné le marché quand je m'aperçois que la jeune fille n'est plus avec moi. Revenant sur mes pas, je m'aperçois qu'elle est toujours figée devant les gardes. Ses mains tremblent.

Par tous les dieux !

J'ouvre la bouche pour l'appeler, mais je réalise soudain que je ne connais même pas son nom et que j'ai pris des risques inconsidérés pour une fille qui m'est complètement étrangère. Par sa faute, nous allons maintenant nous faire tuer toutes les deux.

Je tente de faire diversion auprès des gardes, mais l'un d'eux essaie déjà de faire tomber sa capuche. Il y a urgence. Je saisis mon bâton de métal et le heurte contre le sol pour le déplier.

– Baisse-toi !

La fille se jette instinctivement par terre. Je fais tournoyer mon arme et l'abat sur le crâne du garde. Un affreux craquement se fait entendre tandis qu'il s'effondre. Avant que son acolyte ait pu dégainer son arme, je lui enfonce la mienne dans le sternum.

D'un coup de pied dans la mâchoire, je le fais basculer en arrière. Un instant après, il gît dans la poussière rouge, inconscient.

– Ciel !

La fille jure comme les nobles. Je replie mon bâton. *Ciel*, comme elle dit. J'ai attaqué des gardes.

À présent, nous allons vraiment mourir.

Nous détalons à toute allure à travers le quartier marchand ; j'imagine déjà la colère de Tzain.

Cette fois, essaie de ne pas tout faire capoter. Tu vends le poisson et tu reviens aussitôt. À aucun moment, le plan ne prévoyait d'aider qui que ce soit.

Nous poursuivons notre course à travers les rues aux bâtiments pastel ; maintenant, deux troupes de gardes royaux sont à nos trousses. Leurs cris s'amplifient et le bruit de leurs bottes résonne plus encore. Brandissant leurs épées, ils approchent et nous talonnent de seulement quelques pas.

– Tu sais où nous sommes ?

– Oui, répond la fille, hors d'haleine. Pas très loin du ghetto, je crois. Mais…

– Alors on y va !

Elle accélère et me dépasse afin de me guider, et nous continuons à courir dans les rues pavées, bousculant au passage des marchands ébahis. Je sens l'adrénaline fuser dans mes veines. La chaleur qui irradie sous ma peau. On ne va pas y arriver. On n'a aucune chance de s'en sortir.

Calme-toi. Mama Agba me parle dans ma tête. Je m'efforce de prendre une grande inspiration. *Fais preuve d'imagination. Sers-toi de ton environnement.*

Je scrute les rues encombrées du quartier marchand, cherchant désespérément une solution. Tandis que nous bifurquons au coin d'une rue, j'aperçois des tonneaux en bois empilés les uns au-dessus des autres. *Parfait.*

Je déploie mon bâton et frappe un grand coup à la base de cette pyramide et un premier tonneau tombe.

Bientôt, les cris des gardes surpris par le déferlement des tonneaux emplissent tout l'espace. Cette diversion nous laisse le temps de gagner le ghetto et d'y faire une pause afin de reprendre notre souffle.

– Et maintenant ? demande la fille tout essoufflée.

– Tu ne sais plus par où passer ?

Elle fait non de la tête. Son visage est ruisselant de sueur.

– Je ne suis jamais venue dans ce quartier.

De loin, il ressemble à un labyrinthe. Mais de l'intérieur, l'agglomérat de baraquements et de cabanes est comme un immense filet.

Ruelles sales et passages étroits s'enchevêtrent à perte de vue. Il n'y a pas d'issue.

– Par-là, dis-je en désignant une rue juste en face du quartier marchand. Si elle mène au centre de la ville, elle devrait aussi nous en sortir.

Nous courons si vite qu'à chaque pas, nos pieds soulèvent des nuages de poussière. Mais une troupe de gardes nous oblige à rebrousser chemin.

– Ciel ! s'exclame encore la fille tandis que nous arpentons une allée, dérangeant quelques kosidàn sans abri.

Son endurance m'impressionne. Apprendre à échapper aux soldats du palais n'était sûrement pas au programme de son éducation.

Nous bifurquons à un nouveau coin de rue, devançant les gardes de seulement quelques enjambées. Je commence à accélérer quand soudain, la fille me retient.

– Mais qu'est-ce que tu…

Elle plaque sa main sur ma bouche et me pousse contre le mur d'une cabane. C'est alors que je remarque l'étroit passage dans lequel nous venons de nous engouffrer.

S'il vous plaît, faites que ça marche ! En dix ans, c'est la deuxième fois que j'adresse une prière aux dieux. *S'il vous plaît*, je supplie. *S'il vous plaît, aidez-nous à nous cacher.*

Mon cœur menace de se décrocher. Il bat si fort que j'ai peur qu'on l'entende. Mais la troupe de gardes passe devant nous dans un vacarme assourdissant, telle une horde de rhinociens poursuivant leur proie.

Je lève les yeux vers le ciel et cligne des yeux à la vue des nuages traversés de rais de lumière éclatante. Comme si, onze ans après le carnage du Raid, les dieux étaient ressuscités d'entre les morts et sortaient de leur tombe. Quoi qu'il se passe là-haut, je comprends qu'ils nous protègent.

Pourvu qu'ils ne changent pas d'avis.

Après nous être extirpées de notre cachette, nous dévalons une autre ruelle et bousculons malencontreusement deux devîns à l'air bizarre. L'un d'eux laisse tomber sa bouteille sur le sol. Un puissant relent de rhum me brûle les narines et fait ressurgir une autre leçon de l'ahéré de Mama Agba.

Je ramasse la bouteille et scrute les alentours, à la recherche de l'ingrédient qui me manque. *Le voilà*. À seulement quelques mètres de la fille.

– Prends cette torche !

– Quoi ?

– La torche, là, juste devant toi !

Elle doit batailler quelques secondes pour décrocher la torche en métal de son support, mais dès qu'elle y est parvenue, nous repartons en courant. Alors que nous laissons derrière nous les dernières cahutes du bidonville, j'arrache un bout de mon manteau et le fourre à l'intérieur de la bouteille.

– Mais que fais-tu ? demande-t-elle.

– Tu n'as pas besoin de comprendre.

À présent, nous apercevons déjà la porte en bois de Lagos. Celle qui, une fois franchie, nous rendra libres.

Mais elle est protégée par des gardes royaux.

Le ventre noué, nous nous arrêtons devant une interminable rangée de soldats armés chevauchant des panthéraires géants découvrant leurs crocs menaçants. Telle une fine pellicule d'huile sous le soleil, leur pelage sombre et lustré décline tout un arc-en-ciel de couleurs irisées. Même en position accroupie, ils nous surplombent, prêts à attaquer.

– Vous êtes encerclées !

Le capitaine me transperce de ses yeux d'ambre.

– Au nom du décret édicté par le roi Saran, je vous ordonne de vous arrêter !

À la différence de ses hommes, le capitaine chevauche un léopardaire des neiges à l'air féroce presque aussi haut que ma hutte. Sur son dos pointent huit cornes noires et acérées. Tout en grognant, le monstre lèche ses longues griffes recourbées, comme s'il avait hâte de teindre de rouge sang son manteau moucheté de blanc.

La peau du capitaine est lisse ; la guerre n'y a pas encore laissé de cicatrices. Elle est de la même nuance sombre et cuivrée que celle de la fille. Dès que cette dernière le voit, elle remonte sa capuche et ses jambes se mettent à trembler.

Bien que le capitaine soit encore jeune, les gardes lui obéissent au doigt et à l'œil. Un à un, ils dégainent leurs épées et les pointent dans notre direction.

— Nous sommes perdues, murmure la fille, désespérée.

Le visage baigné de larmes, elle tombe à genoux et, vaincue, laisse choir la torche. Puis elle sort de son manteau un rouleau de parchemin racorni.

Faisant mine de l'imiter, je m'agenouille à mon tour et plonge la main dans la bouteille de manière à approcher le morceau de tissu de la torche enflammée. L'odeur âcre de la fumée envahit mes narines. Dès que le capitaine commence à s'avancer vers nous, je lance mon arme en visant la rangée de panthéraires.

— Vas-y ! dis-je à la bouteille en suivant sa trajectoire des yeux.

Tandis qu'elle décrit un arc de cercle dans les airs, je m'inquiète à l'idée qu'il puisse ne rien se passer.

Mais soudain, tout s'embrase.

Un feu magnifique enveloppe hommes et panthéraires. Les bêtes poussent des cris de panique et, dans leur tentative éperdue de fuite, désarçonnent leurs cavaliers.

La fille contemple la scène, horrifiée, mais je l'attrape par le bras et l'oblige à me suivre.

Plus que quelques mètres avant de sortir de la ville. Encore quelques mètres, et nous serons libres.

— Fermez les portes ! hurle le capitaine en s'élançant vers nous.

Il attrape la fille, mais il trébuche et elle en profite pour se dégager.

Les gonds métalliques grincent et la lourde porte en bois commence à se refermer. Les gardes du poste de contrôle brandissent leurs armes ; ils sont notre dernier obstacle.

– On ne va pas y arriver, gémit la fille.

– Si, pas le choix !

Jamais je n'aurais cru pouvoir courir si vite. L'ivrogne de tout à l'heure dégaine son épée et commence à lever le bras dans un geste mollasson plus risible qu'effrayant. Je me venge en le frappant à la tête et, tandis qu'il tombe à genoux, m'attarde encore quelques secondes pour lui asséner un deuxième coup dans l'aine.

Un autre garde s'apprête à me balancer un coup d'épée, que je bloque facilement avec mon bâton. Je fais tournoyer mon arme de métal et parviens à lui faire lâcher la sienne. Ses yeux s'écarquillent lorsque je lui décoche un coup de pied circulaire retourné en pleine face ; sa tête percute le mur en bois : la voie est libre.

On a réussi ! Je m'élance sous les frondaisons des ébéniers en hurlant ma joie. Mais quand je me retourne pour sourire à la fille, je réalise qu'elle n'est pas là. Mon cœur s'arrête en la voyant s'effondrer sur le sol, à deux doigts de la porte. Sa chute soulève un petit nuage de poussière.

– Non ! je m'écrie.

La porte va se refermer d'un instant à l'autre.

Après toutes ces épreuves, cette fille va finalement échouer.

Alors qu'elle était si près but, elle va devoir mourir.

Cours, me dis-je. *Sauve-toi. Pour Tzain. Pour Baba. Tu as fait tout ce que tu pouvais.*

Mais son regard désespéré me ramène vers elle. Cette fois, je sais que les dieux ne seront plus avec moi. Car malgré tout mon corps qui proteste, je fonce vers la porte et la franchis juste avant que ses deux battants ne se referment lourdement.

– Ton compte est bon !

Le capitaine s'avance, tout ensanglanté par ma bombe improvisée.

– Lâche ton arme, maintenant !

Il me semble que tous les gardes de Lagos nous regardent. Ils sont très nombreux à nous encercler, bloquant chaque ouverture avant même que nous ne puissions tenter une nouvelle fuite.

J'aide la fille à se relever et lève haut mon bâton. *Fin de l'histoire.* Mais ils ne m'auront pas. Je préfère qu'ils me tuent.

Les gardes s'approchent ; mon cœur bat à tout rompre. Je prends le temps de savourer mon dernier souffle, d'imaginer le regard tendre et la peau d'ébène de Mama.

J'arrive. Je pense à son esprit. Elle doit être en train de flotter dans l'alâfia, reposant dans la paix de l'au-delà. Je me vois déjà à ses côtés. *Bientôt, je serai avec…*

Un rugissement sauvage retentit. Les gardes se figent. À mesure qu'il approche, le grondement s'amplifie jusqu'à devenir assourdissant. J'ai tout juste le temps de pousser la fille pour la mettre hors de danger, quand une silhouette impressionnante bondit par-dessus le mur d'enceinte.

Épouvantés, les gardes tombent à la renverse lorsqu'ils voient ma lionaire atterrir sur le sol poussiéreux, la bave dégoulinant de ses crocs puissants. Je crois halluciner jusqu'à ce que j'entende la voix de Tzain crier :

– Mais qu'est-ce que tu attends ! Monte !

Aussitôt, je saute sur le dos de Nailah puis aide la fille à l'enfourcher à son tour. Nous décollons, bondissant de cabane en cabane et reprenant notre élan juste avant que les bicoques ne croulent sous notre poids. Lorsque Nailah a pris suffisamment de hauteur, elle s'élance une dernière fois et vole en direction de la porte.

Nous l'avons presque atteinte quand soudain, je suis comme foudroyée.

Le choc impacte chaque pore de ma peau, il embrase mon corps tout entier et me coupe le souffle. Je baisse la tête et croise alors le regard du jeune capitaine. Le temps s'arrête.

De ses yeux d'ambre émane une force inconnue dont je deviens immédiatement captive. Son esprit semble posséder le mien.

Heureusement, je ne reste pas longtemps hypnotisée, car Nailah s'envole au-dessus du portail, coupant court à ce véritable envoûtement.

Elle atterrit dans un bruit sourd et repart aussitôt, poursuivant sa cavalcade sous les ébéniers.

– Par tous les dieux !

Épuisée, je n'arrive pas à croire que nous avons réussi.

Et que je suis toujours vivante.

CHAPITRE SIX

INAN

ÉCHEC.

Déception.

Honte.

Lequel de ces trois mots Père va-t-il me jeter à la figure, tout à l'heure ?

C'est la question que je retourne dans ma tête en franchissant le portail puis en grimpant les marches en marbre blanc du palais. *Échec* serait le plus approprié, puisque je reviens sans la fugitive. À moins que pour tout commentaire, Père n'use de ses poings.

Cette fois-ci, je ne pourrai pas vraiment le lui reprocher.

Si je ne suis même pas capable de débarrasser Lagos d'un seul voleur, comment puis-je prétendre au trône d'Orïsha ?

Maudit soit le ciel. Je marque une pause et m'agrippe à la rampe d'albâtre. Aujourd'hui devait être mon jour de victoire.

Mais cette diablesse aux yeux d'argent s'est mise en travers de mon chemin.

Pour la dixième fois depuis que je l'ai vue survoler la porte de Lagos, le visage de cette misérable devîn m'apparaît. Sa peau d'obsidienne et ses longs cheveux blancs sont comme incrustés dans ma rétine. Pas moyen de la faire disparaître.

– Capitaine.

Ignorant le salut des gardes postés devant la porte, j'entre dans le grand hall.

En me rappelant mon grade, j'ai l'impression que ces hommes me narguent. Un capitaine digne de ce nom aurait décoché une flèche dans le cœur de la fugitive.

— Où est le prince ?

Une voix aiguë résonne contre les murs du palais.

Pitié. Pas elle.

Mère se presse à l'entrée du château, faisant tinter les grelots de son gélé tandis qu'elle bouscule les gardes sur son chemin.

— Où est-il ? s'écrie-t-elle. Où est… Inan ?

Son visage se détend. Des larmes de soulagement lui montent aux yeux. Elle s'approche et pose sa main sur ma joue.

— On dit que tu as dû affronter des tueuses.

Je me dégage de Mère et secoue la tête. Des tueuses auraient été des cibles plus précises. Elles auraient été plus faciles à repérer. La fugitive n'était qu'une simple fugueuse. Et je n'ai même pas su l'arrêter.

Mais Mère se fiche de savoir qui est cette fille. Autant que de mon échec et du temps perdu. Elle se tord les mains et ravale ses larmes une fois de plus.

— Inan, nous devons…

Elle se tait, réalisant soudain que tout le monde nous regarde. Puis elle réajuste son gélé et recule de quelques pas. Je peux presque voir des griffes lui pousser au bout des doigts.

— Un cafard a essayé d'attaquer notre ville, dit-elle en s'adressant au petit attroupement qui s'est formé. Pourquoi restez-vous plantés là ? Retournez au marché, fouillez partout. Et faites en sorte que cela ne se reproduise jamais !

Comme un seul homme, soldats, nobles et domestiques se bousculent vers la sortie. Lorsqu'ils ont tous quitté le hall, Mère m'attrape le poignet et m'emmène vers la salle du trône. Je ne me sens pas vraiment prêt à affronter les foudres de Père.

— Non, dis-je, je n'ai aucune nouvelle à lui apporter et…

— Tu n'as pas le choix.

Mère ouvre grands les deux battants de la porte en bois et me traîne presque sur le sol carrelé.

— Sortez tous de cette pièce ! aboie-t-elle.

Aussitôt, gardes et domestiques déguerpissent telles des souris.

Kaea ne bouge pas. Elle est la seule à oser défier Mère. La cuirasse noire de son nouvel uniforme la met particulièrement en valeur.

Amirale ? Je fixe l'insigne ornementé attestant son grade élevé. Indubitablement, elle a pris du galon. *Mais où est Ebele ?*

Une forte odeur de menthe verte m'agresse les narines tandis que nous approchons du trône. J'examine le carrelage. Pas de doute, ces deux traces rouges qui subsistent entre les joints, c'est du sang frais.

Ciel.

Père est furieux.

— Cet ordre vaut aussi pour vous, *amirale*, siffle Mère en croisant les bras.

Le visage de Kaea se crispe, comme toujours lorsque Mère s'adresse à elle sur ce ton glacial. Kaea regarde Père, lequel acquiesce à contrecœur.

— Toutes mes excuses, dit-elle d'un ton nullement sincère.

Elle s'incline devant Mère, qui la fusille du regard jusqu'à ce qu'elle franchisse la porte de la salle du trône.

— Regarde ! (Mère me pousse vers le trône.) Regarde ce que ces sales cafards ont fait à ton fils. Voilà ce qui arrive quand tu l'envoies se battre. Voilà ce qui arrive quand il se pique d'être le capitaine de la garde !

— J'avais encerclé ces cafards, je riposte en dégageant mon poignet de la main maternelle. À deux reprises. Ce n'est pas ma faute si, après l'explosion, mes hommes les ont laissés s'enfuir.

— Je ne dis pas que c'est ta faute, mon chéri. (Mère veut me caresser la joue, mais j'esquive ses doigts parfumés à la rose.) Je dis seulement que tout ceci est beaucoup trop dangereux pour un prince.

– Mère, c'est *justement* parce que je suis prince que je dois me battre. C'est à moi d'assurer la sécurité d'Orïsha. Et je ne peux pas protéger mon peuple en restant caché entre les murs du palais.

D'un geste agacé, Mère balaie mes paroles et se tourne à nouveau vers Père.

– Pour l'amour du ciel, Inan sera le prochain roi d'Orïsha. Comment peux-tu risquer sa vie contre celle d'une paysanne !

Père reste de marbre, comme s'il avait décidé une fois pour toutes d'ignorer ses arguments. Tandis qu'elle parle, il regarde fixement par la fenêtre et tripote le rubis royal qu'il porte au doigt.

Près de lui, la lame en majacite repose sur son socle doré. La silhouette de Père se reflète dans le léopardaire des neiges sculpté sur le fourreau étincelant. Toujours là, à une longueur de bras, l'épée noire est comme une extension de son corps.

– Tu viens de mentionner des « cafards », finit-il par répondre. Avec qui était la fugitive ? Lorsqu'elle a quitté le palais, elle était seule.

J'avale ma salive et m'efforce de soutenir le regard de Père en m'avançant vers lui.

– Nous ne l'avons pas encore identifiée. Tout ce que nous savons, c'est qu'elle n'est pas originaire de Lagos.

Mais ce que je sais moi, c'est que ses yeux sont semblables à la lune, et qu'une pâle cicatrice lui dessine comme une petite encoche sous le sourcil.

Une fois de plus, je revois le visage de la devîn, aussi net que si j'avais son portrait sous les yeux, là, accroché à l'un des murs du palais. Ses lèvres pleines s'entrouvrant pour laisser échapper un cri d'indignation, ses muscles bandés sur sa fine ossature…

Je sens de nouveau un courant d'énergie affluer sous ma peau. Vif et brûlant comme de l'alcool sur une plaie ouverte. La douleur palpite sous mon crâne. Je frissonne et m'efforce de chasser cette sensation pénible.

– Le médecin de la cour est en train de soigner les gardes du poste de contrôle. Lorsqu'ils auront récupéré, je saurai comment elle s'appelle et d'où elle vient. Je peux encore les retrouver…

– Tu ne feras rien de tel, me coupe Mère. Tu aurais pu mourir, aujourd'hui. Qu'aurions-nous fait alors ? Laisser Amari accéder au trône ?

Elle s'avance, tête haute et poings serrés.

– Il faut que cela cesse, Saran. Immédiatement !

Je n'en crois pas mes oreilles : elle a appelé Père par son nom !

Sa voix résonne contre les murs rouges de la salle du trône, amplifiant son impudence.

Nous avons tous les deux les yeux braqués sur Père. Je n'ai aucune idée de ce qu'il va faire. Je commence à me dire que, pour une fois, Mère a gagné quand soudain, il reprend la parole.

– Laisse-nous !

Mère ouvre de grands yeux. Sa fière assurance s'évapore comme la rosée.

– Mais mon roi…

– Maintenant ! ordonne-t-il d'un ton neutre. Je veux parler à mon fils en privé.

Mère agrippe mon poignet. Nous savons, elle et moi, comment se terminent ces entretiens privés. Mais elle ne peut plus intercéder en ma faveur.

À moins qu'elle ne veuille affronter elle-même la colère de Père.

Mère s'incline, aussi raide que la lame d'une épée. Tandis qu'elle se retourne pour quitter la pièce, elle croise mon regard. De nouvelles larmes strient ses joues poudrées.

Pendant un long moment, ses pas qui s'éloignent sont le seul son qui emplisse la vaste salle du trône. Puis on entend la porte claquer.

Je suis seul avec Père.

– Connais-tu l'identité de la fugitive ?

J'hésite. Un petit mensonge pourrait m'éviter un châtiment brutal. Mais Père détecte les mensonges avec le flair d'une hyènaire en chasse.

Mentir ne ferait qu'aggraver la situation.

– Non, mais nous en saurons plus au coucher du soleil. Une fois fixé, j'emmènerai ma troupe…

– Renvoie tes hommes.

Je me raidis. Il ne m'accordera même pas une seconde chance.

Père estime que je ne suis pas à la hauteur. Il va me retirer le commandement de la garde.

– Père, je t'en prie, dis-je lentement. C'est vrai, j'ai sous-estimé les ressources de cette fugitive. Mais maintenant, je suis prêt. Laisse-moi une dernière chance pour mener à bien cette mission.

Lentement et d'un air résolu, Père se lève de son trône. Son visage est calme, mais je sais la rage qui se cache derrière ce regard vide.

Il approche. Les yeux rivés au sol, j'anticipe ses cris. *Le devoir avant soi-même.*

Orïsha avant moi.

Aujourd'hui, je l'ai trahi, et j'ai trahi mon royaume. J'ai laissé une devîn semer le chaos dans tout Lagos. Et pour cela, il va me punir.

Je baisse la tête et retiens mon souffle, prêt à accueillir la douleur. Si Père ne me demande pas de retirer mon armure, c'est qu'il a l'intention de me frapper au visage.

Ainsi, tout le monde pourra voir les marques.

Il lève la main. Je ferme les yeux et me prépare à encaisser les coups. Mais au lieu de m'envoyer son poing dans la joue, il pose sa main sur mon épaule.

– Je sais que tu peux le faire, Inan. D'ailleurs, il n'y a que toi qui puisses le faire.

Je cligne des yeux, interloqué. Père ne m'a encore jamais regardé comme ça.

– Il ne s'agit pas de n'importe quelle fugitive, ajoute-t-il à voix basse. Il s'agit d'Amari.

CHAPITRE SEPT

ZÉLIE

À MI-CHEMIN VERS ILORIN, Tzain se sent enfin suffisamment en sécurité pour tirer sur les rênes de Nailah. Mais il ne bouge pas.

Sans doute ai-je déclenché chez lui un nouvel accès de colère.

Les grillons chantent dans les grands arbres. Je glisse à terre et enlace la tête de Nailah en massant ce point particulier qu'elle a entre les cornes et les oreilles.

— Merci, je murmure dans sa fourrure. Quand nous serons à la maison, tu auras ta récompense.

Nailah ronronne et frotte son museau contre mon nez, comme si j'étais un bébé lionaire qu'on lui aurait confié. Il n'en faut pas plus pour me faire sourire, mais lorsque Tzain saute à terre et se dirige vers moi, je sais que même Nailah ne pourra pas me protéger de sa fureur.

— Tzain…

— Mais qu'est-ce que tu as dans le crâne, bon sang ?

Il crie si fort qu'au-dessus de nos têtes, toute une famille de mangeuses d'abeilles à ailes bleues s'envole.

— Je n'avais pas le choix, je proteste. Ils allaient la tuer…

— Par tous les dieux, que crois-tu qu'ils comptaient te faire à toi ?

Tzain balance son poing dans un arbre avec une telle violence qu'il en fend l'écorce.

— Pourquoi est-ce que tu ne réfléchis jamais, Zél ? Pourquoi tu ne peux pas t'en tenir à ce qui était convenu ?

– Mais c'est ce que j'ai fait !

Je plonge la main dans mon sac et lui lance l'une de mes trois bourses en velours. Des pièces d'argent s'éparpillent sur le sol.

– J'ai obtenu cinq cents pièces pour l'espadon !

– Sauf que maintenant, tout l'argent d'Orïsha ne suffirait pas à nous sauver. (Tzain passe la main sur ses yeux, étalant des larmes sur ses joues.) Ils vont nous tuer. Ils vont *te* tuer, Zél !

– S'il vous plaît… pépie soudain la fille, se rappelant à notre bon souvenir.

Avec son étrange faculté à se faire toute petite, j'avais complètement oublié sa présence.

– Je… (Elle est blême. Sous l'ample capuche, je distingue à peine ses yeux d'une intense couleur d'ambre.) Tout ceci est entièrement ma faute.

– Merci, dis-je, en ignorant le regard noir que me lance Tzain.

Sans elle, mon frère serait tout sourire car notre famille serait enfin en sécurité.

– Qu'est-ce que tu as fait ? Pourquoi les soldats du roi te poursuivent ? je demande.

– Ne réponds pas, intervient Tzain en secouant la tête. (Il pointe le doigt vers Lagos.) Si tu veux nous aider, retourne parmi les tiens et rends-toi…

Quand elle ôte son manteau, nous sommes abasourdis. Tzain semble captivé par la noblesse de ses traits. Quant à moi, je ne peux m'empêcher d'admirer la tiare fixée à sa natte. Elle lui ceint le front de fines chaînes et de feuilles dorées, au centre desquelles étincelle un diamant incrusté. Je reconnais le léopardaire des neiges, le sceau qu'une seule famille est autorisée à porter.

– Par tous les dieux !

La princesse.

Amari.

J'ai kidnappé la princesse d'Orïsha.

– Je vais tout vous expliquer, s'empresse-t-elle d'ajouter avec le ton affecté des gens de son rang qui me fait tant grincer des dents. Je sais ce que vous pensez, mais ma vie était en danger.

– Ta vie, je murmure. Comment ça, *ta* vie ?

Là, je vois rouge. Je pousse la princesse contre un arbre. Laissant échapper un cri, elle suffoque et ouvre de grands yeux terrifiés tandis que je serre mes mains autour de son cou.

– Zél, qu'est-ce que tu fais ? hurle Tzain.

– Je montre à la princesse quel effet ça fait d'être *vraiment* en danger !

Il m'arrache à Amari en m'attrapant par les épaules.

– T'es devenue folle ou quoi ?

– Elle m'a menti, je réponds, hors de moi. Elle m'a dit qu'ils allaient la tuer et qu'elle avait besoin de mon aide.

– C'était la vérité ! s'exclame Amari. (Elle tente d'arracher mes mains de son cou.) Père a fait exécuter des membres de la famille royale uniquement parce qu'ils avaient *sympathisé* avec des devîns. Il n'hésiterait pas une seconde à m'infliger le même sort.

Elle tire de sa robe un rouleau de parchemin et le serre si fort que sa main tremble.

– Voilà ce que le roi veut récupérer.

Tout en frottant son cou, Amari fixe le parchemin. Je ne saisis pas pourquoi elle semble si fascinée.

– Ce rouleau peut tout changer. Il peut faire revivre la magie.

Nous la regardons, interloqués. *Elle ment.* La magie ne reviendra jamais. La magie est morte, il y a de cela onze ans.

– Moi non plus, je ne pensais pas que c'était possible, poursuit-elle, consciente de notre incrédulité. Mais je l'ai vu de mes propres yeux. J'ai vu une devîn redevenir maji juste après avoir touché ce rouleau. (Sa voix s'adoucit.) Du creux de ses mains, elle a fait surgir la lumière.

Une Éclaireuse ?

Je m'approche afin d'examiner le parchemin. Je perçois la méfiance de Tzain, aussi palpable que la chaleur ; pourtant, plus j'écoute Amari, plus j'ose de nouveau rêver. Après tout, la terreur qu'il y avait dans ses yeux était réelle. De celles que l'on éprouve lorsque l'on sait sa vie menacée. Pour quelle autre raison la moitié de la garde l'aurait-elle pourchassée si sa fuite n'avait pas fait encourir au royaume un risque encore plus grand ?

— Et cette maji, où est-elle, maintenant ? je m'enquiers.

— Elle est morte. (Les yeux d'Amari s'embuent de larmes.) Père l'a tuée. Il l'a assassinée. Non à cause de ce qu'elle a fait mais de ce qu'elle aurait pu faire.

Amari resserre ses bras autour de ses propres épaules et ferme les yeux pour ravaler ses larmes. On dirait qu'elle a rapetissé, tant elle est bouleversée.

La colère de Tzain est retombée. Même si les larmes de cette fille ne suffisent pas à m'attendrir, ses paroles résonnent encore dans ma tête. *Elle est redevenue maji. Du creux de ses mains, elle a fait surgir la lumière.*

— Donne-moi ça.

Je m'avance vers le rouleau, impatiente de le regarder de plus près. Mais au moment même où mes doigts l'effleurent, une décharge surnaturelle me traverse le corps et je lâche le parchemin qui reste accroché à l'écorce d'un ébénier.

— Qu'est-ce qui t'arrive ? s'étonne Tzain.

Je secoue la tête, incapable de lui répondre. L'étrange fourmillement continue à se diffuser sous ma peau. Une sensation à la fois inconnue et familière qui me secoue de fond en comble, menaçant d'exploser de l'intérieur. Un second cœur qui bat, vibrant comme…

Comme l'ashê ?

Cette pensée me serre le cœur et révèle en moi un trou béant que je pensais refermé depuis longtemps. Quand j'étais petite, je ne rêvais qu'à l'ashê. Je priais pour qu'un jour, je puisse ressentir sa chaleur dans mes veines.

Tel le pouvoir divin des dieux, c'est la présence de l'ashê dans le sang qui différencie les maji des devîns. C'est ce à quoi nous avons recours pour manifester nos dons sacrés. L'ashê est ce dont les maji ont besoin pour pouvoir exercer leurs pouvoirs surnaturels.

Je scrute mes mains, tâchant d'y déceler les ombres de la mort que Mama était capable de conjurer dans son sommeil. Lorsque l'ashê se réveille, il réveille aussi nos dons magiques. Mais est-ce vraiment ce qui est en train de se produire ?

Non.

Vite, j'étouffe en moi la petite étincelle avant qu'elle ne devienne espoir. Car si la magie était de retour, tout serait différent. Je ne sais plus quoi penser.

Cela signifierait qu'après onze années de silence, les dieux reprendraient cette place centrale dans ma vie.

Le Raid m'a détruite, et je viens tout juste de réussir à recoller les morceaux de moi-même. Si les dieux m'abandonnent une deuxième fois, je ne m'en remettrai pas.

– Est-ce que tu le sens ? (Amari recule ; sa voix se fait murmure.) Kaea a dit que le parchemin avait le pouvoir de transformer les devîns en maji. C'est quand Binta l'a touché que toutes ces lumières ont jailli de ses mains.

J'inspecte mes paumes, cherchant la lueur bleu lavande de la magie du Faucheur. Avant le Raid, quand un devîn mutait, on ne savait jamais à l'avance quel pouvoir magique il allait révéler. La plupart du temps, il héritait de celui de ses parents et, le plus souvent, de celui de la lignée maternelle. Mon père étant un kosidàn, j'étais sûre de devenir une Faucheuse, comme Mama. Longtemps, j'ai attendu le jour où je ressentirais enfin la magie des morts dans mon corps. Mais pour l'instant, je ne ressens que ce picotement étrange dans les veines.

D'un geste prudent, je ramasse le parchemin, redoutant que ce contact ne déclenche un nouveau phénomène. En le déroulant, je discerne un soleil jaune dessiné sur le papier usé ; tous les autres symboles sont indéchiffrables ; si anciens qu'ils semblent plus vieux que le temps lui-même.

— Ne me dis pas que tu y crois, proteste Tzain à voix basse. La magie a disparu, Zél. Elle ne reviendra plus jamais.

Je sais qu'il veut me protéger. Il m'a déjà si souvent dit ça en séchant mes larmes et en retenant les siennes. Jusqu'ici, je l'ai toujours cru. Mais cette fois…

— Sais-tu si d'autres ont touché ce rouleau ? Est-ce qu'ils sont redevenus des maji ? Ont-ils retrouvé leurs dons ?

— Oui, répond Amari. (Mais son enthousiasme fond immédiatement.) Ils ont retrouvé leur magie… mais les soldats de Père les ont massacrés.

Je frissonne, les yeux rivés sur le parchemin. Le cadavre de Mama m'apparaît aussitôt. Pourtant, ce n'est pas son visage ensanglanté et recouvert d'ecchymoses que je vois.

C'est le mien.

Elle n'avait plus de magie, me rappelle une petite voix. *Elle n'avait aucun moyen de se défendre.*

Et voilà que j'ai de nouveau six ans et je suis recroquevillée devant le feu de notre ahéré d'Ibadan. Tzain me prend dans ses bras et m'assoit contre le mur. Depuis ce jour, il a toujours essayé de me protéger de la souffrance du monde.

Du sang pourpre gicle partout. Les gardes n'en finissent plus de frapper Baba. Mama hurle, les supplie d'arrêter, mais deux soldats lui passent la chaîne autour du cou. Les maillons de majacite l'étranglent et la font saigner.

Elle suffoque, tandis qu'on la traîne à l'extérieur de la hutte tel un animal, la rouant de coups de pied et de poing.

Pourquoi est-ce arrivé le seul jour où elle était privée de sa magie ?

Un autre jour, elle aurait triomphé.

Je ferme les yeux et j'imagine quelle autre tournure les choses auraient pu prendre.

Gbọ́ ariwo ikú !

Soudain ressuscité dans mon imagination, j'entends le murmure de Mama.

Pa ipò dà. Jáde nínú ẹ̀jẹ̀ ara !

Les gardes qui l'étranglent se figent et tremblent de tous leurs membres sous l'effet de ses incantations. Ils hurlent tandis qu'elle leur arrache l'esprit du corps et qu'ils succombent à la colère déferlante d'une Faucheuse en pleine possession de ses pouvoirs. La magie de Mama se nourrit de sa propre rage. Ainsi enveloppée d'ombres noires qui dansent autour d'elle, elle ressemble à Oya, la déesse de la Vie et de la Mort.

Dans un cri sauvage, elle brise la chaîne qui lui enserre le cou et enroule les maillons noirs autour de la gorge du troisième garde.

Grâce à la magie, elle préserve l'esprit guerrier de Baba.

Grâce à la magie, elle est toujours vivante.

Mais la colère de Tzain coupe court à mes rêveries.

– Si tu dis vrai et qu'ils tuent des gens pour cela, alors tu ne dois pas rester là. Imagine qu'ils surprennent Zél avec le parchemin…

Sa voix se brise, faisant exploser mon cœur en mille morceaux. Même si je persistais à tout faire rater jusqu'à la fin de ses jours, jamais Tzain ne renoncerait à donner sa vie pour moi.

Je dois le protéger. C'est à mon tour de veiller sur lui.

– On doit partir.

J'enroule le parchemin et je décide de le ranger dans mon sac. Dans ma hâte, j'en oublie presque de ramasser les bourses remplies de pièces d'argent.

– Qu'elle dise vrai ou non, on doit rejoindre Baba. On doit s'enfuir pendant qu'il en est encore temps.

Ravalant sa frustration, Tzain enfourche Nailah. Je m'installe derrière lui.

– Et moi, je fais quoi ? demande la princesse d'une voix d'enfant timide.

– Et toi tu fais quoi ?

Sa question réveille mon ressentiment envers sa famille. Maintenant que nous avons récupéré le parchemin, j'abandonnerais bien Amari dans la forêt pour qu'elle y meure de faim ou soit dévorée par les hyènaires.

– Si tu emportes ce fichu parchemin, elle doit venir, soupire Tzain. Sinon, elle mènera les gardes droit sur nous.

Je me tourne vers Amari. Elle blêmit.

Comme si j'étais la seule personne qu'elle devait craindre.

– D'accord, monte, dis-je en glissant vers l'avant de la selle de Nailah pour lui faire une place.

J'ai beau ne rien tant désirer que l'abandonner ici, nos routes ne sont pas près de se séparer.

CHAPITRE HUIT

INAN

— JE NE COMPRENDS PAS.

Mille et une pensées me traversent l'esprit, mais j'essaie de m'en tenir aux faits : le retour de la magie à Orïsha ; un parchemin antique ; un acte de haute trahison perpétré par *Amari* ?

Ce n'est pas possible. Même si je croyais à la magie, jamais je ne pourrais admettre que ma propre sœur est impliquée dans cette affaire. Amari, qui ose à peine prendre la parole aux banquets, qui s'habille selon les prescriptions de Mère, qui vit cantonnée dans le palais, aurait fui Lagos en emportant le seul objet qui puisse causer la ruine de notre royaume ?

Je remonte le fil de mes souvenirs, me remémorant l'instant où la jeune fugitive m'a percuté de plein fouet. Une sorte de violente décharge électrique a fait craquer mes os et, sous le choc, je n'ai pas pensé à regarder le visage dissimulé sous la capuche. Aurai-je vraiment croisé le regard d'ambre de ma sœur si je l'avais fait ?

Non, tout ceci est bien trop extravagant. J'ai presque envie d'emmener Père consulter le médecin de la cour. D'un autre côté, ce que j'ai lu dans ses yeux est indéniable. De l'affolement. Du calcul. En dix-huit ans, j'ai pu voir toutes sortes d'émotions traverser son regard. Mais jamais cette peur. Cet effroi.

— Avant ta naissance, le pouvoir avait enivré les maji. Ils étaient constamment en train d'ourdir quelque complot pour nous renverser, explique Père. Pourtant, même après leur insurrection, mon père s'est toujours efforcé de se montrer équitable envers eux. Cela ne les a pas empêchés de le tuer.

Comme ils ont aussi tué ta première épouse et ton fils aîné. Dans tout Orïsha, il n'est pas un seul noble qui ne connaisse les massacres qu'a endurés Père de la main des maji. Un carnage qui, plus tard, devait être vengé par le Raid.

Instinctivement, je touche le vieux gri-gri que je garde toujours dans ma poche. Ce pion de senet dérobé à Père est tout ce qui me reste de mon enfance. Lorsque j'étais petit, il jouait souvent à ce jeu avec moi.

D'habitude, le contact froid du métal me rassure. Mais aujourd'hui, il est chaud sous mes doigts, aussi brûlant que la douloureuse vérité que Père est sur le point de me révéler.

— Lorsque j'ai accédé au trône, je savais que la magie était la cause de toutes nos souffrances. Elle a ruiné bien des empires et des royaumes avant le nôtre et continuera à le faire tant qu'elle existera.

J'acquiesce, me remémorant les fulminations de Père, déjà bien avant le Raid. Les Britäunîs. Les Pörltöganés. L'Empire spaní. Toutes ces civilisations détruites par la soif de pouvoir des maji, et contre laquelle les gouvernants de l'époque n'ont su prendre les mesures qui s'imposaient.

— Quand j'ai découvert l'alliage brut qu'utilisaient les Bratoniens pour éradiquer la magie, je pensais avoir trouvé la solution. Grâce au majacite, ils avaient construit des prisons, fabriqué des armes et des chaînes. J'ai suivi leur exemple. Mais cela n'a pas suffi à mater ces dangereux cafards. Je savais que la seule manière d'assurer la survie du royaume était d'anéantir la magie.

Quoi? Je n'en crois pas mes oreilles. La magie est un phénomène qui nous dépasse. Comment Père a-t-il pu s'attaquer à un ennemi si puissant?

— La magie est un don des dieux qui les relie spirituellement aux humains, poursuit-il. Il y a de cela plusieurs générations, ils ont décidé de rompre ce lien avec les familles royales. Je savais donc qu'il pouvait aussi être rompu avec les maji.

Les paroles de Père tourbillonnent dans ma tête. S'il n'a pas besoin d'aller voir le médecin, c'est moi qui irai le consulter. La seule fois où j'ai osé l'interroger au sujet des dieux, il m'a fait cette réponse laconique : *Les dieux ne seraient rien s'il n'y avait pas de gens assez stupides pour croire en eux.*

J'ai gravé ces paroles dans mon cœur, et j'ai construit ma vision du monde à partir de cette conviction inébranlable. Et voilà qu'il m'annonce qu'ils existent vraiment. Et que *lui-même* leur a déclaré la guerre.

Par le ciel ! Je contemple les traces de sang par terre. J'ai toujours su que Père était un homme puissant. Mais j'ignorais que son pouvoir pouvait atteindre de telles profondeurs.

— Après mon couronnement, j'ai cherché un moyen de couper ce lien. Au bout de plusieurs années, j'ai fini par découvrir sur quoi il se fondait chez les maji, et j'ai donné l'ordre à mes hommes de le détruire. Jusqu'à aujourd'hui, je pensais avoir réussi à effacer toute magie de la surface de la terre. Mais voici que ce maudit parchemin menace de la faire revenir.

Les paroles de Père me plongent dans une grande confusion. J'essaie pourtant de remettre de l'ordre dans mes idées jusqu'à ce que les faits les plus inconcevables s'emboîtent dans ma tête : rompre le lien ; rompre la magie.

Anéantir tous ceux qui s'en prennent à la Couronne.

— Mais si la magie avait disparu…

Je redoute de poser cette question, mais j'ai besoin d'en connaître la réponse.

— … pourquoi avoir ordonné le Raid ? Pourquoi… avoir tué tous ces gens ?

Tout en passant son pouce sur le fil dentelé de sa lame en majacite, Père se dirige vers la fenêtre. C'est à ce même endroit que je me tenais, enfant, quand les maji de Lagos se sont consumés dans les flammes. Onze ans plus tard, l'odeur de cendre et de chair brûlée reste gravée dans ma mémoire, aussi vivace que la chaleur qui l'accompagnait.

– Pour que la magie disparaisse une fois pour toutes, pas un seul maji ne devait rester en vie.

Pas un seul maji…

Voilà pourquoi il ne tuait pas les enfants. Les devîns ne manifestant leurs dons qu'à partir de treize ans, ceux qui n'avaient pas encore atteint cet âge ne présentaient aucune menace.

La réponse de Père est si posée, si pleine de bon sens que je ne doute pas un instant du bien-fondé de sa décision. Mais j'ai toujours ce goût amer dans la bouche. Tenace. Je me demande si ce jour-là, Père a eu l'estomac retourné.

Je me demande aussi si je serais assez fort pour agir comme lui.

– La magie est un fléau, reprend-il, interrompant mes pensées. Un mal purulent et fatal. S'il s'empare de notre royaume comme il s'est emparé des autres, nul n'y survivra.

– Et Amari ? je demande à voix basse. Devrons-nous… Est-ce que j'aurai à…

Cette seule pensée m'est si abominable que je ne peux finir ma phrase.

Le devoir avant soi-même. C'est ce que répondra Père. C'est ce qu'il m'a crié ce jour funeste.

Mais après toutes ces années passées ensemble, la perspective de devoir lever mon épée sur Amari m'épouvante. Jamais je ne serai le roi que Père veut que je sois.

Jamais je ne tuerai ma petite sœur.

– Ta sœur a commis un acte de haute trahison, poursuit-il en détachant ses mots. Mais ce n'est pas sa faute. Je lui ai permis de fréquenter ce cafard. J'aurais dû savoir qu'à son contact, elle s'égarerait.

– Amari sera donc épargnée ?

Père acquiesce.

– À condition qu'on puisse la capturer avant que quiconque ne découvre ce qu'elle a fait. C'est pour cela que tu ne peux emmener tous tes hommes. Seuls toi-même et l'amirale Kaea devrez récupérer le parchemin.

Le soulagement est aussi violent qu'un coup de poing de Père. Je ne tuerai pas ma petite sœur, je la ramènerai au palais.

On frappe à la porte. Kaea passe la tête dans l'embrasure. D'un geste de la main, Père l'invite à entrer. Derrière elle, j'aperçois Mère qui fronce les sourcils. *Par le ciel !* Un nouveau poids s'abat sur mes épaules.

Mère ne sait même pas où est Amari.

– Un noble prétend avoir vu le cafard qui a aidé la fugitive, annonce Kaea. C'est une fille. Elle lui aurait vendu un poisson rare d'Ilorin.

– Avez-vous vérifié cette information dans le registre ? je demande.

Kaea hoche la tête.

– Il ne mentionne qu'un seul devîn d'Ilorin aujourd'hui. Une certaine Zélie Adebola, dix-sept ans.

Zélie…

Je connais enfin le nom de cette fille qui a tant frappé mon esprit. Il roule sur la langue de Kaea comme de l'argent. Un nom bien trop doux pour une devîn capable d'affronter mes gardes.

– Laisse-moi aller à Ilorin, dis-je spontanément.

Tandis que je prononce ces mots, j'élabore un plan. J'ai déjà eu une carte d'Ilorin sous les yeux. C'est un village flottant découpé en quatre parties et peuplé de quelques centaines de villageois, principalement des pêcheurs. Pour y aller, il nous faudrait…

– Dix hommes. C'est tout ce dont l'amirale Kaea et moi-même avons besoin. Je retrouverai le parchemin et je ramènerai Amari. Accordez-moi cette chance.

Père tourne à nouveau sa bague et réfléchit. Je l'entends déjà rejeter ma proposition.

– Mais si ces hommes venaient à découvrir quelque chose…

– Je les tuerais.

Ce pieux mensonge sort tout seul de ma bouche. Si je parviens à racheter mes erreurs passées, personne ne mourra.

Mais cela, Père ne peut pas le savoir puisqu'il me fait à peine confiance. Ce qu'il attend, c'est de la rapidité et un engagement indéfectible.

En tant que capitaine, je me dois de répondre à ses exigences.

– Très bien, approuve Père. Vas-y. Et fais vite.

Loué soit le ciel ! J'ajuste mon casque et m'incline aussi bas que possible. Je suis déjà sur le point de franchir la porte quand Père me rappelle.

– Inan. (Quelque chose dans sa voix a changé. Le ton s'est durci, il se fait menaçant.) Une fois que tu auras retrouvé Amari et le parchemin, tu mettras le feu à ce village. Il ne devra rien en rester.

CHAPITRE NEUF

ZÉLIE

Ilorin est incroyablement paisible.

Quel contraste avec la journée que nous venons de passer ! Dans le port, les barques-noix de coco sont amarrées à leur ancre, devant les entrées des ahérés dont les rideaux sont tirés. Le village se couche avec le soleil et se prépare à une bonne nuit de sommeil.

Installés sur le dos de Nailah, nous voguons tranquillement pour aller retrouver Mama Agba. Amari ouvre de grands yeux étonnés, aussi émerveillée qu'un travailleur affamé devant un solide repas.

— Je n'ai jamais rien vu de pareil, murmure-t-elle. C'est fascinant.

Les paupières fermées, je respire la fraîcheur marine et un peu d'écume éclabousse mon visage. Le goût du sel sur ma langue me laisse imaginer ce à quoi nous aurions pu nous attendre si Amari n'avait pas été là : une miche de pain sucré, une belle tranche de viande épicée. Un vrai festin préparé en mon honneur. Pour une fois, nous serions allés nous coucher le ventre plein.

La joie candide d'Amari ravive ma frustration lorsque je réalise qu'elle n'a sans doute jamais manqué un seul repas de sa vie.

— Donne-moi ta tiare, lui dis-je lorsque Nailah nous débarque dans le quartier marchand.

Son expression béate disparaît d'un coup. Elle se raidit.

— Mais Binta… (Elle marque une pause, s'efforçant de contenir son émotion.) C'est le seul souvenir qui me reste de ma suivante.

— Je m'en fiche. C'est trop risqué. Les gens pourraient t'identifier.

– Ne t'en fais pas, la rassure Tzain. Elle va la mettre dans son sac, pas question de la jeter dans la mer.

Ses mots réconfortants m'exaspèrent, mais ils semblent faire leur effet. Amari ôte sa tiare ornée de pierres précieuses et la fourre dans mon sac avec les pièces d'argent. Cette accumulation d'objets étincelants me semble absurde. Ce matin encore, je n'avais pas la moindre pièce de bronze en poche, et voilà que je croule sous le poids de tous ces trésors.

Quand nous arrivons devant l'ahéré de Mama Agba, j'écarte le rideau. Baba ronfle dans un coin, enroulé sur lui-même tel un chat sauvage se réchauffant près d'un feu. Sa peau a retrouvé ses couleurs habituelles, et son visage n'est plus aussi décharné. Les soins de Mama Agba semblent avoir fait des miracles. Elle pourrait même ressusciter un mort.

J'entre. Mama Agba se tient derrière un mannequin revêtu d'un somptueux kaftan violet dont les coutures brodées indiquent qu'il est destiné à un noble. Cette commande permettra probablement à Mama de s'acquitter de son prochain impôt.

– Ça s'est bien passé ? chuchote-t-elle en coupant un fil avec ses dents.

Elle réajuste son gélé vert et jaune avant de s'attaquer aux finitions du kaftan.

Je m'apprête à lui répondre, mais Tzain entre à son tour, suivi d'Amari qui reste timidement en retrait. Elle passe ses doigts sur les murs en roseau et découvre l'intérieur de l'ahéré avec l'étonnement naïf de ceux qui ont grandi dans le luxe.

Tout en saluant Mama Agba d'un hochement de tête reconnaissant, Tzain me débarrasse de mon sac et tend le parchemin à Amari. Puis il soulève le corps endormi de Baba qui ne se rend compte de rien.

– Je reviens tout de suite, dit-il. Vous me direz ce qu'on fait du parchemin. Si on doit partir, on… (Sa phrase inachevée réveille ma culpabilité. À présent, il n'y a plus de *si*. Cette alternative a disparu par ma faute.) Mais dépêchez-vous.

Il s'en va, refoulant ses émotions. Je regarde sa silhouette disparaître dans le noir en m'en voulant d'être la cause de sa tristesse.

— Partir ? Mais pourquoi ? s'étonne Mama Agba. Et qui est cette fille ?

Les yeux plissés, elle la détaille de la tête aux pieds. Même dans ce manteau miteux, le port altier et le menton levé d'Amari trahissent ses origines.

— Oh, eh bien… (Amari se tourne vers moi et se cramponne à son parchemin.) Je… je suis…

— Elle s'appelle Amari, dis-je en soupirant. C'est la princesse d'Orïsha.

Mama Agba éclate de rire et s'incline exagérément bas.

— C'est un honneur, Votre Altesse, dit-elle sans y croire.

Voyant que cela ne nous fait pas sourire, elle ouvre de grands yeux ronds et se lève de son siège pour entrouvrir le manteau d'Amari et découvrir la robe d'un bleu profond. Même dans la pénombre, le profond décolleté rehaussé de pierreries brille d'un éclat extraordinaire.

— Par tous les dieux ! (Elle se tourne vers moi en se frappant la poitrine.) Zélie, au nom du ciel, qu'est-ce que tu as fait ?

J'oblige Mama à se rasseoir et je raconte notre journée. Oscillant entre fierté et colère, elle écoute les détails de notre fuite, mais les possibilités que laisse entrevoir le parchemin finissent par la calmer.

— Faut-il y croire ? je demande. Tout cela est-il vrai ?

Mama reste un long moment silencieuse et regarde fixement le parchemin qu'Amari tient entre ses mains. Pour une fois, ses yeux sombres sont impénétrables, rendant encore plus obscures les réponses que j'attends.

— Donne-le-moi.

Au moment même où sa main touche le parchemin, Mama Agba a le souffle coupé. Tout son corps est parcouru de spasmes si puissants qu'elle tombe de sa chaise.

– Mama Agba !

Je me précipite vers elle et prends ses mains dans les miennes jusqu'à ce que les secousses se calment. Peu à peu, elles disparaissent et la laissent échouée sur le sol, aussi immobile que ses mannequins.

– Mama, ça va ?

Des larmes jaillissent de ses yeux et s'engouffrent dans les rides qui sillonnent sa peau sombre.

– Cela faisait si longtemps, murmure-t-elle. Jamais je n'aurais pensé qu'un jour, je ressentirais encore la chaleur de la magie.

Je sursaute, n'en croyant pas mes oreilles. Ce n'est pas possible. Moi qui pensais qu'aucun maji n'avait survécu au Raid.

– Vous êtes une maji ? demande Amari. Pourtant, vos cheveux…

Mama Agba ôte son gélé et passe la main sur son crâne chauve.

– Il y a onze ans, j'ai eu une vision où je me suis vue rendre visite à une Cancer. Je l'ai priée de me débarrasser de mes cheveux blancs, ce qu'elle a fait en recourant à la magie de la maladie.

– Tu es une Voyante ! je m'exclame.

– Je l'étais. J'ai perdu mes cheveux le jour du Raid. Quelques heures plus tôt, ils m'auraient emmenée.

Incroyable. Quand j'étais petite, les rares Voyants qui vivaient à Ibadan étaient tous vénérés. C'est grâce à leur magie que les autres clans maji du village ont pu survivre. Je souris. Comment n'ai-je pas deviné ? Mama Agba a toujours fait preuve d'un discernement hors du commun. Sa sagesse lui permettait de voir des événements bien antérieurs à sa naissance.

– Avant le Raid, j'ai senti que la magie avait été comme aspirée. J'ai essayé de conjurer ce qui allait advenir, mais au moment même où mon don de voyance m'était le plus indispensable, je n'ai plus rien vu.

Elle grimace, comme si elle éprouvait de nouveau la souffrance endurée ce jour-là. Je n'ose pas imaginer les images horribles qui l'assaillent.

Mama se traîne jusqu'à la fenêtre et abaisse le drap qui fait office de rideau. Puis elle contemple ses mains ridées, usées par des années de couture.

— *Orúnmila*, fredonne-t-elle, invoquant le dieu du Temps. *Bá mi ṣọ̀rọ̀. Bá mi ṣọ̀rọ̀.*

— Que fait-elle ?

Amari a un mouvement de recul, comme si les paroles de Mama Agba pouvaient la blesser. Mais je suis trop bouleversée pour lui répondre. C'est la première fois depuis plus de dix ans que j'entends une incantation en yoruba.

Depuis le Raid, je ne connaissais quasiment plus que les sons durs et gutturaux de l'orïshan, la langue qu'on nous a imposée. Cela fait si longtemps que celle de mon peuple n'existe plus que dans mon imagination.

— Elle a dit : *Orúnmila, parle-moi. Parle-moi.* Elle invoque son dieu pour exercer ses pouvoirs magiques.

Même si cette explication me vient naturellement, j'ai du mal à croire ce que je vois. Mama Agba chante avec une foi aveugle. Patiente et confiante, comme tous ceux qui obéissent au dieu du Temps.

Quand je l'entends invoquer la protection d'Orúnmila, la nostalgie m'étreint le cœur. J'aurais tellement voulu pouvoir m'en remettre à Oya, moi aussi. Mais jamais je n'ai eu suffisamment foi en elle pour le faire.

— Est-ce que c'est sans danger ?

Amari s'appuie contre le mur tandis que les veines du cou de Mama Agba deviennent saillantes.

— Cela fait partie du rituel, dis-je en hochant la tête. L'ashê se manifeste à ce prix.

La magie doit s'exercer dans la langue des dieux. Ainsi l'ashê se mêle au sang et devient opérant. Pour un Voyant exercé, ce genre d'invocation est facile. Mais Mama Agba ne l'a plus pratiquée depuis si longtemps qu'elle est probablement obligée de mobiliser tout son corps pour cela. L'ashê est comme un muscle : plus on l'utilise, plus il devient facile à maîtriser, et plus les pouvoirs se renforcent.

Orúnmila, bá mi sòrò. Orúnmila, bá mi sòrò…

Sa voix se fait de plus en plus rauque. Ses rides se creusent sous l'effort. Maîtriser l'ashê est très éprouvant. Le solliciter trop violemment pourrait la tuer.

– *Orúnmila…*

Mama Agba psalmodie de plus en plus fort. Une lueur argentée commence à illuminer ses paumes.

– *Orúnmila, bá mi sòrò. Orúnmila, bá mi sòrò.*

Le cosmos explose soudain entre ses mains avec une telle violence qu'Amari et moi sommes projetées contre le sol. Amari hurle, mais mon propre cri reste coincé dans ma gorge. Tous les bleus et les violets du ciel nocturne irradient entre les paumes de Mama Agba. Mon cœur se dilate devant tant de beauté. *Elle est revenue.*

Après toutes ces années, la magie est enfin de retour.

C'est comme si une digue cédait en moi sous cette vague ininterrompue d'émotions qui submerge mon corps. Les dieux sont de retour. Vivants. De nouveau à nos côtés.

Entre les paumes de Mama Agba, les étoiles scintillantes tourbillonnent et dansent et, lentement, une image se cristallise sous nos yeux, aussi nette qu'une sculpture. Peu à peu, je distingue trois silhouettes escaladant une falaise. Elles grimpent, luttant sans relâche tandis qu'elles se fraient un chemin à travers les broussailles.

– Ciel, jure Amari, risquant un pas en avant. Est-ce que c'est… moi ?

Sa vanité me fait rire, mais en reconnaissant mon dashiki déchiré, je redeviens grave. Elle a raison, c'est bien elle, et moi, et Tzain, en train de crapahuter dans la jungle. Maintenant, mes mains s'agrippent à un rocher, tandis que Tzain tient Nailah par les rênes pour la mener vers une corniche. Nous grimpons toujours plus haut, encore et encore, jusqu'à atteindre le…

La vision disparaît.

Nous restons là, à fixer les mains vides de Mama Agba. Ces mains qui viennent de tout changer pour moi.

Ses doigts tremblent et de nouvelles larmes jaillissent. Entre deux sanglots muets, elle dit :

— Je sens… je sens que je peux respirer comme avant.

Je hoche la tête, même si je suis incapable de décrire l'émotion qui m'assaille.

Lorsque ses mains ne tremblent plus, Mama Agba s'empare du rouleau de parchemin d'un geste vif et l'examine. Je devine aux mouvements de ses yeux qu'elle lit les symboles qui le recouvrent.

— C'est un rituel, dit-elle. Un rituel très ancien. De ce que je peux en comprendre, il permet d'entrer en relation avec les dieux.

— Vous pouvez faire ça ? demande Amari.

Dans ses yeux d'ambre, on peut lire un sentiment de crainte mêlé de respect. Elle regarde Mama Agba comme si elle était en diamant, mais tressaille pourtant lorsqu'elle s'approche.

— Ce n'est pas à moi de le faire, mon enfant, dit Mama en remettant le rouleau entre mes mains. Ce que j'ai vu, vous l'avez vu aussi.

— Vous… vous ne parlez pas sérieusement, bredouille Amari.

Pour une fois, je suis d'accord avec elle.

— Il n'y a pas à discuter, reprend Mama. Ce périple, vous le faisiez tous les trois afin de ramener la magie !

— Mais n'est-elle pas déjà là ? demande Amari. Ce que vous venez de faire…

— Ce n'est rien comparé à ce dont j'étais capable autrefois. Ce parchemin permet de faire revenir la magie, mais pour qu'elle s'accomplisse pleinement, il faut bien davantage.

— Alors trouvons quelqu'un de plus expérimenté, dis-je en hochant la tête. Tu n'es sûrement pas la seule maji à avoir survécu au Raid. Pourquoi ne pas utiliser tes pouvoirs pour trouver la bonne personne ?

— Écoutez, jeunes filles…

— Non, pas nous, je proteste. En tout cas, pas *moi* ! Baba…

— Je prendrai soin de ton père.

— Et les gardes ?

— N'oublie pas qui t'a appris à te battre.

— Mais nous ne comprenons rien à ces symboles, interrompt Amari. Nous ne sommes même pas capables de les déchiffrer.

Mama Agba regarde ailleurs, comme si elle suivait son idée. D'un pas résolu, elle se dirige vers sa collection d'objets puis revient avec une carte aux couleurs passées.

— Là, dit-elle en désignant un point dans la jungle de Funmilayo, à l'est des côtes d'Ilorin. C'est à quelques jours de marche. Dans ma vision, c'est là que vous étiez. C'est aussi à cet endroit que doit se trouver Chândomblé.

— Chândomblé ? répète Amari.

— C'est un temple légendaire, répond Mama Agba. On dit qu'il abrite les sêntaros sacrés, les protecteurs de la magie et de l'ordre spirituel. Avant le Raid, seuls les nouveaux élus à la tête des dix clans maji y allaient en pèlerinage. Mais dans ma vision, c'est vous qui vous y rendiez, ce qui doit signifier que votre tour est venu. Allez-y. À Chândomblé, vous devriez trouver les réponses que vous cherchez.

Tandis que j'écoute parler Mama Agba, j'ai l'impression de ne plus sentir ni mes mains ni mes jambes. *Tu ne comprends pas ?* J'ai envie de hurler.

Je ne suis pas assez forte.

Je jette un œil à Amari, oubliant presque qu'elle est une princesse. À la lueur des bougies, elle semble toute petite.

Mama Agba pose sa main ridée sur ma joue et, de l'autre, elle agrippe le poignet d'Amari.

— Je sais que tout ceci vous semble effrayant, mais je sais aussi que vous pouvez y arriver. Tu aurais pu te rendre au marché de Lagos un autre jour ; pourtant, c'est aujourd'hui que tu y es allée. Et parmi tous les gens que tu aurais pu approcher, c'est elle que tu as choisie. Les dieux sont à l'œuvre. Après tout ce temps, ils sont de nouveau à nos côtés et nous rendent nos pouvoirs. Il faut leur faire confiance :

111

ils ne prennent pas le destin des maji à la légère. Et vous devez aussi croire en vous-mêmes.

Je soupire en regardant fixement le sol en roseaux tressés. Les dieux qui, il y a peu, semblaient encore si lointains sont à présent plus proches que je ne l'aurais jamais imaginé.

Quand je pense qu'aujourd'hui, je voulais juste faire mes preuves en vendant un poisson.

– Mama…

– Au secours !

Un cri déchire le silence nocturne. Nous bondissons aussitôt sur nos pieds. J'attrape mon bâton tandis que Mama court à la fenêtre. Lorsqu'elle écarte le rideau, mes jambes vacillent.

Dans le quartier marchand, le feu fait rage ; tous les ahérés sont pris dans l'incendie. Des panaches de fumée noire montent vers le ciel en même temps que les cris des villageois appelant à l'aide tandis que notre monde se consume dans les flammes.

Une rangée de flèches embrasées traversent l'obscurité et explosent dès qu'elles entrent en contact avec les roseaux et les poutres en bois des ahérés.

De la poudre-canon…

Un mélange dont seuls les gardes royaux ont le secret.

Dans ma tête, une petite voix chuchote :

Toi ! C'est toi qui les as amenés jusqu'ici.

Ils ne vont pas se contenter de tuer tous ceux que j'aime.

Ils vont réduire le village en cendres.

Je m'élance hors de l'ahéré tandis que Mama Agba crie mon nom. Il faut que je retrouve les miens. Que je m'assure qu'ils sont en sécurité.

Je cours sur la passerelle qui s'effondre sous mes pas tandis que mon village s'embrase. Une odeur de chair carbonisée me pique la gorge. L'incendie ne s'est déclaré que depuis quelques minutes, mais tout Ilorin est en flammes.

– Au secours !

Cette fois, je reconnais cette voix, c'est celle de la petite Bisi, et ses hurlements de désespoir déchirent l'obscurité. Mon cœur se serre lorsque je passe devant son ahéré, pas sûre qu'elle sortira vivante de cet incendie.

Alors que je me précipite vers chez moi, je vois des villageois se jeter dans l'océan afin d'échapper aux flammes. Leurs cris perçants retentissent dans la nuit, et ils toussent et agrippent des bouts de bois flottant en guise de bouée.

Une sensation étrange m'envahit, elle pulse dans mes veines et oppresse ma poitrine ; de la chaleur crépite sous ma peau.

Un mort…

Un esprit.

La magie. J'assemble les pièces du puzzle. *Ma magie.*

Une magie que je ne comprends pas. Pourquoi nous plonge-t-elle dans cet enfer ?

Alors que ma peau s'embrase, j'imagine des Mascarets ordonnant aux flots de se déverser sur les flammes. Des Braseros empêchant l'incendie de s'étendre au-delà de la baie.

Si davantage de maji étaient présents, ils useraient de leurs pouvoirs pour arrêter ce cauchemar.

Si nous étions plus exercés à l'incantation, le feu serait déjà maîtrisé.

Un craquement sonore retentit. Sous mes pieds, les planches en bois gémissent tandis que j'arrive près du quartier des pêcheurs. Tant que la passerelle tient encore, je poursuis ma course, puis je m'élance dans les airs.

J'atterris sur la plateforme branlante qui soutient mon ahéré. La fumée me brûle la gorge, je n'y vois rien, mais je dois agir.

– Baba ! Tzain !

Entre deux accès de toux, je hurle leurs noms, et mes cris viennent s'ajouter au chaos de la nuit.

Autour de moi, tous les ahérés sont en flammes. Pourtant je continue d'avancer, espérant que le mien n'aura pas subi le même sort.

La passerelle est de plus en plus instable et je peux à peine respirer. Arrivée devant ma maison, je m'effondre en suffoquant.

— Baba ! Tzain !

Je crie à m'en déchirer la voix, mais personne ne répond.

Impossible de savoir s'ils sont enfermés à l'intérieur, ni même s'ils sont encore en vie.

Je déploie mon bâton pour forcer la porte de l'ahéré. Alors que je m'apprête à entrer, une main agrippe mon épaule et me tire avec une telle force que je manque de tomber.

Des larmes brouillent ma vue, m'empêchant d'identifier le visage de mon assaillant. Mais bientôt, les flammes éclairent une peau cuivrée. *Amari.*

— Tu ne peux pas, s'écrie-t-elle entre deux accès de toux. Tout va s'effondrer !

Je l'attire vers le sol ; si je m'écoutais, j'irais la noyer dans la mer. Lorsqu'elle me lâche enfin, je rampe jusqu'à l'ahéré.

— Non !

Les murs de roseaux que nous avions mis une lune entière à construire s'écroulent dans un craquement sec. Ils brûlent sur la passerelle, puis coulent au fond de l'océan.

J'espère voir surgir la tête de Tzain d'entre les vagues ou entendre Nailah pousser un rugissement de douleur, mais tout n'est que ténèbres.

Ma famille vient d'être balayée d'un coup.

— Zélie…

Amari agrippe de nouveau mon épaule. Mon sang ne fait qu'un tour. J'attrape son bras et la repousse avec une violence que le chagrin et la rage décuplent.

Je vais te tuer. Si on meurt tous, tu meurs aussi.

Pour que ton père éprouve ce chagrin.

Pour que le roi connaisse cette perte insoutenable.

— Arrête ! hurle Amari.

Je l'entraîne vers les flammes. Dans mes oreilles, le sang bat si fort que j'entends à peine ses cris. Quand je la regarde, je vois le visage de son père. Je me sens dévorée par la haine.

– S'il te plaît…

– Zélie, arrête !

Je la relâche et me tourne vers le large. Nailah barbote dans la mer, avec Tzain sur son dos. Derrière eux, Baba et Mama Agba, sains et saufs, voguent dans une barque-noix de coco reliée par une corde à la selle de Nailah. Je suis si bouleversée de les voir que je mets un long moment à réaliser qu'ils sont bel et bien vivants.

– Tzain…

Soudain, ce sont les fondations de tout le quartier des pêcheurs qui se mettent à pencher. Avant même que nous ayons le temps de sauter, il coule et nous emporte avec lui. En un clin d'œil, l'eau glacée engloutit nos corps en apaisant mes brûlures.

Je me laisse couler parmi les poutres et les débris des ahérés. L'obscurité lave mon chagrin, calme ma colère.

Et si tu restais là, au fond, me murmure une petite voix. *Tu n'es pas obligée de continuer à te battre…*

Je m'accroche un instant à ces mots, tentée de saisir cette chance unique de m'échapper. Mais lorsque mes poumons se mettent à siffler, je donne un coup de pied et remonte vers ce monde connu et désormais disloqué.

Je ne souhaitais que la paix, mais les dieux semblent en avoir décidé autrement.

CHAPITRE DIX

ZÉLIE

Nous FLOTTONS vers une petite crique au large de la côte nord. Tant d'horreur nous a rendus muets. Bien que le fracas des vagues soit de plus en plus assourdissant, il ne parvient pas à couvrir les cris de Bisi qui résonnent dans ma tête.

Quatre morts. Quatre personnes qui n'ont pu échapper aux flammes.

C'est moi qui ai apporté le feu à Ilorin.

Leur sang tache mes mains.

J'enserre mes épaules de mes bras pour tout garder en moi, tandis que Mama Agba panse nos blessures avec des morceaux de tissus arrachés à son dashiki. Même si nous avons pu réchapper aux flammes, notre peau est recouverte de brûlures et de plaies. Mais cette douleur est bienvenue ; presque méritée. Ces lésions ne sont rien comparées à la culpabilité qui embrase mon cœur.

Le souvenir d'un corps carbonisé me fait l'effet d'un coup de poing à l'estomac. Lambeaux de peau noire se détachant de chaque membre, odeur de chair brûlée saturant mes narines.

Ils sont mieux là où ils sont, me dis-je afin de soulager ma conscience. Si leurs esprits ont trouvé la paix d'alâfia, alors la mort est presque un cadeau pour eux. Mais s'ils ont dû endurer de telles souffrances en trépassant…

Je ferme les yeux, essayant de chasser cette dernière pensée. Si le traumatisme a été trop important, ils ne pourront pas accéder à l'au-delà. Ils devront rester en apâdi, l'enfer éternel, et revivre toutes ces atrocités.

Nous accostons sur une plage recouverte de rochers. Tzain aide Amari à mettre pied à terre, tandis que je tends la main à Baba. J'avais promis de ne pas tout gâcher, et voilà que notre village est en flammes.

Incapable de soutenir le regard de mon père, je fixe les rochers déchiquetés. Baba aurait mieux fait de me vendre à la Réserve. Il aurait enfin eu la paix. Son silence ne fait qu'aggraver ma détresse, mais lorsqu'il se penche pour me regarder dans les yeux, des larmes adoucissent son regard.

– Tu ne peux plus fuir, Zélie. Plus maintenant. (Il prend ma main.) C'est la deuxième fois que ces monstres nous privent de notre foyer. Il faut que ce soit la dernière.

– Baba ?

Je n'en reviens pas. Depuis le Raid, jamais personne ne l'a entendu maudire la monarchie, même à voix basse. J'étais convaincue qu'il avait renoncé à se battre.

– Tant que nous n'aurons pas récupéré la magie, jamais ils ne nous traiteront avec respect. Il faut qu'ils sachent que nous avons les moyens de riposter. S'ils brûlent nos maisons, nous brûlerons les leurs.

Tzain en reste bouche bée. Il me regarde, interloqué. Ce Baba-là, nous ne le connaissions plus depuis onze ans. Nous pensions même qu'il n'existait plus.

– Baba…

– Prends Nailah, ordonne-t-il. Les gardes sont tout près. Nous n'avons plus beaucoup de temps.

Il pointe le doigt vers la côte, où cinq silhouettes en armure royale sont en train de regrouper les survivants. À la lueur vacillante des flammes, on distingue le sceau gravé sur le casque de l'un des soldats. *Le capitaine…* Celui que nous avons vu à Lagos, Amari et moi.

Celui qui a détruit mon chez-moi.

– Viens avec nous, dit Tzain. On ne peut pas te laisser là tout seul.

– Non. Je vous ralentirais.

– Mais Baba…

– Tzain, l'interrompt mon père en posant sa main sur son épaule. Mama Agba m'a raconté sa vision. Vous irez tous les trois à Chândomblé et vous trouverez le moyen de ramener la magie.

Ma gorge se noue. J'agrippe sa main.

– Ils nous ont déjà trouvés une fois. S'ils nous poursuivent encore, ils te pourchasseront, toi aussi.

– Nous serons partis depuis longtemps, me rassure Mama Agba. Qui peut le mieux échapper aux gardes qu'une Voyante ?

Le regard de Tzain va de Mama Agba à Baba tandis qu'il serre les dents, s'efforçant de masquer son émotion. Je ne le crois pas capable de laisser Baba seul. Tzain n'a jamais pu s'empêcher d'assurer la protection des siens.

– Comment est-ce qu'on se retrouvera ? je murmure.

– Rapportez-nous la magie pour de bon, dit Mama Agba. Tant que j'aurai des visions, je saurai toujours où vous êtes.

Une nouvelle salve de cris résonne au loin et j'aperçois un garde attraper une vieille femme par les cheveux et lui mettre son épée sous la gorge.

– Vous devez vous mettre en route, insiste Baba d'un ton péremptoire.

– Baba, non !

J'essaie de l'attirer vers moi mais il se dégage doucement. Puis il s'agenouille pour me prendre dans ses bras. Je tremble comme une feuille. Des années qu'il ne m'a plus étreinte comme cela.

– Ta mère… (Sa voix se brise. Je laisse échapper un sanglot.) Elle t'aimait d'un amour farouche, tu sais. Elle serait tellement fière de toi, aujourd'hui.

Je le serre si fort que mes ongles s'enfoncent dans sa peau. Il me serre à son tour et se relève pour enlacer Tzain. Bien que ce dernier le domine en taille et en muscles, ils s'étreignent avec la même fougue. Ils restent ainsi un long moment, comme s'ils n'allaient plus jamais se séparer l'un de l'autre.

– Je suis fier de toi, fils. Quoi qu'il arrive, je serai toujours fier de toi.

D'un geste furtif, Tzain essuie ses larmes. Il n'est pas du genre à montrer ses émotions, ne laissant libre cours à son chagrin que lorsqu'il est seul, au plus profond de la nuit.

– Je vous aime, murmure Baba.

– Nous aussi, on t'aime, je réponds d'une voix rauque.

Il fait signe à Tzain de monter sur Nailah. Amari le suit, le visage baigné de larmes muettes. Une bouffée de colère traverse mon chagrin. Pourquoi pleure-t-elle ? C'est à cause de sa famille qu'une fois de plus, la mienne se retrouve disloquée.

Mama Agba m'embrasse sur le front et m'enveloppe de ses bras.

– Sois prudente, mais sois forte.

Je renifle et acquiesce, même si je me sens tout sauf forte. J'ai peur. Je suis faible.

Pas à la hauteur.

– Prends soin de ta sœur, dit Baba à Tzain tandis que je m'installe sur la selle. Et toi, Nailah, sois une brave bête. Protège-les.

Nailah lèche le visage de Baba et frotte son museau contre sa tête, lui signifiant qu'elle tiendra sa promesse, comme toujours. Mon cœur se serre quand elle se met en route et que chacun de ses pas nous éloigne de chez nous. Lorsque je me retourne, le visage de Baba s'illumine d'un sourire inhabituel.

Je prie pour revoir ce sourire un jour.

CHAPITRE ONZE

INAN

Compte jusqu'à dix. Compte. Jusqu'à. Dix.

Pour qu'à dix, l'horreur prenne fin.

Pour que le sang de ces innocents ne tache pas mes mains.

Un… deux…

Dans le creux de mon poing tremblant, je serre le pion de senet de Père si fort que le métal me brûle. Je compte, je recompte, mais rien ne change.

Comme à Ilorin, tous mes plans sont partis en fumée.

J'ai la gorge nouée en voyant le village dévasté par les flammes de ce gigantesque incendie. D'un seul coup, des centaines de familles sont privées de leur maison. Mes hommes traînent les cadavres à travers le sable, si carbonisés qu'on ne peut même plus les identifier. Dans mes oreilles, les cris des survivants et des blessés. Dans ma bouche, un goût de cendre. Quel gâchis. La mort.

Ce n'est pas ce que j'avais prévu.

Ce que je voulais, c'était ramener Amari au palais, et la voleuse devîn au bout d'une chaîne. Kaea devait récupérer le parchemin. Seule la hutte des devîns aurait dû être brûlée.

Si j'avais réussi à rapporter le parchemin, Père aurait compris. Il m'aurait remercié pour ma discrétion, aurait loué ma décision d'épargner Ilorin. Le commerce de la pêche aurait été préservé. La seule chose qui menaçait son trône aurait été anéantie.

Mais j'ai échoué. Une fois de plus. Après avoir supplié Père de m'accorder une dernière chance. Le parchemin n'a toujours pas été retrouvé, ma sœur est toujours en danger, un village entier a été rasé. Rien dont je puisse me faire valoir.

Et le peuple d'Orïsha n'est toujours pas en sécurité…

– Baba !

Je dégaine mon épée tandis qu'un petit enfant se jette par terre. Ses cris déchirent la nuit. Ce n'est qu'à ce moment-là que je vois le cadavre recouvert de sable qui gît à ses pieds.

– Baba !

Alors qu'il secoue le corps de son père pour le réveiller, du sang tache ses petites mains brunes.

– Abeni !

Une femme se traîne dans le sable mouillé et gémit à la vue des gardes qui approchent.

– Abeni, reste tranquille ! Ba… Baba aussi veut que tu restes tranquille.

Je détourne la tête en fermant les yeux. *Le devoir avant soi-même.* J'entends la voix de Père. La sécurité d'Orïsha avant ma conscience. Pourtant, ces villageois font *aussi* partie d'Orïsha. Ils appartiennent au peuple que j'ai juré de protéger.

– Quel désordre ! s'exclame l'amirale Kaea en me rejoignant.

Ses poings sont en sang parce qu'elle vient de corriger le soldat qui a allumé l'incendie avant d'en avoir reçu l'ordre. Il est allongé sur le sol et gémit. Je me retiens d'aller vers lui pour le rouer de coups, moi aussi.

– Lève-toi et attache-leur les poignets, aboie-t-elle à son intention avant de s'adresser de nouveau à moi. Nous ne savons pas si les fugitives sont mortes ou vives, ni même si elles sont revenues ici.

– Il ne nous reste plus qu'à passer tous les survivants en revue, dis-je en laissant échapper un soupir de frustration. Espérons que l'un d'eux…

Ma voix faiblit à mesure qu'une sensation désagréable s'insinue sous ma peau. Celle-là même que j'ai déjà éprouvée au marché, comme des picotements de chaleur qui affluent par vagues.

Un étrange nuage turquoise fend soudain la fumée noire et flotte vers moi.

– Regardez ça, dis-je à Kaea en désignant la mince volute d'air.

Je recule pour éviter le drôle de nuage. Il laisse une odeur d'océan dans son sillage. Bientôt, cette odeur couvre celle de la cendre.

– Regarder quoi ? demande Kaea, mais je n'ai pas le temps de répondre.

Le nuage turquoise passe à travers mes doigts, et dans ma tête se dessine le portrait de la devîn…

Les sons ambiants diminuent, devenant troubles et confus. De l'eau froide et salée me submerge tandis que, là-haut, le clair de lune et le feu pâlissent. Je vois alors la fille qui hante mes pensées. Entourée de cadavres et de bois flotté, elle coule, s'enfonce dans des eaux noires. Elle ne lutte pas contre le courant qui l'attire dans les profondeurs. Elle s'abandonne, se laisse glisser vers la mort.

Ma vision s'évanouit et je reviens à la réalité des villageois qui hurlent. Quelque chose me mord sous la peau, comme la dernière fois, lorsque j'ai vu le visage de cette devîn.

Soudain, toutes les pièces s'assemblent. Les coups. La vision.

J'aurais dû comprendre, dès le début.

La magie…

Mon ventre se noue. Je laboure mon bras de mes ongles. Il faut que j'extirpe ce virus de mon corps. Que je me débarrasse de ces dangereux picotements…

Inan, concentre-toi.

Je serre le pion de senet de Père ; Père, à qui j'avais juré que je m'étais préparé. Par le ciel ! Comment aurais-je pu être prêt à affronter tout ceci ?

Compte jusqu'à dix, me dis-je de nouveau, m'efforçant d'assembler tous les éléments.

À cinq, je réalise soudain cette chose terrifiante : la devîn détient le parchemin.

Cette étincelle lorsqu'elle m'a effleuré. Cette décharge électrique dans mes veines. Et quand nos regards se sont croisés...

Par le ciel.

Elle m'a sûrement contaminé.

J'ai un haut-le-cœur, et je me plie en deux tandis que mon petit déjeuner remonte le long de mon œsophage et me brûle la gorge avant d'éclabousser le sable.

— Inan !

Kaea me voit vomir. Elle fronce le nez, plus dégoûtée qu'inquiète. Elle doit me trouver faible. Tant pis. Mieux vaut cela plutôt qu'elle ne découvre la vérité.

Je serre les poings, presque sûr que c'est bien la magie qui a envahi mon sang. Si les maji sont déjà en mesure de nous infecter, ils nous vaincront avant que nous puissions les éliminer.

— Elle est passée ici, dis-je en m'essuyant la bouche du dos de la main. La devîn était là, et elle avait le parchemin. Il faut la localiser avant qu'elle ne s'attaque à quelqu'un d'autre.

— Quoi ? (Kaea hausse les sourcils.) Mais comment savez-vous tout cela ?

Je m'apprête à tout lui expliquer mais une nouvelle éruption se déclare sous mon crâne, m'obligeant à me retourner. De plus en plus pénibles, les picotements sont à leur apogée lorsque je regarde la forêt située au sud.

Bien que l'air empeste la chair brûlée et la fumée, je perçois encore une fois cette fugace odeur d'embruns. *C'est elle.* C'est forcément elle, cachée quelque part dans les arbres...

— Inan, répète Kaea, que voulez-vous dire ? Comment pouvez-vous affirmer qu'elle est venue ici ?

La magie.

Mon poing se resserre autour du pion en métal terni. À son contact, la paume me démange. Ce mot est encore plus sale que *cafard*. Si même moi j'ai du mal à l'admettre, comment Kaea va-t-elle réagir ?

– Un villageois m'a dit qu'ils étaient partis vers le sud.

– Où est-il, ce villageois ?

Au hasard, je désigne un cadavre, mais mon doigt pointe le corps carbonisé d'un enfant. Un autre nuage turquoise fonce droit sur moi. Il sent le romarin et la cendre.

Avant même que j'aie le temps de reculer, le nuage brûlant traverse ma main et le monde disparaît derrière un mur de flammes. Des cris m'écorchent les oreilles.

« *Au secours...* »

– Inan !

Je reviens à la réalité. Une vague glacée déferle sur mes bottes. *La plage.* Je serre le pion. *Tu es toujours sur la plage.*

– Que se passe-t-il ? demande Kaea. Vous avez gémi...

Je me retourne pour chercher la fille qui, sûrement, se cache derrière tout cela. C'est elle qui use de sa sale magie pour remplir ma tête de ces sons.

– Inan ?

J'ignore le regard inquiet de Kaea.

– Il faut les interroger. Si l'un des villageois sait dans quelle direction ils sont partis, nous en trouverons bien un autre qui saura lui aussi nous informer.

Kaea hésite. Elle aimerait sans doute me poser davantage de questions mais son statut d'amirale ne l'y autorise pas. Son sens du devoir l'emporte toujours.

Nous nous dirigeons vers les survivants. Je garde les yeux rivés sur les vagues, essayant d'ignorer leurs cris, mais ceux-ci s'amplifient à mesure que nous approchons.

Je compte dans ma tête.

Sept... huit... neuf...

Je suis le fils du plus grand monarque d'Orïsha.

Je suis leur futur roi.

– Silence !

Dans la nuit, ma voix gronde avec une puissance que je ne lui connaissais pas. Même Kaea me lance un regard surpris lorsque les cris cessent.

– Nous recherchons une dénommée Zélie Adebola. Elle a volé un objet précieux appartenant à la Couronne. On nous a dit qu'elle avait fui vers le sud. Nous voulons savoir si cela est vrai.

À l'affût du moindre indice, je scrute tous ces visages sombres qui refusent de me regarder en face. Leur frayeur imprègne l'air comme l'humidité et s'infiltre à travers ma propre peau.

« Dieux, je vous en supplie… »

« S'il me tue… »

« Par tous les dieux, a-t-elle vraiment volé… »

Mon cœur se remet à cogner contre ma poitrine tandis que ces bribes de pensées menacent de me submerger. De nouveaux nuages turquoise s'élèvent dans les airs et foncent droit sur moi telles des guêpes. Je recommence à sombrer dans le trou noir de mon esprit.

– Répondez-lui !

Grâce au ciel, l'ordre de Kaea me ramène parmi eux.

Je cligne des yeux et agrippe le pommeau de mon épée dont le métal lisse m'ancre dans le réel. Peu à peu, leurs peurs s'estompent. Mais cette troublante sensation demeure…

– J'ai dit : répondez ! tonne Kaea. Je ne le répéterai pas une troisième fois.

Les villageois gardent les yeux au sol. Excédée par leur silence, Kaea se précipite sur eux.

Des cris retentissent lorsqu'elle empoigne les cheveux gris d'une vieille femme pour la traîner, gémissante, à travers le sable.

– Amirale…

Ma voix se brise. Kaea a tiré son épée et la tient contre le cou ridé de la femme. Une goutte de son sang tombe sur le sol.

– Tu n'as vraiment rien à me dire ? siffle Kaea. Si c'est le cas, prépare-toi à mourir !

– Mais on ne sait rien du tout ! s'écrie soudain une jeune fille.

Sur la plage, tous se figent. Les mains de la fille tremblent et elle les plonge sous le sable.

– Je peux vous parler de son frère et de son père. Ou de son adresse à manier le bâton. Mais personne à Ilorin ne sait où elle est allée, ni pour quelle raison.

Je lance à Kaea un regard sévère ; elle relâche la vieille femme comme une poupée de chiffon. D'un pas pesant, je m'avance alors dans le sable mouillé pour rejoindre la fille.

Quand je m'approche, ses tremblements redoublent, mais je ne sais pas si c'est à cause de la peur ou des vagues glacées de la marée nocturne qui lui lèchent les genoux. Elle n'a qu'une chemise de nuit trempée sur le dos, un pauvre haillon élimé, déchiré.

– Comment t'appelles-tu ?

Une fois tout près d'elle, je remarque à quel point sa peau brun clair contraste avec le teint acajou des villageois. Peut-être a-t-elle du sang noble dans les veines ? Un père qui aurait joué dans la boue ?

Comme elle reste muette, je me penche vers elle et lui dis à voix basse :

– Plus vite tu répondras, plus vite nous partirons.

– Yemi, dit-elle d'une voix étranglée.

Tout en me parlant, ses mains empoignent du sable.

– Je veux bien répondre à vos questions, mais seulement si je peux vous parler seul à seul.

J'acquiesce. Simple concession. Au diable le devoir, je ne veux plus voir d'autres cadavres.

Je ne supporterai plus d'entendre d'autres cris.

Je dénoue la corde qui lie ses poignets. Elle tressaille quand je la touche.

– Si tu nous donnes les informations dont nous avons besoin, je promets que toi et tes semblables serez en sécurité.

– En sécurité ?

Yemi me lance un regard plein de haine ; il me transperce comme la pointe d'une épée. Bien qu'elle n'ouvre pas la bouche, sa voix résonne dans ma tête.

« *Il y a bien longtemps que nous ne sommes plus en sécurité.* »

CHAPITRE DOUZE

ZÉLIE

Lorsque nous arrêtons Nailah pour nous reposer, j'ai mal aux yeux à force de contenir mes larmes depuis des heures. Nailah et Tzain s'écroulent sur la terre moussue et, moins de cinq secondes plus tard, sombrent dans le sommeil, momentanément à l'abri de cette existence fracassée.

Amari frissonne dans la forêt glaciale. Après avoir inspecté le sol, elle se résout enfin à y étaler son manteau pour s'en faire un lit, s'évitant de gratifier la terre de sa tête nue. Je la regarde et me rappelle ce moment où j'ai failli la pousser dans les flammes.

Ce souvenir me semble déjà loin, comme si la haine qui m'habitait était déjà celle de quelqu'un d'autre.

Ne subsiste que cette colère froide qui frémit encore, même si elle n'a plus lieu d'être : je suis prête à parier mes cinq cents pièces d'argent qu'Amari ne tiendra pas une journée.

Emmitouflée dans mon manteau, je me blottis contre Nailah et savoure la douceur de son pelage contre ma peau. À travers le feuillage sombre, le ciel étoilé ressuscite la vision magique de Mama Agba dans mon esprit.

— La magie est revenue, je chuchote.

Difficile d'y croire, après cette folle journée. Et pourtant, nous pouvons nous la réapproprier.

Nous pouvons à nouveau prospérer.

— Oya…

Je murmure le nom de la déesse de la Vie et de la Mort, la déesse-sœur qui m'a accordé le don de la magie. Enfant, elle m'était si proche qu'avant de m'endormir, je la sollicitais comme si elle était dans mon lit. Mais à présent, quand je cherche les mots pour l'invoquer, je ne sais plus quoi lui dire.

– *Bá mi sòrò…*

J'essaie malgré tout, mais ma prière n'a ni la conviction ni la puissance du chant de Mama Agba. Sa foi en Orúnmila est si forte qu'elle la rend capable de conjurer n'importe quelle prémonition. Tout ce que je souhaite pour l'instant, c'est de croire qu'il y a quelqu'un, là-haut. Je me contente de psalmodier :

– *Ràn mí lọ́wọ́.* Aide-moi.

Ces mots me paraissent tellement plus vrais, ils me ressemblent tellement plus.

– Mama Agba dit que tu m'as choisie. Baba le pense, lui aussi, mais… j'ai si peur. Cette mission est tellement importante, j'ai tellement peur de tout faire rater.

Prononcer ces paroles à voix haute rend ma peur encore plus palpable. Comme si un nouveau poids restait suspendu dans l'air. Je n'ai même pas été fichue de protéger Baba. Comment pourrais-je sauver les maji ?

Même si ma respiration est encore oppressée, je commence à me sentir un peu rassurée à l'idée qu'Oya puisse être là, à mes côtés. Les dieux ne le savent que trop : sans eux, jamais je ne pourrai relever ce défi. Je répète encore :

– Aide-moi. *Ràn mí lọ́wọ́.* S'il te plaît. Et protège Baba. Quoi qu'il arrive, fais que lui et Mama Agba soient sains et saufs.

Ne sachant que dire de plus, j'incline la tête. Bien que je me tienne raide, je peux presque voir mes prières monter vers le ciel. Je m'accroche à ce bref instant de quiétude afin qu'il recouvre la douleur, la peur et le chagrin. Je m'y accroche jusqu'à ce qu'il me berce dans ses bras et m'emmène vers le sommeil.

Au réveil, je ressens un truc bizarre. Un truc pas normal. Quelque chose cloche.

Je me lève, m'attendant à trouver le corps lourd et endormi de Nailah, mais je ne la vois nulle part. La forêt a disparu. Plus d'arbres, plus de mousse. Je suis assise dans un champ de hauts roseaux qui sifflent sous la caresse du vent.

– Qu'est-ce que c'est que ça ? je murmure, déconcertée par la lumière et la sensation de frais. Je regarde mes mains, et surtout ma peau : pas une cicatrice, pas une brûlure. Elle est aussi lisse qu'au jour de ma naissance.

Je me redresse et m'étire dans tous les sens. Le champ de roseaux s'étend à perte de vue. Même quand je suis debout, tiges et feuilles s'élèvent au-dessus de ma tête.

Au loin, les roseaux obscurcis se fondent dans la ligne blanche de l'horizon. C'est comme si je déambulais dans un tableau inachevé, prisonnière de la toile. Je ne dors pas, et pourtant je ne suis pas éveillée.

Je flotte dans un entre-deux enchanté.

La poussière se soulève sous mes pieds tandis que je marche à travers les plantes célestes. Les minutes semblent s'étirer en heures, mais le temps m'importe peu dans cette brume. L'air est frais et vif, pareil à celui des montagnes d'Ibadan où j'ai grandi. *Peut-être que c'est un sanctuaire,* me dis-je. Un havre de repos offert par les dieux.

Je me suis presque faite à cette idée quand, soudain, je sens une présence. Je me retourne, mon cœur oublie de battre. Le souffle en suspens, je vois alors sa silhouette.

Je reconnais d'abord le feu qui couve dans ses yeux d'ambre, un regard que désormais je ne pourrai plus jamais oublier. Et maintenant qu'il se tient là, immobile, sans épée et sans flammes autour de lui, je remarque ses muscles puissants, l'éclat de sa peau cuivrée, l'étrange mèche blanche dans sa chevelure. Sa ressemblance avec Amari est loin d'être évidente, mais elle me saute aux yeux. *Il n'est pas que le capitaine…*

Il est le prince.

Il me dévisage un long moment, comme si j'étais un cadavre ressuscité d'entre les morts. Et tout à coup, il serre les poings.

— Libère-moi immédiatement !

— Te libérer ? (Je fronce les sourcils, interloquée.) Mais ce n'est pas moi qui t'ai amené ici !

— Tu veux vraiment me faire croire ça ! Alors que ton maudit visage m'a hanté toute la journée !

Il veut saisir une épée, mais se rend compte qu'il n'en a pas.

Je réalise alors que nous sommes l'un et l'autre vêtus de simples robes blanches, vulnérables et sans armes.

— Mon visage ? je répète, lentement.

— Ne fais pas semblant de ne pas comprendre, dit le prince. J'ai bien senti ce que tu m'as fait, à Lagos. Et puis ces… ces voix. Arrête ça immédiatement ! Arrête de me persécuter, ou tu le payeras !

Sa colère monte, irradiant une chaleur mortelle, mais la menace s'annule lorsque je réfléchis à ce qu'il vient de dire. Il pense vraiment que c'est moi qui l'ai amené ici.

Impossible. J'étais trop jeune pour que Mama m'enseigne la magie de la mort. Je l'ai vue se manifester au travers d'esprits froids, de flèches acérées et d'ombres vacillantes mais jamais elle n'est venue me visiter en rêve. Et quand nous avons fui Lagos, lorsque nos regards se sont croisés et qu'un courant électrique a parcouru ma peau, je n'avais pas encore touché le parchemin. Si c'est vraiment la magie qui nous a parachutés ici, je n'y suis pour rien. Elle n'a pu être activée que par…

— Toi.

Ce constat me déconcerte. *Comment est-ce possible ?* La famille royale a perdu ses pouvoirs magiques depuis plusieurs générations. Des années que plus aucun maji n'a approché le trône.

— Quoi, moi ?

Mes yeux se posent à nouveau sur la mèche blanche, longue rayure allant de la tempe jusqu'à la nuque.

— C'est toi qui as fait ça. *Toi* qui m'as amenée ici.

Le prince se fige ; dans ses yeux, la colère devient terreur. Entre nous souffle une brise glacée tandis que les roseaux dansent en silence.

– Menteuse ! tranche-t-il. Tu essaies encore d'envahir mon esprit.

– Non, petit prince. C'est toi qui as pris possession du mien.

D'anciennes histoires de Mama me reviennent en mémoire. Des récits à propos des dix clans et de la magie que chacun d'eux exerçait. Enfant, la seule qui m'intéressait était celle des Faucheurs, que pratiquait Mama, mais elle tenait à ce que j'en sache autant sur les pouvoirs de tous les autres clans. Elle me mettait toujours en garde contre les Connecteurs, des maji qui influent sur l'esprit et les rêves. *De ceux-là, tu devras te méfier, petite Zélie. Ils utilisent leur magie pour entrer dans ta tête.*

Ce souvenir me glace le sang. Mais le prince semble si désemparé qu'il m'est difficile de redouter ses pouvoirs et je le regarde contempler ses mains tremblantes. De toute évidence, il préférerait mourir plutôt que de devoir exercer sa magie pour contrôler la mienne.

Je n'y comprends rien. Les devîns sont choisis par les dieux dès leur naissance. Or le prince n'est pas né devîn, et les kosidàn n'ont pas de pouvoirs magiques. Comment se fait-il qu'il soit subitement devenu maji ?

Je jette un œil alentour pour évaluer le résultat de ses dons de Connecteur. Les roseaux magiques se courbent sous le vent, indifférents à tous ces phénomènes invraisemblables.

Une telle prouesse nécessite un pouvoir inimaginable. Même un Connecteur chevronné ne peut l'accomplir sans recourir à l'incantation. Comment le prince aurait-il pu activer l'ashê dans ses veines sans même savoir qu'il est un maji ? Tout ceci me dépasse.

Mes yeux se posent de nouveau sur la mèche blanche du prince, seul indice de sa nature maji. Nos cheveux sont toujours aussi blancs que la neige qui coiffe les montagnes d'Ibadan, signe distinctif si dominant que la plus noire des teintures ne pourrait dissimuler une chevelure maji plus de quelques heures.

Bien que je n'aie encore jamais vu de mèche comme la sienne chez les maji et les devîns, je ne peux nier son existence. Elle me renvoie incontestablement à mes propres cheveux blancs.

Mais qu'est-ce que ça veut dire ? Je lève les yeux vers le ciel. À quel jeu les dieux jouent-ils ? Et si le prince n'était pas le seul ? Si toute la famille royale avait retrouvé ses pouvoirs...

Non.

Je ne peux pas me laisser enfermer dans une spirale de peur.

Si la famille royale avait retrouvé sa magie, nous le saurions déjà.

Je prends une profonde inspiration, m'efforçant de calmer mon esprit avant qu'il ne s'emballe. À Lagos, Amari avait le parchemin, et elle est tombée sur son frère alors que nous étions en fuite. C'est à ce moment-là que les pouvoirs d'Inan se sont réveillés de la même manière que les miens : en touchant ce maudit parchemin. Tout à coup, je me souviens.

Le roi l'a touché, lui aussi. Ainsi qu'Amari, et probablement l'amirale. Sans que cela ne réveille en eux de don particulier. Seul le prince détient des pouvoirs magiques.

— Ton père est au courant ?

Les yeux du prince lancent des éclairs : j'ai ma réponse.

— Bien sûr que non, dis-je avec un rictus. Sinon, tu serais déjà mort.

Son visage devient blême. Tout ceci est trop parfait ; j'en rirais presque. Combien de devîns sont tombés entre ses mains ? Combien ont été massacrés, violés, exterminés ? Combien de vies a-t-il dû sacrifier pour détruire cette magie qui coule désormais dans ses propres veines ?

— Faisons un pacte. (Je m'avance vers le prince.) Tu me laisses tranquille, et en échange, je ne dis rien. Personne n'a besoin de savoir que tu es un sale petit ca...

Le prince bondit sur moi.

En moins d'une seconde, sa main agrippe mon cou, puis...

Quand j'ouvre les yeux, j'entends le son familier des criquets et du vent qui danse avec les feuilles. Tzain ronfle tranquillement tandis que Nailah cale son corps contre le mien.

Je bondis sur mes pieds en attrapant mon bâton, prête à combattre un ennemi inexistant.

Je scrute les arbres et, au bout d'un long moment, je finis par me convaincre que le prince n'apparaîtra pas.

J'inspire et expire l'air moite afin de calmer mes nerfs. Puis je me rallonge sur le dos en fermant les yeux ; mais le sommeil ne revient pas facilement. Peut-être qu'il ne reviendra plus jamais. Désormais, je connais le secret du prince.

Désormais, il ne me lâchera pas avant de m'avoir tuée.

CHAPITRE TREIZE

ZÉLIE

LE LENDEMAIN MATIN, je me réveille encore plus épuisée qu'en allant me coucher la veille.

J'ai l'impression qu'on m'a volé quelque chose, comme si quelqu'un était parti avec mes songes. D'habitude, le sommeil me repose des souffrances de la journée. Mais depuis ce rêve qui s'est terminé avec les mains du prince autour de mon cou, les cauchemars me paraissent aussi pénibles que la réalité.

– Enfin quoi, ce ne sont que des rêves, je marmonne. De quoi devrais-je avoir peur ? Même si sa magie est puissante, les dieux savent bien qu'il est trop terrorisé pour s'en servir.

Dans la petite clairière, Tzain muscle ses abdominaux en lâchant des grognements. Très concentré, il s'applique comme si ces exercices faisaient désormais partie d'un entraînement quotidien. Sauf qu'il n'y aura plus d'entraînement pour lui cette année. Par ma faute, il ne jouera peut-être plus jamais à l'agbön.

La culpabilité s'ajoute à l'épuisement et me tire de nouveau vers le bas. Je pourrais m'excuser jusqu'à la fin de mes jours, ce ne serait toujours pas suffisant. Mais avant que je ne m'enfonce un peu plus dans ma détresse, près de moi, quelque chose s'agite. Amari remue sous son long manteau marron, émergeant d'un sommeil royal. Cette vision me rappelle Inan et laisse un goût amer dans ma bouche.

Connaissant sa famille, je m'étonne qu'elle ne nous ait pas tranché la gorge pendant la nuit.

Je détaille sa chevelure sombre pour y chercher une mèche comme celle de son frère, et je me détends en constatant qu'il n'y en a pas. Ce serait tellement pire si elle aussi avait le pouvoir de m'enfermer dans sa tête. Je continue à la dévisager avec hostilité quand soudain, je reconnais le manteau qui lui tient lieu de couverture. Je me lève pour aller m'accroupir près de Tzain.

— Qu'est-ce qui t'est passé par la tête ?

Il m'ignore, absorbé par ses exercices. Les cernes qu'il a sous les yeux indiquent que je ferais mieux de le laisser seul, mais je suis trop en colère pour reculer.

— Pourquoi tu lui as donné ton manteau ?

Tzain enchaîne encore deux pompes avant de marmonner :

— Elle avait froid.

— Et alors ?

— Quoi, et alors ? On a aucune idée du temps que prendra ce voyage. Si elle tombe malade, on sera bien avancés.

— Elle trouve normal que les beaux gars comme toi s'occupent d'elle, et toi ça ne te choque pas ?

— Écoute, Zél : elle avait froid et je n'avais pas besoin de mon manteau. C'est tout.

Je me tourne vers Amari en essayant de penser à autre chose. Mais son regard me rappelle celui de son frère. Une fois de plus, je sens les mains d'Inan serrer mon cou.

— J'ai envie de lui faire confiance, dis-je, mais…

— Arrête, tu sais bien que c'est faux.

— D'accord, même si je le voulais, je n'y arriverais pas. Son père nous a infligé le Raid. Son frère a brûlé notre village. Qu'est-ce qui te laisse croire qu'elle puisse être différente ?

— Zél…

Tzain ne finit pas sa phrase parce que Amari se dirige vers nous, délicate et discrète, comme toujours. J'ignore si elle nous a entendus. Mais de toute façon, je m'en fiche.

– Il me semble que ceci t'appartient, dit-elle en lui tendant le manteau. Merci beaucoup.

– T'inquiète, il fera meilleur quand nous serons dans la jungle, répond Tzain en pliant le vêtement avant de le ranger dans son sac. D'ici là, n'hésite pas si tu en as besoin.

Pour la première fois depuis notre rencontre, Amari sourit. Je me hérisse en voyant Tzain lui rendre son sourire. Son joli minois ne devrait pas suffire à lui faire oublier qu'elle est la fille d'un monstre.

– C'est tout ? je demande.

– Eh bien… (Sa voix devient plus calme.) Je me demandais quels étaient nos projets pour… euh…

L'estomac d'Amari laisse soudain échapper un grondement sourd. Ses joues s'empourprent. Elle pose ses mains sur son ventre plat, mais ne parvient pas à réprimer un second borborygme.

– Excusez-moi, reprend-elle. Hier, je n'ai mangé qu'une miche de pain.

– Une miche entière ? dis-je avec ironie.

Des mois que je n'ai plus mangé ne serait-ce qu'une bonne tranche de pain. Si tant est que les briques rassises que nous achetons au marché puissent tenir la comparaison avec le pain frais du palais.

L'envie me démange de rappeler à Amari à quel point elle est privilégiée, mais mon propre ventre commence à se tordre à force d'être vide. Hier, nous n'avons pas pris un seul repas. Si je ne mange pas bientôt, mon estomac ne va pas tarder à gargouiller, lui aussi.

Tzain fouille les poches de son pantalon et en sort la vieille carte usée de Mama Agba. Nous suivons des yeux son doigt qui descend le long de la côte d'Ilorin pour s'arrêter juste avant le village de Sokoto.

– C'est à environ une heure d'ici, dit-il. Le lieu idéal pour faire une pause avant de bifurquer vers l'est en direction de Chândomblé. Nous pourrons y acheter de la nourriture, mais il faudrait de l'argent.

– Où est passé celui de l'espadon-voilier ?

Tzain entreprend de vider mon sac. Je râle quand seule la tiare d'Amari tombe par terre.

— On a tout perdu dans l'incendie, soupire Tzain.

— Que pourrions-nous vendre ? demande Amari.

Tzain regarde fixement sa jolie robe longue. Malgré quelques taches et des traces de brûlure, la coupe élégante et les bordures en soie attestent sa provenance aristocratique.

Suivant le regard de Tzain, Amari hausse les sourcils.

— Tu ne vas quand même pas…

— On pourrait en tirer une jolie somme, dis-je. N'oublie pas que nous allons dans la jungle. Jamais tu ne pourras la traverser habillée comme ça.

Amari regarde mon pantalon drapé et mon dashiki court et agrippe un peu plus fort l'étoffe de sa robe. Je n'en reviens pas. Elle croit qu'elle a le choix alors que je pourrais facilement la plaquer au sol et lui arracher sa robe.

— Mais qu'est-ce que je porterai à la place ?

— Ton manteau, dis-je en désignant le vêtement marron tout miteux. On vendra ta robe contre de la nourriture et on achètera de nouveaux habits en chemin.

Amari recule et garde les yeux rivés au sol.

— Tu as fui les gardes de ton père pour sauver le parchemin, mais tu refuses de te séparer de cette stupide robe ?

— Ce n'est pas à cause du parchemin que j'ai pris tous ces risques.

La voix d'Amari se brise. Pendant quelques secondes, ses yeux brillent comme s'ils allaient s'emplir de larmes.

— Mon père a tué ma meilleure amie…

— Ta meilleure amie ? Tu veux parler de ton esclave ?

— Zél ! intervient Tzain.

Je me tourne vers lui.

— Quoi ? Tes meilleurs amis plient tes vêtements et te préparent à manger sans être payés, toi ?

Les oreilles d'Amari rougissent.

– Binta percevait un salaire.

– Une misère, je parie.

– J'essaie seulement de vous aider, dit Amari en se cramponnant à sa robe. J'ai renoncé à tout pour venir en aide à votre peuple…

– Comment ça, « votre peuple » ? je réplique rageusement.

– Nous pouvons sauver les devîns…

– Tu veux sauver les devîns, mais pas vendre ta robe ?

– Ciel ! s'exclame Amari en levant les mains en l'air. D'accord, j'accepte ! Jamais je n'ai dit que je refusais de le faire.

– Oh, merci, gracieuse princesse, grande protectrice des maji !

– Ça suffit ! me coupe Tzain.

Amari va se placer derrière Nailah pour se changer. De ses doigts délicats, elle s'apprête à défaire les boutons au dos de sa robe, puis nous jette un coup d'œil hésitant par-dessus son épaule. Tzain et moi regardons ailleurs ; je lève les yeux au ciel.

Une princesse.

– Il va falloir changer d'attitude, marmonne Tzain.

Devant nous, les acajous de notre terre natale bordent les vibrantes forêts de Sokoto. Une petite famille de babouines à cul bleu se balance dans les branches, faisant pleuvoir des feuilles lustrées sous ses secousses.

– Si elle ne supporte pas de voyager avec une devîn qui tient tête à son père, elle n'a qu'à retourner dans son palais.

– Elle n'a rien fait de mal.

– Elle n'a rien fait de bien non plus, je rétorque.

Pourquoi est-ce qu'il tient toujours à prendre sa défense ? Comme s'il pensait vraiment qu'elle méritait d'être mieux traitée. Comme si c'était *elle*, la victime.

– Je suis bien la dernière personne à laisser sa chance à un noble, mais enfin, Zél, regarde-la. Elle vient de perdre sa meilleure amie et elle risque sa vie pour aider les maji et les devîns.

– Et je devrais me sentir coupable parce que son père a tué la seule servante maji qu'elle aimait bien ? Avant ça, ça ne devait pas beaucoup la déranger ? Où était-elle après le Raid ?

– Elle avait six ans, répond Tzain. Et c'était une petite fille, comme toi.

– Sauf que cette nuit-là, elle a pu embrasser sa mère. Pas nous.

Je me retourne pour monter sur Nailah, estimant avoir accordé assez de temps à Amari. Mais lorsque je regarde dans sa direction, son dos est toujours nu.

– Par tous les dieux…

Mon cœur bondit en voyant l'affreuse cicatrice qui court tout le long de sa colonne vertébrale ; les petits bourrelets de part et d'autre sont si repoussants que ma propre peau est parcourue de picotements.

– Quoi ?

Tzain se retourne, et la vue de la blessure le sidère. Même les cicatrices qui zèbrent le dos de Baba sont moins hideuses.

– Comment osez-vous !

Amari s'enveloppe précipitamment de son manteau.

– Je ne voulais pas être indiscrète, je m'exclame aussitôt, je te le jure ! Mais… par les dieux, qu'est-ce qui t'est arrivé, Amari ?

– Rien. Un… un accident, quand mon frère et moi étions petits.

Tzain reste bouche bée.

– C'est ton frère qui t'a fait ça ?

– Non ! Pas exprès, en tout cas. Ce n'était pas… ce n'était pas lui… (Amari marque une pause. Elle tremble, saisie d'une émotion que je ne comprends pas.) Vous vouliez ma robe, la voici. Allons la vendre, et qu'on n'en parle plus !

Elle resserre son manteau autour de ses épaules et s'installe sur Nailah en maintenant son visage caché.

Tzain bafouille des excuses puis incite Nailah à se mettre en route. Je voudrais m'excuser encore, moi aussi, mais quand je me retrouve face à son dos recouvert du manteau, les mots restent coincés dans ma gorge.

Par les dieux !

Je ne veux même pas imaginer quelles autres cicatrices se cachent sur son corps.

La température se réchauffe dès que nous arrivons à la clairière où se trouve le village de Sokoto. Des enfants kosidàn courent au bord du lac transparent, poussant des cris de joie lorsqu'une petite fille tombe à l'eau. Des voyageurs s'installent entre des arbres et des flaques boueuses ; devant les carrioles qui s'alignent sur les berges caillouteuses, des commerçants étalent leurs marchandises. Un délicieux fumet de viande d'antilopaire fait gargouiller mon estomac.

On m'a toujours dit qu'avant le Raid, les meilleurs Guérisseurs se trouvaient à Sokoto. Les gens affluaient des quatre coins d'Orïsha dans l'espoir d'être soignés par la magie de leur toucher. J'observe les voyageurs, essayant d'imaginer leur vie. Si Baba avait été avec nous, il aurait apprécié de s'installer ici après avoir perdu notre ahéré.

– C'est si paisible, murmure Amari, serrant toujours son manteau contre elle tandis que nous glissons du dos de Nailah.

– C'est la première fois que tu viens ici ? demande Tzain.

Elle secoue la tête.

– Je n'ai quasiment jamais quitté le palais.

Cet endroit fait soudain ressurgir en moi le souvenir des corps brûlés. Le lac me rappelle le clapotis des vagues autour du marché flottant, la barque-noix de coco dans laquelle je négociais une poignée de bananes plantain avec Kana. Mais le marché a disparu avec Ilorin, consumé dans les flammes et échoué au fond de la mer. Mes bons souvenirs se mêlent à l'image des poutres calcinées.

Encore une partie de moi que la monarchie a volée.

– Vous deux, vous irez vendre la robe, déclare Tzain. Moi, j'emmène Nailah au lac pour la faire boire. Et essayez de trouver des gourdes.

Je rechigne à l'idée d'aller marchander avec Amari, mais je sais qu'elle ne me lâchera pas avant de s'être acheté de nouveaux vêtements. Nous quittons Tzain et traversons le campement pour rejoindre l'alignement de carrioles. Amari se raidit dès qu'on la dévisage un peu trop.

– Détends-toi, dis-je en haussant les sourcils. Personne ne te connaît, ici.

– Je sais. (Amari parle précipitamment, mais son corps semble moins crispé.) C'est juste que je n'avais encore jamais rencontré de gens comme eux.

– Comme ce doit être terrifiant. Des Orïshan qui font autre chose de leur vie que te servir ! dis-je en hochant la tête.

Elle inspire profondément mais s'interdit de me répondre. Je me sens presque coupable. Quel intérêt si elle ne réplique pas ?

– Ciel, regarde-les !

Amari ralentit. Devant nous, un couple est en train de fabriquer une hutte. À l'aide de sarments de vigne, l'homme assemble de longues et fines branches disposées en cône, tandis que sa femme entasse de la mousse afin de confectionner une couche protectrice.

– Vont-ils vraiment dormir là-dessous ?

Je suis tentée d'ignorer sa remarque, mais elle ne peut quitter des yeux cette hutte toute simple, aussi fascinée que si elle était en or.

– Quand j'étais petite, on en construisait souvent. Quand elles sont bien faites, elles protègent même de la neige.

– Il neige à Ilorin ?

Ses yeux brillent comme si la neige n'existait que dans les légendes. Cette fille est née pour régner sur un royaume qu'elle ne connaît même pas.

– À Ibadan, je réponds. C'est là que nous vivions avant le Raid.

À l'évocation du Raid, Amari devient silencieuse. Toute curiosité disparaît de son regard. Elle resserre son manteau sur ses épaules et garde les yeux baissés.

– Est-ce à ce moment que tu as perdu ta mère ?

Je me raidis. Comment peut-elle me poser cette question alors qu'elle n'est même pas capable de demander à manger ?

– Pardon si je suis trop directe mais… ton père l'a évoquée hier…

Je repense au visage de Mama. Quand il n'y avait pas de soleil, on aurait dit que sa peau brillait. *Elle t'aimait d'un amour farouche.* Les paroles de Baba résonnent dans ma tête. *Elle serait tellement fière de toi, aujourd'hui.* Je finis par répondre :

– C'était une maji, une maji aux pouvoirs très puissants. Ton père a eu de la chance qu'elle les ait perdus pendant le Raid.

Je me reprends à rêver de Mama en pleine possession de sa magie, quand elle était dotée de ses pouvoirs au lieu d'être une victime impuissante. À la tête d'une armée de morts, elle aurait vengé les maji vaincus en marchant sur Lagos. C'est elle qui aurait enveloppé le cou de Saran d'une ombre noire.

– Je sais bien que cela ne change rien, mais je suis vraiment désolée, murmure Amari, si bas que je l'entends à peine. La douleur de perdre un être cher… (Elle ferme les yeux.) Je sais que tu hais mon père. Et je peux comprendre que tu me haïsses, moi aussi.

Alors que son visage revêt une expression peinée, je sens la haine à laquelle elle vient de faire allusion se dissiper en moi. Même si je ne comprends toujours pas comment, à ses yeux, une simple servante ait pu représenter quoi que ce soit, son chagrin est réel.

Non. Je refuse la culpabilité qui s'immisce entre nous. Deuil ou pas, elle n'aura pas ma pitié. Moi aussi je sais poser des questions qui dérangent.

– Alors comme ça, ton frère a toujours été un tueur sans scrupule ? (Amari me regarde avec étonnement.) Si tu crois que tu peux m'interroger sur ma mère sans rien me raconter sur ton horrible cicatrice, tu rêves.

Amari a beau fixer son regard sur les carrioles des marchands, je vois bien que c'est le passé qui traverse son regard.

– Ce n'était pas sa faute, finit-elle par répondre. Notre père nous obligeait à nous battre.

– Avec de vraies armes ? je demande, stupéfaite.

Avec Mama Agba, nous avons dû nous entraîner plusieurs années avant d'être autorisés à manier un véritable bâton.

— Les enfants qu'il a eus de son premier mariage étaient trop couvés, explique-t-elle d'une voix soudain distante. Selon lui, cela les a rendus faibles, et c'est pour cela qu'ils sont morts. Il ne voulait pas qu'il nous arrive la même chose.

Elle parle comme si c'était normal, comme si tous les pères aimants devaient obliger leurs enfants à verser le sang. Et moi qui m'imaginais le palais comme un havre de paix. Par les dieux, c'est vraiment cette vie-là qu'elle a vécue ?

— Tzain ne ferait jamais une chose pareille, dis-je en faisant la moue. Jamais il ne me blesserait.

— Inan n'avait pas le choix. (Son visage se durcit.) Il a bon cœur. C'est simplement qu'on l'a obligé à faire fausse route.

D'où lui vient cette loyauté ? J'ai toujours pensé que les nobles ne craignaient rien. Jamais je n'aurais cru que la monarchie puisse se montrer si cruelle envers les siens.

— S'il avait bon cœur, il ne t'aurait pas infligé de telles cicatrices, et il n'aurait pas brûlé mon village.

Pas plus qu'il n'aurait enserré mon cou de ses mains.

Amari ne répond pas, j'en déduis qu'elle ne veut pas parler de son frère. Parfait. Dans ce cas, je ne lui révélerai rien non plus.

Je me concentre sur l'odeur de viande d'antilopaye rôtie qui s'échappe des carrioles. Tandis que je m'apprête à aborder un marchand âgé à l'étal bien fourni, Amari pose sa main sur mon épaule.

— Je ne t'ai jamais remerciée de m'avoir sauvé la vie, à Lagos. (Elle regarde fixement le sol.) Mais comme tu as aussi essayé de me tuer à deux reprises, peut-être que ça s'annule ?

Je mets une seconde à réaliser qu'elle plaisante et je souris malgré moi. Elle sourit à son tour, pour la deuxième fois de la journée. Je commence à comprendre pourquoi Tzain s'intéresse à elle.

— Ah, deux charmantes jeunes filles ! s'exclame un vieux kosidàn en nous faisant signe d'approcher.

Il s'avance, ses cheveux argent brillent au soleil.

– Entrez, je vous en prie, dit-il avec un large sourire qui plisse sa peau tannée. Je vous garantis que vous trouverez votre bonheur.

Contournant son étal, nous nous dirigeons vers les marches de sa carriole tirée par deux énormes guépardaires dont les yeux sont à la même hauteur que les nôtres. Je passe la main dans leur fourrure mouchetée puis parcours du doigt les sillons de la corne épaisse que l'un d'eux a sur le front. Le fauve ronronne et me lèche la main de sa langue dentelée.

Lorsque j'entre dans la carriole qui regorge de marchandises, l'odeur musquée de vieilles étoffes me saute aux narines. Tout au fond, Amari se met à fouiller dans un tas de vieux vêtements tandis que j'examine deux gourdes en cuir.

– Qu'est-ce qui vous amène, exactement ? s'enquiert le marchand en se penchant pour nous montrer un assortiment de colliers scintillants.

Ses yeux sont très enfoncés ; un trait caractéristique des Orïshan du Nord.

– Ces perles proviennent de la baie de Jimeta, et ces autres merveilles étincelantes des mines de Calabrar. Parées de tels bijoux, vous ferez tourner la tête de tous les garçons ; même si dans ce domaine, vous ne devez pas avoir de problème.

– Nous devons nous équiper pour voyager. (Je lui souris.) Il nous faudrait des gourdes, et aussi de quoi chasser. Des pierres de silex, par exemple.

– De quelle somme disposez-vous ?

– Qu'est-ce qu'on peut avoir en échange de ça ?

Je lui tends la robe d'Amari ; il la déplie et sort l'examiner à la lumière du jour. En fin connaisseur, il passe son doigt sur les coutures et prend le temps d'examiner les traces de brûlures autour de l'ourlet.

– Du beau travail, rien à redire. Belle étoffe, excellente coupe. Je l'aurais préférée intacte, mais je devrais pouvoir arranger ça…

– Alors ?

– Quatre-vingts pièces d'argent.

– On ne vous la cédera pas à moins de…

– Écoute ma belle, je ne suis pas du genre à marchander. Mes prix sont honnêtes, ainsi que mon offre. Quatre-vingts, c'est mon dernier mot.

Je grince des dents, mais je sais qu'il restera inflexible. Un marchand qui a sillonné tout Orïsha ne se laisse pas rouler dans la farine comme un noble qui ne sort jamais de son palais.

– Et que nous proposez-vous pour ce prix ? demande Amari en brandissant un pantalon drapé jaune et un dashiki noir sans manches.

– Ces vêtements… ces gourdes… un couteau à découper… quelques pierres de silex… répond-il en remplissant un panier tressé.

– Est-ce que tout cela suffira ? me chuchote Amari.

– Pour l'instant, oui, dis-je en hochant la tête. S'il ajoute aussi cet arc…

– Non, pour l'arc, vous n'avez pas assez, coupe le marchand.

– Mais qu'allons-nous faire si tout ceci ne suffit pas pour aller jusqu'au temple de Ch… enfin, jusqu'au temple ? dit Amari en baissant encore d'un ton. N'aurons-nous pas besoin de plus d'argent ? de nourriture ? d'équipement ?

– Aucune idée, dis-je en haussant les épaules. On verra bien.

Je m'apprête à partir quand elle plonge la main tout au fond de mon sac et en sort sa tiare sertie de pierres précieuses.

– Et pour ceci, combien ?

Le marchand ouvre des yeux grands comme des soucoupes.

– Par les dieux, où avez-vous trouvé ça ?

– Peu importe, dit Amari. Combien ?

Il tourne la tiare entre ses mains et reste bouche bée en avisant le léopardaire des neiges en diamant incrusté sur la parure. Lentement, il lève les yeux vers Amari, la fixe un long moment. Puis il me regarde, moi ; mon visage reste neutre.

– Je ne peux pas vous acheter ça, dit-il en repoussant le diadème.

– Mais pourquoi ? (Amari la lui glisse entre les mains.) Vous voulez bien de ma robe, mais pas de ma tiare ?

– Je ne peux pas.

Le marchand continue à faire non de la tête, mais je sens que sa détermination vacille.

– Même si je le voulais, je ne pourrais pas vous l'échanger. Elle vaut bien plus que tout ce que je possède.

– Alors quelle somme pouvez-vous nous en donner ? je demande.

Il réfléchit, écartelé entre la crainte et l'avidité. Il regarde de nouveau Amari, puis la tiare qui scintille entre ses mains. Ensuite, il tire de sa poche un porte-clés et repousse une cagnotte derrière laquelle se trouve un coffre en métal. Après l'avoir déverrouillé et ouvert, il contemple les pièces étincelantes empilées à l'intérieur.

– Trois cents pièces d'or.

Je sursaute. De quoi mettre ma famille à l'abri du besoin jusqu'à la fin de ses jours. Peut-être même pour deux générations ! Je me tourne vers Amari afin de partager avec elle mon enthousiasme, mais en voyant l'expression de son visage, je me souviens…

C'est le seul souvenir qui me reste de ma suivante.

Il y avait alors tant de peine dans ses yeux, une peine que je connais, que j'ai moi-même éprouvée, enfant, quand pour la première fois nous n'avons pas pu payer l'impôt royal.

Pendant des mois, de l'aube au crépuscule, Baba et Tzain ont pêché le poisson-lune, tandis que la nuit ils travaillaient pour les gardes. Ils faisaient tout leur possible pour me tenir en dehors de leurs difficultés. Mais ça ne suffisait pas, et un jour, je me suis rendue au marché flottant en serrant dans ma main l'amulette en or de Mama. C'était la seule chose que nous avions gardée d'elle quand les gardes l'avaient emmenée.

Après sa mort, j'avais gardé cette amulette comme s'il s'agissait de la dernière parcelle de son âme.

– Tu n'es pas obligée de faire ça, tu sais, dis-je à Amari.

Pas facile de prononcer cette phrase face à tout cet or. Mais je me souviens qu'en me séparant de l'amulette de Mama, j'avais eu l'impression de lui arracher le cœur. Une douleur si vive que je ne la souhaite à personne, même pas à Amari.

Son regard s'adoucit. Elle sourit.

— Tout à l'heure, tu t'es moquée de moi quand je refusais de retirer ma robe. Tu avais raison, j'étais obnubilée par ce que j'avais déjà perdu. Mais mes sacrifices ne pourront jamais réparer tout le mal que mon père a fait.

Amari se tourne vers le marchand et acquiesce. Sa décision est prise.

— Je n'ai pas pu sauver Binta. Mais avec cet or…

Nous pourrions sauver les devîns.

Je regarde Amari tandis que le marchand s'empare de la tiare et empile les pièces d'or dans des sacs de velours.

— Prenez l'arc, dit-il, rayonnant. Prenez tout ce que vous voudrez !

Balayant des yeux l'intérieur de la carriole, j'aperçois soudain un sac en cuir épais orné de cercles et de lignes. Je m'approche pour vérifier sa solidité et découvre que le motif est entièrement composé de croix en pointillé. J'effleure ce blason clanique, qui est aussi le symbole secret d'Oya, ma déesse-sœur. Si les gardes le trouvaient, ils pourraient dépouiller entièrement le marchand, et même lui couper les deux mains.

— Attention ! s'écrie-t-il.

J'ai un geste de recul, puis je réalise qu'il s'adresse à Amari. Celle-ci tourne entre ses mains la poignée d'une épée.

— Qu'est-ce que c'est ? Où est passée la lame ?

— Éloigne-la et secoue-la.

Comme pour mon bâton, une simple chiquenaude suffit pour déployer une longue lame à la pointe légèrement recourbée qui fend l'air avec une grâce mortelle. Elle est étonnamment maniable dans les petites mains d'Amari.

– Je la prends !

Le marchand la met en garde :

– Attention, si on ne sait pas s'en servir…

– Qu'est-ce qui vous laisse penser cela ?

Je regarde Amari, stupéfaite en repensant à sa cicatrice. Bien qu'elle se soit enfuie de Lagos, j'ai du mal à l'imaginer en train de se battre en duel.

Le marchand emballe notre collection de pièces d'or et d'objets qui nous permettra de nous rendre jusqu'à Chândomblé et nous souhaite bon voyage. Nous marchons en silence pour aller retrouver Tzain. La cicatrice, la tiare, et maintenant, l'épée ; je ne sais plus quoi penser. Où est passée la princesse trop gâtée que je rêvais de faire disparaître ? Elle est vraiment capable de se servir d'une épée ?

Passant devant un papayer, je m'arrête pour en secouer le tronc jusqu'à ce qu'un fruit jaune tombe par terre. J'attends qu'Amari s'approche puis me retourne pour lui lancer la papaye bien mûre à la tête. Amari semble perdue dans ses pensées, mais avant que le fruit siffle à ses oreilles, elle lâche son panier et déploie sa lame en un éclair.

La papaye tombe sur le sol, tranchée en deux moitiés parfaitement égales. Je reste sans voix. Tout sourire, Amari en ramasse une et, d'un air triomphant, la mord à pleines dents.

– Si tu veux me toucher un jour, tu vas devoir faire des progrès.

CHAPITRE QUATORZE

INAN

La tuer.

Tuer la magie.

Plus d'autre solution.

Sans quoi, le monde me glissera entre les doigts. La malédiction des maji menacera mon propre corps.

Faisons un pacte, chuchote la fille dans ma tête. *Personne n'a besoin de savoir que tu es un sale petit ca…*

— Par le ciel !

Mes dents se serrent comme pour faire barrage à cette voix qui déclenche de nouveaux picotements sur ma peau. À mesure qu'ils se propagent, les voix brisées réapparaissent, elles aussi. De plus en plus fortes. De plus en plus insistantes.

Je dois me faire violence pour combattre cette magie.

Un… deux…

Tout en comptant, je lutte. Même si autour de moi, l'air devient glacé, mon front se couvre de sueur. Lorsque j'ai enfin réussi à repousser l'assaut surnaturel, mon souffle est court, saccadé. Mais la menace s'est éloignée. Pendant un bref instant, je me sens en sécurité. Seul…

— Inan.

Je sursaute. Pour la cinquantième fois de la journée, je passe mon pouce sur la jugulaire de mon casque pour vérifier qu'il est bien attaché. Qu'il dissimule cette maudite mèche blanche qui vient d'apparaître.

Là, juste sous les yeux de Kaea.

Juchée sur son panthéraire, elle me fait signe de lui emboîter le pas. Elle ne semble pas avoir remarqué que je la suis déjà depuis ce matin, en évitant de me trouver dans son champ de vision. Quelques heures plus tôt, elle m'a surpris à un moment où, me croyant à l'abri des regards, je contemplais mon reflet dans un ruisseau. Si elle était partie un peu plus tôt… Si j'étais resté un peu plus longtemps…

Inan, concentre-toi !

Je dois me ressaisir. Tous ces *si* ne me mèneront nulle part.

Tuer cette fille. Détruire cette magie. C'est tout ce qu'il me reste à faire.

Afin d'exhorter Lula, ma léopardaire des neiges, à suivre Kaea, je resserre mes cuisses autour de ses flancs tout en évitant les cornes qui hérissent son dos. Un contact trop brutal lui ferait faire une ruade qui me désarçonnerait.

– Allez ! (Je tire sur ses rênes lorsqu'elle grogne.) Bouge-toi, feignasse.

Lula dévoile ses crocs acérés mais accélère. Elle serpente entre les chênes marula, baisse la tête en passant sous des babouines à cul bleu qui sautent dans les branches chargées de fruits.

Lorsque nous rattrapons Kaea, je caresse la fourrure de Lula, plein de gratitude. Elle lâche un dernier grognement, mais frotte son museau contre ma main.

– Alors, demande Kaea lorsque je suis à sa hauteur, que vous a dit ce villageois, au juste ?

Encore ? Par le ciel, ce que cette femme peut être têtue !

– Son témoignage ne tient pas debout. Il faut que je l'interroge une deuxième fois.

Kaea tend la main vers la croupe de son panthéraire afin de libérer le faucon de feu de sa cage. Le rapace se pose sur la selle, et Kaea lui attache un petit billet à la patte. Sans doute un message adressé à Père. *Poursuivons notre quête du parchemin vers le sud. À part cela, je soupçonne Inan d'être un maj…*

Je précise en inventant un nouveau mensonge :

– Il prétend être cartographe. La voleuse et Amari lui auraient rendu visite après s'être enfuies de Lagos.

Kaea lève l'avant-bras ; le faucon déploie ses larges ailes et s'envole dans le ciel.

– Comment sait-il qu'elles se dirigeraient vers le sud ?

– Il les a entendues esquisser leur itinéraire.

Kaea détourne les yeux, mais j'ai vu le doute troubler son regard.

– Vous n'auriez pas dû interroger cet homme en dehors de ma présence.

– Oui, et le village n'aurait pas dû brûler ! je rétorque. Je ne comprends pourquoi vous tenez toujours à revenir sur ce qui aurait ou n'aurait pas dû se produire.

Calme-toi, Inan. Ce n'est pas contre Kaea que je suis en colère.

Mais déjà, elle prend son air pincé. Je suis allé trop loin.

– Désolé, je soupire. Ce n'est pas ce que je voulais dire.

– Inan, si cette situation vous dépasse…

– Je la maîtrise parfaitement.

– Ah oui ? (Elle braque son regard sur moi.) Si vous croyez que j'ai oublié votre petit malaise, vous vous méprenez.

Maudit soit le ciel.

Kaea était là lorsque j'ai été assailli par la magie à Ilorin.

Mon ventre se tord. Une fois de plus, je m'efforce de repousser le mal.

– Je ne laisserai pas le prince mourir sous mes yeux. Si cela devait se reproduire, je vous ferais immédiatement rapatrier au palais.

Mon cœur bondit à m'en faire mal aux côtes. Elle ne peut tout de même pas me renvoyer à la maison.

Du moins, pas avant que cette fille ne meure.

Faisons un pacte. Sa voix s'insinue à nouveau dans mon cerveau. Elle est si pénétrante qu'il me semble qu'elle chuchote à mon oreille. *Tu me laisses tranquille, et en échange, je ne dis rien. Personne n'a besoin de savoir que tu es un sale petit…*

– Non ! je m'écrie. Ce n'était pas un malaise, sur la plage. Je… je… (Je prends une profonde inspiration. *Calme-toi.*) Je pensais avoir vu le cadavre d'Amari. (Parfait, ce mensonge.) J'avais honte d'être si ébranlé.

– Oh, Inan…

La dureté de Kaea fond d'un coup. Elle saisit ma main.

– Pardonnez-moi. Je ne peux pas imaginer à quel point cela a dû être horrible.

J'acquiesce et étreins sa main en retour. Trop fort. *Lâche-la.* Mais mon cœur se met à battre plus vite. Un nuage turquoise irradie depuis ma poitrine, crachotant des volutes de fumée à la manière d'une pipe. Et de nouveau, cette odeur de romarin et de cendre ; de nouveau, les cris de cette fille brûlée vive…

La chaleur des flammes lèche mon visage. La fumée emplit mes poumons et me fait suffoquer. Le feu rampe vers mon corps, plus proche à chaque seconde, éliminant toutes mes chances d'en réchapper.

« *Au secours !* »

Je m'écroule sur le sol. Mes poumons rejettent l'air toxique. Mes pieds sont pris dans l'incendie…

« *AU SECOURS !* »

Je tire sur les rênes de Lula. Elle pousse un grognement menaçant et s'arrête net.

– Que se passe-t-il ? demande Kaea en se tournant vers nous.

J'enfouis mes mains dans la fourrure de ma léopardaire pour masquer leur tremblement. Le temps presse ; la magie reprend le dessus.

Comme un parasite se nourrissant de mon sang.

– Amari ! je m'écrie d'une voix étranglée. (La gorge me brûle comme si elle était toujours emplie de fumée.) Je suis inquiet. Elle n'a presque jamais quitté le palais. Elle est peut-être blessée.

– Je sais, dit Kaea d'une voix apaisante. (Est-ce ainsi qu'elle s'adresse à Père quand il se met en colère ?) Mais elle n'est pas complètement démunie. Si le roi a passé tant d'années à vous apprendre à manier l'épée, c'est qu'il avait ses raisons.

Je hoche la tête, faisant mine de l'écouter tandis que je repousse une nouvelle attaque maléfique. Autour de moi, l'air se raréfie. Même si la magie commence à s'estomper, mon cœur cogne toujours aussi fort.

Son pouvoir me consume de l'intérieur. Il me nargue ; il m'altère.

Tue-la.

Je vais tuer cette fille. Me débarrasser de ce mauvais sort.

Si je n'y parviens pas…

J'inspire un grand coup.

Si je n'y parviens pas, je suis déjà mort.

CHAPITRE QUINZE

AMARI

AVANT, JE RÊVAIS souvent que je m'élevais au-dessus de tout cela.

Tard dans la nuit, quand tout le palais dormait, Binta et moi nous rendions à la salle du conseil de Père. À la lueur de nos torches, nous courions dans les couloirs recouverts de fresques en nous tenant la main, dérapant sur le sol carrelé. Pour nos yeux d'enfants, la carte d'Orïsha accrochée au mur était aussi vaste que la vie elle-même. Je pensais qu'un jour, Binta et moi découvririons le monde ensemble.

Je pensais alors que si nous quittions le palais, nous pourrions être heureuses.

C'est la troisième falaise que nous escaladons depuis ce matin, et je réalise que je ne m'attendais pas à ce que ce soit aussi dur. Cramponnée à la paroi, je dégouline de sueur et même la rude étoffe de mon daishiki noir est trempée. Une nuée de moustiques vrombit sans arrêt dans mon dos. Je les laisse se repaître de mon sang car les écraser ralentirait mon ascension.

Une autre journée de voyage vient de s'écouler, heureusement suivie d'une vraie nuit de sommeil. Après que nous avons quitté Sokoto pour nous enfoncer dans la jungle, la température s'est nettement réchauffée. Pourtant, au moment de m'endormir, j'ai senti que Tzain me recouvrait de nouveau de son manteau. Depuis que nous avons refait le plein de vivres, manger n'est plus un problème. Même la viande de renardien et le lait de coco me semblent aussi délicieux que la poule aux épices et le thé des cuisines du palais. Je pensais que les choses commençaient enfin à s'arranger, mais en cet instant, je me sens si oppressée que je peux à peine respirer.

Ce soir, la vue sur la jungle est époustouflante. Toute une palette de verts recouvre le pays, révélant une vaste canopée sous nos pieds. Une rivière vive serpente à travers ce fouillis tropical, seul point d'eau qui s'offre à mes yeux. À mesure que nous prenons de la hauteur, elle devient de plus en plus ténue, jusqu'à n'être plus qu'un mince trait bleu.

Hors d'haleine, je m'étonne qu'il puisse encore y avoir de la vie à cette altitude. Prenant une grande inspiration, j'agrippe fermement la roche. Au début de l'ascension, je ne prenais pas la peine de vérifier mes points d'appui, mais mes genoux écorchés me rappellent à chaque seconde à quel point c'était une erreur.

Après m'être assurée de sa solidité, je cale mes pieds nus dans une anfractuosité et me hisse un peu plus haut. Une violente envie de pleurer me saisit, mais pour la troisième fois de la journée, je retiens mes larmes. Me laisser aller devant ces gens serait trop humiliant.

Tzain me suis de près.

— C'est bon ! lance-t-il, cherchant un espace suffisamment large pour Nailah.

Après avoir failli tomber de la dernière falaise, leur lionaire est devenue méfiante et refuse de grimper tant que Tzain ne lui a pas prouvé la fiabilité de chaque point d'appui.

— Continuez, dit Zélie plus haut. C'est ici. C'est *forcément* ici.

— Est-ce que tu es sûre que tu l'as vraiment vu ? lui demande Tzain.

Je repense à ce moment, dans la hutte de Mama Agba, où le futur s'est déployé sous nos yeux. Tout semblait alors tellement magique. Nul doute que voler le parchemin était alors une bonne idée.

— Dans la vision, nous étions en train de grimper… dis-je.

— D'accord, mais le temple, vous ne l'avez pas vu, insiste Tzain. Rien ne nous dit que Chândomblé existe vraiment.

— Tais-toi et grimpe, crie Zélie. Fais-moi confiance, je sais que ce temple existe.

Toujours ce même raisonnement qu'elle nous tient depuis ce matin, ce même entêtement qui nous hisse de rocher en rocher. Réalité et logique lui importent peu. Elle est si résolue qu'à aucun moment l'échec n'entre dans son champ des possibles.

Je me tourne vers Tzain pour ajouter quelque chose, mais la vue de la jungle, si loin sous nos pieds, me paralyse. Pressant tout mon corps contre la paroi, je m'agrippe fermement à un rocher.

— Hé, ne regarde pas en bas ! me crie Tzain. Tu te débrouilles très bien, au fait.

— Tu n'en penses pas un mot.

Il sourit presque.

— Continue de grimper.

Mon sang bourdonne dans mes oreilles. Levant de nouveau la tête, j'avise la prochaine corniche et, malgré mes jambes vacillantes, je parviens à m'y hisser. *Ciel. Si Binta me voyait.*

Son beau visage revient douloureusement hanter mon esprit, m'apparaissant dans toute sa gloire. Depuis que je l'ai vue mourir, c'est la première fois que je l'imagine à mes côtés, vivante et souriante. Je me souviens d'une nuit où, dans la salle du conseil, elle avait ôté son bonnet, et de ses cheveux d'ivoire tombant en cascades soyeuses sur ses épaules.

Et comment t'habilleras-tu quand nous traverserons le massif d'Olasimbo ? s'était-elle moquée lorsque je lui avais fait part de mes projets d'évasion vers la mer d'Adetunji. *N'oublie pas que même si elle te savait en fuite, la reine préférerait mourir plutôt que de t'autoriser à porter un pantalon.*

Elle avait imité le cri aigu de Mère en se tenant le front. Cette nuit-là, j'avais tellement ri que j'avais failli faire pipi dans ma culotte.

Malgré les circonstances, je ne peux m'empêcher de sourire. Binta savait imiter tous les gens du palais. Puis je me souviens de nos rêves perdus, de nos projets avortés, et mon sourire disparaît. Je pensais que nous pourrions nous évader en empruntant les passages souterrains. Une fois dehors, nous ne serions plus jamais revenues. Nous étions si sûres de pouvoir le faire. Binta savait-elle qu'elle ne verrait jamais notre rêve se réaliser ?

Cette question me taraude tandis que j'atteins une corniche. Elle est suffisamment plate et large pour que je puisse m'étendre dans les herbes folles.

Je tombe à genoux ; Zélie, elle, s'est déjà écroulée dans des bromélies, écrasant les vibrants pétales rouges et violets. Je me penche au-dessus des fleurs et respire leur parfum sucré. Binta les aurait adorées.

— Est-ce qu'on peut rester là un instant ? je demande, apaisée par l'odeur de clou de girofle. Je ne me vois pas grimper plus haut.

Je lève la tête. Nailah se hisse sur la corniche en s'aidant de ses griffes. Tzain la suit ; il est trempé de sueur. Lorsqu'il se débarrasse de son daishiki sans manches, je baisse les yeux. La dernière fois que j'ai vu le torse nu d'un garçon, c'était quand nos gouvernantes nous donnaient notre bain, à Inan et moi.

Mes joues rosissent. Je prends soudain conscience de tout le chemin parcouru depuis le palais. Mère aurait immédiatement fait emprisonner Tzain pour ce qu'il vient de faire. Même si, contrairement aux maji, les kosidàn sont autorisés à fréquenter la famille royale.

Je veux m'éloigner, mue par le besoin urgent de mettre de la distance entre la peau dénudée de Tzain et mon visage empourpré. Mais en me relevant, mes doigts heurtent quelque chose de lisse et de creux.

Je me retourne, et me trouve face au crâne d'un squelette.

— Ciel !

Je recule, les cheveux dressés sur la tête. Zélie se relève d'un bond et déploie son bâton, prête à se battre.

— Qu'est-ce qui se passe ? demande-t-elle.

Je pointe du doigt le crâne brisé qui repose sur un tas d'ossements. Un trou béant juste au-dessus de l'orbite gauche témoigne d'une mort violente.

— Peut-être était-ce un grimpeur comme nous ? je suggère. Quelqu'un qui n'aurait pas réussi à aller jusqu'au bout…

– Non, affirme Zélie, étrangement sûre d'elle. Ce n'est pas ça.

Tandis qu'elle se penche sur le squelette pour l'examiner de plus près, une brise glacée traverse l'air. Zélie s'accroupit, tend la main vers le crâne fêlé. Ses doigts l'ont à peine effleuré que la chaleur étouffante de la jungle vire au froid glacial, transperçant ma peau jusqu'à l'os. Mais ce souffle glacé disparaît aussi vite qu'il est arrivé et nous laisse abasourdis sur le flanc de la montagne.

– Waouh ! s'exclame Zélie, comme si elle revenait à la vie.

Elle empoigne des bromélies, si fort que les pétales se détachent des tiges.

– Par les dieux, c'était quoi, ça ? demande Tzain.

Zélie secoue la tête, ses yeux s'écarquillent jusqu'à devenir exorbités.

– Je l'ai senti. C'était son esprit… Sa vie !

La magie. Chaque fois qu'elle se manifeste, je me sens partagée. Les mises en garde de Père ont beau ressurgir du fond de l'enfance, mon cœur ne peut s'empêcher de se gonfler d'admiration.

– Venez ! (Zélie repart à toute vitesse, escaladant déjà la prochaine falaise.) Cette fois, c'était plus fort que jamais. Le temple ne doit plus être loin.

Je lui emboîte le pas ; ma hâte de gravir les derniers mètres l'emporte sur la peur. Lorsque je me suis enfin hissée au sommet, je n'en crois pas mes yeux. Chândomblé.

Il est bien là.

Un tas de briques recouvertes de mousse occupe toute la surface d'un plateau. Ces ruines sont les derniers vestiges des temples et lieux saints qui jadis se dressaient dans tout le pays. Ici, pas de stridulation de criquet, pas de pépiement d'oiseau, pas de vrombissement de moustique comme plus bas, dans la jungle et les montagnes. Seuls des crânes brisés éparpillés à nos pieds témoignent que cet endroit a un jour abrité la vie.

Zélie tombe en arrêt devant l'un d'eux. Elle fronce les sourcils, bien que rien n'advienne.

– Qu'est-ce que c'est ? je demande.

– Son esprit… répond-elle en s'inclinant. Il monte.

– Il monte où ?

Je recule et trébuche sur des gravats.

Le froid m'envahit de nouveau, m'emplissant d'une indicible épouvante. Impossible de savoir si ce phénomène est réel ou s'il n'existe que dans ma tête.

– Je ne sais pas. (Zélie se frotte la nuque.) Quelque chose lié à ce temple amplifie mon ashê. Je ressens pleinement ma magie.

Sans me laisser le temps de poser d'autres questions, Zélie effleure un deuxième crâne.

Je me frappe la poitrine. Cette fois, il n'y a pas de brise glaciale, mais une image teintée d'or apparaît. Surgissent alors des temples, des tours ainsi que de stupéfiantes structures agrémentées de cascades. Des hommes, des femmes et des enfants y déambulent vêtus de tuniques en cuir. Leur peau sombre est ornée de lignes et de spirales blanches.

La vision ne dure qu'un bref instant, mais lorsque mes yeux se posent de nouveau sur les gravats, l'image de la splendeur passée du lieu reste imprimée dans ma mémoire.

Il fut un temps où Chândomblé rayonnait.

Aujourd'hui, il n'en reste rien.

– À ton avis, que s'est-il passé ici ? je demande à Zélie.

Mais je crains de déjà connaître la réponse : Père a détruit la beauté de la magie dans ma propre vie, pourquoi aurait-il eu des scrupules à la détruire ailleurs dans le monde ?

Zélie ignore ma question. Son visage se durcit de seconde en seconde – sans doute voit-elle encore des choses qui me sont invisibles.

Une douce lumière bleu lavande commence à briller entre ses doigts. C'est la première fois que les pouvoirs de Zélie se manifestent vraiment. Je l'observe avec curiosité. Que peut-elle voir de plus ? Bien que l'idée même de la magie me terrifie toujours autant, j'aimerais être traversée par elle, ne serait-ce qu'une seule fois. Le faisceau lumineux qui a surgi entre les mains de Binta commence à envahir mon esprit quand j'entends Tzain s'écrier :

– Regardez ça !

Suivant sa voix, nous nous trouvons alors face à l'unique édifice qui, sur cette montagne, tient encore debout. Érigé sur la corniche surplombant le dernier escarpement du rocher, le temple se dresse haut dans le ciel. Contrairement aux autres constructions, il est fait d'un métal noirci, et des striures jaunes et roses laissent penser que son revêtement était jadis doré. Les bords de la façade sont recouverts de mousse et de vigne vierge qui obscurcissent d'innombrables rangées de signes gravés sur la frise.

Zélie se dirige vers l'entrée sans porte, mais Nailah émet un faible grognement.

– OK, Nailah, dit Zélie en déposant un baiser sur son museau. Toi tu ne bouges pas, d'accord ?

Nailah bougonne encore un peu, puis s'allonge derrière un empilement de briques abîmées. Nous la laissons là et pénétrons dans le temple. À l'intérieur, l'aura de la magie nous interpelle, si palpable que je peux ressentir sa densité dans toute la salle. Je fends l'air de ma main et les oscillations de cette énergie surnaturelle glissent entre mes doigts comme des grains de sable. Au sommet de la coupole, des rais de lumière s'engouffrent dans l'oculus fêlé, illuminant des fresques au plafond dont les motifs se répètent sur les alignements de colonnes incrustées de verre coloré et de cristaux chatoyants.

Pourquoi ne l'ont-ils pas détruit ? me dis-je en effleurant les sculptures. Tel un arbre solitaire dans une forêt dévastée, ce temple est resté étrangement intact.

– Vous avez vu des portes ? demande Tzain depuis l'autre bout de la salle.

– Aucune, répond Zélie.

Une grande statue adossée au mur du fond est recouverte de poussière et de vigne vierge. Nous traversons le bâtiment pour la contempler. Tzain passe une main sur la pierre érodée. La statue semble représenter une femme âgée et richement vêtue. Ses cheveux blancs sont coiffés d'une couronne dorée, seul objet métallique qui ne soit pas rouillé ni même terni.

— Est-ce une déesse ? je demande en l'examinant de plus près.

C'est la première fois que j'ai l'occasion de voir la représentation d'une divinité. Personne n'oserait en faire entrer une au palais. J'avais toujours imaginé qu'elles ressembleraient aux portraits des ancêtres royaux qui en recouvrent les murs. Mais malgré son aspect érodé, cette statue a quelque chose d'altier que la plus stupéfiante des peintures ne saurait rendre.

— Et ça, qu'est-ce que c'est ? demande Tzain en désignant l'objet que la femme tient dans la main.

— On dirait un cor, dit Zélie en s'approchant. C'est bizarre… (Elle touche le métal rouillé.) Je peux presque l'entendre dans ma tête.

— Et que dit-il ? je demande.

— C'est un cor, Amari. Les cors ne parlent pas.

— Les sculptures ne produisent pas non plus de sons ! je rétorque, tandis que le rouge me monte aux joues.

— Chut, tais-toi, m'ordonne Zélie. (Elle pose ses deux mains sur le métal.) Finalement, peut-être qu'il essaie de me dire quelque chose.

Je retiens mon souffle tandis qu'elle se concentre. Au bout d'un long moment, ses mains commencent à émettre une lumière argentée et scintillante. Le cor semble se nourrir de son ashê, il brille de plus en plus fort à mesure qu'elle appuie ses mains sur lui.

— Sois prudente ! la prévient Tzain.

— T'inquiète, répond Zélie en hochant la tête. (Elle se met pourtant à trembler.) J'y suis presque. Encore une pression…

Sous nos pieds, un lent craquement se fait entendre. Je laisse échapper un cri. Derrière nous, un large carreau de céramique glisse sur le sol, révélant un escalier en colimaçon qui descend vers les ténèbres.

— Ce n'est pas dangereux ? je murmure.

L'obscurité fait battre mon cœur à tout rompre. Je me penche pour essayer de distinguer quelque chose, mais en vain.

– Il n'y a pas d'autre porte, dit Zélie en haussant les épaules. On n'a pas le choix.

Tzain sort en courant, puis revient avec un os de fémur carbonisé qu'il a enveloppé dans un bout de tissu arraché à son manteau. Zélie et moi avons un mouvement de recul ; il passe devant nous et, à l'aide de notre silex, met le feu au chiffon pour s'en faire une torche de fortune.

– Suivez-moi, dit-il d'un ton ferme qui me rassure un peu.

Nous entamons notre descente. Tzain ouvre la marche. La torche éclaire nos pas, mais rien de plus. Le souffle court, je garde une main appuyée contre le mur irrégulier jusqu'à ce que nous parvenions enfin dans une pièce. Alors que mon pied quitte la dernière marche, au-dessus de nous, la trappe se referme dans un bruit assourdissant.

– Ciel !

Mon cri résonne dans le noir. Je me jette sur Zélie.

– Qu'allons-nous faire, maintenant ? dis-je en tremblant. Comment allons-nous sortir d'ici ?

Tzain fait volte-face et s'apprête à remonter les marches, mais s'arrête net lorsqu'un sifflement retentit. Au bout de quelques secondes, sa torche s'éteint, nous laissant dans le noir le plus complet.

– Tzain ! crie Zélie.

Le sifflement s'amplifie jusqu'à ce qu'une rafale d'air chaud me tombe dessus comme de la pluie. Lorsque j'inspire, elle fige instantanément mes muscles et commence à embrumer mon cerveau.

– Du poison, parvient encore à articuler Tzain.

Puis j'entends le bruit sourd de son corps s'écroulant sur le sol. Avant même que j'aie le temps d'avoir peur, les ténèbres ont tout recouvert.

CHAPITRE SEIZE

INAN

Lorsque ma légion entre dans Sokoto, tous ceux que nous croisons se taisent. Je comprends vite pourquoi.

Nous sommes les seuls gardes en vue.

— Où sont les patrouilles ? je chuchote à Kaea.

Le silence est assourdissant. Comme si tous ces gens n'avaient jamais vu le blason des Orïshan. Seuls les cieux savent comment Père aurait réagi face à un tel manque de respect.

Nous mettons pied à terre et menons nos bêtes au bord d'un lac. L'eau est si claire que les arbres alentour s'y reflètent comme dans un miroir. Lula montre les crocs à un groupe d'enfants. Ils détalent tandis qu'elle boit.

— Nous ne postons pas de gardes dans ce genre d'endroit. C'est inutile, personne ne reste ici plus de quelques jours, dit Kaea en ôtant son casque.

Le vent s'engouffre dans ses cheveux. Je meurs d'envie de suivre son exemple, mais ma mèche blanche doit rester dissimulée.

Retrouver cette fille. J'inhale l'air pur et vif, m'efforçant d'oublier ma mèche, ne serait-ce qu'un instant. Contrairement à l'atmosphère chaude et brumeuse de Lagos, ici, l'air est frais. Vivifiant. Une légère brise atténue le feu dans ma poitrine ; j'essaie de maîtriser mon mal, mais mon cœur s'affole en constatant la présence de nombreux devîns.

Et moi qui ne songeais qu'à éliminer cette fille. Je n'ai pas pensé à la manière dont elle pourrait m'éliminer.

Tout en gardant la main sur la poignée de mon épée, je laisse mes yeux errer de devîn en devîn. Je dois cependant évaluer l'étendue des pouvoirs de la fille afin de mieux pouvoir m'en défendre.

Et si elle m'attaque ? Je sens la terreur m'envahir, et la magie reprend le dessus. Il lui suffirait de viser mon casque et Kaea verrait ma mèche blanche, révélant mon secret à la face du monde.

Concentre-toi, Inan. Je ferme les yeux en serrant le pion de senet dans ma main. Ne pas se laisser déborder. Je dois remplir ma mission. Orïsha est toujours menacé.

Tandis que les chiffres défilent dans ma tête, j'attrape la poignée recourbée de mon poignard. Toute magicienne qu'elle est, en visant juste, je peux la neutraliser. Lui transpercer la poitrine de ma lame acérée.

Mais à quoi bon puisque de toute évidence, la fille n'est pas ici. Parmi tous ces regards de devîns hostiles, nulle part je ne vois ses yeux vif-argent.

Tandis que je range mon poignard, quelque chose se relâche dans ma poitrine, un sentiment de déception mêlé de soulagement.

Je respire mieux.

Kaea donne ses instructions aux soldats. Elle remet à chacun des dix hommes le portrait de la fille imprimé sur un rouleau de parchemin.

— Prenez ces affiches, et tâchez de savoir si des gens l'ont vue, elle ou sa lionaire à cornes de taureau — ces animaux sont plutôt rares sur cette côte. (Elle se tourne vers moi, très déterminée.) Nous interrogerons les marchands. Si elles sont vraiment parties vers le sud, Sokoto est le premier endroit où elles ont pu se ravitailler.

J'acquiesce en essayant de me détendre, mais en vain : je suis si près de Kaea que le moindre de mes gestes ne peut lui échapper.

Tandis que je marche derrière elle, la magie me met de plus en plus à l'épreuve. Mon pectoral en métal m'oppresse. Bien que nous avancions lentement, mon pas est irrégulier. Au bout d'un certain temps, je finis par être distancé. Je fais une pause, mains appuyées sur les genoux. *Laissez-moi juste reprendre mon souf…*

— Mais que faites-vous ?

Je repars, m'efforçant d'ignorer mon mal que la seule voix de Kaea vient de réactiver.

— Les… les tentes, dis-je en désignant les abris végétaux qui se trouvent devant moi. J'admirais leur conception.

À la différence des nôtres, constituées d'une barre de métal et de peaux d'hipponaire tannées, celles-ci sont faites de branches recouvertes de mousse. L'ergonomie de leur structure est étonnante, et notre armée gagnerait à s'en inspirer.

— Ce n'est guère le moment de s'intéresser à cette architecture rudimentaire, s'agace Kaea. Concentrez-vous plutôt sur notre mission.

Elle tourne les talons, marchant encore plus vite pour rattraper le temps que je lui ai fait perdre. Je me dépêche de lui emboîter le pas. Lorsque je m'approche des carrioles, une femme corpulente attire mon attention. Contrairement aux autres, elle ne nous lance pas de regard assassin. En fait, elle ne nous regarde pas du tout et semble uniquement préoccupée par un tas de couvertures qu'elle presse contre sa poitrine.

Tel un éternuement réprimé, le mauvais sort refait surface. Les émotions des mères me frappent comme une gifle, leur colère se mêle à des bouffées de peur. Mais ce qui domine, c'est leur volonté farouche de protéger, comme un rugissement de léopardaire veillant sur son petit. Je ne comprends pas ce qui m'arrive. Tout à coup, des pleurs s'échappent des couvertures pressées contre son sein.

Un bébé…

Du visage au teint acajou, mon regard va à la pierre pointue que cette femme serre dans sa main. Sa terreur imprègne mes os, mais sa détermination brûle encore plus fort.

— Inan !

Je me ressaisis, comme chaque fois que Kaea me rappelle à l'ordre. Mais en arrivant près des carrioles, je jette un dernier coup d'œil à cette femme, repoussant l'assaut maléfique qui me ronge. Que redoute-t-elle ? Et qu'ai-je à voir avec son bébé ?

– Attendez.

J'arrête Kaea devant une carriole tirée par deux énormes guépardaires. Les créatures au pelage tacheté me dévisagent de leurs yeux orange. Leur gueule ourlée de noir s'entrouvre sur des canines acérées.

– Qu'y a-t-il ?

Un nuage turquoise flotte près de l'entrée, plus volumineux que tous les précédents.

– Cette carriole a un plus grand choix de marchandises, dis-je d'un ton faussement posé.

Et une odeur de sel marin, la même que celle que diffuse l'âme de la fille.

J'ai beau lutter contre la magie, son parfum m'envahit lorsque je traverse le nuage. M'apparaît alors son visage, sa peau sombre, presque luminescente dans le soleil de Sokoto.

La vision est brève, mais c'est assez pour me retourner les tripes. Tel un parasite, la magie se nourrit de mon sang. Je réajuste mon casque et entre dans la carriole.

– Soyez les bienvenus !

Un marchand d'un certain âge nous accueille. Son sourire illumine sa peau sombre. Il se tient debout en s'appuyant à la cloison.

Kaea déroule aussitôt le parchemin.

– Avez-vous vu cette fille ?

Le marchand plisse les yeux et, lentement, frotte ses lunettes contre sa chemise pour les nettoyer. *Il essaie de gagner du temps.* Puis il s'empare du rouleau.

– Non, ce visage ne me dit rien.

Des gouttes de sueur perlent sur son front. Je lance un coup d'œil à Kaea : elle l'a remarqué, elle aussi.

Pas besoin d'être devîn pour comprendre que cet imbécile nous ment.

Je me mets à aller et venir dans la carriole exiguë, fouillant, renversant des objets pour le faire réagir. J'avise un flacon de forme oblongue rempli d'encre noire et le glisse dans ma poche.

Le marchand reste un long moment sans broncher, trop longtemps pour quelqu'un qui n'a rien à cacher. Il se raidit lorsque je m'approche d'un cageot. D'un coup de pied, je le fais tomber, révélant un coffre en métal.

– Non, ne…

Kaea plaque le marchand contre le mur pour le fouiller et me lance un jeu de clés. Je les teste une à une dans la serrure du coffre. Comment ose-t-il nous mentir ?

Lorsque je tombe enfin sur la bonne clé, j'ouvre le coffre, m'attendant à trouver un indice compromettant. C'est alors que je vois la tiare sertie de pierres précieuses d'Amari. J'ai le souffle coupé.

La vue de cet objet me replonge dans mon enfance. Je me souviens du jour où elle l'a portée pour la première fois. Le jour où je l'ai blessée…

Caché derrière les rideaux de l'infirmerie du palais, je lutte pour ne pas pleurer. Tremblant, je vois les médecins se pencher sur les blessures d'Amari. Son dos est exposé. J'ai mal en découvrant l'estafilade qu'a laissée mon épée. Rouge, à vif, l'entaille suit la colonne vertébrale. Le sang ne cesse de couler.

Pardon ! Je pleure dans les rideaux, grimaçant chaque fois que les aiguilles des médecins la font hurler. Pardon. Je voudrais tant lui dire que, promis, plus jamais je ne lui ferai de mal.

Mais aucun son ne sort de ma bouche.

Étendue sur le lit, elle crie.

Elle prie pour que cesse ce calvaire.

Quelques heures plus tard, Amari est toujours allongée, immobile, si épuisée qu'elle ne peut même pas parler. Elle gémit. Sa servante Binta

accourt à son chevet. *Elle murmure quelque chose. Un faible sourire s'es-*
quisse sur les lèvres de ma sœur.

J'écoute, j'observe. Binta sait la réconforter comme personne. Sa voix
mélodieuse lui chante une berceuse. Une fois Amari endormie, Binta s'em-
pare de la précieuse tiare de Mère et la lui dépose sur la tête…

Depuis ce jour, Amari n'a jamais quitté cette tiare ; la seule bataille
qu'elle ait jamais remportée contre Mère. Seul, un gorillon pourrait
l'arracher de sa tête.

Si cette tiare se trouve ici, dans ce coffre, cela signifie que ma sœur
est morte.

Je bouscule Kaea et pointe mon épée sur le cou du marchand.

– Inan…

D'un geste, je lui intime le silence. Au diable la bienséance et la
discrétion.

– Où as-tu eu cet objet ?

– C'est… c'est cette jeune fille qui me l'a donné, couine le marchand. Hier !

Je lui montre le portrait.

– Elle ?

– Non, dit-il en secouant la tête. Elle est venue, elle aussi, mais l'autre
avait la peau cuivrée et des yeux brillants. Les mêmes yeux que vous !

Amari.

Elle est donc toujours en vie.

– Et qu'ont-elles eu en échange ? demande Kaea.

– Une épée… quelques gourdes. Elles partaient en voyage. Je crois
qu'elles comptaient traverser la jungle.

Kaea ouvre de grands yeux. Elle m'arrache le parchemin des mains.

– Elles allaient sûrement au temple. À Chândomblé.

– À quelle distance se trouve-t-il ?

– C'est une excursion d'une journée entière, mais…

– En route ! dis-je en saisissant la tiare. (Je me dirige vers la porte.)
Si nous ne perdons pas de temps, nous pouvons les rattraper.

– Une minute, dit Kaea. Que faisons-nous de lui ?

169

– Pitié, s'écrie le marchand en tremblant. Je ne savais pas qu'elle l'avait volée ! Je paie toujours mes impôts en temps et en heure ! J'ai toujours été fidèle envers le roi !

Je contemple ce pauvre homme, hésitant.

Je sais ce que je suis censé répondre.

Je sais ce que ferait Père.

– Inan ?

Kaea a déjà la main sur la poignée de son épée. Elle attend mes ordres. Je ne dois pas être faible. *Le devoir avant tout.*

– Pitié ! supplie le marchand, s'engouffrant dans mon hésitation. Prenez ma carriole. Prenez tout ce que vous voulez…

– Il en sait trop, tranche Kaea.

– Attendez, dis-je dans un souffle.

Mes oreilles bourdonnent. Les corps carbonisés d'Ilorin me reviennent à l'esprit. La chair grillée. L'enfant qui pleure.

Fais-le. Un royaume vaut plus qu'une seule vie.

Mais trop de sang a déjà coulé. Trop de sang versé par mes propres mains…

Avant que j'aie le temps de me prononcer, le marchand court vers la porte. Sa main agrippe la poignée. Explosion de rouge.

Du sang éclabousse ma poitrine.

Il s'écroule dans un bruit sourd.

Le poignard de Kaea est planté dans sa nuque.

Après un dernier son rauque, le marchand continue de se vider de son sang en silence. Sans me quitter des yeux, Kaea se penche au-dessus de lui et reprend son poignard comme si elle cueillait une rose du jardin.

– Vous ne devez pas tolérer que l'on se mette en travers de votre chemin, Inan. (Tout en enjambant le cadavre, Kaea essuie sa lame.) Surtout quand il s'agit de quelqu'un qui en sait autant.

CHAPITRE DIX-SEPT

AMARI

Dans ma tête, la brume se dissipe ; en quelques clignements d'yeux, je redeviens consciente, même si passé et présent se confondent. L'espace d'un instant, je vois le regard vif-argent de Binta briller de tout son éclat.

Mais lorsque l'hallucination disparaît, les ombres vacillantes des bougies dansent sur le mur de pierre. Un rongeur déguerpit à mes pieds ; je sursaute. Ce n'est qu'à ce moment-là que je réalise : Tzain, Zélie et moi sommes ligotés par une même corde.

– Oh, les gars !

Zélie remue dans mon dos ; sa voix est encore ensommeillée. Elle a beau se tortiller dans tous les sens, la corde ne cède pas.

– Kesseucé ? bafouille Tzain, qui peine à articuler.

Il tire, lui aussi, mais sa force pourtant considérable ne suffit pas à desserrer l'étau de la corde. Pendant quelques instants, seuls ses grognements résonnent dans la caverne. Mais bientôt, un autre son les recouvre, qui va en s'amplifiant. Nous sommes pétrifiés ; les bruits de pas s'approchent.

– Ton épée, chuchote Zélie. Tu peux l'attraper ?

À tâtons, je cherche la poignée dans mon dos. Mes doigts frôlent Zélie, mais se referment sur du vide.

– Elle a disparu, je murmure.

Nous scrutons la caverne, espérant discerner dans la pénombre l'éclat cuivré de mon arme ou le bâton luminescent de Zélie. Quelqu'un nous a pris toutes nos affaires. Nous n'avons même plus le…

– Le parchemin ? tonne soudain une voix grave.

Je me raidis en voyant apparaître à la lueur d'une bougie un homme d'âge moyen. Il porte une longue tunique en cuir sans manches. Sa peau sombre est entièrement recouverte de spirales et de motifs blancs.

Zélie prend une rapide inspiration.

– Un sêntaro…

– Un quoi ? je chuchote.

– Qui va là ? grogne Tzain, bataillant contre la corde pour mieux voir et découvrant ses dents en signe de défiance.

Le mystérieux individu reste immobile.

Il s'appuie sur un bâton taillé dans de la pierre dont le pommeau a la forme d'un visage. Ses yeux jaunes brillent d'une indéniable colère. Je commence à croire qu'il est lui-même une statue de pierre quand soudain, il se jette sur nous. Zélie sursaute tandis qu'il attrape une mèche de ses cheveux.

– Des cheveux raides, marmonne-t-il avec une pointe de déception dans la voix. Pourquoi ?

– Ne la touchez pas ! s'insurge Tzain.

Bien que Tzain ne soit pas en mesure de le menacer, l'homme relâche les cheveux de Zélie et recule. Puis il extrait le parchemin d'une poche de sa tunique et plisse les yeux.

– Il y a plusieurs années, mon peuple s'est vu confisquer ceci.

Son accent lourd et épais se distingue des autres dialectes orïshan que j'ai eu l'occasion d'entendre. En regardant le parchemin déroulé qu'il tient à la main, je reconnais les mêmes symboles que ceux qui sont tatoués sur sa peau.

– Ils nous l'ont volé, poursuit-il avec rage. Je ne vous laisserai pas faire la même chose.

– Détrompez-vous, je riposte. Nous n'avons aucune intention de vous le prendre.

Il me regarde en fronçant le nez :

– C'est exactement ce qu'ils ont dit. Le même sang puant coule dans vos veines.

Je me rétracte, adossée contre l'épaule de Tzain. L'homme me lance un regard plein de haine auquel je ne peux me soustraire.

– Elle dit vrai, renchérit Zélie avec conviction. Nous ne sommes pas comme eux. Ce sont les dieux qui nous envoient. Une Voyante nous a guidés jusqu'ici !

Mama Agba… Je repense à ses paroles, lors de nos adieux. *Nous ne faisons qu'accomplir notre mission,* voudrais-je crier à cet homme. Mais comment le convaincre quand en ce moment même, je voudrais n'avoir jamais posé les yeux sur ce maudit parchemin ?

Les narines frémissantes, le sêntaro lève les bras et l'air se met à vibrer, empli d'une magie menaçant d'exploser. *Il va nous tuer…* Mon cœur cogne contre ma poitrine. Ici s'achève notre expédition.

Les mises en garde de Père résonnent dans ma tête : *face à la magie, nous n'avons pas la moindre chance.* Face à la magie, nous sommes sans défense.

Face à la magie, nous sommes morts…

– J'ai vu à quoi ressemblait cet endroit autrefois, dit Zélie d'une voix étranglée. J'ai vu les tours et les temples. J'ai vu tous ces sêntaros qui vous ressemblaient.

Lentement, l'homme abaisse ses bras. Zélie avale sa salive. Je prie le ciel pour qu'elle trouve les mots justes.

– Je sais qu'ils sont entrés dans vos maisons, qu'ils ont détruit tout ce qui vous était cher. Ils m'ont fait subir la même chose, à moi et à des milliers d'autres personnes qui me ressemblent.

Sa voix se brise. Je ferme les yeux. Derrière moi, Tzain se fige. Ma bouche devient sèche quand je réalise de qui elle parle. C'est bien ce que je pensais.

C'est bien Père qui a détruit cet endroit.

Je repense aux gravats, aux crânes de squelettes endommagés. Je revois le regard dur de Zélie. Le village paisible d'Ilorin en proie aux flammes. Le visage de Tzain empli de haine.

Je revois aussi la cascade de lumière surgie entre les mains de Binta, plus belle que les rayons du soleil. Où serais-je, maintenant, si Père avait permis que Binta vive ? À quoi ressemblerait Orïsha s'il avait laissé une chance à tous ces maji ?

La honte s'abat sur moi. Je voudrais disparaître sous terre tandis que l'homme lève de nouveau les bras.

Je ferme les yeux, prête à endurer la douleur…

Mais la corde se volatilise, et tous nos effets personnels réapparaissent à nos côtés. Encore sidérée par les pouvoirs de la magie, je vois le sêntaro s'éloigner en s'appuyant sur son bâton et, tandis que nous nous relevons, il nous dit simplement :

– Suivez-moi.

CHAPITRE DIX-HUIT

ZÉLIE

DE L'EAU SUINTE des murs taillés dans la roche. Nous nous enfonçons au cœur de la montagne tandis que le son mat du bâton de notre guide scande notre descente. Des bougies dorées alignées le long de la pierre érodée éclairent l'obscurité de leur douce lueur. Mes pieds foulent la pierre fraîche. Je n'en reviens toujours pas d'être en présence d'un vrai sêntaro. Avant le Raid, seuls les chefs des dix clans maji avaient le privilège d'en rencontrer de leur vivant. Mama Agba va tomber de sa chaise quand je lui raconterai cela.

Je pousse Amari sur le côté afin de me rapprocher du sêntaro. Les tatouages qu'il porte dans le cou me fascinent. À chacun de ses pas, ils ondulent et dansent avec l'ombre projetée des bougies.

— Ce sont des sênbarias, dit-il, sentant mon regard dans sa nuque. Ce langage des dieux remonte à la nuit des temps.

Voilà donc à quoi ils ressemblent. Je me penche vers lui afin d'observer les symboles à l'origine du yoruba, la langue orale dans laquelle les maji jetaient leurs sorts.

— Ils sont magnifiques.

Il hoche la tête.

— Comme tout ce qu'a créé notre Mère Ciel.

Amari ouvre la bouche pour parler, mais elle se ravise et reste silencieuse.

Quelque chose en moi se hérisse en la voyant bouche bée devant ce décor que seuls les maji les plus puissants ont eu le droit de contempler.

Elle se racle la gorge et finit par retrouver sa voix.

– Excusez-moi, dit-elle. Je me demandais si vous aviez… un nom ?

Le sêntaro se retourne et fronce le nez.

– Tout le monde a un nom, mon enfant.

– Oh, ce n'est pas ce que je…

– Lekan, tranche-t-il. Olamilekan.

Ces syllabes titillent les coins les plus reculés de mon cerveau. Je répète après lui :

– *Olamilekan.* « Ma prospérité… s'accroît » ?

Lekan me dévisage avec insistance. Je jurerais qu'il sait lire dans mon âme.

– Tu te souviens de notre langue ?

– Seulement de quelques mots. Ma mère me l'a enseignée quand j'étais petite.

– Ta mère était une Faucheuse, n'est-ce pas ?

Je le regarde avec des yeux ronds. En principe, on ne peut pas identifier les pouvoirs d'un maji d'après sa physionomie.

– Comment vous savez ça ?

– Je le sens, répond Lekan. Tu as du sang de Faucheuse dans les veines.

– Avez-vous déjà ressenti la magie chez des personnes qui n'étaient ni des maji ni des devîns ? (Cette question me vient spontanément en pensant à Inan.) Je veux dire, se pourrait-il que des kosidàn aient eux aussi de la magie dans le sang ?

– Nous autres sêntaros ne faisons pas cette distinction. Rien n'est impossible pour les dieux. Tout dépend de la volonté de Mère Ciel.

Il se retourne, me laissant en proie à plus de questions que de réponses. Et les mains d'Inan qui ont serré mon cou, était-ce aussi la volonté de Mère Ciel ?

Nous reprenons notre marche et je m'efforce de le chasser de mes pensées. Au bout d'un bon kilomètre dans les tunnels, Lekan nous emmène dans une grande salle voûtée creusée dans la montagne et éclairée par des rangées de bougies. Il lève de nouveau les bras, le visage aussi grave qu'auparavant, et l'air vibre soudain d'une énergie spirituelle. Il se met à psalmodier :

– *Ìmọ́lè àwọn òrìshà.* (L'incantation en yoruba coule comme de l'eau de source.) *Tàn sí mi ní kíá báàyí. Tan ìmọ́lè sí ìpàsẹ awọn ọmọ rẹ !*

Comme la torche de fortune de Tzain tout à l'heure, les bougies s'éteignent toutes en même temps pour se rallumer aussitôt avec une vigueur renouvelée.

– Oh…

– Par les…

– Dieux…

La magnificence des fresques qui ornent les murs me laisse sans voix. Chaque mètre carré de pierre est recouvert de peintures représentant les dix dieux, les clans maji et tout ce qui se rapporte à leur mythologie. Il y a là bien davantage à voir que les grossières représentations d'avant le Raid – rares peintures tenues cachées ou tapisseries ne pouvant être dévoilées que dans la pénombre –, qui ne sont que de faibles rais de lumière au regard de ces fresques. Ces peintures sont comme le soleil vu en face.

– Qu'est-ce que c'est ? murmure Amari en essayant de tout embrasser d'un seul regard.

Je la tire par le bras pour suivre Lekan et la retiens lorsqu'elle trébuche. Lekan appuie ses mains sur la pierre avant de répondre :

– L'origine des dieux.

Ses yeux d'or brillent d'un éclat sans pareil. Un faisceau d'énergie lumineuse s'échappe de ses mains et se répand jusque sur les parois. La lumière inonde les fresques et, peu à peu, les personnages prennent vie.

– Ciel ! s'exclame Amari en agrippant mon poignet.

Magie et lumière triomphent tandis que les âmes de chacune de ces silhouettes s'animent sous nos yeux.

– Au commencement, Mère Ciel créa les cieux et la terre, insufflant la vie dans l'immensité des ténèbres.

Des faisceaux lumineux se mettent à tourbillonner entre les doigts d'une vieille femme. Je la reconnais : c'est sa statue que nous avons vue en haut. Sa robe pourpre et soyeuse glisse sur son corps altier tandis qu'un nouveau monde s'anime.

– Mère Ciel a peuplé la terre des humains, ses enfants de sang et d'os. Dans les cieux, elle a créé les dieux. Chacun incarnait un aspect particulier de son âme.

Bien que Mama m'ait souvent raconté cette histoire, jamais elle ne m'a semblé si réelle qu'aujourd'hui. Elle transcende le monde des mythes et des légendes et en fait une réalité historique. Médusés, nous voyons humains et dieux surgir tous en même temps des mains de Mère Ciel. Tandis que les humains tombent sur la terre brune, les divinités flottent parmi les nuages.

– Mère Ciel aimait ses enfants, tous créés à son image. Afin qu'ils puissent se connecter à elle, elle distribua ses propres pouvoirs aux dieux. Naquirent alors les premiers maji. Chaque divinité incarnait une partie de son âme et était censée transmettre sa magie aux humains d'en bas. Ainsi, Yemoja recueillit les larmes de Mère Ciel et devint la déesse de la Mer.

Une éblouissante déesse à la peau sombre et aux yeux bleus fait alors tomber une seule larme sur la terre. Lorsque celle-ci touche le sol, elle explose et se transforme en océans, en lacs et en rivières.

– Yemoja apporta l'eau à ses frères et sœurs humains et apprit à ceux qui la vénéraient comment maîtriser cet élément. Ses élèves s'y appliquèrent sans relâche et, bientôt, exercèrent leur contrôle sur les mers.

Naissance des Mascarets. Soudain, je me souviens. Au-dessus de nous, les membres peints du clan Omi soulèvent les eaux à leur guise ; ils les font danser avec une facilité déconcertante.

Lekan raconte ainsi l'origine de chaque dieu, explique chaque clan maji qui lui est affilié. Il nous parle de Sàngó, qui s'appropria le feu du cœur de Mère Ciel pour créer les Braseros. De Ayao, qui utilisa le souffle de Mère Ciel pour donner vie aux Éoliens. Nous évoquons successivement neuf dieux, jusqu'à ce qu'il n'en reste plus qu'un.

J'attends que Lekan nous parle de ce dixième dieu, qui est une déesse, mais il se tourne vers moi et me regarde, plein d'espoir.

– Moi ?

Les mains moites, je m'avance et prends sa place. Nous arrivons à l'épisode que je connais le mieux ; Mama nous l'a si souvent raconté que même Tzain pourrait le réciter par cœur. Quand j'étais enfant, ce n'était qu'un mythe que les adultes inventaient pour nos jeunes oreilles. Mais pour la première fois, ce conte me semble vrai, comme cousu dans le tissu de ma vie.

D'une voix forte, je poursuis le récit :

– Oya, quant à elle, choisit d'attendre le tout dernier moment. Contrairement à ses frères et sœurs, elle ne déroba rien à Mère Ciel, mais lui demanda de lui faire un don.

Ma déesse-sœur est dépeinte dans toute sa puissance et dans tout son éclat. Je la regarde se déplacer avec la grâce d'un ouragan. Belle comme l'obsidienne, elle s'agenouille devant sa mère ; sa robe rouge vole dans le vent. Cette vision me coupe le souffle. Sa posture libère un pouvoir, une tempête qui couve sous sa peau noire.

– Afin de récompenser sa patience et sa sagesse, Mère Ciel lui attribua le don de donner la vie, dis-je. Mais quand Oya voulut le partager avec ses fidèles, il se transforma en pouvoir de mort.

Les Faucheurs du clan Ikú se lancent alors dans la démonstration de leurs facultés funestes. Mon cœur bat à tout rompre. Ils appartiennent à la catégorie de maji à laquelle j'ai été prédestinée à ma naissance. Ce ne sont que des images et pourtant, leurs ombres et leurs esprits se déploient, commandant aux armées des morts et réduisant la vie en une tempête de cendres.

Cette démonstration magique me ramène à Ibadan, quand je regardais les aînés fraîchement désignés pour faire étalage de leurs prouesses devant notre clan de Faucheurs. Lorsque Mama fut élue, les ombres noires de la mort tourbillonnaient autour d'elle. C'était un spectacle magnifique. Une danse terrifiante, mais grandiose.

J'ai su alors que de toute ma vie, je ne verrais jamais rien d'aussi beau. J'espérais tant pouvoir la rejoindre un jour. Qu'elle me voie accomplir les mêmes prodiges, qu'elle éprouve ne serait-ce que la moitié de la fierté que j'avais pour elle.

– Désolée…

Ma gorge se serre. Lekan semble tout de suite comprendre. Il hoche la tête et s'avance afin de poursuivre l'histoire.

– Oya fut la première à comprendre que tous ses enfants ne seraient pas capables de maîtriser un tel pouvoir. Comme sa mère, elle devint sélective et ne confia ses dons qu'à ceux qui savaient faire preuve de patience et de sagesse. Ses élèves suivirent son exemple, et bientôt la population maji diminua. Durant cette nouvelle ère, tous les maji naquirent avec des cheveux blancs et bouclés, en hommage à Mère Ciel.

Rougissante, je repousse une mèche de mes cheveux raides derrière mon oreille. Si je peux à la rigueur passer pour une personne réfléchie, je sais que là-haut, pas un dieu ne me voit comme quelqu'un de patient…

Les yeux de Lekan se posent sur la dernière série de peintures qui orne le mur céleste. On y voit des hommes et des femmes tatoués de symboles blancs ; ils sont à genoux et prient.

– Afin de protéger la volonté des dieux sur la terre, Mère Ciel créa mon peuple, les sêntaros. Sous la gouverne des mamalàwos, nous agissons en tant que gardiens spirituels. Notre mission consiste à connecter l'esprit de Mère Ciel avec celui des maji.

Il s'interrompt tandis qu'une femme de la fresque s'élève au-dessus des sêntaros. Elle tient une dague en ivoire dans une main et une pierre incandescente dans l'autre. Elle porte la même robe en cuir que ses frères et sœurs, mais sur sa tête de mamalàwo repose une tiare ornementée.

– Dans sa main gauche, elle tient la dague d'os, reprend Lekan tout en extrayant la même de sa tunique. Une relique sacrée taillée dans le squelette du tout premier sêntaro.

Nimbée d'un halo bleu, la dague émet une énergie froide comme la glace. Sur le bras de Lekan, un sênbaria figurant cette dague se met à irradier.

– Quiconque manipule cette relique puise dans la force vitale de tous ceux qui l'ont maniée avant lui. Dans sa main droite, la mamalàwo tient la pierre de soleil, fragment vivant de l'âme de Mère Ciel. Parce qu'elle contient son esprit, cette pierre relie Mère Ciel au monde afin d'y préserver la magie. Tous les cent ans, notre mamalàwo se munissait de la pierre, de la dague et du parchemin et se rendait à un temple sacré afin d'y accomplir le rite. En faisant couler son sang avec la dague puis en activant le pouvoir de la pierre, la mamalàwo scellait ainsi la connexion spirituelle des dieux dans le sang des sêntaros. Tant que notre lignée perdurait, la magie perdurait elle aussi.

Sur la fresque, la mamalàwo commence à psalmodier ; ses paroles dansent sur le mur et s'y inscrivent sous forme de symboles. Des gouttes de son sang s'écoulent de la dague et la lumière de la pierre de soleil éclaire tout le mur.

Tzain est comme transi et fixe la fresque d'un regard opaque.

– C'est donc ça qui s'est passé ? La magie s'est éteinte parce qu'elle n'a pas pu accomplir ce rite ?

Derrière le mot *magie*, c'est le mot *Mama* que je l'entends prononcer. Voilà ce qui a rendu notre mère si démunie.

Voilà pourquoi le roi a pu l'emmener.

Les yeux de Lekan ont perdu leur éclat et la magie a déserté les fresques ; en un instant, elles sont redevenues des peintures ordinaires.

– Le massacre des maji, que vous autres appelez le Raid, n'a pas résulté du hasard. Juste avant que je parte en pèlerinage, votre roi s'est rendu dans tous les temples de Chândomblé en décrétant que notre religion était erronée. En réalité, Saran y cherchait une arme pour combattre les dieux.

Lekan se retourne afin de dissimuler son visage. Sur ses bras, les tatouages semblent soudain rétrécir tandis que lui-même s'affaisse dans la lueur de la bougie, le cœur accablé de douleur.

— Il a découvert le rituel ainsi que la manière dont, à Orïsha, la magie s'ancrait dans le sang des sêntaros. À mon retour, Saran avait massacré mon peuple, rompu le lien avec Mère Ciel et éradiqué la magie de notre monde.

Amari presse sa main contre sa bouche tandis que des larmes silencieuses inondent ses joues roses. *Je ne peux concevoir que cet homme puisse être aussi cruel. Qu'aurais-je fait s'il avait été mon père ?*

Lekan se retourne vers nous et je réalise à quel point il est seul, à quel point il souffre. Après le Raid, j'avais encore Baba et Tzain à mes côtés. Mais lui n'est plus entouré que de squelettes, de cadavres et de dieux réduits au silence.

— Saran a planifié ces massacres, les uns après les autres. Une fois que mon peuple a baigné dans son sang et que la magie a disparu, il a ordonné à ses gardes d'exterminer tes semblables.

Je ferme les yeux, essayant de repousser les images de feu et de sang que le Raid convoque.

Les cris de Baba quand un garde lui a cassé un bras.

Mama essayant d'arracher la chaîne de majacite noir de son cou.

Mes propres cris quand ils l'ont emmenée.

— Pourquoi les sêntaros n'ont rien fait ? crie Tzain. Pourquoi ils ne l'ont pas arrêté ?

Je pose une main sur son épaule afin de l'apaiser. *Je connais mon frère. Je sais que ses cris n'expriment que sa douleur.*

— Mon peuple a pour mission de protéger la vie humaine. Nous ne sommes pas autorisés à la supprimer.

Nous restons un long moment sans parler. Seuls les reniflements d'Amari brisent le silence. Je regarde de nouveau les murs peints, et commence à comprendre que nos ennemis ne reculeront devant rien pour nous opprimer.

– Mais à présent, la magie est revenue, n'est-ce pas ? demande Amari en essuyant ses yeux.

Tzain lui tend un bout de tissu en guise de mouchoir, mais cette sollicitude ne fait que redoubler ses pleurs.

– Le parchemin a bien fonctionné pour Zélie et Mama Agba, poursuit Amari. Il a aussi transformé Binta. Si nous parvenons à le montrer à tous les devîns d'Orïsha, est-ce que cela ne suffira pas ?

– En massacrant les sêntaros, Saran a rompu le lien entre les maji et les dieux. Si le parchemin peut réactiver la magie, c'est grâce à sa faculté de créer une nouvelle connexion avec eux, mais pour que celle-ci reste pérenne et que la magie revienne pour de bon, nous devons accomplir le rite sacré. (D'un geste empreint de déférence, Lekan s'empare du parchemin.) J'ai passé plusieurs années à rechercher les trois artefacts sacrés. En vain. J'ai réussi à récupérer la dague d'os, mais sans cesser de me demander si entre-temps, Saran n'était pas parvenu à détruire les deux autres.

– Je ne pense pas qu'ils puissent être détruits, objecte Amari. Mon père a bel et bien donné l'ordre à son amiral de se débarrasser du parchemin et de la pierre de soleil, mais il a échoué.

– L'amiral de votre père a échoué parce que ces artefacts ne peuvent être détruits par des mains humaines. Si la magie leur a donné vie, c'est aussi et seulement la magie qui peut la leur ôter.

– Mais nous, on ne peut pas faire revenir la magie ? dis-je.

Pour la première fois, Lekan sourit et je vois qu'une lueur d'espoir brille dans ses yeux d'or.

– Bientôt aura lieu le centenaire du solstice, le dixième centenaire depuis que Mère Ciel a offert ses pouvoirs à l'humanité. Cela nous laisse une dernière chance pour réparer ces outrages. Une dernière chance pour maintenir la magie en vie.

– Mais comment ? demande Tzain. Que devons-nous faire ?

Lekan déroule le parchemin et nous explique les symboles et dessins qui le recouvrent.

— Lors du centième solstice, une île sacrée apparaîtra au large de la côte nord de la mer d'Orinion. C'est là que se trouve le temple de nos dieux. Nous devons y apporter le parchemin, la pierre de soleil et la dague d'os et réciter l'ancienne incantation au-dessus du parchemin. En accomplissant le rite complet, nous pourrons créer de nouvelles possibilités d'ancrage par le sang et ainsi restaurer la connexion. La magie sera alors sécurisée pour les cent années à venir.

— Et chaque devîn deviendra un maji ? demande Amari.

— Si vous parvenez à accomplir le rite avant le solstice, chaque devîn ayant atteint l'âge de treize ans se transformera.

Le centième solstice. Je répète ces mots dans ma tête et évalue le temps qui nous reste. Les remises de diplôme de Mama Agba ont toujours lieu à la lune montante, juste après la pêche annuelle des poissons-tigres. Si nous sommes déjà en période de solstice…

— Attendez, s'exclame Tzain. Mais c'est dans moins d'une lune !

— Quoi ? (Mon cœur s'arrête.) Et qu'arrivera-t-il si nous manquons cette occasion ?

— Alors Orïsha ne reverra plus jamais la magie.

Mon estomac se tord comme si je me tenais au bord d'un précipice. *Dans une lune ? Dans une lune ou plus jamais ?*

— Mais la magie est déjà de retour, dit Tzain en hochant la tête, puisque nous avons retrouvé le parchemin. Il suffit de le montrer à tous les devîns et…

— Non, cela ne fonctionnera pas, interrompt Lekan. Le parchemin ne vous connecte pas directement à Mère Ciel mais seulement à votre divinité. Sans le rite, la magie ne durera pas au-delà du solstice. La seule manière d'y parvenir est de rétablir la connexion entre les maji et Mère Ciel.

Tzain sort sa carte, et Lekan y trace du doigt l'itinéraire qui mène au temple sacré. Je prie le ciel pour que cet endroit soit accessible, mais Tzain ouvre de grands yeux effrayés.

– Attendez, dit Amari en levant la main. Nous avons le parchemin et la dague d'os, mais où est la pierre de soleil ?

– Je la cherche depuis qu'elle s'est échouée sur les rivages de Warri. J'ai retrouvé sa trace à Ibeji mais mon esprit m'a rappelé ici. Je suppose que c'était pour vous rencontrer.

Tzain est hors de lui.

– Mais alors si on ne l'a pas, comment faire ? Le voyage à lui seul nous prendrait une lune entière !

La réponse semble évidente : les devîns ne deviendront jamais des maji, et Saran nous régentera toujours.

– Ne pouvez-vous pas nous aider ? demande Amari.

– Si, mais mon aide reste limitée, dit Lekan. Seule une femme peut devenir notre mamalàwo. Moi-même ne suis pas habilité à diriger ce rite.

– Il le faudra pourtant, insiste Amari. Vous êtes sans doute le seul sêntaro encore en vie !

– Cela ne se passe pas ainsi, objecte Lekan. Les sêntaros ne sont pas des maji. La connexion avec les dieux est scellée dans le sang. Pour que le rite soit complet, il faut se connecter à Mère Ciel.

– Qui peut y prétendre ?

Lekan me regarde d'un air grave.

– Une maji. Une maji qui est reliée aux dieux.

Les paroles de Lekan restent un moment en suspens. Lorsque j'en comprends enfin le sens, j'ai presque envie de rire.

– Et puisque c'est par un descendant de Saran que Mère Ciel t'a octroyé le parchemin, son intention est claire, conclut-il.

Mère Ciel se trompe, ai-je envie de rétorquer. Comment pourrais-je sauver les maji alors que j'ai déjà du mal à sauver ma propre peau ?

– Non, Lekan. (Mes tripes se retournent, exactement comme lorsque Amari m'a saisi le poignet, au marché.) Je ne suis pas assez forte. Je n'ai encore jamais récité la moindre incantation. Vous avez dit tout à l'heure que seul le parchemin pouvait me relier à Oya. Mais je ne suis pas non plus connectée à Mère Ciel !

– Je peux arranger cela.

– Alors accomplissez le rite vous-même, ou demandez à Tzain de s'en charger ! dis-je en poussant mon frère devant lui.

Même Amari ferait une meilleure candidate que moi.

Mais Lekan me prend par la main et m'emmène à l'autre extrémité de la coupole. Sans me laisser le temps de protester davantage, il tranche :

– Les dieux ne se trompent jamais.

Mon front se couvre de sueur tandis que nous gravissons une nouvelle volée de marches en pierre. Mètre après mètre, nous poursuivons notre ascension vers le sommet de la montagne. Je ne peux m'empêcher de penser aux circonstances qui auraient pu m'éviter cette épreuve.

Si nous avions déjà la pierre de soleil sous la main…

Si la garde royale n'était pas à nos trousses…

Si Lekan pouvait désigner quelqu'un d'autre pour accomplir ce fichu rite…

Ma poitrine se comprime tant la peur de l'échec me fait suffoquer. Le sourire en coin de Baba me revient à l'esprit, ainsi que cette détermination, dans ses yeux : *Tant que nous n'aurons pas récupéré la magie, jamais ils ne nous traiteront avec respect.*

Il *faut* que nous accomplissions ce rite. C'est notre seul espoir pour retrouver notre puissance.

Sinon, la monarchie continuera à nous traiter comme des cafards.

– Nous y sommes.

Après avoir gravi la dernière marche, nous nous retrouvons enfin à l'air libre, dans la lumière déclinante du jour. Lekan nous emmène vers une tour de pierre scintillante qui se dresse au sommet de la montagne, très largement au-dessus du premier temple par lequel nous sommes entrés.

Hormis les quelques carreaux de céramique ébréchés de l'entrée, l'édifice est en bon état, soutenu par de hautes colonnes qui se courbent ensuite en plusieurs rangées d'élégantes arcades.

— Waouh !

Du bout des doigts, j'effleure les sênbarias gravés sur chaque colonne. Les symboles brillent dans le soleil couchant qui filtre à travers les arcades.

— Voilà.

Lekan désigne le seul objet dont est pourvu l'intérieur de la tour : un bassin en obsidienne empli d'une eau bleu clair et fumante. À son approche, des bulles commencent à se former. Nul feu ne brûle pourtant dans les parages.

— Qu'est-ce que c'est ?

— Le bassin dans lequel aura lieu ton éveil spirituel. Lorsque j'aurai procédé à la cérémonie, ton esprit sera reconnecté à celui de Mère Ciel.

— Vous êtes habilité à le faire ? demande Amari.

Lekan hoche la tête et esquisse un sourire.

— C'était ma tâche auprès de mes semblables. Je n'ai fait que cela toute ma vie.

Il joint les mains, le regard doux et vague.

— Vous ne pouvez pas rester, dit-il à Tzain et Amari. J'ai déjà enfreint des siècles de tradition en vous laissant monter jusqu'ici. Je ne peux pas vous autoriser à assister à l'un de nos rites les plus sacrés.

— C'est ce qu'on va voir ! (Tzain se place devant moi, tous ses muscles bandés en signe de défi.) Pas question de vous laisser tout seul avec ma sœur !

— Moi, je pars, murmure Amari.

— Pas question, rétorque Tzain en étendant le bras pour l'empêcher de redescendre les marches de pierre. Le rite s'accomplira en notre présence, ou pas du tout.

Lekan prend un air pincé.

— Si vous restez, alors vous serez tenus au secret le plus absolu.

– Promis, dit Tzain en levant la main. Nous ne dirons rien.

– Ne prenez pas cette promesse à la légère, le met en garde Lekan. Les morts ne plaisantent pas avec ce genre de chose.

Son regard se pose sur Amari, laquelle semble vouloir disparaître sous terre. Puis il se penche et agrippe le bord du bassin, et l'eau se met instantanément à bouillir.

Le cœur battant, je m'approche à mon tour ; une nouvelle bouffée de vapeur envahit mon visage. *Oya, aide-moi.* Je ne suis même pas capable de vendre du poisson sans que cela ne provoque la destruction de tout mon village. Comment pourrais-je incarner le seul espoir des maji ?

– Si j'accepte, vous devrez aussi éveiller d'autres devîns.

Lekan réprime un soupir.

– Toi, c'est Mère Ciel qui t'a amenée ici…

– S'il vous plaît, Lekan, je ne veux pas être la seule.

D'un claquement de langue, il m'invite à entrer dans le bassin.

– D'accord, concède-t-il. Tu seras la première.

Je risque un pied dans le bassin, puis m'y immerge lentement jusqu'à ce que l'eau recouvre tout mon corps, sauf ma tête. Mes vêtements flottent autour de moi. La chaleur soulage mes membres courbaturés par toute une journée d'ascension.

– Commençons.

Lekan s'empare de ma main droite et sort la dague d'os des plis de sa tunique.

– Afin de libérer le pouvoir divin, nous devons sacrifier ce qui nous est le plus sacré.

– Vous allez invoquer la magie du sang ?

Tzain s'avance vers moi, raide et inquiet.

– Oui, répond Lekan, mais ta sœur ne craint rien. Je contrôle la situation.

Mon cœur s'affole en repensant au corps meurtri de Mama après sa toute première expérience de la magie du sang. L'impact avait été si violent qu'il lui avait déchiré les muscles. Malgré l'aide des

Guérisseurs, il lui avait fallu une lune entière pour retrouver l'usage de ses jambes.

Elle avait pris ce risque quand Tzain avait failli se noyer, enfant. Un sacrifice qui avait sauvé la vie de mon frère, mais qui avait failli la tuer.

– Tout ira bien, me rassure Lekan, comme s'il avait lu dans mes pensées. Ce sera beaucoup moins éprouvant pour toi que pour les maji. Les sêntaros ont le pouvoir de guider cette cérémonie.

J'acquiesce, malgré la peur qui me serre la gorge.

– Pardonne-moi si je te fais mal.

Je prends une grande inspiration tandis qu'il entaille la paume de ma main. Le sang commence à couler puis il émet une lumière blanche.

Lorsque le sang tombe dans l'eau, je sens quelque chose quitter mon corps, une sensation bien plus profonde que la douleur d'une simple coupure. Les gouttes rouges se mêlent à l'eau bleue qui devient blanche ; le bouillonnement s'amplifie à mesure que le sang coule.

– Maintenant, détends-toi. (La voix de Lekan se fait plus douce. Mes paupières se ferment.) Ne pense plus à rien, respire profondément. Libère-toi de tes attaches terrestres.

Je me mords les lèvres pour ne pas protester. Mes attaches terrestres sont innombrables : les flammes d'Ilorin lèchent mon cerveau ; les cris de Bisi résonnent à mes oreilles ; les mains du prince serrent ma gorge, de plus en plus fort.

Mais à mesure que mon corps se détend dans l'eau chaude, la tension nerveuse commence à se dissiper. La sécurité de Baba… la colère d'Inan… tous mes fardeaux coulent les uns après les autres. Ils me délestent par vagues, jusqu'à ce que même la mort de Mama s'évapore.

– C'est bien, m'apaise Lekan. À présent, ton esprit est nettoyé. Et n'oublie pas : quoi que tu ressentes, je suis là.

Il pose une main sur mon front, une autre sur mon sternum et commence à psalmodier.

– Ọmọ Mama, Arábìnrin Ọ̀yà. Sí ẹ̀bùn iyebíye rẹ̀. Tú idán mímọ́ rẹ sílẹ̀.

Un étrange pouvoir tourbillonne au-dessus de ma peau. Dans l'eau, les bouillonnements redoublent d'intensité et mon souffle se suspend tandis que la chaleur augmente.

– Ọmọ Mama...

Je répète mentalement : *fille de Mère Ciel.*

– Arábìnrin Ọ̀yà...

Sœur d'Oya.

– Sí ẹ̀bùn iyebíye rẹ̀...

Révèle ton précieux don.

– Tú idán mímọ́ rẹ sílẹ̀.

Libère ta magie sacrée.

Au-dessus de nos têtes, l'air crépite d'une énergie électrique, plus puissante que tout ce que j'ai pu ressentir jusqu'ici, surpassant l'embrasement provoqué par le regard d'Inan à Lagos, éclipsant le choc du premier contact avec le parchemin. Le bout de mes doigts devient brûlant et irradie une lumière blanche. Tandis que Lekan poursuit ses imprécations, l'énergie se diffuse dans mes veines et les rend incandescentes sous ma peau.

– Ọmọ Mama, Arábìnrin Ọ̀yà...

Plus l'incantation gagne en volume sonore, plus mon corps réagit. La magie envahit chacune de mes cellules. Elle pulse de plus en plus fort quand, soudain, Lekan plonge ma tête sous l'eau. Lorsqu'elle touche le fond du bassin, j'ai l'impression de trouver un nouveau souffle et je comprends enfin les paroles de Mama Agba.

C'est comme si je respirais pour la première fois.

– Ọmọ Mama...

Mes veines saillent sous la peau à mesure que la magie augmente, elles sont sur le point d'éclater. Sous mes paupières closes, des draps rouges se soulèvent et tourbillonnent comme des ouragans avant de s'écraser telles des vagues.

Tandis que je me laisse aspirer par ce chaos magnifique, je vois soudain le visage d'Oya. Le feu et le vent dansent autour d'elle tels des esprits tournoyant en même temps que la soie rouge de sa tunique.

— *Arábìnrin Ọ̀yà…*

Sa danse me pétrifie. Elle réveille et libère tout ce qui était enfoui au fond de moi et que j'ignorais. Soulevant des vagues inconnues, elle embrase mon corps et fait pourtant frissonner ma peau. Le feu et la glace.

— *Sí ẹbùn iyebíye rẹ̀ !* répète Lekan. *Tú idán mímọ́ rẹ sílẹ̀ !*

Enfin le tsunami éclate, libérant la magie dans le moindre recoin de mon corps ; elle colonise chaque cellule, imprègne mon sang, emplit mon esprit. Son pouvoir me laisse entrevoir le début et la fin, ainsi que les liens indestructibles qui nous rattachent à la vie.

La colère rouge d'Oya virevolte autour de moi.

Les yeux d'argent de Mère Ciel brillent…

— Zélie !

J'ouvre les yeux. Tzain m'attrape par les épaules et me secoue.

— Ça va ? s'inquiète-t-il, penché au bord du bassin.

Je hoche la tête, incapable de parler. Il n'y a plus de mots. Juste cette sensation qui perdure.

— Tu peux te lever ? demande Amari.

J'essaie de m'extirper du bassin, mais tout tourne autour de moi.

— Ne bouge pas, ordonne Lekan. Ton corps a besoin de repos. La magie du sang a absorbé ta force vitale.

Du repos. Comme si j'avais le temps de me reposer. Si Lekan a bien localisé la pierre de soleil, nous devons partir pour Ibeji et la trouver. Sans elle, le rite reste incomplet et le temps presse. Le solstice aura lieu dans trois quarts de lune seulement.

— Il va te falloir une nuit pour récupérer, insiste Lekan, devinant mon impatience. Réveiller la magie, c'est comme s'adjoindre un nouveau sens. Le corps a besoin de temps pour s'y adapter.

Je ferme les yeux et m'effondre sur la pierre froide. *Demain, tu partiras pour Ibeji. Tu trouveras la pierre. Puis tu iras sur l'île sacrée et tu accompliras le rite.*

Je répète ces mots encore et encore ; ils me bercent et m'entraînent vers le sommeil. *Ibeji. Pierre. Île. Rite.*

Bientôt, mon esprit s'enfonce dans une douce obscurité ; je suis à deux doigts de m'endormir quand tout à coup, Lekan me secoue l'épaule et m'oblige à me lever.

— Quelqu'un vient ! s'écrie-t-il. Vite, il faut partir !

CHAPITRE DIX-NEUF

INAN

Quelle idée de nous faire traverser la moitié de la terre…
Pourquoi ne peuvent-ils pas simplement nous dire ce qu'elle a volé…
Si ce bâtard s'imagine que j'ai envie de mourir sur cette falaise…

— Inan, ralentissez !

Je mets un certain temps à réaliser que la voix de Kaea est réelle.

Plus nous approchons de Chândomblé, plus les voix deviennent assourdissantes.

Maudit soit le ciel. Dans ma tête, les plaintes des gardes bourdonnent comme des abeilles. Je voudrais les chasser, mais le moindre effort me ferait déraper et tomber de la falaise.

La morsure de la magie déforme tout, comme un virus qui me détruirait de l'intérieur. Mais je n'ai pas le choix. Si je veux grimper, je ne peux pas prendre le risque de m'affaiblir.

Je dois me laisser envahir par l'obscurité.

C'est encore plus douloureux que cette brûlure dans la poitrine, quand j'essaie de repousser mes pouvoirs. Dès qu'une pensée étrangère me pénètre, je frissonne. Chaque fois qu'une émotion qui n'est pas la mienne m'assaille, ma bouche se tord.

La magie s'insinue en moi, aussi vénéneuse que mille araignées grouillant sur la peau. Elle veut me dévorer tout entier. Ce mauvais sort se fraie son chemin dans…

Soudain je trébuche ; le sol se dérobe sous mes talons.

Autour de moi, des pierres dégringolent comme dans une avalanche.

Mon corps est projeté contre la paroi rocheuse tandis que mes pieds cherchent un nouvel appui.

– Inan ! s'écrie Kaea depuis la corniche du dessous.

Cette femme me perturbe plus qu'elle ne m'aide. Elle attend avec les bêtes et les soldats que je défriche le chemin.

Dans ma chute, la corde et la pierre de silex tombent de la poche de ma ceinture. Ainsi que la tiare d'Amari.

Non !

De ma main gauche, je lâche la paroi pour la rattraper avant qu'elle ne glisse hors de ma portée. Tandis que mon pied cherche un nouveau point d'appui, des souvenirs refont surface sans que je puisse les refouler.

Frappe, Amari !

L'injonction de Père tonne contre les murs de pierre de la cave du palais. Là, sous terre, ses ordres sont encore moins discutables qu'ailleurs. Les petites mains tremblantes d'Amari ont à peine la force de soulever l'épée de métal.

C'est une arme bien plus redoutable que les épées de bois avec lesquelles nous nous battions jusque-là et qui distribuaient des bleus mais n'entaillaient pas.

Il fait couler notre sang.

J'ai dit, frappe !

Personne n'ose jamais contester les ordres de Père. Pourtant, Amari refuse de s'exécuter. Elle lâche l'épée qui tombe dans un grand fracas. Le bruit résonne comme une provocation. Je voudrais qu'elle la ramasse.

Si elle m'attaque, je me défendrai.

Frappe, Amari !

La voix de Père baisse encore d'une octave, elle est si grave qu'elle pourrait fendre la pierre.

Mais Amari nous tourne le dos et je devine que son visage est baigné de larmes. Aux yeux de Père, sa réaction est une preuve de faiblesse. Avec le recul, j'y vois au contraire une grande force de caractère.

Père se tourne vers moi. Les ombres de la torche dansent sur son visage sombre.

Ta sœur a choisi son intérêt personnel. Mais toi, en tant que roi, tu dois choisir celui d'Orïsha.

D'un coup, plus d'air. Les murs se rapprochent. Les ordres de Père résonnent dans ma tête. Il veut que je combatte contre moi-même.

Frappe, Inan ! (Ses yeux lancent des éclairs.) *Vas-y, maintenant !*

Amari crie en se bouchant les oreilles. Je voudrais tant la rejoindre. La protéger. La sauver. Lui promettre que nous ne nous battrons plus jamais.

Le devoir avant soi-même ! (La voix de Père se fait rauque.) *Montre-moi que tu as l'étoffe d'un roi !*

Tout s'arrête.

Je m'élance, l'épée pointée vers elle.

– Inan !

La voix de Kaea m'arrache à mes souvenirs et me rappelle brutalement à l'ordre.

Je m'appuie contre la paroi de la falaise, un pied toujours au-dessus du vide. Je reprends mon ascension en grognant, mais sans plus m'arrêter jusqu'à la prochaine corniche. Ruisselant de sueur, je frotte mon pouce contre le blason qui orne la tiare d'Amari.

Nous n'en avons jamais reparlé. Pas une seule fois. Même après toutes ces années. Amari, parce qu'elle était trop bonne pour évoquer à nouveau ce sujet douloureux, et moi parce que cela me terrifiait.

Nous avons grandi avec, à chaque instant, ce gouffre invisible entre nous. Amari n'est plus jamais descendue dans cette cave. Moi, je ne l'ai plus quittée.

Bien que tous mes muscles tremblent, je parviens à fourrer la tiare dans ma poche. Il n'y a plus de temps à perdre. J'ai trahi ma sœur, autrefois, mais cela n'arrivera plus.

Tandis que je me redresse, je sens l'esprit de la fille maji pulser en moi comme jamais. Une poussée dont elle ne contrôle sans doute pas la force. L'odeur de sel marin de son âme est si puissante qu'elle recouvre le parfum de girofle des bromélies qui sont sous mon nez. À mes pieds, je remarque des tiges écrasées. Je m'arrête.

Des traces de pas…

Elle est passée par ici.

Elle est tout près.

Je suis tout près.

Tue-la. Mon cœur s'affole tandis que je m'agrippe à la paroi. *Tue-la. Tue la magie.*

Quand j'aurai enfin remis la main sur cette fille, je ne regretterai pas d'avoir enduré tout cela. Je récupérerai mon royaume.

La tiare d'Amari bat mon flanc tandis que je continue de grimper. Jadis, je n'ai pas su la sauver des griffes de Père. Mais aujourd'hui, je la sauverai d'elle-même.

CHAPITRE VINGT

ZÉLIE

— PLUS VITE ! nous lance Lekan tandis que nous cavalons dans les couloirs du temple.

Tzain me porte sur son dos.

— Qui est-ce ? demande Amari, bien qu'au ton de sa voix, je la soupçonne de déjà connaître la réponse.

Jadis, son propre frère l'a mutilée. Comment pourrait-elle être sûre que cela ne se reproduira plus ?

— Mon bâton, je gémis.

Parler m'épuise, mais j'ai besoin de mon bâton pour me battre. J'en ai besoin pour nous maintenir en vie.

— Tu tiens à peine debout. (Tzain me retient avant que je glisse de son dos.) Tais-toi. Et pour l'amour du ciel, accroche-toi !

Le couloir débouche sur une impasse, mais Lekan presse ses mains contre la pierre. Sur sa peau, les symboles se mettent à danser et traversent le mur. Une fois que son bras droit est vierge de tout sênbaria, un déclic se fait entendre et la pierre coulisse, découvrant une pièce aux murs dorés. Nous pénétrons dans cet antre secret, rempli du sol au plafond d'étagères chargées de minces rouleaux colorés.

— On va se cacher ici ? demande Tzain.

Lekan disparaît derrière un grand rayonnage puis revient les bras chargés de rouleaux noirs.

— Nous sommes venus récupérer ces incantations, explique-t-il. Si Zélie doit endosser le rôle de mamalàwo, il faut d'abord que ses pouvoirs se consolident.

Sans laisser à Tzain le temps de protester, il met les rouleaux dans mon sac en cuir avec le parchemin sacré.

– Parfait, dit-il. Suivez-moi !

Guidés par Lekan, nous parcourons le temple puis descendons d'interminables escaliers. Une dernière paroi coulissante s'ouvre, et nous nous retrouvons du côté de la façade noircie, accueillis par la chaleur moite de la jungle.

La lumière du soleil décline. Je sens quelque chose palpiter dans ma tête. En face, la montagne est un hymne à la vie. La vibrionnante énergie spirituelle de tout à l'heure a disparu. À présent, je suis submergée par des sanglots et des cris provenant des soubassements du temple. Telles des ombres, les esprits des sêntaros assassinés tournent autour de moi comme des aimants.

Les paroles de Lekan me reviennent :

Réveiller la magie, c'est comme s'adjoindre un nouveau sens. Le corps a besoin de temps pour s'y adapter.

L'ennui, c'est que mon corps ne s'adapte pas. La magie a atrophié tous mes sens, de sorte que je ne peux plus rien discerner. Tandis que Tzain avance parmi les décombres, ma vision se brouille. Nous nous apprêtons à suivre Lekan dans la jungle quand soudain, je m'immobilise.

– Nailah !

– Attendez, murmure Tzain à l'attention de Lekan. Nous avons oublié notre lionaire.

– Nous ne pouvons pas risquer…

– Si ! je m'exclame.

Tzain presse sa main contre ma bouche pour étouffer mon cri. Tant pis pour les gardes, je n'abandonnerai pas Nailah. Je ne laisserai pas ma plus fidèle amie derrière moi.

Lekan laisse échapper un soupir contrarié, mais nous rebroussons chemin vers le temple. Là, nous nous collons contre la façade latérale pour mieux scruter les alentours. Une nouvelle vision m'assaille.

Au fond du cimetière de crânes et de ruines, Inan se penche vers son amirale et ses gardes exhortant leurs bêtes à escalader la dernière corniche. Dans ses yeux, je peux lire son désir éperdu de nous retrouver. J'essaie de me souvenir du prince qui tremblait dans ses rêves, mais tout ce qui me revient, ce sont ses mains autour de mon cou.

Trois gardes le devancent. Ils trébuchent sur des éboulis de pierres et des ossements. Ils sont tout près.

Trop près pour que nous puissions nous cacher.

– *Sùn, èmí okàn, sùn. Sùn, èmí okàn, sùn.*

Lekan se met à murmurer une incantation en faisant tournoyer son bâton. Un faisceau de fumée blanche virevolte dans les airs. Je traduis mentalement ses paroles :

Dors, esprit, dors. Dors, esprit, dors.

La fumée rampe sur le sol comme un serpent, s'enroule autour de la jambe du garde le plus proche et s'infiltre sous sa peau. Le garde chancelle et s'effondre à côté d'un tas de pierres. L'esprit de Lekan traverse ses yeux sous la forme d'un éclair blanc avant de le faire sombrer dans l'inconscience.

Puis la fumée blanche s'échappe de son corps pour neutraliser le soldat suivant de la même manière. Lorsque ce dernier s'écroule, Inan et l'amirale hissent leur maudit léopardaire des neiges sur la corniche.

Le front d'Amari est ruisselant de sueur.

– À ce rythme-là, nous n'y arriverons jamais, chuchote-t-elle à Lekan.

Ils nous trouveront avant que nous ayons quitté les lieux.

Lekan psalmodie de plus en plus vite, actionnant son bâton comme s'il préparait du tubani dans un récipient en métal. L'esprit se faufile vers le dernier garde qui lui-même n'est qu'à quelques mètres de Nailah. Ses yeux jaunes de prédateur brillent de malice.

Non, Nailah. S'il te plaît…

– Ahhh !

Le hurlement assourdissant du garde résonne dans l'air, et des nuées d'oiseaux s'élancent dans le ciel. Lorsque Nailah desserre ses énormes crocs, du sang gicle de la cuisse du soldat.

Inan se retourne. Ses yeux emplis d'une rage assassine se posent sur moi et se plissent ; les yeux d'un prédateur qui tient enfin sa proie.

– Nailah !

Ma lionaire saute par-dessus les ruines et nous rejoint en quelques foulées. Tzain me hisse sur la selle et nous repartons.

Au moment même où Tzain fait claquer ses rênes, Inan et l'amirale dégainent leurs armes. Mais Nailah s'élance dans la montagne juste avant qu'ils ne nous rejoignent. Des pierres roulent sous ses pattes tandis qu'elle escalade la corniche étroite.

– Là-bas ! (Lekan désigne les broussailles touffues de la jungle.) Il y a un pont, à quelques kilomètres d'ici. C'est un raccourci.

Tzain fait de nouveau claquer les rênes, et Nailah fonce à toute vitesse dans la végétation, esquivant les lianes et les arbres gigantesques. Je scrute à travers les fourrés et aperçois le pont au loin, mais un rugissement menaçant me rappelle que nous sommes talonnés par Inan. Je risque un œil par-dessus mon épaule. Des lianes battent les flancs de son léopardaire émergeant des broussailles ; il approche, tous crocs dehors, aussi affamé que son maître.

– Amari ! crie Inan.

Amari se raidit et se serre contre moi.

– Plus vite !

Nailah court comme jamais, mais elle trouve encore la force d'accélérer son allure. Nous traversons les fourrés et faisons une halte juste avant le pont délabré. Des lianes desséchées soutiennent le bois vermoulu ; au moindre coup de vent, toute la structure risque de s'écrouler.

– Un par un, ordonne Lekan. Il ne tiendra pas si nous le traversons tous en même temps. Tzain, guide Zélie...

– Non.

Je glisse à terre et manque de m'effondrer en atterrissant dans la poussière. Mes jambes sont en coton, mais je m'efforce malgré tout d'être forte.

– Nailah d'abord… C'est elle la plus longue.

– Zél…

– Vas-y ! On n'a plus beaucoup de temps !

Tzain serre les dents et empoigne les rênes de Nailah pour la guider sur le pont grinçant, tandis que le bois gémit à chacun de leurs pas. Dès qu'ils ont traversé, je pousse Amari, mais elle refuse de lâcher mon bras.

– Tu es faible, dit-elle, tu n'y arriveras pas toute seule.

Elle m'entraîne sur le pont, mais quand je commets l'erreur de regarder en bas, mon estomac se retourne. Sous les planches vermoulues, des rochers pointus dardent vers le ciel, prêts à empaler le premier d'entre nous qui aurait la malchance de tomber.

Je ferme les yeux et m'agrippe aux lianes effilochées et cassantes. Je suis si terrifiée que je ne peux même plus respirer.

– Regarde-moi ! ordonne Amari, m'obligeant à garder les yeux ouverts.

Bien qu'elle tremble de tout son corps, une détermination farouche allume son regard d'ambre. Je ne vois plus que du noir. Elle saisit ma main et m'encourage à avancer, planche après planche. Alors que nous sommes au milieu du pont, Inan surgit des broussailles épaisses, suivi de l'amirale.

C'est trop tard. Nous n'y arriverons pas.

– *Àgbájọ ọwọ́ àwọn òrìsà !* (Lekan frappe son bâton contre le sol.) *Yá mi ní agbára à rẹ !*

De son corps jaillit une gerbe de lumière blanche qui, en retombant, s'abat sur leurs montures. Lekan lâche son bâton et lève les bras : les deux bêtes s'élèvent vers le ciel.

Inan et son amirale glissent en hurlant, les yeux écarquillés d'épouvante. Lekan abaisse alors les bras, précipitant par ce geste les animaux dans le vide.

Par tous les dieux…

Griffes face au ciel, les corps massifs se tordent et vrillent. Mais quand les rochers les transpercent, leurs rugissements s'éteignent brutalement.

La rage s'empare de l'amirale. Dans un cri guttural, elle bondit sur ses pieds et se précipite sur Lekan avec son épée.

– Maudit cafard…

À peine s'est-elle avancée qu'elle est à son tour piégée par la magie de Lekan. Inan se lance à son secours mais lui aussi se retrouve figé dans la lumière blanche. On dirait des mouches prises dans une toile d'araignée.

– Courez ! crie Lekan, les veines saillant sous la peau.

Amari me tire aussi vite qu'elle le peut, mais le pont faiblit un peu plus à chaque pas.

– Vas-y ! lui dis-je, il ne tiendra pas si nous passons toutes les deux.

– Mais tu ne peux pas…

– Je me débrouillerai. (Je m'oblige à garder les yeux ouverts.) Dépêche-toi, on va tomber.

Les yeux d'Amari brillent, mais il n'y a pas une minute à perdre. Elle traverse l'autre moitié du pont en courant puis saute sur la corniche.

Malgré mes jambes qui se dérobent, j'avance en me cramponnant aux lianes. *Allez*. La vie de Lekan est en jeu.

Soudain, un craquement terrifiant se fait entendre, mais je continue. J'y suis presque. Je vais y arriver…

Les lianes rompent.

Le pont s'effondre sous mes pieds. Prise de panique, j'agite les bras, cherchant désespérément à me raccrocher à n'importe quoi. Je me cramponne à une planche tandis que le pont heurte violemment la paroi rocheuse.

– Zélie !

Je vois Tzain qui me regarde depuis la corniche. Le corps parcouru de tremblements, je m'accroche à la paroi qui déjà s'effrite. Elle ne tiendra pas.

– Grimpe !

Malgré ma vue brouillée de larmes, je me rends compte que le pont échoué peut me servir d'échelle. Trois planches seulement me séparent des mains tendues de Tzain.

Trois planches qui me séparent de la vie. Ou de la mort.

Grimpe ! je m'ordonne, mais mon corps ne bouge pas. *Grimpe ! Allez, vas-y !*

D'une main tremblante, j'agrippe la planche juste au-dessus et me hisse à la force des bras.

Une.

J'attrape la deuxième planche et me hisse encore, le cœur dans les talons quand une autre liane se rompt.

Deux.

Plus qu'une. *Tu peux le faire. Tu n'as pas fait tout ça pour mourir.* Je tends le bras vers la paroi.

– Non !

La planche cède sous mes pieds.

L'éternité défile en une seule seconde. Un vent furieux souffle dans mon dos, me poussant dans la tombe. Je ferme les yeux, prête à accueillir la mort.

Mais une force phénoménale écrase mon corps et aspire le dernier souffle d'air de mes poumons. Une lumière blanche m'enveloppe. La magie de Lekan.

La force de son esprit me soulève et me propulse dans les bras de Tzain. Je me tourne vers lui juste au moment où l'amirale se dégage de son emprise.

– Lekan…

Une épée s'enfonce dans son cœur.

Ses yeux s'écarquillent. Sa bouche reste grande ouverte. Il lâche son bâton et tombe à genoux sur le sol.

– Non ! je crie.

D'un coup sec, l'amirale retire sa lame. Lekan s'écroule, arraché à la vie en un instant. Lorsque son esprit quitte son corps, il ressurgit aussitôt dans le mien. L'espace d'un instant, je vois le monde à travers ses yeux.

Il traverse le coupole du temple avec les enfants sêntaros, son regard d'or illuminé d'une indicible joie… Il se tient immobile… La mamalàwo recouvre son corps de magnifiques symboles, qu'elle dessine à l'encre blanche… Tandis qu'il parcourt le champ de ruines de son peuple, son âme s'échappe, encore et encore… Et quand enfin il accomplit le rite de l'éveil, son esprit s'élève plus haut que jamais…

La vision s'estompe. Ne restent que ces mots qui résonnent dans la nuit de mon cerveau. Son esprit me susurre :

Vis. Quoi qu'il arrive, tu dois survivre.

CHAPITRE VINGT ET UN

INAN

Jusqu'à aujourd'hui, la magie n'avait pas de visage.

Elle n'existait qu'à travers les récits des mendiants et les ragots colportés à mi-voix par les servantes.

Ou à travers la peur qu'elle suscitait dans le regard de Père.

Disparue il y a de cela onze ans, la magie ne respirait plus. Elle n'attaquait plus, ne nous prenait plus par surprise.

La magie ne tuait pas ma monture, ne me tenait pas sous sa coupe.

Je regarde au-delà de la falaise. Le corps de Lula gît, empalé sur un rocher pointu. Ses yeux ouverts sont à tout jamais vides. Sa fourrure tachetée est maculée de sang. Quand j'étais enfant, j'étais émerveillé de la voir s'attaquer à des gorillons deux fois plus grands qu'elle.

Mais face à la magie, elle n'a même pas pu se battre.

Je détourne les yeux de ce spectacle effroyable et murmure :

– Un… deux… trois… quatre… cinq…

Je voudrais que les chiffres m'apaisent, mais mon cœur ne fait que cogner plus fort dans ma poitrine. Rien ne bouge. Pas de riposte.

Face à la magie, nous ne sommes que des fourmis.

J'observe une colonne de ces créatures à six pattes jusqu'à ce que je sente quelque chose de collant sous mes talons. Je reviens sur mes pas en suivant les gouttes écarlates qui me mènent au cadavre du maji. Du sang s'écoule toujours de sa poitrine.

En l'examinant de si près, j'ai l'impression de le voir pour la première fois. Vivant, il semblait trois fois plus grand. Un monstre vêtu de blanc. Quand il a propulsé nos montures dans les airs, les symboles qui recouvraient sa peau sombre sont devenus étincelants. Maintenant qu'il est mort, ils ont disparu. Sans eux, il redevient étrangement humain. Étrangement vide.

Mais même réduit à l'état de cadavre, il enveloppe ma gorge d'un frisson glacé. Ma vie tenait entre ses mains.

Il pouvait en disposer à sa guise ; la jeter.

Tandis que je m'éloigne de lui, ma peau est parcourue de picotements. Je fais rouler le pion de senet usé sous mon pouce.

Je comprends maintenant, Père.

Avec la magie, nous mourons.

Mais sans elle…

Mes yeux se posent de nouveau sur le corps, sur ces mains bénies des dieux, plus fortes que la terre. Orïsha ne peut survivre à ce pouvoir-là. À moins que je ne l'utilise, moi aussi, pour accomplir ma tâche…

La perspective de cette nouvelle stratégie dépose une saveur piquante sur ma langue. Puisqu'ils se servent de leur magie comme d'une arme, je pourrais faire le même usage de la mienne. Si certains maji peuvent, d'un revers de la main, me précipiter du haut d'une falaise, seule la magie me permettra de récupérer le parchemin.

À cette pensée, pourtant, ma gorge se serre. Si Père était là…

Tandis que je contemple le pion, j'entends presque sa voix.

Le devoir avant tout.

Quel qu'en soit le prix. Quels qu'en soient les dommages collatéraux.

Mon devoir de protéger Orïsha passe avant tout. Même si pour cela, je dois trahir les valeurs qui sont les miennes. Je range le pion.

Pour la première fois, je lâche prise.

Et voilà que ça recommence. Lentement. Par intermittence. Voilà que ça s'insinue en moi, membre après membre. D'abord, cette pression dans ma cage thoracique. Puis la magie refoulée qui se met à battre sous la peau. Cette sensation me retourne l'estomac, ravive mon dégoût. Mais nos ennemis n'hésiteront pas à utiliser leur magie contre nous.

Si je veux m'acquitter de ma tâche et sauver mon royaume, je *dois* agir de même.

Je m'abandonne à cette chaude pulsation qui tambourine de l'intérieur. Bientôt, la conscience du maji apparaît sous la forme d'un nuage. Bleu et translucide, comme les autres. Il se tortille au-dessus de sa tête. Dès que je le touche, c'est d'abord l'essence du mort qui surgit. Son odeur est rustique. Un mélange de bois et de charbon brûlés.

Je m'enfonce dans sa psyché sans plus résister. Un souvenir surgit dans ma mémoire. Une de ces journées paisibles où son temple fourmillait de vie. Je le vois traverser la pelouse ; il tient un petit garçon par la main.

Plus je laisse la magie m'envahir, plus l'image devient nette. L'air pur de la montagne emplit mes narines. Au loin, quelqu'un fredonne une chanson. Je perçois chaque détail avec une acuité croissante. Comme si la mémoire de cet homme devenait la mienne.

Peu à peu, un nouveau savoir s'installe. Une âme. Un nom. Des choses simples…

Lekan.

Des talons en métal cliquettent sur le roc de la falaise.

Par le ciel ! Je m'empresse de repousser la magie.

L'odeur de bois et de charbon disparaît, aussitôt remplacée par une vive douleur à l'estomac.

Le bruit d'un coup de fouet me fait tourner la tête. Kaea émerge d'un épais fourré.

Des mèches de cheveux trempées de sueur collent à son front taché du sang de Lekan. À son approche, je vérifie que mon casque est toujours sur ma tête ; j'aurais dû m'en assurer avant qu'elle n'arrive…

– Je n'ai trouvé aucun autre chemin, soupire-t-elle en s'asseyant à mes côtés. J'ai parcouru tout un kilomètre. Depuis que le pont est détruit, il n'y a plus aucun moyen d'avancer.

Logique. C'est aussi ce que j'avais deviné durant le bref instant où j'étais dans la tête de Lekan. Il était intelligent. Il avait sans doute l'intention de saboter le pont.

— Je lui avais pourtant déconseillé de faire cela. (Kaea retire son plastron noir.) Je savais que c'était voué à l'échec. (Elle ferme les yeux.) Ça ne l'empêchera pas de me tenir responsable de leur résurgence. Désormais, il ne me regardera plus de la même manière.

Je sais à quel regard elle fait allusion. Celui que Père lui lance comme s'il était le soleil et elle, la lune. Un regard qu'il ne réserve qu'à elle, et uniquement quand il croit qu'ils sont seuls.

Ne sachant que répondre, je détourne les yeux. Kaea ne montre jamais aucune faiblesse en ma présence. Jusqu'à aujourd'hui, je pensais qu'elle en était incapable.

Dans son désespoir, je reconnais le mien. Mon propre renoncement, ma propre défaite. Mais je dois tenir mon rang. En tant que futur roi, je me dois d'être solide.

— Cessez de vous morfondre, dis-je sèchement. Nous n'avons pas encore perdu la guerre.

Puisque la magie a changé de visage, je dois tout simplement me battre avec de nouvelles armes.

— Il y a un poste de garde à l'est de Sokoto, je poursuis. (*Trouver la fille maji. Trouver le parchemin.*) Envoyons-leur un message via votre faucon de feu pour les informer de la destruction du pont. S'ils nous dépêchent une légion d'ouvriers de la Réserve, nous pourrons en reconstruire un autre.

— Brillante idée ! (Excédée, Kaea cache son visage dans ses mains.) Puisque les cafards ont récupéré leurs pouvoirs et qu'ils peuvent nous anéantir, facilitons-leur les choses en les faisant revenir…

— Nous les trouverons avant que cela n'arrive. (*Je la tuerai.*)

Je nous sauverai.

— Et qui supervisera les travaux ? demande Kaea. Rassembler les hommes et les matériaux nécessaires nous prendra déjà plusieurs jours. Quant à la construction…

– Trois jours, je tranche.

Comment ose-t-elle me contredire ? Kaea, même si elle est amirale, n'est pas censée contester mes ordres.

– Ils peuvent le construire en une nuit, je poursuis. J'ai déjà vu des ouvriers de la Réserve ériger des palais en moins de temps que cela.

– Mais à quoi nous servira ce pont, Inan ? Une fois qu'il sera construit, nous aurons perdu leur trace.

Je regarde au loin. L'odeur de sel de mer de son âme s'est presque entièrement dissipée dans les broussailles de la jungle. Kaea a raison. Un pont ne nous avancerait à rien. D'ici la tombée du jour, il n'y aura plus la moindre trace du parfum de la fille.

À moins que…

Je retourne vers le temple, me souvenant soudain que sa proximité faisait surgir les voix dans ma tête. Si cela se reproduisait, ma propre magie me permettrait peut-être de ressentir davantage de choses.

– Chândomblé, je marmonne en déplaçant des pions de senet dans ma tête. C'est là qu'ils sont venus chercher des réponses. Pourquoi n'en trouverais-je pas, moi aussi ?

Mais oui, bien sûr. En découvrant comment amplifier ma magie, je pourrais l'utiliser, juste une fois, pour retrouver la trace de cette fille.

– Inan…

– Nous allons y arriver, dis-je. Faites venir les ouvriers de la Réserve et supervisez les travaux. Pendant ce temps-là, je vais fouiller le temple pour y trouver des indices qui nous renseigneront sur leur destination.

J'empoche le pion de Père. Sans ce gri-gri, l'air devient glacé et me fait frissonner. Le combat est loin d'être terminé. La guerre ne fait que commencer.

– Envoyez-leur un message et rassemblez une équipe. Je veux que les ouvriers soient à pied d'œuvre dès le crépuscule.

– Inan, en tant que capitaine…

Je l'interromps :

– Ce n'est plus le capitaine, mais votre prince qui vous l'ordonne.

Kaea se fige.

Entre nous, quelque chose se brise, mais mon regard demeure impassible. Père ne tolérerait pas de la voir si fragile.

Je ne le supporte pas davantage.

– Très bien. (Ses lèvres se referment en un trait mince.) Vos désirs sont des ordres.

Tandis qu'elle s'éloigne, le visage de la jeune maji revient hanter mon esprit. Sa voix rauque. Ses yeux d'argent.

Mon regard se perd dans le vide. Là-bas, parmi les arbres de la jungle où se cache son âme marine.

– Tu peux toujours courir, je murmure.

Bientôt, je t'aurai rattrapée.

CHAPITRE VINGT-DEUX

AMARI

Dans mes appartements, aucune fenêtre ne permettait de voir au-delà du palais. Lorsque après ma naissance, Père a fait construire une nouvelle aile, il a insisté pour que toutes les ouvertures donnent exclusivement sur la cour intérieure. La floraison des orchidées-léopard du jardin royal était tout ce que je connaissais du monde. *Tu n'as nul besoin de savoir ce qui se passe au-dehors*, me répondait Père quand je le suppliais de m'offrir une vue plus vaste. *Le futur d'Orïsha se décide à l'intérieur de ces murs. C'est aussi dans cette enceinte que se scellera ton destin de princesse.*

J'ai essayé de suivre ses préceptes, de me satisfaire de cette vie qui semblait tant combler Mère. Je me suis efforcée de nouer des liens d'amitié avec les oloyes et leurs filles, de me divertir de leurs commérages. Mais la nuit, je me faufilais dans les appartements d'Inan pour contempler la capitale depuis son balcon. J'imaginais les paysages qui s'étendaient au-delà des murs d'enceinte de Lagos, un monde merveilleux que je brûlais de découvrir.

Un jour... murmurais-je à Binta.

Oui, un jour, répondait-elle avec un sourire.

Jamais, dans mes rêves, je n'aurais imaginé que la jungle puisse être un tel enfer. Les moustiques. La sueur. Les rochers déchiquetés. Mais après quatre jours dans ce désert, je sais qu'à Orïsha l'enfer peut revêtir mille et un visages. Ici, pas de viande de renardien à se mettre sous la dent, ni d'eau ou de lait de coco pour se désaltérer. Rien d'autre que du sable.

Partout, à perte de vue, des montagnes de sable.

Malgré le foulard si serré sur mon visage que je peux à peine respirer, le sable s'insinue dans ma bouche, dans mon nez, dans mes oreilles. Sa présence constante ajoutée à celle du soleil brûlant rend cette terre définitivement aride et désolée. À mesure que nous la traversons, je suis de plus en plus tentée de m'emparer des rênes de Nailah pour lui faire faire demi-tour. Mais à quoi bon rebrousser chemin, puisque je n'ai plus nulle part où aller…

Mon propre frère me pourchasse. Père veut sans doute ma tête. J'ose à peine imaginer les mensonges que Mère doit répandre sur mon compte en mon absence. Si Binta était toujours au palais, peut-être aurais-je pu revenir à la maison, repentante. Mais même elle n'est plus là.

Le sable est mon seul horizon.

La tristesse me submerge. Je ferme les yeux pour me représenter son visage. Penser à elle, ne serait-ce qu'un instant, suffit presque à me faire oublier l'enfer du désert. Si elle était là, les grains de sable coincés entre ses dents la feraient sourire, et même rire, peut-être. Elle trouverait de la beauté à ce paysage. Binta voyait de la beauté partout.

Insensiblement, son souvenir me ramène à notre passé commun au palais. Un matin, quand nous étions encore des enfants, je l'avais entraînée dans les appartements de Mère afin de lui montrer mes bijoux préférés. Tout en grimpant sur la coiffeuse, j'énumérais avec envie les villages qu'Inan aurait l'occasion de découvrir lors de ses excursions militaires.

Ce n'est pas juste, me lamentais-je. *Il ira jusqu'à Ikoyi, et il verra la mer.*

Ton tour viendra.

Binta restait en retrait, les bras le long du corps. J'avais beau insister pour qu'elle me rejoigne, elle refusait, disant qu'elle ne pouvait pas.

Un jour.

J'avais passé le précieux collier d'émeraudes de Mère par-dessus ma tête, captivée par son reflet scintillant dans le miroir.

Et toi, avais-je demandé. *Quand nous partirons, quel village voudras-tu visiter ?*

Peu importe. (Son regard se perdait dans le vague.) *Tous.* (Elle se mordait la lèvre inférieure en esquissant un sourire.) *J'aimerais les voir tous. Dans ma famille, personne ne s'est jamais aventuré au-delà des murs de Lagos.*

Comment ça se fait ?

J'étais descendue de la coiffeuse et avais tendu la main vers le coffre où Mère rangeait son antique diadème. Comme il se trouvait hors de ma portée, je m'étais penchée vers lui.

Amari, ne fais pas ça !

J'avais perdu l'équilibre et entraîné le coffre dans ma chute. En moins de deux secondes, tout son contenu s'était déversé sur le sol.

Amari !

Jamais je ne saurai comment Mère a pu arriver si vite. J'entends encore sa voix résonner sous la porte voûtée de sa chambre lorsqu'elle a vu le désordre que je venais d'y mettre.

Comme je restais muette, Binta avait pris les devants.

Mes profondes excuses, Votre Altesse. On m'a ordonné de polir vos bijoux. Princesse Amari a voulu m'aider. Si quelqu'un doit être puni, c'est moi.

Sale petite paresseuse ! s'était écriée Mère en attrapant Binta par le poignet. *Amari est une princesse. Elle n'a pas à faire tes corvées !*

Mère, ce n'est pas…

Silence ! avait grondé Mère en entraînant Binta hors de la pièce. *Voilà à quoi ça mène, de se montrer clément envers les domestiques ! Quelques coups de fouet te serviront de leçon.*

Non, Mère, attendez…

Nailah trébuche et m'arrache à ma culpabilité. Tandis que Tzain lutte pour nous empêcher de dégringoler d'un monticule de sable, le visage de Binta s'efface de mon esprit. Je cale mes pieds dans les étriers de cuir. Zélie s'allonge sur Nailah et caresse sa fourrure.

— Désolée, fifille, lui susurre-t-elle. Courage, on arrive bientôt.

— Tu en es sûre ? je demande d'une voix blanche, aussi crissante que le sable qui nous entoure.

Je ne sais pas si la boule que j'ai dans la gorge est due à la soif ou au souvenir de Binta.

— Oui, on approche, dit Tzain en se tournant vers nous. (Bien qu'il plisse les yeux, aveuglé par le soleil, son regard d'un brun profond me transperce et le rouge me monte aux joues.) Si ce n'est pas ce soir, on sera à Ibeji demain.

— Et qu'est-ce qu'on fera si la pierre de soleil n'y est pas ? demande Zélie. Lekan s'est peut-être trompé. Il ne reste que treize jours avant le solstice. Si on ne la trouve pas, c'est fichu.

C'est impossible, il ne peut pas s'être trompé…

Cette éventualité me retourne l'estomac. Toute la détermination qui m'habitait à Chândomblé s'écroule. *Ciel.* Tout serait tellement plus simple si Lekan était encore parmi nous. Avec ses conseils et sa magie, avoir Inan à nos trousses ne représenterait pas une telle menace. Nous aurions toutes nos chances de trouver la pierre de soleil. Peut-être serions-nous déjà en route pour l'île sacrée afin d'y accomplir le rite.

Maintenant que Lekan n'est plus, nous ne sommes pas près de sauver les maji. Cette course contre la montre est perdue d'avance. Nous marchons au-devant de notre mort.

— Jamais Lekan ne nous aurait mis sur une fausse piste. La pierre est forcément ici. (Tzain fait une pause et tend le cou.) Et à moins qu'il ne s'agisse d'un mirage, nous y sommes, nous aussi.

Zélie et moi devons pencher la tête pour contempler ce que les larges épaules de Tzain nous empêchent de voir. Des vagues de chaleur s'élèvent du sable et brouillent l'horizon, mais un mur d'argile craquelé finit par se cristalliser sous nos yeux. Je constate avec surprise que d'autres voyageurs venus des quatre coins du pays se dirigent comme nous vers cette ville du désert. De nombreux convois sont constitués de caravanes en bois précieux peint à la feuille d'or ; si riche-ment décorées, elles ne peuvent appartenir qu'à des nobles.

Parcourue d'un frisson d'excitation, je plisse les yeux afin de mieux discerner ce qui s'offre à ma vue. Un jour que j'étais enfant, j'avais entendu Père prévenir ses généraux contre les dangers du désert. Un territoire qui, selon lui, était entièrement sous le contrôle des Telluriens. Il prétendait que leur magie leur permettait de transformer le moindre grain de sable en une arme redoutable. Plus tard, dans la soirée, lorsque Binta m'avait démêlé les cheveux, je lui avais fait part de ce que j'avais appris.

C'est faux, avait-elle protesté. *Les Telluriens du désert sont des gens paisibles. Ils n'utilisent leur magie que pour construire des campements avec du sable.*

J'avais alors essayé d'imaginer à quoi pouvait bien ressembler une ville faite de sable, érigée en dehors des règles et des matériaux sur les-quels se fondait notre architecture. Pourtant, même si les Telluriens avaient été les maîtres du désert, leurs villes magnifiques avaient dis-paru avec eux.

N'empêche, après quatre jours de traversée effroyables, Ibeji me paraît mirifique. Notre première lueur d'espoir au milieu de cette terre aride. *Grâce au ciel.*

Peut-être allons-nous survivre, après tout.

Une fois le mur franchi, nous passons devant des tentes rudimen-taires et des ahérés d'argile. Comme les bicoques des bidonvilles de Lagos, les huttes du désert sont solides et carrées et leurs murs sont écrasés par le soleil. Au loin se profile le plus grand des ahérés, arbo-rant des armoiries que je ne connais que trop. Le léopardaire des neiges. Il scintille dans la lumière, ses crocs acérés prêts à mordre.

– Un poste de garde ! je m'exclame, effrayée.

Je me raidis sur la selle de Nailah. Bien que le blason royal soit gravé dans le mur d'argile, je le vois flotter à la manière des drapeaux de velours dans la salle du trône. Après le Raid, Père a aboli l'ancien sceau, un vaillant lionaire à cornes de taureau qui m'avait toujours semblé rassurant, décrétant que désormais, notre pouvoir serait symbolisé par un léopardaire des neiges : une bête impitoyable.

— Amari, souffle Zélie, me sortant de mes pensées.

Après avoir mis pied à terre, elle resserre le foulard qui masque son visage et m'enjoint de suivre son exemple.

— Séparons-nous, suggère Tzain en glissant du dos de Nailah. (Il me tend sa gourde.) Il vaut mieux qu'on ne nous voie pas ensemble. Vous les filles, vous irez chercher de l'eau. Je me charge de trouver un endroit pour dormir.

Zélie hoche la tête et se met en marche.

Le regard de Tzain croise le mien.

— Ça va ?

Je me force à acquiescer, mais suis incapable de parler, comme si j'avais la bouche pleine de sable.

— Ne t'éloigne pas de Zélie.

Parce que tu es faible, pense-t-il sûrement. Pourtant, son regard brun est bienveillant. *Parce que malgré l'épée que tu portes, tu ne sais pas te défendre.*

Il presse doucement mon bras avant de prendre Nailah par les rênes pour l'emmener dans la direction opposée. Suivant du regard sa silhouette athlétique, je lutte contre mon désir de le suivre, jusqu'à ce que Zélie m'appelle.

Ça va aller. Je souris intérieurement, même si Zélie continue de m'ignorer. Je croyais qu'entre elle et moi, les choses avaient commencé à s'apaiser après Sokoto, mais à la seconde où mon frère est apparu dans le temple, la bonne volonté qu'elle avait pu manifester à mon endroit s'est volatilisée. Ces quatre derniers jours, Zélie m'a à peine adressé la parole, comme si c'était moi qui avais tué Lekan. Si elle pose les yeux sur moi, c'est à la dérobée, quand elle pense que je ne la vois pas.

Je marche à ses côtés tandis que nous descendons les rues désertes, cherchant en vain de la nourriture. Je rêve d'un verre d'eau glacée, d'une miche de pain fraîche, d'une belle tranche de rôti. Mais nous ne sommes plus dans le quartier marchand de Lagos. Ici, pas de devantures colorées, pas d'étals chargés de produits délicieux. Cette ville semble aussi austère que le désert qui l'entoure.

– Par les dieux, jure Zélie qui frissonne de plus en plus.

Malgré la férocité du soleil, elle claque des dents comme si on l'avait plongée dans de la glace. Depuis son réveil, elle est assaillie de tremblements. Dès qu'elle ressent la présence des esprits des morts, son malaise augmente et l'oblige à s'arrêter.

– Ils sont si nombreux ? je murmure.

Elle soupire.

– C'est comme si je marchais dans un cimetière.

– Avec une chaleur pareille, c'est peut-être le cas.

– Je ne sais pas. (Tout en balayant les alentours du regard, Zélie resserre son foulard.) À chaque fois que l'un d'eux se manifeste, j'ai un goût de sang dans la bouche.

Bien que transpirant par tous les pores de ma peau, je frissonne moi aussi. D'où lui vient ce goût de sang ? Je préfère ne pas le savoir.

– Peut-être que…

Un groupe d'hommes surgit au coin de la rue. Je m'arrête, comme enlisée dans le sable. Ils se dissimulent sous des capes et des masques, mais leurs vêtements recouverts de poussière portent l'insigne royal d'Orïsha.

Des gardes.

Je m'agrippe à Zélie, qui s'empare de son bâton. Les soldats sentent l'alcool à plein nez. Certains trébuchent à chaque pas. Mes jambes vacillent comme si elles étaient en coton.

Et puis ils se dispersent aussi vite qu'ils sont arrivés, disparaissant derrière les ahérés d'argile.

– Bon, secoue-toi un peu ! s'exclame Zélie en me repoussant.

Je lutte pour ne pas m'écrouler dans le sable. Nulle sympathie dans son regard. Contrairement à ceux de Tzain, ses yeux d'argent lancent des éclairs de rage.

– J'essayais juste… (Les mots s'échappent, à peine audibles quand je les voudrais affirmés.) Pardon, j'ai été prise de court.

– Si tu comptes te comporter comme une princesse, autant te livrer aux gardes. Je ne suis pas là pour te protéger. Je suis là pour me battre.

– Tu es injuste. Moi aussi, je me bats.

– Vu tout ce qu'a fait ton père, si j'étais toi j'y mettrais un peu plus de conviction.

Sur ce, Zélie tourne les talons et m'abandonne dans un nuage de sable. Mon visage s'empourpre. Je la suis en veillant bien à garder mes distances.

Nous nous dirigeons vers la place centrale d'Ibeji, empruntant un dédale de ruelles bordées de huttes carrées en argile rouge. À l'approche du centre, les nobles se font plus nombreux. Avec leurs kaftans de soie colorés et leur cohorte de domestiques, ils sont faciles à repérer. Bien que je n'en reconnaisse aucun, je réajuste mon foulard, inquiète que la moindre partie découverte de mon visage ne suffise à trahir mon identité. Mais que font-ils ici, si loin de la capitale ? Il y en a tellement que seuls les ouvriers de la Réserve les dépassent en nombre.

Je m'arrête un instant, effarée de les voir ainsi envahir la ruelle étroite. Jusqu'à aujourd'hui, les seuls ouvriers que j'ai pu apercevoir étaient ceux que l'on faisait venir au palais. Toujours aimables, propres et bien mis, comme l'exigeait Mère. Je pensais qu'à l'instar de Binta, ils menaient tous une vie simple, à l'abri des murs du palais. Jamais je ne m'étais demandé d'où ils venaient, ni dans quel autre lieu ils avaient pu être envoyés.

– Ciel…

Ce que j'ai sous les yeux est presque insoutenable. Ces ouvriers – principalement des devîns – sont largement plus nombreux que les villageois. Ils vont par hordes, vêtus de haillons. Leur peau sombre est couverte de cloques dues au soleil brûlant, et le sable et la poussière semblent s'y être incrustés à tout jamais. Tous ont l'air de squelettes ambulants.

– Mais que se passe-t-il ? je murmure, comptant les enfants enchaînés.

La plupart sont très jeunes ; même le plus âgé d'entre eux semble plus jeune que moi. Je scrute les environs, cherchant quels types de minerais ils doivent extraire, quelles routes ils ont construites, quelle nouvelle forteresse ils ont édifiée dans ce village du désert. Mais nulle part je ne vois de traces de leurs efforts.

– Que peuvent-ils bien faire ici ?

Zélie croise le regard d'une fille à la peau sombre et aux longs cheveux blancs comme les siens. Elle porte une robe déchirée. Son regard de noyée est dénué de vie.

– Ils ont été enrôlés dans la Réserve, marmonne Zélie. Ils vont là où on les envoie.

– Est-ce qu'ils sont tous en si piteux état ?

– À Lagos, j'en ai vu encore plus mal en point.

Elle se dirige vers le poste de garde de la place centrale. J'ai le ventre noué. Bien que vide, mon estomac se tord sous le choc de cette révélation. Toutes ces années à me taire, à table.

À siroter du thé pendant qu'ils mouraient.

Je me penche pour remplir ma gourde à la fontaine, évitant le regard concupiscent du garde. Zélie s'apprête à m'imiter…

Dans un accès de rage, le soldat abat son épée.

Nous bondissons en arrière, le cœur battant. L'épée s'enfonce dans le rebord en bois, là où, quelques secondes auparavant, reposait la main de Zélie. Tremblante de colère, elle sort son bâton replié de sa ceinture.

Mes yeux vont de l'épée au visage du garde. Sa peau acajou a foncé au soleil, mais son regard est vif.

– Je sais bien que vous autres cafards ne savez pas lire, crache-t-il à Zélie, mais au nom du ciel, apprenez au moins à compter !

De la pointe de son épée, il montre une pancarte en bois vermoulu. Du sable tombe des rainures, découvrant l'inscription pâlie : UNE TASSE = UNE PIÈCE D'OR.

– Vous plaisantez ou quoi ? fulmine Zélie.

– Nous pouvons payer, dis-je d'une voix faible en fouillant dans son sac.

Zélie désigne les ouvriers.

– Oui, mais eux, ils ne peuvent pas.

Ce n'est pas le moment de se rebeller. Comment Zélie ne s'en rend-elle pas compte ?

– Nos sincères excuses, dis-je d'un ton plein de déférence.

Je suis presque crédible. Mère serait fière de moi.

Je donne au garde trois pièces d'or, puis m'empare de la gourde de Zélie, l'obligeant à reculer pendant que je la remplis.

Lorsque je lui tends la gourde, Zélie fait claquer sa langue pour exprimer son dégoût et va se planter devant la fille à la peau sombre et aux cheveux blancs.

– Bois, lui dit-elle. Vite, avant que ton contremaître te voie.

La jeune ouvrière ne se fait pas prier et avale l'eau d'un trait. De toute évidence, elle n'a rien bu depuis plusieurs jours. Après une bonne lampée, elle passe la gourde au devîn enchaîné juste devant elle. À contrecœur, je tends les deux autres gourdes aux autres ouvriers.

– Tu es gentille, murmure la fille à Zélie.

Elle passe sa langue sur ses lèvres pour y recueillir les dernières gouttes.

– J'aimerais tant vous aider davantage.

– Tu en fais bien assez.

– Comment se fait-il que vous soyez si nombreux ? je demande, essayant d'oublier ma propre soif.

La fille désigne du menton un lieu partiellement caché par le mur d'argile.

– On est là pour l'arène.

Je ne distingue d'abord pas grand-chose hormis les dunes rouges et les vagues de sable.

Ciel…

Comment ai-je pu ne pas voir cet amphithéâtre ? Jamais je n'ai rencontré un édifice si imposant.

– C'est vous qui avez construit ça ? dis-je avec étonnement.

Jamais Père ne permettrait des travaux de cette envergure dans un lieu pareil. Le désert est bien trop aride pour accueillir une population si nombreuse.

La fille fait non de la tête.

– Nous participons aux compétitions. Les chefs de la Réserve ont promis que si on gagnait, ils annuleraient toutes nos dettes.

– Une compétition ? (Zélie fronce les sourcils.) Mais pour gagner quoi ? La liberté ?

– Et devenir riches, claironne fièrement l'ouvrier juste devant la fille. Gagner tellement d'or qu'on pourrait en remplir la mer.

– Ce n'est pas pour cette raison qu'ils nous font concourir, l'interrompt la fille. Les nobles sont déjà riches, ils n'ont pas besoin de cet or. Ce qu'ils veulent, c'est la relique de Babalúayé.

– Babalúayé ? je demande.

– Le dieu de la Santé et de la Maladie, me rappelle Zélie. Chaque dieu a une relique légendaire. Celle de Babalúayé, c'est l'*ohun èṣọ́ aiyé*. Le joyau de la vie.

– Et elle existe vraiment ?

– C'est juste un mythe, répond Zélie. Une histoire que les maji racontaient à leurs enfants devîns avant de s'endormir.

– Non, ce n'est pas un mythe, proteste la fille. Je l'ai vue, de mes yeux. À vrai dire, c'est plus une pierre qu'un joyau. Mais elle existe. Elle procure la vie éternelle.

– Et cette pierre, demande Zélie un ton plus bas, sais-tu à quoi elle ressemble ?

CHAPITRE VINGT-TROIS

ZÉLIE

TANDIS QUE LE SOLEIL PLONGE sous la ligne d'horizon, la gigantesque arène bourdonne des bavardages des nobles déjà éméchés. Malgré la nuit, l'amphithéâtre resplendit de lumière. Des lanternes sont suspendues aux piliers des arcades. Nous nous frayons un chemin parmi les gardes qui encombrent les gradins de pierre. Trébuchant sur une marche effritée, je m'agrippe à Tzain pour ne pas tomber.

– Je me demande d'où viennent tous ces gens, marmonne Tzain en bousculant deux kosidàn enveloppés dans des kaftans poussiéreux.

Bien qu'Ibeji ne compte que quelques centaines d'habitants, des milliers de spectateurs se massent dans les gradins. Parmi eux, je remarque un nombre surprenant de marchands et de nobles. Tous ont les yeux rivés en bas, sur la piste, et vibrent d'une même excitation. Nous prenons place. Ma peau est hérissée de chair de poule.

– Tu grelottes, dit Tzain.

– Je sens la présence de toute une foule d'esprits, je murmure. Tellement de gens sont morts ici.

– Les ouvriers ont dû périr par dizaines pour construire cette arène.

Je hoche la tête et bois une gorgée d'eau de ma gourde afin de faire passer le goût de sang dans ma bouche. Mais quoi que je mange ou boive, il persiste. Trop d'âmes sont emprisonnées dans l'apâdi.

On m'a toujours appris que lorsque des Orïshan meurent, les âmes saintes montent vers l'alâfia pour y reposer en paix. Mais pour accéder à cet état où l'on est délivré des souffrances terrestres, il faut être aimé des dieux. L'une des tâches sacrées des Faucheurs consiste à guider les âmes égarées vers l'alâfia ; en échange, elles leur prêtent leur force.

En revanche, les esprits accablés par le péché ou les traumatismes n'y ont pas leur place. Enchaînés à leurs souffrances, ils restent sur terre, en apâdi, condamnés à y revivre éternellement leurs pires souvenirs d'humains.

Quand j'étais petite, je pensais que cette histoire avait été inventée pour dissuader les enfants de mal se conduire. Mais depuis que j'ai révélé mon pouvoir de Faucheuse, je peux *ressentir* la torture qu'endurent ces esprits, une agonie de chaque instant et sans fin. Je contemple les arènes, incrédule : tous les prisonniers de l'apâdi sont-ils rassemblés ici, entre ces murs ? Personne ne m'a jamais parlé de cela. Qu'a-t-il bien pu se produire dans ce lieu ?

— Ne devrions-nous pas faire le tour de l'arène pour trouver des indices ? chuchote Amari.

— Attendons plutôt que les jeux commencent, répond Tzain. Ce sera plus facile, ensuite.

En attendant, je détourne mon attention des soieries brodées des nobles pour observer le sol métallique de l'arène dont l'aspect tranche avec les briques d'argile qui comblent les fissures des arcades et des marches abîmées. J'y cherche des traces de sang versé par une épée, ou par les crocs monstrueux des fauves. Mais je ne vois rien. *Quel genre de compétition est-ce donc…*

Une cloche retentit, suscitant des clameurs enthousiastes. Tous les spectateurs se lèvent comme un seul homme. Amari et moi gravissons une marche pour avoir une vue plus dégagée. Les clameurs s'amplifient lorsqu'un homme masqué et vêtu de noir monte un escalier en fer menant à une plateforme, très haut au-dessus du sol. Une aura étrange émane de lui, quelque chose d'imposant qui force le respect…

Le présentateur retire son masque, révélant un visage souriant. Sa peau brun clair est hâlée. Il porte un cône métallique à sa bouche qui amplifie sa voix.

– Vous êtes prêts ?

La foule rugit si fort que j'en ai mal aux tympans. Au loin, on entend un grondement sourd qui enfle, qui enfle…

Soudain, des portes en fer s'ouvrent sur les bords de l'arène et des trombes d'eau se déversent à l'intérieur. *Ce doit être un mirage.* Pourtant, l'eau n'en finit pas d'inonder la piste telle une mer déchaînée.

Comment est-ce possible ? me dis-je. *Comment peut-on gaspiller autant d'eau alors que ces ouvriers n'ont plus que la peau sur les os et meurent tous de soif ?*

– Je ne vous entends pas, reprend le présentateur. Êtes-vous prêts à assister au combat *de toute une vie* ?

La foule ivre hurle de plus belle et d'autres portes en fer s'ouvrent. En sortent dix voiliers en bois d'une douzaine de mètres, mâts hissés et voiles déployées. Leurs équipages s'installent à côté des rangées de rames et de canons.

À la barre de chaque embarcation se tient un capitaine en costume d'apparat. Mais quand je jette un œil aux équipages, mon cœur se serre.

La devîn qui nous a parlé de la pierre est assise parmi des dizaines de rameurs ; ses yeux sont pleins de larmes et sa poitrine se soulève à intervalles réguliers. Elle s'agrippe à sa rame comme si sa vie en dépendait.

– Ce soir, dix capitaines venus de tout Orïsha vont livrer bataille pour acquérir une fortune encore plus grande que celle d'un roi. L'équipe victorieuse nagera dans une mer de gloire et baignera dans un océan d'or sans fond !

Le présentateur lève les bras et, aussitôt, deux gardes apportent un vaste coffre rempli de pièces d'or étincelantes. Des cris d'admiration mêlée d'avidité s'élèvent des gradins.

– Je vous rappelle que pour gagner, il faut tuer le capitaine et l'équipage de tous les autres navires. Ces deux dernières lunes, personne n'a survécu. Ce soir, allons-nous enfin pouvoir couronner un vainqueur ?

Nouvelle salve d'acclamations du public, à laquelle se joignent les capitaines. À l'annonce du présentateur, leurs yeux se mettent à briller. Contrairement à leurs équipages, ils ne semblent pas avoir peur.

Ils ne pensent qu'à gagner.

– Le capitaine vainqueur sera récompensé d'un prix exceptionnel, un objet récemment trouvé dont la valeur dépasse largement tous les trophées remis jusqu'ici. Nul doute que les rumeurs qui ont couru à son sujet expliquent pourquoi vous êtes si nombreux ce soir.

L'animateur va et vient sur la plateforme, faisant monter le suspense. Lorsqu'il approche à nouveau le porte-voix de sa bouche, je suis saisie d'effroi.

– Outre l'or, le vainqueur se verra remettre le joyau de la vie, perdu jusqu'à aujourd'hui depuis la nuit des temps : la légendaire relique de Babalúayé, celle-là même qui procure l'immortalité !

Il sort alors la pierre de son manteau. Je reste sans voix. Encore plus lumineuse que les fresques auxquelles Lekan a redonné vie, la pierre brille de mille feux. De la taille d'une noix de coco, elle laisse entrevoir des reflets orange, jaunes et rouges sous le cristal lisse. C'est l'objet qui nous manque pour accomplir le rite.

Celui qu'il nous faut pour ramener la magie à Orïshan.

– Cette pierre procure-t-elle vraiment l'immortalité ? demande Amari en inclinant la tête. Lekan ne nous a rien dit à ce sujet…

– Non, je réponds, mais apparemment c'est le cas.

– Mais qu'allons-nous…

Avant qu'elle puisse achever sa phrase, une énorme détonation retentit.

Toute l'arène se met à trembler tandis que le premier navire attaque.

Deux boulets de canon fusent et s'écrasent, impitoyables, sur les rameurs du bateau le plus proche.

– Ah !

Une douleur atroce traverse mon corps, alors que je ne suis même pas touchée. Sur ma langue, le goût épais du sang est plus prégnant que jamais.

– Zél ! crie quelqu'un que je suppose être Tzain, tant les cris recouvrent sa voix.

Lorsque le voilier coule, les acclamations de la foule se mêlent aux cris des morts qui envahissent ma tête.

– Je les sens tous, dis-je, serrant les dents pour réprimer un sanglot. Je ressens la mort de chacun d'eux.

Une prison dont je ne peux m'enfuir.

La déflagration des boulets de canon fait trembler les gradins. Des éclats de bois volent dans l'air tandis qu'un deuxième navire sombre. Du sang et des cadavres disparaissent sous l'eau, les blessés luttent pour ne pas couler.

À chaque nouveau décès, le choc est aussi violent que lorsque l'esprit de Lekan m'a envahie à Chândomblé. Il submerge mon âme et mon corps. Il emplit ma tête de souvenirs épars, disparates. Mon corps abrite toutes les souffrances de ceux qui succombent, m'assaillant par intermittence. J'attends que ce cauchemar cesse. Soudain, je vois la devîn qui, désormais, est enveloppée de rouge.

J'ignore combien de temps cela dure – dix minutes ? dix jours ?

Lorsque le sang cesse enfin de couler, je suis si faible que je ne peux plus penser, plus respirer. Les dix navires et leurs capitaines ont été pulvérisés.

– Encore un soir sans vainqueur, on dirait ! beugle le présentateur.

Sa voix couvre les cris des spectateurs et il brandit la pierre, la positionnant de telle façon qu'elle prenne la lumière.

Elle scintille au-dessus de la mer écarlate, au-dessus des corps qui flottent entre les épaves en bois. Ce spectacle fait hurler la foule encore plus fort. Elle veut plus de sang.

Elle veut un nouveau combat.

– Nous verrons bien si les capitaines de demain se montreront dignes de ce magnifique trophée !

Je me serre contre Tzain et ferme les yeux. Au train où vont les choses, nous mourrons avant même d'avoir pu toucher la pierre.

CHAPITRE VINGT-QUATRE

AU LOIN, les cris des ouvriers se mêlent au cliquetis de leurs outils, et les aboiements courroucés de Kaea rythment leurs efforts. Quoique à contrecœur, celle-ci semble avoir pris les opérations en main. Après trois jours de travaux sous ses ordres, le pont est presque achevé.

Mais même si celui-ci va bientôt nous permettre de passer de l'autre côté de la montagne, je n'ai toujours pas trouvé le moindre indice. J'ai beau remuer ciel et terre, ce temple demeure une énigme. Laisser s'exprimer ma magie n'a pas suffi pour me remettre sur les traces de la fille. Le temps presse.

Si je veux avoir une chance de la retrouver, je vais devoir libérer la totalité de mes pouvoirs.

Cette prise de conscience me hante tant elle remet en question toutes mes convictions. Mais l'alternative serait bien pire. Le devoir avant tout. Orïsha d'abord.

Je prends une profonde inspiration et je relâche progressivement mes derniers freins. Dans ma poitrine, la douleur s'atténue. Au bout d'un certain temps, le picotement de la magie affleure sous ma peau.

J'espère que l'odeur marine me saisira en premier, mais comme chaque jour jusqu'à maintenant, ce sont les mêmes effluves de bois et de charbon qui emplissent les couloirs étroits du temple.

Au détour d'un virage, l'odeur devient envahissante et un nuage turquoise flotte dans l'air. Je passe ma main au travers et, aussitôt, l'esprit de Lekan s'invite dans ma tête.

Lekan, arrête !

Bifurquant à nouveau, j'entends soudain des rires. Tandis que les souvenirs du sêntaro me submergent, j'appuie mes mains sur la pierre fraîche et je vois alors passer des enfants fantômes dont les corps nus sont recouverts de symboles. Leurs cris de joie résonnent et rebondissent contre les murs.

Le cœur battant, j'essaie de me convaincre qu'ils ne sont pas réels, mais le regard malicieux de l'un d'eux m'oblige à me rendre à l'évidence.

Une torche à la main, je me hâte à travers les corridors. L'espace d'un instant, une bouffée saline perce sous l'odeur du charbon. Je tourne encore, un autre nuage turquoise apparaît. Je me précipite vers lui tandis qu'un nouveau souvenir de Lekan m'assaille. Son odeur boisée envahit tout. L'air tremble. Une voix douce se fait entendre.

Je me demandais si vous aviez… un nom ?

Tout mon corps se fige. La silhouette timide d'Amari se dessine sous mes yeux. Ma sœur me regarde avec appréhension ; la peur voile ses yeux d'ambre. Une odeur acide fait frémir mes narines.

Tout le monde a un nom, mon enfant.

Oh, ce n'est pas ce que je…

Lekan. (Sa voix tonne dans mon cerveau.) *Olamilekan.*

Je ris en voyant Amari déguisée en roturière. Pourtant, même dans cet accoutrement ridicule, elle reste la sœur que j'ai toujours connue : une pelote d'émotions enfermée dans un voile de silence.

Ma propre mémoire fait ressurgir ce bref regard échangé par-dessus le pont écroulé. Moi qui voulais être son sauveur, me voilà de nouveau la cause de sa souffrance.

Ma prospérité… s'accroît.

Cette fois, c'est la fille maji qui émerge à travers un souvenir de Lekan. Elle s'anime sous la lueur tremblante de la torche.

Tu te souviens de notre langue ?

Elle acquiesce.

Seulement de quelques mots. Ma mère me l'a enseignée quand j'étais petite.

Enfin. Après tant de jours, l'odeur marine se déploie comme une brise. Mais pour la première fois depuis que nos chemins se sont entrechoqués, l'image de la fille ne me donne pas envie de tirer mon épée. En la voyant à travers les yeux de Lekan, je suis frappé par sa douceur. La lueur de la torche rehausse l'éclat de sa peau sombre, et je vois danser les fantômes derrière ses yeux d'argent.

Elle est l'élue. J'entends les pensées de Lekan dans ma tête. *Quoi qu'il advienne, elle doit survivre.*

— Élue pour quoi ? je m'étonne à voix haute.

Pour toute réponse, l'écho du silence.

Les images de la fille et d'Amari s'estompent. Je reste là, à fixer l'endroit où elles me sont apparues. L'odeur disparaît, elle aussi. J'essaie de faire ressurgir la vision. En vain. Je me remets en marche.

Tandis que mes pas résonnent dans les recoins du temple, je commence à sentir des changements dans mon corps. Refouler mes pouvoirs me demandait un effort constant, une lutte de chaque instant. Malgré la magie qui bourdonne dans ma tête et me tord toujours l'estomac, mon corps savoure sa liberté retrouvée. Comme si, après avoir passé plusieurs années à me noyer, je sortais enfin la tête de l'eau.

J'emplis mes poumons d'oxygène et, avec une vigueur renouvelée, je reprends ma course à travers les couloirs du temple. En poursuivant les fantômes de Lekan, je cherche des réponses, nourri par l'espoir de retrouver la fille. Au tournant suivant, son parfum me submerge. J'entre dans la pièce voûtée. Les vestiges de la conscience de Lekan se manifestent de nouveau, plus puissants que jamais. Un nuage turquoise semble avoir envahi tout l'espace. Avant que je puisse me ressaisir, un éclair blanc illumine la pièce et éclaire les murs effrités. Bouche bée, je contemple des fresques stupéfiantes représentant les dieux, dépeints dans des couleurs chatoyantes.

— Qu'est-ce que c'est que ça ? je m'exclame, impressionné par tant de splendeur.

Les peintures sont si expressives qu'elles semblent prendre vie.

J'approche ma torche des dieux et des maji qui dansent à leurs pieds. C'est un spectacle imposant, envahissant, qui remet en question tout ce que l'on m'a appris.

Depuis mon enfance, Père m'a amené à croire que tous ceux qui s'accrochaient au mythe des dieux étaient faibles, s'en remettant à des êtres invisibles, vouant leur vie à des entités sans visage.

J'ai choisi de faire confiance au trône. À Père. À Orïsha. Mais à présent que je contemple ces divinités, je suis sans voix.

Je m'émerveille des océans et des forêts qu'elles ont fait apparaître sous leurs doigts, du monde d'Orïsha façonné par leurs mains. Une joie étrange émane de ces peintures et emplit Orïsha d'une lumière que je ne lui connaissais pas.

Ces fresques m'obligent à voir la vérité en face. Elles confirment tout ce que Père m'a dit dans la salle du trône. Les dieux existent. Ils sont vivants et reliés aux maji. Mais si tout cela est vrai, pourquoi diable suis-je connecté à eux ?

J'examine encore chaque portrait, ainsi que les différents types de magie qui semblent jaillir des mains des dieux. L'une d'elles attire particulièrement mon attention.

Grand et athlétique, le dieu est revêtu d'un ipélè d'un bleu sombre qui recouvre sa poitrine à la manière d'un châle et magnifie sa peau sombre. De ses paumes monte une spirale de fumée turquoise, aussi légère que les nuages qui accompagnent mes poussées de magie. Lorsque je déplace ma torche, un courant d'énergie me traverse le crâne. J'entends la voix de Lekan tandis que se forme un nouveau nuage bleu.

Orí s'est emparé de la paix qui sommeillait dans la tête de Mère Ciel afin de devenir le dieu de l'Esprit et des Songes. Sur la terre, il a partagé ce don unique avec ses adorateurs, leur permettant ainsi de se relier à tous les êtres humains.

— Le dieu de l'Esprit et des Songes, je me répète à voix basse en essayant d'assembler toutes les pièces du puzzle.

Les voix. Les émotions qui ne sont pas les miennes. L'étrange paysage onirique dans lequel je suis enfermé. C'est lui.

Le dieu de mes origines.

Je sens monter une bouffée de colère. *De quel droit ?* Il y a encore quelques jours, j'ignorais tout de son existence, et pourtant il s'est permis de distiller son poison en moi.

— Pourquoi ? je m'écrie.

Ma voix résonne à travers la salle. J'espère presque qu'il me réponde, mais rien ne vient troubler le silence.

— Tu vas le payer cher, je marmonne, sans savoir si je deviens fou ou si, malgré le vacarme du monde, le dieu m'entend.

Il va regretter cette journée. Le sort qu'il m'a jeté sera aussi celui qui anéantira la magie.

Bien que mon ventre soit noué, je me retourne et invoque encore plus fort mes pouvoirs. Je ne les combats plus. Si je veux les réponses dont j'ai besoin, il n'y a qu'un endroit où je puisse les trouver.

Je me laisse glisser sur le sol, je ferme les yeux, et le monde disparaît tandis que la magie s'immisce dans mes veines. Puisqu'il faut tuer cette magie, je dois d'abord me laisser totalement envahir par elle.

Je dois m'abandonner aux rêves.

CHAPITRE VINGT-CINQ

ZÉLIE

— La voie est libre ?

Amari jette un œil dans le couloir de pierre qui débouche directement dans l'arène. Au-dessus de nos têtes, le plafond voûté et effrité ; sous nos pieds, des pierres usées. Après s'être avancée de quelques pas, Amari hoche la tête. Nous nous engouffrons derrière elle, serpentant entre les piliers et pressant le pas pour ne pas être vus.

Plusieurs heures après que le dernier homme a péri et que les spectateurs ont quitté les lieux, les gardes ont vidé l'arène de la mer devenue rouge. Je pensais que cela mettrait un terme à l'horreur des jeux, mais les coups de fouet résonnent encore dans les gradins déserts tandis qu'une nouvelle équipe d'ouvriers nettoie le sang et les autres souillures qui subsistent. J'imagine leur supplice. Effacer les traces du chaos de ce soir pour que le même carnage puisse recommencer demain.

Je reviendrai, me dis-je. *Je les sauverai.* Une fois le rite accompli et Baba mis hors de danger, je rassemblerai un groupe de Telluriens afin d'enfouir cette monstruosité sous le sable. Le présentateur devra payer pour chaque maji tué. Les nobles devront répondre de chacun de leurs crimes.

Adossée contre le mur du corridor, je me console en m'abandonnant à mon désir de vengeance. Les yeux fermés, je me concentre de toutes mes forces. La pierre de soleil fait affluer mon ashê dans mes veines. Quand je rouvre les yeux, son aura s'est dissipée comme une luciole qui s'éteint dans la nuit. Mais après quelque temps, elle enfle de nouveau dans mon corps, irradiant sa chaleur jusqu'au bout de mes orteils.

— En bas, je chuchote.

Nous arpentons les couloirs déserts puis descendons des escaliers. À mesure que nous approchons de la piste souillée, nous devons redoubler de prudence. Une fois au sous-sol, nous ne sommes plus qu'à quelques mètres des gardes corrompus et des ouvriers épuisés. Les coups de fouet résonnent. Nous nous cachons derrière une arcade.

— C'est ici, dis-je en désignant une grande porte en fer.

Une vive lumière filtre à travers ses interstices et la chaleur de la pierre de soleil se diffuse dans toute la galerie. Je passe mes doigts sur la poignée, verrouillée par un énorme cadenas.

Je sors le poignard que Tzain m'a donné et l'introduis dans la serrure étroite. La lame se heurte à un système complexe de dents.

— Tu peux la crocheter ? demande-t-il.

— C'est ce que j'essaie de faire.

Mais l'opération s'avère plus délicate qu'avec une serrure ordinaire. Pour la forcer, il me faudrait un crochet.

Je ramasse un vieux clou rouillé sur le sol et le presse contre le mur afin d'en recourber la pointe. Ensuite, je ferme les yeux et me concentre pour glisser le clou entre les dents de la serrure. Les conseils de Mama Agba me reviennent à l'esprit. *Sois patiente. Sers-toi de ton instinct plutôt que de tes yeux.*

Tout en étant à l'affût de bruits de pas, je pousse le couteau. Les crans cèdent. Encore un tour vers la gauche et…

Un faible déclic se fait entendre, et le cadenas s'ouvre. J'en pleurerais de soulagement. J'essaie de faire pivoter l'arceau métallique vers la gauche. Mais en vain.

— C'est bloqué.

Sous le regard d'Amari, Tzain s'empare à son tour de l'arceau rouillé et tire de toutes ses forces. Il grince, gémit, menaçant d'attirer l'attention des gardes, mais ne bouge pas d'un pouce.

— Fais gaffe, je lui souffle.

– Je fais ce que je peux…

– Essaie plus fort.

Après une ultime tentative, l'arceau finit par céder.

D'un violent coup d'épaule, Tzain tente d'enfoncer la porte. Elle tremble sous le choc, mais reste désespérément fermée.

– Tu vas alerter les gardes ! s'alarme Amari.

– Il nous faut cette pierre, répond-il. On n'a pas le choix.

Je me recroqueville un peu plus à chaque coup de boutoir, mais Tzain a raison. La pierre est toute proche ; son aura me réchauffe comme si j'étais tout près d'un feu.

Une salve de jurons me traverse la tête. *Par les dieux, si seulement les maji pouvaient de nouveau nous donner un coup de pouce.* Un Soudeur serait certainement capable de déformer cette porte en fer et, un Brasero, de faire fondre sa poignée en un rien de temps.

Une demi-lune. Plus qu'une demi-lune pour accomplir le rite.

Si nous voulons récupérer cette pierre avant le solstice, il nous la faut ce soir.

La porte bouge d'un millimètre. Je retiens mon souffle. On y est presque. Je le sens. Encore quelques coups et elle s'ouvrira. Encore quelques poussées et la pierre sera à nous.

– Hé ! tonne la voix d'un garde.

Nous sommes tétanisés. Des pas pesants résonnent sur le sol de pierre et se dirigent vers nous à une vitesse effrayante.

– Là-bas !

Amari désigne un recoin juste après la porte. Des boulets de canon et des caisses de poudre y sont entreposés. Tandis que nous nous recroquevillons derrière les caisses, un jeune devîn se précipite dans la pièce ; ses cheveux blancs brillent dans la pénombre. En quelques secondes, il est rattrapé par le présentateur et un garde. Lorsqu'ils s'aperçoivent que la porte derrière laquelle se trouve la pierre de soleil est entrebâillée, ils marquent une pause.

– Sale cafard ! (Les lèvres du présentateur s'étirent en un rictus mauvais.) Avec qui es-tu de mèche ? Qui a fait ça ?

Avant même que le jeune garçon puisse répondre, le fouet du présentateur s'abat sur lui et il s'écroule sur le sol en pierre en gémissant. L'autre garde s'en mêle et le bat, lui aussi. Je tressaille, tapie derrière la caisse. Les larmes me piquent les yeux. Le dos du garçon est déjà à vif, portant les stigmates de précédents sévices, mais les deux monstres ne désarment pas. Il va mourir, c'est sûr.

Par ma faute.

– Zélie, non !

L'injonction de Tzain me fait hésiter une seconde, mais pas davantage. La vue de cet enfant martyrisé me soulève le cœur.

Des larmes de colère inondent son visage. Son dos est ensanglanté. Sa vie ne tient plus qu'à un fil, prêt à rompre sous mes yeux.

– Par tous les diables, qui es-tu ? siffle le présentateur en dégainant un poignard.

Lorsqu'il s'approche avec sa lame de majacite, ma peau est parcourue de picotements. Trois autres gardes accourent à ses côtés.

– Loués soient les dieux ! je m'exclame dans un grand rire forcé. (Je cherche les mots qui me sortiront de ce pétrin.) Je vous ai cherchés partout !

Le présentateur fronce les sourcils, incrédule, et resserre sa poigne sur son arme.

– Tu me cherchais, moi ? il répète. Dans cette cave ? Près de la pierre ?

Le garçon gémit encore quand un garde lui assène un coup de pied dans la tête. Son corps inerte baigne dans son propre sang. Il est mort. Comment se fait-il que je ne ressente pas son esprit ? Son dernier souvenir ? Sa dernière souffrance ? S'il s'en est directement allé en alâfia, il est possible que je ne sente rien, mais comment pourra-t-il reposer en paix après une mort si atroce ?

Je me force à regarder le présentateur hargneux. Je ne peux plus rien faire. Le garçon est mort. Et à moins de vite trouver une parade, je vais mourir, moi aussi.

– Je savais que je vous trouverais ici, dis-je en avalant ma salive. (Voilà la seule justification qui pourra me sauver.) Je veux participer aux jeux. Laissez-moi tenter ma chance, demain soir.

– Tu ne parles pas sérieusement ? s'exclame Amari une fois que nous sommes de nouveau en sécurité dans le désert. Tu as assisté à ce bain de sang. Tu l'as *ressenti*. Et malgré cela, tu veux participer aux jeux ?

– Je veux la pierre, je riposte. Et je veux rester en vie !

Malgré ma fougue, l'image de l'enfant martyrisé revient me hanter.

Mieux vaut cela. Mieux vaut être fouetté à mort que d'être pulvérisé sur un bateau.

Mais je sais que c'est faux, qu'il n'y a aucune dignité à mourir ainsi, en étant fouetté jusqu'à son dernier souffle pour une faute qu'on n'a même pas commise. Et je n'ai pas pu aider son esprit à passer de l'autre côté. Je n'ai même pas su utiliser mes pouvoirs de Faucheuse quand il en aurait eu tant besoin.

– L'amphithéâtre est infesté de gardes, je marmonne. Si on ne récupère pas la pierre ce soir, on ne pourra jamais la voler demain.

– Il doit forcément y avoir un autre moyen, intervient Tzain. Après ce qui vient de se passer, le présentateur ne laissera pas la pierre au même endroit. Si seulement on pouvait savoir où il compte la cacher…

– Il ne reste plus que treize jours jusqu'au solstice, treize jours pour traverser Orïsha et naviguer jusqu'à l'île sacrée. On n'a plus le temps de chercher la pierre !

– Quand nos cadavres seront alignés dans l'arène, la pierre de soleil ne nous servira plus à rien, dit Amari. Comment survivre à cette compétition ? Personne n'en sort vivant !

– On n'y participera pas à égalité avec les autres, dis-je en sortant de mon sac l'un des rouleaux noirs de Lekan.

Sur le parchemin scintille une inscription à l'encre blanche signifiant « réanimation des morts ». Couramment pratiquée par les Faucheurs, cette incantation était souvent la première que les nouveaux maji apprenaient à maîtriser. Elle permettait d'invoquer l'aide d'un esprit enfermé dans l'enfer d'apâdi qui, en échange, bénéficiait d'un coup de pouce pour passer dans l'après-vie.

De toutes les incantations inscrites sur les rouleaux de Lekan, celle-ci est la seule que je connaisse. Chaque lune, Mama emmenait un groupe de Faucheurs au sommet des montagnes d'Ibadan et leur enseignait comment libérer les âmes emprisonnées du village.

— J'ai étudié ce parchemin, dis-je. Il comporte une incantation que ma mère proférait souvent. Si je parviens à la maîtriser, je pourrai ressusciter l'esprit de tous ceux qui sont morts dans l'arène pour en faire des soldats.

— Mais tu es complètement folle, s'écrie Amari. Dans les gradins, tu n'arrivais même plus à respirer au milieu de toutes ces âmes. Il t'a fallu des heures pour retrouver la force de sortir de l'arène. Si tu n'as pas pu exercer ta magie hier, pourquoi en serais-tu capable aujourd'hui ?

— Les morts m'ont submergée parce que je ne savais pas quoi faire. Je ne contrôlais plus rien. Mais si j'arrive à maîtriser cette incantation, nous pourrons lever toute une armée dans l'ombre. Des milliers d'âmes en colère errent dans ces arènes !

Amari se tourne vers Tzain.

— Dis-lui que son idée est délirante. S'il te plaît.

Bras croisés, Tzain hésite. Son regard va d'Amari à moi.

— Réfléchis encore à la manière dont tu vas t'y prendre. Après, on décidera.

Dans le désert, le froid de la nuit est presque aussi rude que la fournaise du jour. Un vent glacé soulève le sable des dunes qui entourent Ibeji, et pourtant je transpire à grosses gouttes. Cela fait maintenant des heures que je m'entraîne à réciter l'incantation, mais chaque tentative est pire que la précédente. J'ai renvoyé Tzain et Amari dans la hutte que nous avons louée. Maintenant, je peux au moins échouer sans témoins.

Le parchemin de Lekan brandi sous la lune, j'essaie de déchiffrer la traduction griffonnée en yoruba sous le sênbaria. Ce matin, au réveil, cette langue ancienne m'est revenue en mémoire, aussi claire et précise que dans l'enfance. Mais j'ai beau psalmodier encore et encore, mon ashê ne répond pas. Nulle magie ne se manifeste. Et plus ma frustration grandit, plus je comprends pourquoi je ne suis pas censée m'entraîner seule.

– Allez ! (Je serre les dents.) *Oya, bá mi sòrò !*

Pourquoi les dieux ne viennent-ils pas à mon secours, alors que je prends des risques énormes pour faire leur travail, et que je n'ai jamais eu autant besoin de leur aide ?

Laissant échapper un soupir, je tombe à genoux et passe une main dans les boucles qui sont apparues dans mes cheveux ce matin. Si j'avais été une maji avant le Raid, l'initiée du clan m'aurait appris ces incantations dès mes treize ans, et je saurais comment exhorter mon ashê.

– Oya, s'il te plaît.

Je jette encore un coup d'œil au parchemin, essayant de comprendre mon erreur. En principe, l'incantation doit créer une *animation*, elle est censée manifester l'esprit d'un défunt à travers ce qui m'entoure. Si tout se passe comme prévu, quelque chose devrait donc s'animer dans les dunes. Mais j'attends depuis des heures sans avoir réussi à soulever le moindre grain de sable.

La cicatrice que j'ai sur la main attire mon attention. À la lumière de la lune, j'examine ma paume ouverte à l'endroit où Lekan l'a entaillée de sa dague en os. Je revois mon sang irradiant une lueur blanche, dans un flash aveuglant que seule la magie du sang peut susciter. Cette flambée d'ashê m'avait rendue euphorique.

Si seulement je pouvais l'invoquer maintenant…

Cette pensée fait battre mon cœur plus vite. L'incantation coulerait comme l'eau d'une source. Je n'aurais aucune difficulté à faire surgir de terre toute une armée d'animations.

Mais j'ai à peine le temps de m'enthousiasmer que déjà, la voix de Mama me revient à l'esprit. Ses joues creuses. Son souffle court. Les trois Guérisseurs qui travaillaient toujours à ses côtés.

Ce jour-là, elle avait invoqué la magie du sang pour ramener Tzain à la vie. *Promets-moi,* avait-elle murmuré juste après en serrant ma main. *Jure-moi de ne jamais faire ça. Quoi qu'il arrive. Tu n'y survivrais pas.*

J'avais promis. Juré au nom de l'ashê qui un jour coulerait dans mes veines. Je ne peux pas rompre cette promesse. Je suis encore trop faible pour réciter une incantation.

Mais si je n'arrive à rien, quel autre choix me reste-t-il ? Cela ne devrait pourtant pas être si difficile. Il y a encore quelques heures, l'ashê faisait bouillonner mon sang. Et maintenant, plus rien.

Attends une minute.

Je regarde fixement mes mains en repensant au jeune devîn mort sous mes yeux. Non seulement je n'ai pas pu ressentir son esprit, mais cela fait maintenant plusieurs heures que je n'ai pas non plus senti celui des autres morts.

Je me penche de nouveau sur le parchemin, essayant de décrypter les mots qui le recouvrent. C'est comme si ma magie s'était asséchée depuis tout ce sang versé dans l'arène. Je n'ai plus rien senti depuis…

Minoli.

La devîn morte dans l'arène. Ces grands yeux vides.

Tant de choses sont arrivées en même temps, je n'ai même pas réalisé que son esprit s'était éteint en même temps que son nom.

En mourant, les autres esprits de l'arène sont restés prisonniers de leur souffrance. De leur haine. À travers leurs souvenirs, j'ai ressenti les coups de fouet des gardes, le sel de leurs larmes sur ma langue. Mais Minoli m'a emmenée dans les champs de Minna où, avec ses frères et sœurs, elle travaillait la terre pour la récolte de maïs de l'automne. Le soleil tapait fort et la tâche était rude, mais jamais elle ne cessait de sourire ; de chanter.

— *Ìwọ ni ìgbọ́kànlé mi òrìshà, ìwọ ni mó gbójú lé.*

À tue-tête, je me mets à chanter ces mots que le vent emporte. Une voix mélancolique m'accompagne dans ma tête.

C'est ici que Minoli a vécu ses derniers instants, ici que son esprit a échappé à la brutalité de l'arène pour rejoindre cette ferme paisible. Ici qu'elle a choisi de vivre.

Ici qu'elle a choisi de mourir.

Minoli… Du tréfonds de mon cœur, je chuchote l'incantation.

— *Ẹ̀mí àwọn tí ó ti sùn, mo ké pè yín ní òní. Ẹ padà jáde nínú ẹ̀yà mímọ́ yín. Súre fún mi pẹ̀lú ẹ̀bùn iyebíye rẹ.*

Soudain, du sable se met à tournoyer devant moi. Je bondis en arrière. Pareil à de la brume, le tourbillon se déploie et ondule dans l'air avant de retomber sur le sol.

— Minoli ? je demande à voix haute, bien qu'au fond, je connaisse déjà la réponse.

Je ferme les yeux, l'odeur de la terre envahit mes narines. Des grains de maïs me glissent entre les doigts. Son souvenir rayonne : vivace, vibrant, vivant. Puisqu'il réside en moi avec une telle force, je dois croire qu'elle est là, elle aussi.

Je répète l'incantation avec conviction, les mains tendues vers le sable.

— Minoli, aujourd'hui je t'invoque afin que tu te manifestes à travers ce nouvel élément. Bénis-moi de ton précieux…

Des sênbaria blancs se détachent du parchemin et viennent se coller sur ma peau. Les symboles dansent le long de mes bras et insufflent à mon corps un pouvoir nouveau. Lorsque celui-ci atteint mes poumons, j'ai l'impression de prendre une grande inspiration après avoir été longtemps plongée sous l'eau. Tandis que du sable tourbillonne autour de moi avec la force d'un ouragan, une silhouette granuleuse émerge de cette tornade et prend peu à peu une forme vivante.

– Par les dieux !

Je retiens mon souffle. L'esprit de Minoli se matérialise sous la forme d'une main de sable tendue vers moi. Ses doigts caressent ma joue, puis le monde entier sombre dans les ténèbres.

CHAPITRE VINGT-SIX

INAN

UN AIR VIF EMPLIT MES POUMONS. Je suis de retour. Le paysage onirique s'anime. Il y a encore quelques secondes, j'étais assis sous le portrait d'Orí, et me voici debout au milieu du champ de roseaux qui dansent sous la brise.

– Ça a marché ! je m'exclame, incrédule.

Je passe mes doigts dans les tiges vertes et courbées. L'horizon est toujours flou et blanc, et je suis comme entouré de nuages. Pourtant, quelque chose a changé. La dernière fois, le champ s'étendait à perte de vue. À présent, des roseaux flétris forment un cercle étroit autour de moi.

J'effleure une autre tige, surpris par les rainures grossières qui la strient en son centre. Mon esprit élabore des itinéraires de fuite et fomente des plans d'attaque, mais mon corps est étrangement à l'aise. Je suis bien sûr soulagé de ne plus devoir faire barrage à ma magie, mais surtout, je peux à nouveau respirer librement. Il émane de ce paysage une paix surnaturelle, comme si, plus que n'importe quel autre endroit d'Orïsha, c'était ici que je me sentais…

Concentre-toi, Inan. À tâtons, je cherche mon pion de senet, mais ici, il ne m'est d'aucune utilité. Je secoue la tête, comme pour me débarrasser de ces pensées. Non, je ne suis pas chez moi. Cette sensation de paix n'est que pure illusion. Je me trouve au cœur de mon mauvais sort. Une fois que j'aurai accompli ma mission, cet endroit n'existera même plus.

Tue-la. Tue la magie. Mon sens du devoir se tortille dans tous les sens mais finit par reprendre le contrôle. Je n'ai pas le choix.

Je dois exécuter mon plan.

J'imagine le visage de la fille. Une brise soudaine fait ployer les roseaux. Elle se matérialise sous la forme d'un nuage ; son corps se dessine tandis qu'une fumée bleue monte de ses pieds jusqu'à ses bras.

Je retiens mon souffle et égrène les secondes. Lorsque la brume se dissipe, mes muscles se contractent ; sa silhouette d'obsidienne explose de vie.

Debout devant moi, elle me tourne le dos. Ses cheveux ont changé. Les mèches blanches et lisses ont laissé la place à une abondante chevelure bouclée ondulant jusqu'au bas de ses reins.

Lentement, elle se retourne dans un mouvement gracieux, presque éthéré. Mais lorsque ses yeux d'argent croisent les miens, ma colère ressurgit.

— Tu t'es teint les cheveux, dit-elle, désignant avec un petit sourire narquois la couleur qui recouvre ma mèche blanche. Mais tu devrais recommencer : ta nature de cafard reprend le dessus.

Bon sang. Ma dernière teinture remonte à il y a trois heures. Instinctivement, je touche ma mèche. Le sourire de la fille s'élargit.

— Je suis contente que tu m'aies appelée ici, petit prince. Il y a quelque chose que je brûle de savoir : ta sœur et toi avez été élevés par le même salopard. Pourtant, Amari ne ferait pas de mal à une mouche. Comment se fait-il que tu sois devenu un tel monstre ?

La paix qui régnait dans ce lieu disparaît aussitôt.

— Petite impudente, je siffle entre mes dents, comment oses-tu calomnier ton roi ?

— Dis-moi, petit prince, as-tu apprécié ta visite à Chândomblé ? Comment t'es-tu senti en voyant tout ce qu'il avait détruit ? Fier ? Inspiré ? Impatient de suivre son exemple ?

Des souvenirs de Lekan me traversent l'esprit. Je vois des sêntaros. Les yeux malicieux de cet enfant qui court. Les ruines et les décombres du temple prouvaient clairement que toutes ces vies avaient été supprimées.

Une toute petite partie de moi avait alors prié pour que ce ne fût pas des mains de Père.

La culpabilité me transperce comme l'épée plongée dans la poitrine de Lekan. Pourtant, je n'oublie pas ce qui est en jeu. *Le devoir avant soi-même.*

Ces gens ont péri pour qu'Orïsha puisse vivre.

– Je peine à le croire. (Elle s'avance, l'air railleur.) Serait-ce du remords que je vois là ? Notre petit prince cacherait-il un petit cœur tout racorni ?

– Pauvre ignorante, dis-je en secouant la tête. Tu es bien trop aveugle pour comprendre. Il fut un temps où mon père était de votre côté. Un temps où il soutenait les maji !

La fille émet un grognement. Je déteste la manière dont il s'insinue sous ma peau. Je crie :

– Ce sont les tiens qui ont tué sa famille. Les *tiens* qui ont provoqué le Raid !

Elle recule comme si je venais de lui envoyer un coup de poing dans le ventre.

– C'est ma faute si les gardes de *ton* père ont débarqué chez moi et ont emmené ma mère ?

Le souvenir d'une femme à la peau sombre l'envahit avec une telle précision qu'il s'invite aussi dans ma tête. Comme la fille, cette femme a les lèvres charnues, des pommettes hautes et une légère coquetterie dans l'œil. Seul son regard est différent. Pas argent. Sombre comme la nuit.

À l'évocation de ce souvenir, quelque chose en elle se durcit.

Quelque chose de sombre, mêlé à de la haine.

– J'ai hâte, dit la fille dans un souffle, tellement hâte qu'il découvre qui tu es vraiment. Hâte de voir combien tu seras démuni quand sa colère se retournera contre son propre fils.

Un violent frisson parcourt ma colonne vertébrale. Elle se trompe.

Père était prêt à pardonner à Amari de l'avoir trahi. Quand j'aurai éradiqué la magie, il me pardonnera.

— Cela n'arrivera pas, dis-je d'un ton faussement assuré. Magie ou pas, je serai toujours son fils.

— Tu as raison, répond-elle avec un sourire moqueur. Je suis sûre qu'il te laissera la vie sauve.

Sur ce, elle tourne les talons et s'éloigne dans les roseaux. Mon assurance vacille sous ses sarcasmes. Je revois le regard fixe et vide de Père. Autour de moi, l'air se raréfie.

Le devoir avant tout. J'entends sa voix. Neutre. Inflexible. Orïsha doit toujours passer en premier.

Même si cela implique de me tuer...

La fille soupire. Je me fige, puis me retourne pour scruter les roseaux mouvants.

— Qu'est-ce que c'est ? dis-je à voix haute. Aurais-je invoqué l'esprit de Père ?

Mais rien n'apparaît. Du moins, aucune forme humaine. La fille fait un pas vers l'horizon blanc, des roseaux jaillissent sous ses pieds.

Bientôt, leur taille atteint presque la mienne. D'un vert profond, ils se dressent vers le soleil. Elle fait un autre pas, d'autres roseaux surgissent.

— Par le ciel !

Telle une vague déferlant sur le sable, les roseaux se répandent à perte de vue, faisant reculer la ligne blanche de l'horizon. Une douce chaleur envahit mon cœur. *Ma magie...*

Ce doit être elle qui l'attise.

— Ne bouge plus ! j'ordonne.

Mais elle s'élance dans l'espace blanc, régnant sur ce paysage sauvage et vivant qui se plie à tous ses caprices. Durant sa course, les roseaux qui jaillissent sous ses pieds se transforment en poussière douce, puis en fougères blanches, puis en arbres gigantesques qui, en touchant le ciel, obscurcissent le soleil de leurs feuilles dentelées.

— Arrête !

Je cours à mon tour vers ce nouveau monde né dans son sillage. L'afflux magique glisse dans ma poitrine, tambourine dans ma tête ; je vais m'évanouir.

Malgré mes cris, elle continue de courir ; sous ses pas de feu, la poussière se mue en roche. Elle ne s'arrête que lorsqu'elle se trouve face à une falaise d'une hauteur stupéfiante.

– Par les dieux ! s'exclame-t-elle à la vue de l'immense cascade qui surgit sous ses doigts.

Un mur d'écume blanche se déverse dans un lac si bleu qu'il scintille autant que les saphirs de Mère.

Je la regarde, interdit. Dans ma tête, le flux de la magie pulse et tambourine. Au-dessus du bord de la falaise, un feuillage vert émeraude emplit les crevasses qui lézardent la roche érodée. Au-delà de la rive la plus éloignée du lac, un petit bosquet d'arbres blancs se fond dans l'horizon.

– Au nom du ciel, comment as-tu fait cela ? je demande.

Force m'est de reconnaître que ce nouveau monde est d'une beauté époustouflante qui fait trembler mon corps comme si j'avais bu toute une bouteille de rhum.

Mais la fille ne me prête aucune attention et s'extirpe de son pantalon drapé. Dans un cri, elle saute de la falaise et tombe à l'eau dans une gerbe étincelante.

Je me penche au-dessus de la corniche tandis qu'elle refait surface, toute ruisselante. Pour la première fois depuis que je la connais, elle sourit. Une joie pure illumine ses yeux. Cette image me ramène aussitôt en arrière. J'entends de nouveau le rire d'Amari tinter à mes oreilles, suivi des cris de Mère…

« Amari ! » hurle-t-elle, prenant appui contre le mur pour ne pas glisser.

Amari détale dans un éclat de rire, inondant le carrelage des éclaboussures de son bain ; une armée de gouvernantes est à ses trousses, mais sa détermination de leur laisse aucune chance. Elle a décidé de s'enfuir, les autres peuvent toujours courir.

Elle ne s'arrêtera pas avant d'avoir obtenu ce qu'elle veut.

J'enjambe une servante échouée sur le sol et me mets à courir, moi aussi. Je ris tellement que j'ai du mal à respirer. Je me débarrasse de ma chemise. Puis c'est mon pantalon qui vole. Les domestiques sourient à notre passage, mais en surprenant le regard noir de Mère, ils se reprennent.

Nous voilà, deux trublions tout nus et incontrôlables, qui approchons du bassin royal ; nous sautons juste à temps pour éclabousser la plus belle tenue de Mère…

Je ne me souviens pas d'avoir vu Amari si heureuse, depuis. Elle riait tellement que de l'eau ressortait par son nez. Après que je l'ai blessée, elle n'a plus jamais été la même avec moi. Seule Binta avait le privilège de partager ses fous rires.

Voir la fille nager a certes ressuscité ce vieux souvenir, mais plus je la regarde, moins je pense à ma sœur. Lorsqu'elle fait glisser son haut par-dessus sa tête, je ne respire plus. Cette peau sombre dans l'eau scintillante…

Regarde ailleurs. Je détourne la tête, m'efforçant d'examiner les sillons de la falaise. *Les femmes nous détournent de nos objectifs,* dirait Père. *Concentre-toi sur le tien : le trône.*

Le simple fait d'être près d'elle me semble déjà être un péché, une menace contre la loi inaliénable interdisant aux kosidàn et aux maji de se fréquenter. Pourtant, je ne peux m'empêcher de la regarder encore. Elle est si belle.

C'est une ruse, me dis-je. *Encore un de ses stratagèmes pour s'emparer de mon esprit.*

Mais lorsqu'elle refait surface, les mots me manquent.

Si c'est une ruse, elle fonctionne.

— Que fais-tu ? dis-je à voix haute, essayant d'ignorer les courbes de son corps sous les rides de l'eau.

Elle lève les yeux vers moi, comme si soudain, elle se rappelait mon existence.

— Pardon, petit prince. Mais c'est mon premier bain depuis que tu as brûlé ma maison.

Les pleurs des villageois d'Ilorin me reviennent à l'esprit. J'écrase ma culpabilité comme s'il s'agissait d'un insecte. *Mensonges.* Tout est sa faute.

Elle a aidé Amari à voler le parchemin.

— Tu es folle. (Je croise les bras.)

Détourne les yeux, me dis-je, tout en les gardant fixés sur elle.

— Profite ! Si vous monnayez l'eau une pièce d'or la tasse, tu devrais suivre mon exemple.

Une pièce d'or la tasse ? je rumine tandis qu'elle disparaît sous l'eau. Même pour la monarchie, cela semble exorbitant. Personne n'a les moyens de payer une telle somme. Pas même à…

Ibeji.

Mes yeux s'écarquillent. J'ai déjà entendu parler des gardes corrompus qui dirigent cet endroit. Je veux bien croire qu'ils soient suffisamment malhonnêtes pour pratiquer ces prix, surtout si l'eau vient à manquer. Il ne m'en faut pas plus pour retrouver le sourire. Je la tiens. Et elle ne s'en doute même pas.

Je ferme les yeux afin de m'extraire de ce paysage onirique, mais le souvenir du sourire d'Amari m'interrompt.

— Et ma sœur, je crie pour couvrir le rugissement de la cascade, est-ce qu'elle va bien ?

La fille me regarde fixement. Longtemps. Je n'attends pas de réponse, mais une lueur indéchiffrable brille dans ses yeux.

— Elle a peur, finit-elle par répondre. Et elle ne devrait pas être la seule. Maintenant que tu es un cafard (son regard s'assombrit), toi aussi tu vas connaître la peur, petit prince.

Un air épais envahit mes poumons.

Dense et lourd et brûlant.

J'ouvre les yeux. Juste au-dessus de ma tête, il y a le portrait d'Orí. Voilà, je suis revenu.

— Enfin.

Je souris malgré moi. Bientôt, tout ceci ne sera plus qu'un mauvais souvenir. Une fois que j'aurai mis la main sur la fille et sur le parchemin, la menace de la magie aura disparu pour de bon.

Mon dos est trempé de sueur. Je réfléchis aux prochaines étapes. Quand le pont sera-t-il achevé ? En combien de temps pourrons-nous ensuite atteindre Ibeji ?

Je bondis sur mes pieds et attrape la torche. *Vite, trouver Kaea.* Mais en me retournant, je réalise qu'elle est déjà là.

Elle a dégainé son épée et la pointe vers mon cœur.

– Kaea ?

Ses yeux noisette sont écarquillés. Le moindre tremblement de sa main se répercute sur la lame. Elle fait un pas de côté afin de mieux me tenir en joue.

– Qu'est-ce que c'était ?

– De quoi parlez-vous ?

– Ne faites pas l'innocent, dit-elle entre ses dents. Vous marmonniez. Votre… votre tête… est auréolée de lumière !

Les paroles de la fille résonnent dans mes oreilles. *Maintenant que tu es un cafard, toi aussi tu vas connaître la peur, petit prince.*

– Kaea, baissez votre arme.

Elle hésite. Ses yeux se posent sur mes cheveux. *La mèche…*

Elle peut voir la mèche.

– Ce n'est pas ce que vous pensez.

– Je sais ce que j'ai vu !

La sueur dégouline de son front et s'accumule sur sa lèvre supérieure. Elle s'approche avec sa lame, m'acculant dos au mur.

– Kaea, c'est moi, Inan. Jamais je ne vous ferais le moindre mal.

– Depuis quand ? Depuis quand êtes-vous un maji ? demande-t-elle à voix basse, comme si le simple fait de prononcer ce mot pouvait lui porter malheur.

Comme si j'étais le portrait craché de Lekan, et non plus le garçon qu'elle connaît depuis sa naissance, le soldat qu'elle entraîne depuis des années.

– La fille m'a contaminé. Mais ce n'est pas irréversible.

– Vous mentez, dit-elle en grimaçant de dégoût. Est-ce que… est-ce que vous travaillez pour elle ?

– Non ! Je cherche des indices. (Je m'avance d'un pas.) Je sais où elle est et…

– Reculez ! s'écrie Kaea.

Je me fige, les mains levées. À ses yeux, je suis devenu un étranger.

Elle semble épouvantée.

– Je suis de votre côté, je murmure. Et je l'ai toujours été. À Ilorin, j'ai senti qu'elle était allée vers le sud. À Sokoto, qu'elle s'était rendue chez ce marchand. (Je déglutis, mon cœur se met à cogner tandis qu'elle approche encore d'un pas.) Je ne suis pas votre ennemi, Kaea. Il n'y a que moi qui puisse vous aider à la retrouver.

Kaea me dévisage. La lame de son épée tremble de plus en plus.

– C'est moi, je supplie. *Inan.* Prince d'Orïsha. Héritier du trône de Saran.

À l'évocation de Père, Kaea vacille. Son épée tombe enfin par terre. *Grâce au ciel.* Les jambes flageolantes, je m'effondre contre le mur.

Pendant quelques minutes, Kaea se tient la tête entre les mains. Puis elle lève de nouveau les yeux vers moi.

– Est-ce pour cela que vous vous êtes comporté de façon si étrange, toute cette semaine ?

Je hoche la tête, le cœur toujours dégondé.

– J'avais très envie de tout vous avouer, mais je savais que vous réagiriez ainsi.

– Je suis désolée. (Elle s'adosse au mur.) Mais après ce que ce cafard m'a fait subir, il fallait que je m'assure que vous n'étiez pas un des leurs. (Son regard se fixe sur mes cheveux.) Que vous étiez toujours de notre côté.

– Toujours. (Je saisis le pion de senet.) Je n'ai jamais hésité. Je veux que la magie meure. Je me dois d'assurer la sécurité d'Orïsha.

Kaea m'observe ; elle reste sur ses gardes.

— Où est la fille-cafard, maintenant ?

— À Ibeji, dis-je. J'en suis sûr.

— Très bien. (Kaea se redresse et rengaine son épée.) Je suis venue vous annoncer que le pont est terminé. S'ils sont à Ibeji, je rassemble mes troupes et nous partons dès ce soir.

— Comment ça, *vous* rassemblez *vos* troupes ?

— Vous devez immédiatement rentrer au palais. Quand le roi apprendra que…

J'entends de nouveau la voix de la fille. *J'ai hâte, tellement hâte qu'il découvre qui tu es vraiment. Hâte de voir combien tu seras démuni quand sa colère se retournera contre son propre fils.*

— Non, dis-je. Vous aurez besoin de moi. Vous ne pourrez pas retrouver leur trace sans recourir à mes dons.

— Recourir à vos dons ? Mais vous êtes un *fardeau*, Inan. À chaque instant, vous pourriez vous retourner contre nous ou vous mettre en danger. Et si quelqu'un découvrait la vérité ? Vous rendez-vous compte dans quelle posture délicate cela mettrait le roi ?

— Vous ne pouvez pas faire cela, dis-je en agrippant son bras. Il ne comprendrait pas !

Le visage blême, Kaea regarde en direction du couloir. Elle commence à s'éloigner.

— Inan, mon devoir…

— Votre devoir est d'obéir à *mes* ordres. Et je vous somme de vous arrêter !

Kaea se met à courir dans le couloir faiblement éclairé. Je m'élance à sa poursuite et me jette sur elle pour la plaquer au sol.

— Kaea, s'il vous plaît, ne… *Ah !*

Elle m'enfonce son coude dans le sternum. J'ai le souffle coupé. Se dégageant de mon emprise, elle se relève précipitamment et gravit les escaliers.

— À l'aide !

À présent, ses cris éperdus résonnent dans tous les corridors du temple.

– Kaea, arrêtez !

Personne ne doit être au courant. Personne ne doit savoir qui je suis.

– Il est des leurs ! hurle-t-elle. Il l'est depuis le début !

– Kaea !

– Arrêtez-le ! Inan est un maj…

Kaea se fige comme si elle venait de percuter un mur invisible.

Sa voix faiblit jusqu'au silence. Tous ses muscles tressaillent.

De ma main vient de jaillir un faisceau d'énergie turquoise qui tourbillonne jusqu'à sa tête et la paralyse. Exactement comme le faisait la magie de Lekan. L'esprit de Kaea lutte pour se libérer de mon emprise mentale ; il se bat contre une force que j'ignorais pouvoir contrôler.

Non…

Je contemple mes mains tremblantes sans savoir à qui appartiennent ces peurs qui surgissent dans mes veines.

Pas de doute, je suis vraiment un des leurs.

Je suis moi-même le monstre que je pourchasse.

Le souffle de Kaea devient irrégulier tandis qu'elle se tord de douleur. Ma magie continue d'affluer de manière incontrôlée. Kaea laisse échapper un cri étranglé.

– Arrêtez…

– Je ne sais pas comment faire ! je crie en retour.

La peur m'étrangle tel un serpent. Le temple démultiplie mes pouvoirs. Plus j'essaie de refouler ma magie, plus elle se manifeste.

Les cris d'agonie de Kaea s'amplifient. Ses yeux deviennent rouges. Du sang s'échappe de ses oreilles et s'écoule dans son cou.

Mes pensées parcourent des milliers de kilomètres à la seconde. Dans mon cerveau, tous les pions de senet se désagrègent en poussière sans que je puisse y remédier en aucune manière.

Jusqu'ici, elle me redoutait ; à présent, elle me hait.

– S'il vous plaît, je supplie.

Je dois la maîtriser. Il faut qu'elle m'écoute. Je suis son futur roi…

Un râle s'échappe de ses lèvres. Ses yeux se révulsent.

La lueur turquoise qui l'emprisonnait s'évapore dans le néant.

Son corps s'écroule sur le sol.

– Kaea !

Je me précipite à ses côtés et pose ma main sur son cou. Son pouls bat faiblement. Bientôt, il aura disparu.

– Non ! je hurle, comme si mes pleurs pouvaient la ranimer. Du sang coule de ses paupières jusqu'à son nez. Il s'en échappe aussi de sa bouche.

– Pardon, je hoquette à travers mes larmes.

Je veux essuyer le sang, mais ne parviens qu'à l'étaler sur son visage. Ma propre poitrine se comprime, comme si elle se remplissait de sang.

– Pardon. (Ma vue se trouble.) Pardon. Pardon.

– Sale… cafard, dit encore Kaea dans un souffle.

Ensuite, plus rien. Son corps devient raide.

Dans ses yeux noisette, la lumière s'éteint.

Je ne sais pas combien de temps je reste là, assis par terre, à serrer son cadavre dans mes bras. Le sang s'égoutte sur les cristaux turquoise qui bordent ses cheveux noirs. La marque de ma magie. Tandis qu'ils scintillent, une odeur de métal et de vin me monte au nez. Des fragments de la conscience de Kaea m'envahissent.

Je la vois lors de sa première rencontre avec Père, quand elle est venue lui apporter son soutien après que les maji ont massacré sa famille. Leur baiser secret dans la salle du trône, tandis qu'à leurs pieds, Ebele se vidait de son sang.

L'homme qui embrasse Kaea m'est inconnu. Un roi que je n'ai jamais vu. Pour lui, Kaea est bien plus qu'un soleil. Elle est tout ce qu'il subsiste de son cœur.

Et je la lui ai arrachée.

Dans un sursaut, je relâche le cadavre de Kaea et recule en chancelant. Je repousse ma magie avec une telle force que la douleur dans ma poitrine me cloue sur place, une douleur aussi aiguë que l'épée que j'aurais pu planter dans le dos de Kaea.

Père ne doit jamais l'apprendre.

Cette monstruosité n'a jamais eu lieu.

Il pourrait à la rigueur fermer les yeux sur ma nature de maji, mais cela, jamais il ne me le pardonnera.

Après toutes ces années, la magie lui a une fois de plus volé son amour.

Je fais un pas en arrière. Puis un autre. Je recule encore et encore, m'éloignant autant que possible de cette épouvantable erreur.

Il n'y a plus qu'un seul moyen de me sortir de ce cauchemar.

Et il m'attend à Ibeji.

CHAPITRE VINGT-SEPT

AMARI

LES JEUX SONT SUR LE POINT de commencer. Des hurlements d'excitation et d'ébriété emplissent les arènes. Les spectateurs ont soif de sang. *De notre sang.* Je déglutis et serre les poings pour cacher le tremblement de mes mains.

Courage, Amari. Courage.

Binta me parle dans ma tête. Lorsqu'elle était en vie, le seul son de sa voix m'aidait à me sentir plus forte. Mais ce soir, ses paroles sont noyées par ces exhortations au carnage qui résonnent de toute part.

— Ils vont adorer ce spectacle ! prédit le présentateur dans un sourire grimaçant tandis qu'il nous emmène tous les trois dans les souterrains. Aucune femme n'a encore jamais participé aux jeux en tant que capitaine. Grâce à toi, nous avons pu doubler le prix du billet d'entrée.

Zélie émet un grognement, mais il n'a pas son mordant habituel.

— Ravie d'apprendre que mon sang vaut bien un petit supplément.

— La nouveauté mérite toujours un supplément, renchérit-il avec un sourire répugnant. Ne l'oublie pas si un jour tu comptes entrer dans les affaires. Un cafard comme toi pourrait récolter une fortune.

Zélie agrippe le bras de Tzain et décoche au présentateur un regard assassin. Ses doigts glissent le long de son bâton en métal.

— Vas-y, je murmure.

Peut-être qu'asséner un coup à cet imbécile nous laisserait une seconde chance de voler la pierre de soleil. Tout vaudrait mieux que ce qui nous attend si nous embarquons sur ce bateau.

— Assez parlé.

Zélie prend une profonde inspiration et lâche son bâton.

Nous repartons. Mon cœur se serre. *Nous marchons au-devant de notre mort.*

Quand nous entrons dans la cave sombre abritant notre navire, l'équipage qui nous a été attribué lève à peine les yeux. À côté de l'énorme coque en bois du bateau, les ouvriers paraissent minuscules, affaiblis par des années de dur labeur. Un garde les libère de leurs chaînes, moment de liberté illusoire avant le massacre.

— Dirige-les comme il te plaira, dit le présentateur en les désignant d'un geste indifférent, comme s'ils étaient du bétail. Tu as trente minutes pour définir une stratégie. Ensuite, tu entreras dans l'arène.

Sur ce, il quitte la cave. À peine a-t-il tourné les talons que Tzain et Zélie sortent des miches de pain et des gourdes des sacs pour les distribuer à tout l'équipage. Je m'attends à ce que les ouvriers se ruent sur ce maigre festin, mais ils contemplent le pain rassis comme si c'était la première fois qu'ils voyaient de la nourriture.

— Mangez, essaie de les convaincre Tzain. Mais pas trop vite. Sinon, vous vous rendrez malades.

Un jeune devin s'approche pour prendre un morceau de pain, mais une femme décharnée le retient.

— Ciel ! je m'exclame. Cet enfant ne doit guère avoir plus de dix ans.

— C'est censé être notre dernier repas ? demande un kosidàn plus âgé.

— Personne ne va mourir, les rassure Tzain. Faites ce que je vous dis et vous en sortirez vivants, et riches.

Tzain ressent-il ne serait-ce que la moitié de la terreur que j'éprouve ? En tout cas, il n'en montre rien. Il se tient droit, inspirant respect et confiance par sa voix et son attitude. À le regarder, on pourrait presque croire que tout ira bien. *Presque.*

— Vous ne nous bernerez pas avec un morceau de pain, déclare une femme dont l'œil est barré d'une cicatrice effroyable. Même si nous gagnons, vous nous tuerez et garderez l'or.

— Ce que nous voulons, c'est la pierre, pas l'or, dit Tzain en secouant la tête. Faisons équipe, et je vous promets que tout l'or vous reviendra jusqu'à la dernière pièce.

Je les observe, détestant ce qui en moi voudrait qu'ils se révoltent. Sans équipage, nous ne pourrons pas entrer dans l'arène. Zélie et Tzain ne pourront pas monter sur le bateau.

Courage, Amari. Je ferme les yeux et m'oblige à respirer. Dans ma tête, la voix de Binta se fait plus forte et plus affirmée.

— Vous n'avez pas le choix.

Tous les yeux se tournent vers moi. Mes joues s'empourprent. *Courage.* Tu peux le faire. Ce n'est pas plus difficile que de prendre la parole au palais.

— C'est injuste et cruel, mais on ne peut pas l'éviter. Que vous le vouliez ou non, nous allons tous devoir embarquer sur ce navire.

Je cherche le regard de Tzain. Voyant qu'il m'encourage, j'avance en me raclant la gorge. Je m'efforce de paraître forte.

— Tous les capitaines veulent remporter la victoire. Peu leur importe qui mourra ou sera blessé. *Nous,* nous voulons que vous viviez. Mais ce ne sera possible que si vous nous faites confiance.

Les membres de l'équipage se regardent, interloqués, puis se tournent vers le plus robuste d'entre eux – un devîn presque aussi grand que Tzain. Il se lève et s'avance vers lui, révélant son dos entièrement recouvert de cicatrices.

Chacun retient son souffle et attend qu'il se prononce. Quand il lui tend la main, j'ai l'impression que mes jambes vont se dérober.

— Dites-nous ce que nous devons faire.

CHAPITRE VINGT-HUIT

- LES CONCURRENTS prennent place !

La voix du présentateur tonne dans toute l'arène. Mon cœur cogne. Les trente minutes durant lesquelles Tzain nous a expliqué sa stratégie se sont écoulées en un éclair. Il nous dirige comme un général aguerri par des années d'expérience. Les ouvriers boivent ses paroles ; leurs yeux brillent.

- Parfait, acquiesce Tzain. Alors on fait ça.

Nourris d'un nouvel espoir, les ouvriers s'activent avec détermination. Mais tandis que chacun va et vient sur le pont du navire, mes pieds deviennent lourds comme du plomb. Le rugissement furieux de l'eau approche, et avec lui me revient le souvenir de tous les corps précédemment engloutis. Je sens déjà mes membres aspirés vers le fond.

Nous y voilà…

Dans quelques instants, le coup d'envoi sera donné.

La moitié des ouvriers s'installent à leurs postes de rameurs, prêts à nous faire avancer le plus vite possible. Les autres se placent autour des canons, selon les recommandations de Tzain : deux personnes sont chargées de positionner la gueule en fonction de la cible, deux autres doivent régulièrement recharger la culasse de poudre. Bientôt, tout le monde est sur le pont.

Sauf moi.

Le niveau de l'eau commence à monter ; j'embarque sur le bateau en tremblant et traverse le pont pour rejoindre mon poste derrière un canon. Tzain m'arrête en chemin.

– Tu n'es pas obligée de venir.

Je suis si terrorisée qu'il me faut quelques secondes pour comprendre le sens de ses paroles.

Tu n'es pas obligée de mourir.

– Seuls nous trois savons pour le rituel. Si nous embarquons tous… (Il s'éclaircit la voix, comme pour ravaler l'hypothèse fatale.) Je n'ai pas fait tout ça pour rien. Quoi qu'il arrive, il *faut* que l'un de nous survive.

D'accord. Mais ce cri du cœur, je n'arrive pas à le prononcer. Au lieu de quoi je m'entends dire :

– Si l'un de nous ne doit pas embarquer, c'est Zélie.

– Si nous avions une chance de nous en sortir sans elle sur ce bateau, je l'aurais persuadée de rester.

– Mais…

Je ne peux achever ma phrase, tant l'eau monte vite, éclaboussant la coque. D'ici quelques minutes toute la piste sera immergée, et je serai enfermée dans cette véritable chambre mortuaire. Si je dois courir, c'est maintenant. Après, il sera trop tard.

– Amari, va-t'en, insiste Tzain. Je t'en prie. On se battra de manière plus efficace si on est sûrs que tu ne risques pas d'être blessée.

On. J'ai presque envie de rire. Derrière nous, Zélie s'agrippe à la rambarde. Elle ferme les yeux et remue les lèvres, marmonnant l'incantation à toute vitesse. Malgré sa peur visible, elle fait face. Personne ne l'autorise à s'enfuir, elle.

Si tu comptes te comporter comme une princesse, autant te livrer aux gardes. Je ne suis pas là pour te protéger. Je suis là pour me battre.

– Mon frère et mon père sont à mes trousses, je chuchote à l'intention de Tzain. Ne pas embarquer sur ce bateau ne préservera ni ma propre vie ni le secret du parchemin. Cela me permettra juste de gagner du temps.

L'eau m'arrive aux chevilles ; je m'avance vers une des équipes préposées aux canons.

– Je peux vous aider, dis-je.

Je peux me battre.

Courage, Amari.

Cette fois, j'applique les conseils de Binta et m'en fais une armure. Oui, je serai courageuse.

Je le serai pour Binta.

Tzain soutient mon regard un long moment, puis il hoche la tête et part regagner son poste.

Dans un grondement, le navire s'élance sur les flots et nous emmène au combat. Nous naviguons sous un dernier tunnel. La foule assoiffée de sang pousse des cris hystériques. Pour la première fois, je me demande si Père a connaissance de ce « divertissement ». Si c'est le cas, s'en soucie-t-il ?

Je m'accroche au bastingage de toutes mes forces pour apaiser mes nerfs. Mais avant même que je puisse me ressaisir, nous entrons dans l'arène, exposés à tous les regards.

Une odeur de sel et de vinaigre me submerge tandis qu'un spectacle stupéfiant me fait cligner des yeux. Aux premiers rangs, les nobles martèlent la rambarde de coups de poing et, ce faisant, agitent leurs soieries chatoyantes.

Je détourne la tête et croise les yeux immenses d'un jeune devîn embarqué sur un autre navire. À la vue de son visage livide, mon cœur se serre.

Pour que l'un de nous deux vive, l'autre doit mourir.

Tout en se dirigeant vers la proue du bateau, Zélie entrelace ses doigts et fait craquer ses poignets. Elle psalmodie toujours l'incantation et s'efforce de rester concentrée avant que les hostilités ne débutent.

Les clameurs de la foule redoublent chaque fois qu'un nouveau navire entre dans l'arène. J'examine nos adversaires et soudain, je réalise cette chose terrible : hier soir, il y avait dix navires.

Aujourd'hui, j'en dénombre trente.

CHAPITRE VINGT-NEUF

ZÉLIE

Non…

Je compte et je recompte, m'attendant à ce que l'on nous annonce qu'il y a eu une erreur. Jamais on ne fera le poids contre vingt-neuf autres bateaux. Notre plan n'en prévoyait que dix tout au plus. Je me précipite vers mon frère.

— Tzain, c'est impossible ! je m'écrie d'un ton qui trahit ma peur. Je ne pourrai pas tous les affronter !

Derrière moi, Amari tremble tellement qu'elle manque de trébucher sur le pont. Elle est talonnée par l'équipage, lequel assaille Tzain de questions. Ses yeux s'affolent quand il se retrouve encerclé ; tous veulent parler en même temps. Mais soudain, sa mâchoire se crispe. Il ferme les yeux.

— Silence !

Sa voix puissante fait taire nos cris hystériques. Nous le regardons balayer l'arène du regard, tandis que le présentateur chauffe la foule.

— Abi, installe-toi à gauche. Délé, à droite. Passez un accord avec les autres équipages. Dites-leur que nous tiendrons plus longtemps en visant d'abord les bateaux les plus éloignés.

— Oui mais si…

— Faites ce que je vous dis ! ordonne Tzain, coupant court à leurs objections. Quant à vous, les rameurs, changement de tactique, poursuit-il. Seulement la moitié d'entre vous restera à son poste. Faites en sorte qu'on avance. On ne pourra pas prendre beaucoup de vitesse, mais si on reste immobiles, on est morts.

La moitié des ouvriers se précipite vers les avirons en bois. Tzain le champion d'agbön se tourne alors vers nous :

– Tous les autres rejoignent l'équipe des canonniers et leur prêtent main-forte pour viser les bateaux en première ligne. Je veux des tirs soutenus, mais mesurés : nos réserves de poudre ne sont pas illimitées.

– Et l'arme secrète ? demande Baako, le plus robuste de l'équipage.

Ma sérénité brièvement retrouvée grâce aux directives de Tzain disparaît aussitôt. Ma poitrine se comprime si fort que j'en éprouve une vive douleur. *Cette arme n'est pas encore au point,* ai-je envie de crier. *Si vous vous en remettez à elle, vous allez mourir.*

J'imagine le tableau : Tzain criant au-dessus de l'eau, et moi retenant mon souffle tandis que je m'efforce d'exercer ma magie. Je ne suis pas la maji chevronnée qu'était Mama. Qu'adviendra-t-il si je ne parviens pas à être la Faucheuse qu'ils attendent ?

– Tout est sous contrôle, lui répond Tzain. Assurez-vous que nous restions en vie suffisamment longtemps pour que nous puissions l'utiliser.

– Qui est prêt… à assister au *combat de toute une vie* ?

Des hurlements répondent aux exhortations du présentateur et couvrent même ses mots amplifiés par le porte-voix. L'équipage se sépare. J'agrippe le bras de Tzain. Ma bouche est si sèche que j'ai du mal à parler.

– Et moi, qu'est-ce que je dois faire ?

– Comme on a dit. Tu envoies la sauce.

– Tzain, je n'en suis pas capable…

– Regarde-moi, dit-il en posant ses mains sur mes épaules. Mama était la Faucheuse la plus puissante que j'aie connue. Tu es sa fille. Je sais que tu peux le faire.

Ma poitrine se comprime, mais j'ignore si c'est à cause de la peur ou d'autre chose.

— Essaie. (Il resserre son étreinte.) Même une seule animation fera la différence.

Dix… neuf… huit… sept…

— Reste en vie ! me crie-t-il avant d'aller rejoindre l'artillerie.

Six… cinq… quatre… trois…

Les clameurs deviennent assourdissantes. Je m'élance vers la rambarde.

Deux…

À présent, plus moyen de reculer. Soit nous récupérons la pierre…

Un !

… soit nous mourons.

Une corne de brume retentit. Je saute par-dessus bord ; à peine suis-je immergée dans l'eau chaude que notre navire est pris d'une violente secousse.

Les premiers coups de canon.

Les vibrations se propagent dans l'eau et traversent mon corps. Les jeux d'aujourd'hui ont déjà fait des victimes : leurs esprits refroidissent tout l'espace autour de moi.

OK, me dis-je en repensant à l'animation de Minoli. La proximité des esprits me donne la chair de poule et bien que je garde la bouche fermée, ma langue se rétracte sous le goût du sang. Toutes ces âmes qui trépignent pour que je les fasse revenir à la vie… Là, maintenant.

Le moment est venu de prouver que je suis une authentique Faucheuse.

— *Ẹ̀mí àwọn tí ó ti sùn, mo ké pè yín ní òní…*

J'attends que quelque chose surgisse de l'eau et s'anime devant moi, mais de mes mains ne s'échappent que des bulles. J'essaie encore de puiser dans l'énergie des morts, mais même en me concentrant de toutes mes forces, rien ne se passe.

Et merde. Je manque d'air, mon pouls s'accélère. Je ne vais pas y arriver. Je ne vais pas pouvoir nous sauver…

Une détonation retentit au-dessus de ma tête.

Je me retourne : le navire juste à côté du nôtre est en train de sombrer. Il pleut des cadavres et des éclats de bois. Autour de moi, l'eau rougit. Un corps ensanglanté me frôle et coule à pic.

Par les dieux…

La terreur me broie.

À droite, un autre coup de canon qui pourrait bien avoir été tiré par Tzain.

Allez ! Dans mes poumons, l'air se fait de plus en plus rare. Ce n'est pourtant pas le moment de faiblir. Il me faut ma magie. Maintenant.

Oya, je t'en supplie. C'est une prière étrange, formulée dans une langue mal apprise et si longtemps oubliée. Pourtant, depuis mon éveil, notre connexion devrait être plus puissante que jamais. Si je l'appelle, elle est censée me répondre.

Aide-moi. Guide-moi. Prête-moi ta force. Laisse-moi protéger mon frère et libérer tous les esprits emprisonnés en ce lieu.

Je ferme les yeux afin de rassembler l'énergie électrique des morts au plus profond de mes os. J'ai étudié le parchemin. Je peux le faire.

À présent, je peux être une Faucheuse.

– *Ẹ̀mí àwọn tí ó ti sùn…*

Une lueur bleu lavande apparaît entre mes mains. Un courant brûlant se répand dans mes veines. L'incantation ouvre mes circuits d'énergie spirituelle afin que l'ashê puisse y couler à flots. Un premier esprit s'extirpe de mon corps, prêt à recevoir mes instructions. Contrairement à Minoli, je ne sais rien de lui, sinon qu'il vient de mourir ; dans mon ventre, je ressens le boulet qui lui a déchiré les tripes.

Lorsque j'ai terminé l'incantation, la première animation flotte devant moi dans un tourbillon de vengeance, de bulles et de sang. La silhouette d'un corps humain constitué de l'eau alentour se dessine. L'expression de son visage est masquée par les bulles, mais je perçois la ferme résolution de son esprit. Mon soldat attitré. Le tout premier de cette armée des morts.

L'espace d'un bref instant, le triomphe l'emporte sur l'épuisement de mes muscles. J'ai réussi. Je suis une Faucheuse. Une vraie sœur d'Oya.

Et puis soudain, un pincement de cœur. Si seulement Mama pouvait me voir.

Mais je peux encore honorer son esprit.

Emplir de fierté chaque Faucheur tombé au champ d'honneur.

– *Ẹ̀mí àwọn tí ó ti sùn…*

Mais déjà, l'ashê diminue en moi. Je psalmodie encore, convoquant un nouvel esprit à prendre vie. Puis je désigne un bateau et dicte mes ordres.

– Faites-le couler !

À ma plus grande surprise, les formes animées plongent et filent sous l'eau, rapides comme des flèches, droit sur ma cible.

Quand elles percutent la coque de plein fouet, des planches de bois volent telles des lances, et l'eau s'engouffre dans la coque.

J'ai réussi…

Je ne sais si je dois chercher Oya dans le ciel ou au creux de mes mains. Les esprits des morts ont répondu à mon appel. Ils se sont pliés à *ma* volonté !

L'eau avale le navire et le fait chavirer. Mais avant que mon excitation ne retombe, des devîns basculent par-dessus bord et disparaissent sous l'eau.

Je me retourne et prends la mesure de ce que je viens de provoquer. L'équipage tombé à l'eau se débat pour remonter du fond et donne des coups de pied contre les bords de l'arène. Terrifiée, je vois une fille chuter. Son corps mou et sans vie commence à s'enfoncer sous la surface comme du plomb.

– Sauve-la ! j'ordonne, mais ma connexion aux formes animées s'est volatilisée.

Déjà, je sens les esprits de mes soldats s'éloigner de cet enfer pour regagner la paix de l'au-delà.

Tandis que je donne un coup de pied pour remonter, les animations fondent sur la jeune fille telles des raies à cornes juste avant que celle-ci ne touche le fond de l'arène. L'ashê bouillonne dans mes veines. Elles la hissent hors de l'eau pour la déposer sur un morceau de bois flottant, lui offrant ainsi une chance de survivre.

J'émerge à la surface, crachant et toussant. Quelque chose se détache de moi en même temps que les animations se volatilisent. Je les remercie en pensée et reprends mon souffle.

– Vous avez vu cela ? hurle le présentateur.

L'arène est en éruption, tous se demandent ce qui a bien pu faire couler le navire.

– Zélie !

Je lève la tête vers Tzain. Malgré le chaos ambiant, il affiche le même sourire que celui qu'il arborait, il y a plus de dix ans, en voyant la magie de Mama à l'œuvre, et que je ne lui avais plus connu depuis.

– C'est ça ! s'exclame-t-il. Continue comme ça !

La fierté gonfle ma poitrine et me réchauffe de l'intérieur. Je prends une large inspiration avant de replonger dans les profondeurs.

Puis je commence à psalmodier.

CHAPITRE TRENTE

AMARI

LE CHAOS.

Jusqu'à aujourd'hui, je n'avais jamais vraiment compris le sens de ce mot. Le chaos, c'était quand Mère criait avant le déjeuner. Ou quand les oloyes se bousculaient pour regagner leurs chaises peintes à la feuille d'or.

À présent, je suis entourée par le véritable chaos. Il est là, dans chaque respiration, dans chaque battement de cœur. Il chante quand le sang gicle, il hurle quand les navires explosent et sombrent.

Je me faufile à l'arrière du pont en me bouchant les oreilles quand survient une détonation. Notre bateau tangue, un nouveau boulet vient de percuter sa coque. Il ne reste que dix-sept navires encore à flot. Pourtant, nous sommes toujours en lice.

Malgré la confusion, chacun combat et s'active avec une incroyable précision. Les muscles des rameurs ondulent en rythme tandis qu'ils s'échinent à maintenir une vitesse constante ; la sueur dégouline du visage des équipiers chargés de remplir les canons de poudre.

Allez, bouge-toi, me dis-je. *Ne reste pas plantée là !*

Mais j'ai beau m'exhorter à agir, je suis paralysée. Je n'arrive même pas à respirer.

Mon estomac se retourne : un boulet de canon vient de faire exploser le pont d'un autre navire. Les cris des blessés résonnent sans cesse dans mes oreilles. L'air saturé de l'odeur du sang me rappelle les paroles de Zélie quand, le jour de notre arrivée à Ibeji, elle avait ce goût de mort dans la bouche.

Aujourd'hui, c'est mon tour.

– Nouvelle attaque en vue ! crie Tzain, pointant le doigt à travers la fumée.

Un vaisseau approche ; le souffle court, ses rameurs sont armés de lances. *Ciel…*

Ils vont nous aborder.

Nous allons devoir nous battre au corps-à-corps !

– Amari, occupe-toi des rameurs, me crie Tzain. Aide-moi à diriger la bataille !

Sur ce, notre capitaine s'éloigne, plus intrépide que jamais, sans même se rendre compte à quel point je suis tétanisée. J'essaie de prendre une grande inspiration, mais ne sais même plus comment respirer.

Tu t'es entraînée à affronter cette situation. (Le bateau approche, je déploie mon épée.) *Tu as même* saigné *pour cela.*

Mais quand l'équipage ennemi passe à l'abordage, toutes ces années d'entraînement forcé me figent le bout des doigts. J'essaie de brandir mon arme, mais mes mains tremblent. *Frappe-le, Amari.* La voix de Père bourdonne dans mes oreilles, elle rouvre la cicatrice dans mon dos. *Lève ton épée, Amari. Attaque. Bats-toi, Amari !*

– Je ne peux pas…

Après toutes ces années, je ne peux toujours pas. Rien n'a changé. Je ne peux ni bouger, ni me battre.

Je reste là, immobile.

Pourquoi suis-je ici ? Que diable m'étais-je imaginé ? J'aurais pu abandonner le parchemin et rentrer au palais. Je pourrais être simplement en train de pleurer la mort de Binta dans ma chambre. Mais j'ai fait ce choix fatal qui me semblait alors être le bon. Je pensais que je pourrais venger ma tendre amie.

Au lieu de quoi, je vais mourir.

Je cours me cacher, tandis que notre équipage affronte celui de l'autre bateau. Leur sang me lèche les pieds. Leurs cris angoissés m'emplissent les oreilles.

Le chaos m'enveloppe et me submerge tellement que je ne discerne plus rien. Je reste pétrifiée un long moment avant de comprendre qu'une épée est pointée sur moi.

Attaque, Amari.

Mais mon corps ne répond pas. La lame siffle près de ma nuque…

Tzain pousse un cri ; son poing vient de s'abattre sur une mâchoire ennemie.

L'attaquant s'effondre, mais pas avant que son épée n'ait transpercé le bras de Tzain.

– Tzain !

– N'approche pas, crie-t-il en agrippant son biceps ensanglanté.

– Je suis désolée !

– Ne reste pas là !

Des larmes de honte me brûlent les yeux tandis qu'il part en courant. Je vais me réfugier à l'arrière du bateau. Je n'aurais pas dû embarquer. Je n'ai rien à faire ici. Je n'aurais jamais dû quitter le palais…

Un énorme craquement retentit. Le vaisseau tangue si violemment que je me retrouve projetée par terre. Je m'accroche au bastingage pour résister aux secousses. Et voilà.

Nous sommes touchés.

Alors que je tente de me relever, un autre boulet fracasse le pont. Des éclats de bois et de la fumée voltigent dans l'air. Le navire chancelle et soudain, la proue bascule vers le haut. Les poumons saturés de fumée, je glisse à travers le pont ensanglanté.

Dans un réflexe de survie, je m'agrippe à la base du mât. L'eau submerge le navire naufragé.

Après un dernier hoquet, il commence à sombrer.

CHAPITRE TRENTE ET UN

ZÉLIE

— Zélie !

Je remonte à la surface et lève la tête. Tzain agrippe le bastingage. Il serre les dents, ses vêtements et son visage sont couverts de sang ; je ne saurais dire si c'est le sien.

Seulement neuf navires sont encore à flot. Mais la poupe immergée de notre bateau gémit.

Il est en train de couler.

J'inspire un grand coup et replonge. À peine sous l'eau, j'ai envie de vomir. Des nuages rouges m'empêchent de voir quoi que ce soit.

Tout en bataillant pour garder les yeux ouverts, je donne de vigoureux coups de pied et me débats dans l'eau épaisse et saturée de sang.

— *Èmí àwọn tí ó ti sùn…*

J'ai beau réciter mon mantra, je sens les derniers restes d'ashê faiblir au bout de mes doigts. Je ne suis pas assez forte. Ma magie s'est asséchée. Mais si je n'y arrive pas, Tzain et Amari vont mourir. Une fois le bateau coulé, nos chances de récupérer la pierre disparaîtront. Et nous ne pourrons jamais ramener la magie.

Je contemple la cicatrice dans ma paume. Le visage de Mama m'apparaît soudain.

Je suis désolée, dis-je en m'adressant à son esprit.

Je n'ai plus le choix.

Je me mords la main. Un goût métallique envahit ma bouche. Il se disperse dans l'eau, irradiant une lueur blanche qui m'enveloppe.

La lumière voyage à travers mon corps, bat derrière mes yeux, fait vibrer mon pouls et me réchauffe le cœur.

L'ashê se déverse à nouveau dans mes veines et brûle ma peau.

– *Èmí àwọn tí ó ti sùn…*

Des vagues rouges surgissent sous mes paupières.

Oya danse de nouveau pour moi.

Dans mon sillage, l'eau tourbillonne, gorgée d'une vie neuve et violente. La magie du sang prend les commandes et je lui dicte ma volonté. En un clin d'œil, une nouvelle armée de formes animées apparaît sous mes yeux.

De leur peau aqueuse jaillissent des bulles de sang et de lumière blanche. Elles prolifèrent avec la force d'un ouragan. Dix animations surgissent sous la forme de tourbillons d'eau et vont rejoindre les autres. Elles aspirent les débris épars, se renforçant d'une nouvelle armure. Après que la dernière d'entre elles est apparue, mon armée des morts se tourne vers moi.

Sauvez le bateau !

Mes esprits-soldats fendent l'eau comme des requins à deux nageoires. Bien que mes tripes soient en feu, le frisson de la magie l'emporte sur le chaos du combat.

Je jubile en les voyant appliquer mes directives muettes et disparaître dans les trous percés par les boulets de canon. Une seconde plus tard, l'eau accumulée dans la cale se déverse à l'extérieur.

Ouais !

En un instant, notre navire flotte à la surface. Une fois qu'elles l'ont vidé de toute son eau, les formes animées commencent à réparer la coque en bois en bouchant les trous avec leurs corps translucides.

Ça a marché !

Mais mon triomphe est de courte durée.

Même si les animations ont disparu, la tension de la magie du sang se fait toujours sentir dans mon corps.

Me traversant de part en part, elle brûle ma peau, déchire mes organes et mes muscles avec une violence inouïe. Je ne sens plus mes mains.

Au secours !

Je voudrais crier, mais des bulles s'échappent de ma bouche. Je suis saisie d'effroi. Mama avait raison.

La magie du sang va m'anéantir.

J'essaie de nager à la surface, mais chaque coup de pied me coûte plus d'énergie que le précédent. Je ne sens plus mes bras, puis ce sont mes pieds qui deviennent insensibles.

Tels des esprits vengeurs, la magie du sang me submerge, paralysant ma bouche, ma poitrine, ma peau. Malgré mes efforts pour regagner la surface, je ne peux plus bouger. Alors qu'il était si proche, le bateau s'éloigne de plus en plus.

– Tzain !

La mer écarlate étouffe mes cris.

Le peu d'air qui reste dans mes poumons disparaît.

Et l'eau s'y engouffre.

CHAPITRE TRENTE-DEUX

AMARI

J'AGRIPPE LE BASTINGAGE. Mon cœur bat à tout rompre : le bateau s'enfonce de plus en plus lentement, puis se stabilise dans une violente secousse.

— Elle a réussi ! s'écrie Tzain, martelant la rambarde de son poing. Zél, tu as réussi !

Mais Zélie tarde à refaire surface et l'euphorie de Tzain retombe. Il crie son nom, encore et encore, jusqu'à en avoir la voix cassée.

Je me penche et scrute l'eau, cherchant désespérément le contraste d'une chevelure blanche sur la mer rouge. Il ne reste plus qu'un seul navire, mais Zélie est introuvable.

— Tzain, attends !

Il a sauté par-dessus bord. Le dernier bateau ralentit sa course et amorce un virage.

— Et voilà nos derniers concurrents à court de poudre explosive ! claironne le présentateur. Pourtant, un seul capitaine remportera la victoire. Pour gagner, un seul capitaine doit rester en vie !

— Tzain, je crie depuis la rambarde, paniquée en voyant le dernier bateau approcher.

Je ne vais pas pouvoir l'affronter seule. Sans Tzain, *jamais* nous ne parviendrons à le couler.

En face, les rameurs accélèrent la cadence, tandis que les canonniers dégainent leurs épées. Quant aux hommes de notre équipage, ils abandonnent leur poste et courent chercher lances et épées remisées dans un coin du bateau. Je tremble de tous mes membres, mais eux n'ont aucune hésitation. Ils sont prêts, ils ont hâte d'en finir avec ce cauchemar.

Lorsque Tzain émerge enfin à la surface de l'eau, un bras soutenant le corps inconscient de Zélie, mon cœur ressent un vif soulagement. Je dénoue une corde accrochée sur le côté du bateau et la lance par-dessus bord. Tzain la passe sous les bras de Zélie et nous crie de tirer.

Trois ouvriers viennent m'aider à hisser Zélie sur le pont. Pour l'instant, pas d'ennemis en vue. Si elle parvient de nouveau à convoquer ses formes animées, nous aurons la vie sauve.

– Réveille-toi ! dis-je en la secouant, mais elle ne bouge pas d'un pouce. Sa peau est brûlante. Du sang coule d'un coin de sa bouche.

Ciel, on ne va pas y arriver. Il nous faut encore faire remonter Tzain. Je défais les nœuds qui entourent le torse de Zélie, mais avant que j'en aie terminé avec le dernier, le navire ennemi nous percute de plein fouet.

Et dans un rugissement sauvage, nos adversaires sautent à bord.

Bondissant sur mes pieds, je brandis mon épée comme un enfant essayant d'éloigner un lionaire avec une torche. Mon geste est malhabile, j'ai tout oublié de la technique acquise au long d'années d'entraînement et de souffrance.

Attaque, Amari ! La voix de Père tonne dans ma tête et me rappelle mes larmes quand il me sommait de combattre Inan. J'avais lâché mon épée. J'avais refusé.

Et la lame de mon frère avait lacéré mon dos.

Mon estomac se retourne : galvanisé par la possibilité de la victoire, notre équipage se lance à corps perdu dans la bataille. Avec sang-froid, il esquive les coups de nos adversaires pour leur en asséner de féroces. Des assaillants enragés fondent sur nous, mais par la grâce des dieux, nos hommes les réduisent en confettis. L'un d'eux meurt à quelques pas de moi, un couteau planté dans la nuque, du sang jaillissant de sa bouche.

Faites que cela cesse, je supplie. *Laissez-moi y mettre un terme !*

Mais tandis que je prie, le capitaine surgit et brandit son épée droit devant lui. Je m'apprête à lui faire face, mais ce n'est pas moi qu'il vise. Son arme s'abaisse puis pivote.

C'est Zélie, la cible.

Le temps est comme suspendu. Le capitaine et sa lame étincelante approchent un peu plus chaque seconde. Autour de moi, plus un bruit.

Puis le sang gicle.

Je suis d'abord trop choquée pour comprendre ce que j'ai fait. Mais quand le capitaine tombe, mon épée tombe avec lui, et je réalise qu'elle lui a transpercé le ventre.

Le public se tait. La fumée commence à se dissiper.

Quand le présentateur prend la parole, je ne respire toujours pas.

— Il semblerait que nous ayons un vainqueur...

CHAPITRE TRENTE-TROIS

ZÉLIE

CINQ CENT TRENTE-HUIT.

C'est le nombre de fois où mon corps a été disloqué.

Le nombre d'esprits qui ont péri au nom de ce « jeu ». D'âmes innocentes qui ont crié dans mes oreilles.

À perte de vue, des cadavres flottent parmi des débris de bois sur une mer de sang.

Leur odeur imprègne l'atmosphère, envahit mes poumons à chaque inspiration.

Dieux, aidez-nous. Je ferme les yeux pour effacer cette tragédie. Et au milieu de tout cela, les acclamations de la foule, ses vivats qui n'en finissent plus. Depuis la plateforme, nous la voyons se délecter de ce carnage, comme s'il y avait lieu de le célébrer.

Tzain me serre contre lui. Depuis qu'il m'a hissée à bord du bateau, il ne s'est toujours pas remis de ses émotions. L'expression de son visage reste neutre, mais je sais ce qu'il ressent.

Même si le guerrier l'a emporté, nous n'en sommes pas moins recouverts du sang de ceux qui ont péri. Nous avons certes triomphé, mais ceci n'est pas une vraie victoire.

Amari se tient à ma droite. Elle est calme, ses mains serrent une poignée sans lame. Depuis que nous avons débarqué du bateau, elle n'a pas dit un mot, mais les ouvriers m'ont rapporté que c'est elle qui m'a sauvée en tuant le capitaine du navire qui nous a abordés. Pour la première fois, je la regarde sans penser à Saran ou à Inan. Je vois en elle la fille qui a volé le parchemin.

Je vois une future guerrière.

Quand Délé et Baako emportent le coffre rempli d'or, le présentateur esquisse un sourire forcé. Sans doute avait-il l'intention de garder pour lui ce butin échangé contre des vies humaines.

Lorsque notre équipage se voit remettre son prix, la foule redouble de cris. Pourtant, pas un ouvrier ne sourit. Être libéré de la Réserve, être riche n'est rien au regard du cauchemar qui désormais les hantera chaque nuit. Me dégageant du bras protecteur de Tzain, je m'adresse au présentateur :

— Soyez beau joueur, dis-je entre mes dents. Vous avez eu votre spectacle. Maintenant, donnez-nous la pierre.

Il fronce les sourcils. Son visage brun se plisse de rides sévères.

— Le spectacle n'est jamais terminé, souffle-t-il, cette fois hors de son porte-voix. Surtout quand un cafard en est la vedette.

Ses paroles me font grimacer. Même si pour l'instant, mon corps n'abrite aucun esprit, je ne peux m'empêcher de faire des conjectures. Combien d'animations faudrait-il pour précipiter ce sale type dans la mêlée, pour le noyer au fond de cette mer rouge qu'il a provoquée ?

Il doit percevoir ma menace muette, car son sourire mauvais s'est volatilisé. Il recule de quelques pas et, dos au public, lève son porte-voix.

— Et maintenant… (Sa voix tonitruante résonne dans toute l'arène ; elle se veut enthousiaste, mais son visage peine à masquer sa consternation.) Voici… la pierre de l'immortalité !

Même à distance, la pierre de soleil réchauffe mes os tremblants. À travers le cristal, des lueurs orange et jaunes palpitent, pareilles à de la lave. Cette lumière sacrée m'attire comme une phalène.

Le dernier élément, me dis-je en repensant aux paroles de Lekan. Munis du parchemin, de la pierre et de la dague, nous allons enfin pouvoir nous rendre au temple sacré et y accomplir le rite. Nous allons enfin pouvoir ressusciter la magie.

— Tu l'as eue, dit Tzain en posant une main sur mon épaule. Quoi qu'il arrive, je serai toujours à tes côtés.

— Moi aussi, ajoute doucement Amari qui a retrouvé sa voix.

Malgré le sang séché sur son visage, son regard est rassurant.

Je lui réponds d'un hochement de tête et m'avance afin de recevoir la pierre. Pour la première fois, la foule autour de moi se tait ; l'air est lourd de sa curiosité.

Je m'attends au choc que ne manquera de provoquer le fait de tenir entre mes mains un fragment vivant de l'âme de Mère Ciel. Mais dès que mes doigts se posent sur la surface polie, je sais que rien n'aurait pu me préparer à cela.

Comme lors du rite de l'éveil, toucher cette pierre m'emplit d'une force phénoménale. Son énergie chauffe mon sang et l'ashê surgit dans chacune de mes veines, provoquant une décharge électrique.

À la vue de la lumière qui irradie entre mes doigts, la foule ébahie laisse échapper un cri. Même le présentateur a un mouvement de recul ; jusqu'ici, la pierre n'était pour lui qu'un moyen de galvaniser les foules.

L'afflux magique continue à m'emplir comme de la vapeur sous pression. Je ferme les yeux et Mère Ciel m'apparaît, plus glorieuse que tout ce que j'avais pu imaginer.

L'éclat de ses yeux d'argent rivalise avec les cristaux qui cascadent de sa tiare et illumine sa peau d'ébène. Une pluie de boucles blanches et serrées encadre son visage ; elles s'enroulent plus étroitement sous l'énergie qui émane de son corps.

Son esprit entre en moi telle la foudre déchirant un nuage noir.

Bien plus que la sensation de respirer, c'est l'essence même de la vie qui me submerge.

— *Èmí àwọn tí ó ti sùn…*

Je chuchote les premiers mots de l'incantation, savourant cet afflux comme aucun autre. Grâce au pouvoir de la pierre, je sens que je pourrais invoquer des centaines de formes animées, que je pourrais diriger une armée que rien n'arrêterait.

Nous pourrions débouler dans l'arène et régler son compte au présentateur, punir chaque spectateur qui a souscrit à ce jeu de massacre.

Mais ce n'est pas cela que désire Mère Ciel. Pas cela qu'attendent tous ces esprits.

Un par un, les morts me traversent en hurlant, non pour prendre une forme animée, mais pour s'échapper. Comme le grand nettoyage que Mama entreprenait à chaque pleine lune. Un dernier acte visant à faciliter le passage des esprits vers l'alâfia.

Tandis que les âmes se libèrent pour aller goûter la paix de l'au-delà, dans ma tête l'image de Mère Ciel commence à s'estomper. Une sublime déesse aux yeux marron la remplace. Enveloppée de vagues rouges, sa peau est aussi sombre que la nuit.

Par les dieux.

Telle une torche dans l'obscurité, Oya resplendit dans mon esprit. Contrairement au chaos entrevu quand j'ai exercé la magie du sang, cette vision renferme une grâce éthérée. Bien qu'elle se tienne immobile, sa seule présence semble faire basculer le monde tout entier. Un sourire triomphant s'épanouit sur ses lèvres…

J'ouvre les yeux. Dans mes mains, la pierre de soleil brille tellement qu'elle m'éblouit. Le tout premier afflux est passé, pourtant je sens toujours sa force bourdonner au cœur de mes os. Comme si l'esprit de Mère Ciel, en se diffusant dans mon corps, avait cicatrisé toutes les blessures causées par la magie du sang.

Peu à peu, la lumière aveuglante décline et l'image époustouflante d'Oya disparaît. Je tombe à la renverse, m'agrippant à la pierre tandis que les bras de Tzain me retiennent.

– Que s'est-il passé ? demande-t-il, ouvrant de grands yeux étonnés. L'air… On aurait dit que toute l'arène tremblait.

Tout en serrant la pierre contre ma poitrine, j'essaie de me souvenir des images qui viennent de danser dans mon esprit : la lumière que diffusaient les cristaux de la tiare de Mère Ciel, les reflets chatoyants sur la peau d'Oya, belle et ténébreuse comme la reine de la nuit.

Mama a dû ressentir tout cela… Cette pensée me gonfle le cœur. Je comprends pourquoi elle aimait tant sa magie.

Voilà ce que c'est que de se sentir vivant.

– C'est l'Immortelle ! crie un homme dans la foule.

Je cligne des yeux et me tourne de nouveau vers le public. Le cri traverse les gradins, jusqu'à ce que tout le monde le reprenne en chœur. Tous scandent ce nom qui n'est pas le mien.

– Ça va ? me demande Amari.

– Plus que bien, je réponds dans un sourire.

Maintenant que nous sommes en possession de la pierre, du parchemin et de la dague, nous avons enfin une chance d'atteindre notre but.

CHAPITRE TRENTE-QUATRE

AMARI

Même si je ne comprends pas comment tous ces gens peuvent avoir le cœur à faire la fête, il nous faut encore attendre des heures avant que les réjouissances ne prennent fin. Quel épouvantable gâchis de vies humaines ! Dont une supprimée par mes propres mains.

Nous nous faufilons vers la sortie de l'arène. Tzain s'efforce de nous protéger de la foule, mais même lui peine à contenir les spectateurs en liesse qui nous escortent à travers les rues d'Ibeji et nous attribuent des surnoms pour célébrer notre victoire. Zélie devient ainsi « l'Immortelle », tandis que Tzain règne en tant que « Commandant ». Sur mon passage, le public se met à crier un sobriquet ridicule qui me fait tressaillir :

– Vive la Lionaire !

Je voudrais leur dire qu'ils se méprennent ; qu'ils feraient mieux de m'appeler « la Poule mouillée ». Mes yeux n'ont rien de féroce et ne cachent aucune bête sauvage. Ce surnom n'est que mensonge, mais ces spectateurs sont bien trop survoltés pour s'en soucier. Tout ce qu'ils veulent, c'est un nom à hurler, un événement à acclamer.

Une fois hors de la ville, Tzain nous libère enfin et nous emmène dans notre ahéré d'argile où, à tour de rôle, nous faisons un brin de toilette pour nous débarrasser du sang dont nous sommes recouverts.

Je laisse couler l'eau froide sur ma peau et frotte de toutes mes forces. Aucune trace de cet enfer ne doit subsister. Lorsque l'eau rougit, je pense au capitaine que j'ai tué. *Ciel…*

Il y avait tellement de sang.

Il imprégnait son kaftan, s'écoulait de mes semelles en cuir, tachait l'ourlet de mon pantalon. Durant ses tout derniers instants, il a plongé sa main tremblante dans sa poche. J'ignore ce qu'il voulait en retirer car ses doigts se sont figés lorsqu'il a cessé de respirer.

Je ferme les yeux et griffe ma paume ouverte en laissant échapper un profond soupir. Je ne sais pas ce qui me perturbe le plus : le fait d'avoir donné la mort, ou d'être prête à recommencer.

Attaque, Amari, me chuchote Père.

Mais je chasse sa voix de mon esprit en même temps que je débarrasse ma peau des dernières traces du carnage.

Au fond de l'ahéré, la pierre de soleil brille à travers le sac de Zélie, illuminant le parchemin et la dague en os de ses rayons rouges et jaune tournesol. Hier, j'avais du mal à croire que nous possédions deux de ces objets sacrés, et les voilà tous les trois réunis ! À douze jours du centième solstice, nous avons largement le temps de nous rendre à l'île sacrée. Zélie y accomplira le rite et la magie reviendra pour de bon.

Je souris en revoyant les rayons lumineux qui s'échappaient des mains de Binta. Des rayons inextinguibles, contre lesquels l'épée de Père ne pouvait rien. Tant de beauté qui m'était offerte tous les jours…

Si nous parvenons à nos fins, la mort de Binta n'aura pas été vaine. D'une manière ou d'une autre, sa lumière se diffusera dans tout Orïsha. Le vide qu'elle a laissé dans mon cœur pourra peut-être un jour être comblé.

Tzain se tient dans l'encadrement de la porte.

— Tu n'en reviens pas, hein ? murmure-t-il.

— Non ! dis-je dans un faible sourire. Je suis si soulagée que tout cela soit derrière nous…

– Il paraît qu'ils sont ruinés. Privés de l'or de la cagnotte, ils n'ont plus les moyens de soudoyer les contremaîtres de la Réserve pour qu'ils leur fournissent des ouvriers.

– Grâce au ciel.

Je pense à tous ces jeunes devîns qui ont péri. Même si Zélie les a aidés à passer dans l'au-delà, leur mort pèse toujours sur mes épaules.

– Baako dit qu'avec cet or, lui et ses camarades comptent rembourser les dettes des devîns. Avec un peu de chance, ils pourront ainsi libérer des centaines de personnes de la Réserve.

Tzain acquiesce et jette un œil à Zélie. Blottie contre la douce fourrure de Nailah, elle dort dans un coin de la hutte. Après avoir pris un bon bain, elle se repose. Sa parade avec la pierre de soleil l'a épuisée. Je la regarde sans éprouver ce malaise qui, d'habitude, m'envahit dès que je suis en sa présence. Quand l'équipage lui a dit que c'était moi qui avais mis un terme au combat, elle m'a lancé un regard qui ressemblait presque à un sourire.

– Tu crois que ton père est au courant pour ces jeux ?

Je relève la tête. Tzain détourne les yeux ; son visage devient dur.

– Je ne sais pas, dis-je d'un ton posé. Mais même si c'était le cas, je ne suis pas sûre qu'il prendrait la peine de les interdire.

Un silence pesant met un terme à ce bref moment d'apaisement. Tzain veut attraper un rouleau de bandages, mais suspend son geste. Son bras blessé le fait grimacer.

– Laisse-moi faire.

Je m'approche en évitant de toucher les linges maculés de sang autour de son biceps.

– Merci, marmonne-t-il lorsque je lui tends le rouleau.

La culpabilité me vrille l'estomac.

– Ne me remercie pas. Si je n'étais pas montée sur ce bateau, tu n'aurais pas été blessé.

– Et j'aurais aussi perdu Zélie.

Son regard empreint de douceur me trouble. J'étais persuadée qu'il m'en voudrait, mais ses yeux n'expriment que de la gratitude.

– Amari, j'ai pensé que… (Il tripote le rouleau de bandages, le déroulant pour aussitôt l'enrouler de nouveau.) Quand nous traverserons Gombe, tu devrais te rendre au poste de garde. Dis-leur que tu as été kidnappée, que tout est de notre faute.

– Tu dis cela à cause de ce qui s'est passé sur le bateau ?

J'essaie de rester calme, mais ma voix grimpe légèrement dans les aigus. D'où lui vient cette idée alors qu'il y a encore un instant, il me félicitait d'avoir été à leurs côtés ?

– Non !

Tzain pose une main hésitante sur mon épaule, refermant ainsi l'espace entre nous. De la part d'un gaillard aussi robuste, ce geste tendre me déconcerte.

– Tu as été incroyable. Je n'ose même pas imaginer ce qui serait arrivé si tu n'avais pas été là. Mais cette expression qu'il y avait sur ton visage, après… Si tu restes, je ne peux pas te promettre que tu ne devras plus jamais tuer.

Les yeux rivés au sol, je compte les fissures dans l'argile. Il m'offre une nouvelle chance de m'enfuir.

Il veut m'éviter d'avoir du sang sur les mains.

Je repense à ce moment, sur le bateau, quand je regrettais d'être là et d'avoir volé le parchemin. Et voilà que se présente l'occasion de me retirer. J'ai prié pour cela, je l'ai souhaité de tout mon cœur.

Et si je rentrais au palais ?

Non sans honte, j'imagine ma possible reddition. Avec une bonne histoire, ce qu'il faut de larmes et quelques mensonges bien ficelés, je pourrais tous les convaincre. Si je réapparaissais suffisamment échevelée, Père pourrait croire que j'ai été kidnappée par de méchants maji. Mais ma décision est prise.

– Je reste, dis-je, enfouissant la petite voix qui me souffle le contraire. Je peux le faire. Je l'ai prouvé.

– Ce n'est pas parce que tu peux te battre que tu es censée…

– Tzain, ne me dis pas ce que je suis censée faire ou pas !

Ses mots viennent de me renvoyer derrière les murs du palais.

Amari, tiens-toi droite !

Ne mange pas ça.

Cette part de dessert est largement suffisante…

Non.

Terminé. J'en ai soupé de cette vie-là. À cause d'elle, j'ai perdu ma seule amie. Maintenant que j'ai fui cet endroit, je n'y reviendrai plus. Je dois mettre mon évasion à profit, aller jusqu'au bout. Je suis une princesse, pas une potiche. Puisque mon père a causé toute cette souffrance, c'est *moi* qui la soulagerai.

Tzain recule en levant les bras en signe de capitulation.

– D'accord.

– C'est tout ? je demande, tête penchée.

– J'ai envie que tu restes, Amari. Je voulais juste m'assurer que c'était aussi ton choix. Quand tu as dérobé ce parchemin, tu ne pouvais pas savoir que les choses tourneraient ainsi.

– Oh…

Je lui réponds par un large sourire. *J'ai envie que tu restes.* Ses paroles me font monter le rouge aux joues. Tzain a envie que je reste !

– Merci beaucoup, dis-je, très calme. Moi aussi, j'ai envie de rester. Même si tu ronfles.

Il rit. D'un coup, son visage s'adoucit.

– Pas tant que toi, princesse. Tes ronflements justifient à eux seuls qu'on te surnomme la Lionaire.

– Ah. (Je m'empare de nos gourdes, priant le ciel pour que mon visage ne soit pas écarlate.) Je m'en souviendrai, la prochaine fois que tu auras besoin d'aide.

Sur ce, je sors de la hutte. Le sourire en coin qu'il vient de m'adresser me donne des ailes. L'air vif de la nuit, encore chargé de l'odeur d'ogogoro et de vin de palme de la fête, m'accueille tel un vieil ami. En me reconnaissant, une femme encapuchonnée se fend d'un large sourire.

– Salut à toi, la Lionaire !

Son cri attire l'attention d'autres passants qui m'acclament à leur tour. Mes joues s'empourprent mais cette fois, ce surnom ne me semble plus aussi inapproprié. Je leur adresse un timide salut avant de m'éclipser dans l'obscurité.

Peut-être qu'après tout, une lionaire sommeille vraiment en moi.

CHAPITRE TRENTE-CINQ

INAN

L'AIR DU DÉSERT est mortifère.

Chaque inspiration me fait suffoquer.

Sans les instructions constantes de Kaea, je respire mal, mon souffle est vicié par cette magie qui l'a emportée.

Je n'avais jamais réalisé à quel point le temps s'écoulait différemment quand je chevauchais à ses côtés. Maintenant que je voyage seul, les minutes me semblent des heures. Les jours se confondent avec les nuits. D'abord, ce sont les vivres qui s'amenuisent. Puis c'est l'eau.

J'attrape la gourde accrochée à la selle de ma panthéraire réquisitionnée, pour en extraire les dernières gouttes. Si vraiment Orí m'observe depuis là-haut, il doit bien s'amuser.

Les maji ont frappé.

Kaea est morte.

Suis toujours à la recherche du parchemin.

I.

Ce message confié aux soldats devrait bientôt arriver au palais.

Connaissant Père, dès sa réception, il dépêchera des gardes en leur donnant l'ordre de revenir avec la tête du coupable ou pas du tout. Il ne sait rien du monstre que je suis devenu.

La culpabilité me torture autant que la magie que je combats. Père ne saura jamais à quel point je suis déjà puni.

Par le ciel.

Mon crâne vibre tandis que j'enfouis ma magie au plus profond de mes os. Désormais, ce n'est plus seulement la douleur à la poitrine ou l'essoufflement que je dois combattre, mais aussi le tremblement permanent de mes mains. La haine brûlante dans les yeux de Kaea. Le venin de ses dernières paroles.

Cafard.

Ce mot n'arrête pas de tourner dans ma tête. Il m'enferme dans un enfer sans issue. En le prononçant, c'est comme si Kaea m'avait définitivement déclaré inapte à devenir roi.

Son insulte discrédite tout ce pour quoi je me suis toujours battu. La mission que je m'efforce d'accomplir. Le destin que Kaea elle-même m'a obligé à embrasser.

Bon sang. Je ferme les yeux pour chasser les souvenirs de ce jour-là. Après que j'ai blessé Amari, c'est Kaea qui m'a trouvé prostré dans le coin le plus sombre de ma chambre, cramponné à mon épée ensanglantée.

Lorsque je l'ai jetée par terre, Kaea l'a ramassée pour me la remettre entre les mains.

Vous êtes fort, Inan, m'a-t-elle dit en souriant. *Ne soyez pas effrayé par votre propre force. Vous en aurez besoin toute votre vie. Vous en aurez besoin pour tenir votre rang de roi.*

Tu parles d'une force, me dis-je non sans sarcasme. J'en aurais pourtant bien besoin, là maintenant. Je n'ai jamais exercé ma magie que pour protéger mon royaume. Kaea, plus que quiconque, aurait dû comprendre cela.

Je rase les murs d'argile d'Ibeji. Le sable gifle mon visage. J'essaie de ne plus penser à elle. Elle est morte. Je ne peux plus rien changer à ça.

Pourtant, la menace de la magie est toujours là.

Tue-la. À cette heure avancée de la nuit, je m'attendais à trouver ce village endormi, mais les rues d'Ibeji palpitent encore des vestiges d'une célébration quelconque. Des nobles de rang inférieur et des villageois boivent de généreuses rasades de leurs flasques, tous plus ivres les uns que les autres. De temps en temps, ils braillent des noms absurdes, acclamant « la Lionaire », « le Commandant » ou « l'Immortelle ». Pas un ne prête attention au soldat échevelé chevauchant parmi eux, ni ne remarque le sang séché sur son visage. Pas un ne réalise que je suis leur prince.

Tirant les rênes de ma panthéraire, je m'arrête devant un villageois suffisamment sobre pour se souvenir de son propre nom. Tandis que je m'apprête à lui montrer le portrait écorné de la fille-devîn, je sens de nouveau cette odeur marine.

Ma magie a beau être désactivée, je la perçois aussi distinctement qu'une brise océanique. Comme une gorgée d'eau après être resté plusieurs jours sans boire. Soudain, tout s'éclaire.

Elle est là.

Je tire les rênes de ma panthéraire et l'oblige à se diriger vers cette odeur.

Tue-la. Tue la magie.

Rends-moi ma vie.

Je m'arrête dans une allée bordée d'ahérés en argile. À présent, l'odeur de la mer est omniprésente. La fille est là. Tapie derrière l'une de ces portes.

La gorge serrée, je descends de ma panthéraire et tire mon épée. Le clair de lune se reflète sur la lame.

D'un coup de pied, j'ouvre la première porte.

— Qui êtes-vous ? s'écrie une femme.

Mon cerveau a beau être embrumé, je constate que ce n'est pas elle.

Pas elle que je cherche.

Je respire un grand coup et poursuis ma quête, me laissant guider par l'odeur de sel marin. Cet ahéré. Cette porte. Le dernier rempart qui me sépare d'elle.

Je la défonce d'un coup de pied et me précipite à l'intérieur en hurlant. Je lève mon épée, prêt à me battre...

Personne.

Juste des draps pliés et de vieux vêtements tachés de sang qui s'alignent le long des murs.

Mais hormis des poils de lionaire et l'odeur de cette fille, reconnaissable entre mille, la hutte est vide.

– Hé ! s'exclame une voix d'homme provenant du seuil.

Je ne me retourne pas.

Elle était là. Dans cette ville. Dans cet ahéré.

Mais elle est partie.

– Dites donc, vous ne pouvez pas…

Une main agrippe mon épaule.

Une seconde plus tard, ce sont mes propres mains qui enserrent la gorge du type.

Lorsque je pointe ma lame sur son cœur, il laisse échapper un cri.

– Où est-elle ?

– Je ne sais pas de qui vous parlez, se lamente-t-il.

J'enfonce mon épée dans sa poitrine. Un mince filet de sang jaillit. Dans le clair de lune, ses larmes ont des reflets d'argent.

Cafard ! chuchote la fille à travers la voix de Kaea. *Tu ne seras jamais roi. Tu n'es même pas capable de m'attraper.*

Je resserre ma poigne autour du cou de l'homme.

– Où est-elle ?

CHAPITRE TRENTE-SIX

ZÉLIE

APRÈS AVOIR VOYAGÉ six jours dans ce désert infernal, la vue des forêts luxuriantes de la vallée du Gombe est franchement bienvenue. Les arbres de ce pays vallonné et plein de vie sont si gigantesques qu'un seul de leurs troncs pourrait remplir toute la surface d'un ahéré. Slalomant entre ces géants dont le feuillage laisse filtrer les rayons de la lune, nous nous dirigeons vers une rivière sinueuse. Son doux murmure caresse mes oreilles comme le ferait une chanson, ou comme des vagues venant se briser sur le rivage.

— C'est tellement apaisant ! s'exclame Amari.

— Oui, on se croirait presque à la maison.

Je ferme les yeux pour mieux écouter le clapotis qui m'emplit de ce calme que j'éprouvais, tôt le matin, quand j'allais relever les filets de pêche avec Baba. Loin des côtes, il me semblait alors que nous vivions dans notre propre monde. Ces moments étaient les seuls où je me sentais vraiment en sécurité. Là, au milieu de l'océan, même les gardes ne pouvaient nous atteindre.

À l'évocation de ce souvenir, tous mes muscles se relâchent. Des semaines que je ne me suis plus sentie si détendue. Tant que les arte-facts étaient éparpillés et qu'Inan était à nos trousses, chaque seconde me semblait volée, ou au mieux, empruntée. Non seulement nous n'avions pas ce qu'il nous fallait pour procéder au rite, mais les chances de mettre la main sur ces objets étaient bien plus minces que celles de nous faire tuer. À présent, le parchemin, la pierre de soleil et la dague en os sont à nous. Pour une fois, je me sens plus qu'à mon aise.

À six jours du centième solstice, j'ai enfin le sentiment que nous pouvons remporter la victoire.

– Vous croyez que cela les incitera à raconter des histoires ? demande Amari.

– Tu veux dire, à notre propos ?

– Y a intérêt, rétorque Tzain. Après tout ce qu'on a enduré pour leur rapporter leur magie, ce serait la moindre des choses.

– Voyons, comment débuterait ce conte ? poursuit Amari en mordillant sa lèvre inférieure. Et comment l'intituleraient-ils ? *Les Invocateurs de magie ? Les Restaurateurs de la magie et des artefacts sacrés ?*

– Non, ça sonne faux, dis-je en m'allongeant sur le dos duveteux de Nailah. Ça ne passera jamais la barrière du temps.

– Faisons plus simple, suggère Tzain. *La Princesse et le Pêcheur* ?

– Ça me fait penser à une histoire d'amour.

J'entends le sourire d'Amari dans sa voix. Je lève les yeux au ciel, persuadée que si je me redressais, je surprendrais un air tout aussi béat sur le visage de Tzain.

– Si vous tenez tant que cela à une histoire d'amour, autant l'appeler *La Princesse et le Champion d'agbön…*

Amari rougit et détourne vivement la tête.

– Oh, ce n'est pas… Je… je ne voulais pas insinuer…

Elle referme la bouche, incapable d'achever sa phrase.

Tzain me lance un regard désapprobateur, quoique dénué de malveillance. À la moindre taquinerie, tous les deux se referment comme des huîtres. Tandis que nous approchons du fleuve Gombe, je ne sais toujours pas si cela m'attendrit ou m'exaspère.

– Par les dieux !

Je me laisse glisser le long de la queue de Nailah et atterris sur les gros galets lisses qui bordent la berge boueuse. Le fleuve s'étend loin devant et creuse un sillon au cœur de la forêt et des troncs d'arbres massifs. Je m'agenouille et, me rappelant combien j'avais soif dans le désert, bois un peu d'eau dans mes mains. Dans cet air moite, l'eau glacée est un tel délice que je suis tentée d'y plonger tout mon visage.

– Zél, on n'a pas le temps, dit Tzain. Il y aura de l'eau, plus haut. Il faut encore avancer un peu.

– Je sais, je prends juste une gorgée. Nailah aussi a soif.

Je caresse sa corne et enfouis mon visage dans son encolure. Elle me rend mon câlin. Même elle détestait le désert. Depuis que nous l'avons quitté, elle est comme montée sur ressorts.

– D'accord, concède Tzain. Mais on ne traîne pas.

Il saute à terre et s'accroupit au bord de l'eau afin de remplir sa gourde. Je ne peux réprimer un sourire. L'occasion est trop belle pour la laisser filer.

– Oh, regarde, dis-je. Qu'est-ce que c'est ?

– Quoi…

Je me jette sur lui. Tzain bascule et tombe à l'eau. Quand il émerge, trempé et claquant des dents, Amari sursaute. Tzain croise mon regard, puis se fend d'un sourire diabolique.

– Toi, tu vas mourir.

– Si tu arrives à m'attraper !

Avant que j'aie le temps de déguerpir, Tzain bondit et agrippe ma jambe. Je crie tandis qu'il m'attire sous l'eau. Le froid me pique la peau comme les aiguilles à coudre de Mama Agba.

– Par les dieux ! je m'écrie tout en aspirant de l'air.

– Alors, ça en valait la peine ? demande Tzain, hilare.

– Et comment ! Depuis le temps que je n'avais plus eu l'occasion de te piéger…

Amari saute du dos de Nailah et secoue la tête en riant.

– Vous êtes parfaitement ridicules !

Le sourire de Tzain se fait malicieux.

– Amari, je te rappelle que nous faisons équipe. Ne devrais-tu pas, par solidarité, te ridiculiser, toi aussi ?

– Certainement pas.

Amari recule, mais elle n'a aucune chance. Tel un python des rivières d'Orïsha, Tzain surgit hors de l'eau. Amari ne court que sur quelques mètres que déjà il l'a plaquée au sol. Je souris en entendant ses éclats de rire. Elle avance toutes sortes d'excuses tandis que Tzain la hisse sur son dos.

– Je ne sais pas nager !

– Ce n'est pas si profond, riposte-t-il.

– Mais je suis une princesse !

– Et alors ? Les princesses ne se baignent jamais ?

– Attention, j'ai le parchemin sur moi !

Elle tire le rouleau de sa ceinture. C'est Tzain qui veille sur la dague d'os, et quant à moi je garde la pierre de soleil.

– Bien vu. (Tzain lui arrache le rouleau des mains et l'accroche à la selle de Nailah.) Votre Majesté, c'est l'heure du bain royal.

– Tzain, non !

Amari pousse un cri si perçant que les oiseaux, alarmés, s'envolent des arbres. Tzain et moi éclatons de rire quand, une fois dans l'eau, elle se met à mouliner frénétiquement des bras alors même qu'elle a pied.

– Je ne vois pas ce qu'il y a de drôle, dit-elle, grelottante et souriant malgré elle. Tu vas le payer cher !

Tzain s'incline.

– Essaie toujours…

Je sens un nouveau genre de sourire monter à mes lèvres, un sourire capable de me réchauffer quand je suis assise au bord de l'eau glacée. Cela fait si longtemps que je n'ai plus vu mon frère s'amuser. Même mouillée, Amari doit peser moins que la moitié de son poids, et pourtant, elle s'acharne à vouloir lui faire boire la tasse. Tzain se prête au jeu, la laisse croire qu'elle pourrait avoir le dessus et feint d'avoir mal en poussant des grands cris…

Soudain, la rivière disparaît.

Ainsi que les arbres. Ainsi que Nailah et Tzain.

Autour de moi, tout se met à vaciller tandis qu'une force familière m'emporte.

Lorsque l'environnement s'est stabilisé, des roseaux me chatouillent les pieds. Un air vif remplit mes poumons.

À peine ai-je conscience d'être dans le paysage onirique du prince que je suis violemment réexpédiée dans la vraie vie.

Je me tiens les côtes, le souffle court. L'eau froide de la rivière vient de nouveau lécher mes orteils. Bien que brève, cette vision était la plus puissante de toutes. Mon cœur frissonne quand je comprends enfin : Inan ne se trouve pas seulement dans mes rêves.

Il est là, tout près.

— On doit partir.

Tzain et Amari s'esclaffent toujours autant ; ils ne m'entendent pas. Tzain l'a de nouveau hissée sur son dos, menaçant de la jeter à l'eau.

— Arrêtez, dis-je en les éclaboussant du pied. Il faut vraiment y aller. On n'est pas en sécurité, ici !

— Comment ça ? glousse Amari.

— Inan, je m'écrie. Il est tout pr…

Ma voix s'étrangle. J'entends un bruit sourd, au loin.

Je ne parviens pas tout de suite à l'identifier, mais à mesure qu'il approche, je reconnais les pas d'un animal. Lorsqu'ils contournent la boucle de la rivière, je vois enfin ce que je redoutais tant : Inan fonce droit sur nous.

L'air féroce, il chevauche une panthéraire.

Nous nous hâtons pour sortir de l'eau mais le choc entrave mes mouvements. Cette eau qui il y a encore un instant nous ravissait est devenue un élément hostile, et Amari et Tzain doivent lutter contre le courant. Quels idiots ! Comment avons-nous pu être si imprudents ? J'enrage que ce soit précisément au moment où nous commencions à nous détendre qu'Inan ait fini par nous retrouver.

Mais comment a-t-il pu traverser le pont détruit à Chândomblé ? Comment a-t-il su se diriger ? Même s'il a réussi à retrouver notre piste à Ibeji, cela fait maintenant six nuits que nous avons quitté cet enfer.

Je cours vers Nailah et grimpe sur elle la première. Tzain et Amari ne tardent pas à s'installer derrière moi. Mais avant de donner un coup de rênes, je me retourne. *Quelque chose a dû m'échapper.*

Où sont passés les gardes qui l'accompagnaient ? La femme qui a tué Lekan ? Après avoir survécu à une attaque des sêntaros, Inan ne peut pas être reparti au combat sans renforts !

Mais en dépit de toute logique, nul garde n'apparaît à ses côtés. Le petit prince est désormais vulnérable. Seul.

Dans ces conditions, je peux le battre.

— Que fais-tu ? crie Tzain, me voyant tirer sur les rênes de Nailah pour l'immobiliser avant même de décoller.

— T'inquiète.

— Zélie, non !

Mais je ne fais toujours pas demi-tour.

Après avoir jeté mon sac par terre, je saute du dos de Nailah et m'accroupis. Inan arrête lui aussi sa monture et descend, l'épée tirée, prêt à faire couler le sang. Sa panthéraire s'éloigne en grognant, mais il ne semble même pas le remarquer. Son uniforme est maculé de taches écarlates, et ses yeux d'ambre sont pleins de désespoir. Il a maigri. La fatigue sourd de sa peau telle une brume de chaleur. Une lueur de folie traverse son regard.

Lutter contre ses pouvoirs l'a affaibli.

— Attends ! s'écrie Amari d'une voix tremblante.

Bien que Tzain tente de la retenir, elle se laisse glisser de la selle. Sans un bruit, ses pieds agiles se posent sur le sol et me dépassent, hésitants.

Sur son visage devenu blême, je vois la peur qui l'a tourmentée toute sa vie. Celle de la jeune fille qui, il y a quelques semaines, m'a accostée au marché. Celle de la princesse au dos balafré.

Mais tandis que je la regarde, je remarque un léger changement dans son allure. Quelque chose en elle s'est affirmé, comme sur le navire dans l'arène, elle est désormais dotée d'une assurance qui lui permet d'aller à la rencontre de son frère. Dans ses yeux, l'inquiétude a remplacé la terreur.

— Que s'est-il passé ?

Inan dirige la pointe de son épée vers la poitrine d'Amari. Tzain saute à terre, prêt à se battre, mais je le retiens par le bras.

– Laisse-la essayer.

– Hors de mon chemin ! tonne Inan.

Pourtant, sa main tremble.

Amari marque une pause, éclairée par la lune qui se reflète dans l'épée de son frère.

– Père n'est pas là, finit-elle par dire. Tu ne me feras aucun mal.

– Qu'en sais-tu ?

– Peut-être que toi, tu ne le sais pas. (Elle avale sa salive.) Moi, si.

Inan reste un long moment silencieux. Il est calme. Trop calme. La lune perce à travers les nuages, éclairant l'endroit où ils se tiennent. Amari fait un pas. Puis un autre, cette fois plus grand. Elle pose sa main sur la joue d'Inan, et les yeux de son frère s'embuent de larmes.

– Tu ne sembles pas comprendre, dit-il d'une voix mal assurée, la main toujours agrippée à son épée. Elle l'a détruite. Elle nous détruira *tous*.

Détruite ? De qui parle-t-il ? J'ignore si Amari le sait, mais cela ne semble pas la préoccuper. Lentement, elle dirige la pointe de son épée vers le sol, comme si elle voulait apprivoiser un animal sauvage.

Je remarque qu'elle et son frère se ressemblent peu : autant son visage à elle est rond, autant celui d'Inan, avec sa mâchoire carrée, est anguleux. Leur regard d'ambre et leur teint cuivré sont les seules caractéristiques qu'ils ont en commun.

– Ces paroles sont celles de Père, Inan. Ce sont ses décisions. Pas les tiennes. Nous sommes nos propres maîtres. Nous pouvons faire nos propres choix.

– Père a pourtant raison, insiste-t-il. Si nous n'arrêtons pas la magie, Orïsha s'effondrera.

Ses yeux se posent sur moi, et je resserre mon poing autour de mon bâton. *Essaie un peu !* ai-je envie de crier. J'en ai assez de cette vie de fugitive.

Sa main délicate posée sur la nuque d'Inan, Amari ramène le regard de son frère sur elle.

– L'avenir d'Orïsha, ce n'est plus Père. C'est nous. Nous sommes du bon côté, et tu peux nous rejoindre.

Inan contemple sa sœur. Pendant un bref instant, je ne sais plus qui il est. Le capitaine impitoyable ? le petit prince ? le maji brisé et terrorisé ? Dans ses yeux passe comme un désir, une envie de renoncer au combat. Mais lorsqu'il relève le menton, je retrouve le tueur.

– Amari… je m'écrie.

Inan la pousse sur le côté et bondit en avant, son épée pointée sur ma poitrine. Je me précipite devant Tzain en brandissant mon bâton. Amari a essayé.

Maintenant, c'est mon tour.

L'épée d'Inan et mon bâton de métal s'entrechoquent. Je reste à l'affût d'une occasion de contre-attaquer, mais maintenant que le vrai Inan s'est réveillé, il ne lâchera rien. Bien qu'il soit affaibli, ses coups sont féroces et pleins de haine à mon endroit. Il me hait pour ce que je sais. Mais tandis que je lui rends chacun de ses coups, ma propre colère monte. Il est le monstre qui a brûlé mon village, l'homme qui a causé la mort de Lekan. Il est à l'origine de tous nos problèmes.

Et je vais l'effacer de la surface de la terre.

– Très pratique, ce casque, dis-je en esquivant une attaque par une pirouette. La teinture ne parvient toujours pas à cacher cette mèche, petit prince ?

J'abats mon bâton sur son crâne. Je frappe pour tuer, pas juste pour blesser. J'en ai assez de me battre.

Assez de toujours l'avoir dans les pattes.

Il se penche pour éviter mon arme et, aussitôt, lance son épée en visant mon ventre. Je fais un pas de côté et contre-attaque. Une fois de plus, nos armes se heurtent dans un fracas métallique.

– Tu ne l'emporteras pas, je lui souffle, mon bras tremblant sous l'effort. M'éliminer ne changera rien à ce que tu es.

– Peu importe. (Inan bondit en arrière, se dégageant pour mieux frapper.) Si tu meurs, la magie mourra avec toi.

Il se jette sur moi et lève son épée en hurlant.

CHAPITRE TRENTE-SEPT

AMARI

MALGRÉ TOUTES CES ANNÉES passées à croiser le fer avec mon frère, aujourd'hui j'ai l'impression de voir combattre un étranger. Bien que plus lentes que d'habitude, ses frappes sont impitoyables, animées d'une rage que je ne comprends pas. Lui et Zélie se rendent coup pour coup, épée et bâton s'entrechoquent dans un cliquetis continu. Lorsque le combat les emmène au cœur de la forêt, Tzain et moi courons les rejoindre.

— Ça va ? me demande Tzain.

J'aimerais lui répondre par l'affirmative, mais voir Inan se battre me brise le cœur. Et dire qu'après tout ce temps, il pourrait enfin prendre la bonne décision.

— Ils vont finir par s'entre-tuer, je murmure.

— Non, c'est Zélie qui le tuera.

Je m'arrête un moment pour observer Zélie. Comme toujours, ses mouvements sont à la fois puissants et précis. Mais cette fois, elle ne veut pas seulement gagner, elle se bat pour tuer. Ignorant Tzain qui me supplie de me tenir à l'écart, je me précipite vers eux.

— Arrêtez ça tout de suite !

Emportés par leur élan, ils sont maintenant au bas d'une colline, tout au fond d'une vallée boisée. Je m'élance pour les rattraper, mais plus je m'approche, plus je me demande ce que je dois faire. Brandir mon épée, ou au contraire m'interposer sans arme ? Ils s'affrontent avec une telle hargne que de toute façon, rien ne semble pouvoir les arrêter, ni même les faire hésiter.

Mais quelque chose d'autre perturbe ma course. Il me semble qu'on m'observe à mon insu. C'est une sensation familière, aiguisée par toute une vie de rétention entre les murs du palais.

Comme elle devient de plus en plus envahissante, je m'arrête pour en chercher la cause. *Inan aurait-il demandé des renforts ?* Se battre seul ne lui ressemble pas. Si vraiment son armée approche, nous pourrions être plus vulnérables que prévu.

Les armoiries d'Orïsha n'apparaissent nulle part. En revanche, un bruissement de feuilles me fait lever la tête. Avant que j'aie le temps de brandir mon épée, un craquement semblable à un coup de fouet fend l'air…

Nailah s'écrase lourdement sur le sol en laissant échapper un gémissement : ses pattes et son museau sont enserrés par des bolas. Juste au moment où je me retourne, un filet lancé avec une adresse de braconnier exercé s'abat sur son corps massif et la capture. Bientôt, ses rugissements furieux se transforment en gémissements effrayés tandis qu'elle se débat en vain. Puis elle devient silencieuse. Cinq soldats émergent de la forêt et l'emmènent.

— Nailah !

Aussitôt, Tzain passe à l'action. Son couteau à la main, il s'élance à une vitesse impressionnante.

Soudain il s'écroule avec, lui aussi, des bolas autour des chevilles et des poignets. Son couteau de chasse glisse sur le sol et un filet se déploie dans les airs, puis retombe sur lui, l'emprisonnant comme un chat sauvage.

— Non !

Je m'élance après lui, l'épée à la main. Mon cœur bat à tout rompre. Je parviens à esquiver un bola qui vole à ma rencontre, mais lorsque les cinq ravisseurs de Nailah ressurgissent, je ne sais plus où me tourner. Masqués et vêtus en noir, ils se fondent parmi les ombres. Par intermittence, j'aperçois leurs regards. *Ce ne sont pas des gardes…*

Mais si ce ne sont pas les renforts venus secourir Inan, qui sont-ils ? Et pourquoi nous attaquent-ils ? Que cherchent-ils ?

Je taillade un premier assaillant, puis me baisse pour en éviter un second. Chaque attaque nous fait perdre un temps précieux, un temps dont Tzain et Nailah ne disposent pas.

– Tzain !

Je crie son nom quand d'autres hommes masqués surgis de l'obscurité l'emportent avec eux. De toutes ses forces, il se débat contre le filet, mais un brusque coup sur la tête le terrasse. Il s'effondre, inerte.

– Tzain !

Je lance mon épée vers un nouvel agresseur. Trop tard. L'homme masqué s'en empare et me désarme. Un autre individu recouvre mon visage d'un linge mouillé.

Une violente odeur acide me brûle. Ma vue s'obscurcit.

CHAPITRE TRENTE-HUIT

ZÉLIE

L'ÉCHO DES CRIS D'AMARI se répercute dans les arbres.

En plein combat, Inan et moi nous immobilisons, soudain tétanisés. À quelques mètres de nous, Amari est aux prises avec un homme masqué.

Tandis qu'elle se débat, un gant noir s'abat sur sa bouche. Ses yeux deviennent vitreux, puis se révulsent.

– Amari !

Inan s'élance à son recours. Je lui emboîte le pas. Mais la forêt est vide, et je ne vois plus Nailah.

Ni Tzain.

Je m'accroupis contre un tronc et observe les silhouettes des arbres qui emplissent la vallée. Au loin s'élève un nuage de poussière ; je vois un corps lourd et robuste pris dans un filet ; une main agrippée aux mailles qui soudain lâche prise. *Non…*

– Tzain !

Je me mets à courir.

Plus vite que je ne m'en pensais capable.

J'ai l'impression d'avoir six ans, quand je m'accrochais à Mama en secouant ses chaînes.

Je repousse ce souvenir et cours dans la nuit. Une chose pareille ne peut pas arriver. Pas à moi. Pas à Tzain.

Elle ne peut pas nous arriver encore.

– Tzain !

Je hurle à m'en casser la voix, mes pieds tremblent en foulant la poussière. Je dépasse Inan qui, lui, est à la poursuite d'Amari. Je peux le sauver…

– Non !

Des cordes se resserrent autour de mes chevilles, entraînant ma chute. Mon corps se retrouve piégé dans un filet. Je ne respire plus.

Je hurle et me débats comme une diablesse tandis qu'on me traîne à travers la forêt. Ils ont capturé Tzain. Ils ont capturé Amari.

Et maintenant, c'est moi qu'ils vont capturer.

Des pierres et des brindilles éraflent ma peau et me font lâcher mon bâton. J'aperçois la dague de Tzain à côté de moi, mais elle aussi m'échappe. La poussière me brûle les yeux. C'est fini. J'ai perdu…

Soudain la corde qui tirait mon filet se rompt.

Les deux silhouettes masquées qui me traînent tombent en avant. Mon corps roule puis s'immobilise. Aussitôt, Inan se jette sur eux, profitant de ce qu'ils sont à terre.

L'un des hommes s'enfuit et semble disparaître dans un trou béant creusé sous les racines d'un arbre. Le second ne réagit pas assez vite et Inan le frappe à la tempe avec la poignée de son épée. Ses genoux fléchissent.

Lorsqu'il tombe sur le sol, Inan se tourne vers moi et reprend son épée.

Ses yeux lancent des éclairs.

Mes doigts tremblent tandis que j'arrache la corde à mains nues pour m'en extirper. Inan s'approche, et la lune se reflète sur le blason d'Orïsha, symbolisant toutes les souffrances endurées sous l'œil de son léopardaire. Les bottes des gardes. Le sang et la poussière. La chaîne noire autour du cou de Mama.

Comment ils ont frappé Tzain.

Comment ils m'ont jetée à terre.

À chaque nouveau souvenir, tout en moi se comprime jusqu'à m'écraser les côtes. Mon souffle se suspend quand Inan s'accroupit et bloque mes bras entre ses genoux.

Et voilà, l'histoire se termine…

La lame d'Inan étincelle au-dessus de moi.

… exactement comme elle a commencé.

CHAPITRE TRENTE-NEUF

INAN

J'y suis presque.

Tandis que je marche vers la fille, cette pensée m'obsède. Ligotée par le filet, elle est enfin réduite à l'impuissance. Sans bâton. Sans magie.

Quand je l'aurai tuée, j'aurai accompli mon devoir. J'aurai mis Orïsha à l'abri de sa folie. Tous les péchés commis durant cette chasse seront oubliés. Et le seul être qui soit au courant de mon mauvais sort disparaîtra avec eux.

– Alors ?!

J'immobilise ses bras avec mes genoux, renforçant ma pression pour l'empêcher de se débattre. Je lève mon épée et, de l'autre main, j'appuie sur son sternum. Puis je positionne la lame pour la lui enfoncer dans le cœur.

Mais à l'instant où ma main touche sa poitrine, la magie se met à rugir sous ma peau. Avec une force irrépressible, son attaque est d'une violence sans précédent.

– Ah !

Le monde se consume dans un nuage bleu. J'ai beau lutter, je suis terrassé.

Mon mauvais sort me plaque au sol.

Ciels rouges.

Cris perçants.

Sang qui coule.

En un instant, tout le paysage intérieur de la fille défile sous mes yeux. Sa douleur me déchire la poitrine.

Une douleur plus vive que toutes celles que j'ai connues.

Tandis qu'elle escalade les sommets enneigés des montagnes d'Ibadan, je sens la roche froide sous mes pieds nus. L'odeur chaude du riz wolof m'enveloppe. Et quand les gardes défoncent la porte de sa maison à coups de pied, mon cœur s'arrête. Les gardes d'Orïsha.

Mes gardes.

À leur vue, je suffoque comme si un gorillon m'étranglait.

Mille scènes se déroulent sous mes yeux, mille crimes commis au nom du blason d'Orïsha.

Le léopardaire des neiges brille quand le poing d'acier du garde frappe la mâchoire de son père.

Il scintille lorsque la chaîne tachée de sang s'enroule autour du cou de sa mère.

Tout cela, je le vois. Le monde qu'a créé Père.

La souffrance qui lui a été infligée.

Mama !

Zélie crie. Un cri si déchirant qu'il n'est même plus humain.

Tzain la berce dans un coin de leur hutte. Il tente désespérément de la mettre à l'abri de la douleur du monde.

Tout cela défile à toute vitesse. Une seconde qui s'étire à l'infini.

Elle, se débattant pour courir vers sa mère.

Elle, se figeant quand elle arrive près de l'arbre.

Par le ciel.

L'horreur grille mes neurones. Maji attachés par des chaînes de majacite.

Ornements de la mort.

Pendus exhibés aux yeux de tous.

C'est une blessure qui dévaste mon cœur. Le jugement qui s'applique à chaque devîn cette nuit-là.

Dans l'Orïsha de Père, nul maji n'échappe à cette fin.

Tout mon être lutte pour repousser les souvenirs de Zélie. Son chagrin m'entraîne vers le fond comme un courant vengeur.

Dans un sursaut, je reviens à la réalité.

Mon épée est suspendue au-dessus de sa poitrine.

Maudit soit le ciel.

Ma main tremble. Ce moment où je dois la tuer reste suspendu entre nous. Pourtant, je ne peux me résoudre à frapper.

Comment le pourrais-je, à la vue de cette fille aussi terrorisée que brisée ?

Comme si pour la première fois, je voyais l'être humain derrière la maji.

Peur mêlée à la douleur. Tragédie causée au nom de Père.

Père…

La vérité, comme une liqueur amère qui me brûle la gorge.

Dans les souvenirs de Zélie, nulle trace des scélérats contre lesquels Père m'a toujours mis en garde.

Juste ces familles qu'il a décimées.

Le devoir avant tout. Sa devise résonne dans mes oreilles.

Mon père.

Son roi.

Cet oiseau de malheur.

Dans un sanglot, j'abats mon épée. Zélie tressaille.

Les cordes qui la ligotent tombent dans la poussière.

Elle ouvre les yeux et se recroqueville, attendant que je lui assène le coup fatal.

Mais rien n'advient.

Je ne serai pas cet énième représentant du blason d'Orïsha qui la fera souffrir.

Zélie reste bouche bée, en proie à une grande confusion. Des questions informulées restent suspendues à ses lèvres. Mais aussitôt, son visage se tourne vers la silhouette masquée couchée dans la poussière. Tout à coup, la capture de son frère lui revient à l'esprit.

– Tzain !

D'un bond, elle se relève et dans sa précipitation, manque de tré-bucher. Le nom de son frère résonne dans l'obscurité.

Mais comme personne ne lui répond, elle se laisse glisser sur le sol. Contre ma volonté, je m'effondre à ses côtés.

J'ai enfin découvert la vérité.

Mais je ne sais pas pour autant ce que je suis censé faire.

CHAPITRE QUARANTE

ZÉLIE

J'IGNORE COMBIEN DE TEMPS JE RESTE LÀ, allongée dans la poussière.

Dix minutes.

Dix jours.

Un froid inconnu infiltre mes os.

Le sentiment de solitude me fait frissonner.

Je ne comprends pas. Qui étaient ces hommes masqués ? Que cherchaient-ils ? Ils ont attaqué si soudainement ; on n'a rien pu faire pour les éviter.

Tu aurais dû continuer de courir...

Ce regret me laisse un goût amer dans la bouche. Même le plus rapide d'entre eux, Nailah l'aurait facilement distancé. Si nous nous étions enfuis sur son dos, jamais ces hommes n'auraient pu nous tendre cette embuscade. Amari et mon frère seraient en sécurité. Mais j'ai ignoré les mises en garde de Tzain, et c'est lui qui en a payé le prix.

C'est toujours Tzain qui paie à ma place.

Quand j'ai couru après les gardes qui ont emmené Mama, il a enduré leurs coups pour me ramener. Quand j'ai sauvé Amari à Lagos, il a dû renoncer à son foyer, à ses amis, à son passé. Et quand je décide d'affronter Inan, ce n'est pas moi, mais lui, qui se fait capturer. Tzain paie toujours pour mes erreurs.

Lève-toi, m'ordonne une voix dans ma tête. *Va à la recherche de Tzain et d'Amari et ramène-les. Maintenant.*

Quels qu'ils soient, ces hommes masqués ont commis une erreur fatale. Et je vais faire en sorte que ce soit la dernière.

Le corps en plomb, je me relève péniblement et me dirige vers Inan et le type masqué.

Inan est adossé contre un tronc d'arbre. Ses traits sont tirés, et il se tient toujours les côtes. Dès qu'il me voit, il porte la main à son épée mais ne m'attaque pas.

Le feu qu'il a convoqué pour me combattre est éteint. Ses cendres ont laissé des cernes noirs sous ses yeux. Il paraît plus petit qu'auparavant ; sous la peau exsangue, les os saillent.

Il est en train de lutter…

Autour de moi, l'air devient glacé. Il repousse sa magie.

Il s'affaiblit de nouveau.

Mais pourquoi ? Je le regarde, de plus en plus troublée. Pourquoi m'a-t-il libérée de ce filet ? Pourquoi ne lève-t-il plus son épée sur moi ?

Peu importe, résonne de nouveau la voix dans ma tête. Quelles que soient ses raisons, je suis vivante.

Si je tarde encore à lui porter secours, mon frère va peut-être mourir.

Je me détourne d'Inan et pose mon pied sur la poitrine de l'homme masqué. L'envie me prend de lui ôter son masque, mais ce sera plus facile si je ne vois pas son visage. Quand il m'a traînée à travers la forêt, il semblait être un géant. Mais à présent, son corps inerte paraît chétif et faible.

— Où sont-ils ? je demande.

L'homme bouge un peu, mais reste silencieux. Tant pis pour lui.

Il l'aura voulu.

Je ramasse mon bâton et frappe, fracassant les os de sa main. Son hurlement retentit dans la nuit.

— Réponds-moi ! je crie. Où sont-ils ?

— Je ne… ah !

Il crie de plus en plus fort, mais pas encore assez à mon goût. Je veux l'entendre pleurer. Je veux le voir saigner.

Je laisse tomber le bâton et tire le poignard de ma ceinture. *Le poignard de Tzain…*

Je le revois me le remettre avant d'entrer dans Lagos.

Au cas où, m'avait-il dit alors.

Au cas où je le mettrais en danger.

– Dis-moi ! (Mes yeux me brûlent.) Où est la fille ? Où est mon frère ? Où est ton *campement* ?

Le premier coup est intentionnel. Je lui entaille le bras, pour qu'il parle. Mais quand le sang se met à gicler, quelque chose en moi bascule, et je cède à une violence irrépressible.

Le deuxième coup tombe juste après. Le troisième, je ne le vois même plus partir. Les tréfonds les plus sombres de ma colère se libèrent ; je le frappe encore et encore, jusqu'à expurger toute ma souffrance.

– Où sont-ils ?

Je lui enfonce le poignard dans la main. Ma vue se trouble. Mama disparaît dans les ténèbres. Le corps ficelé de Tzain la suit.

– Réponds ! je crie en brandissant de nouveau le poignard. Où l'ont-ils emmené ? *Où est mon frère ?*

– Hé !

Une voix résonne au-dessus de moi, mais je l'entends à peine. Ils nous ont pris notre magie. Ils m'ont pris Mama. Mais Tzain, non, ils ne me le prendront pas.

– Je vais te tuer.

Cette fois, je vise la poitrine de l'homme masqué.

– Je vais te t…

– Non, Zélie, arrête !

CHAPITRE QUARANTE ET UN

INAN

Je saisis ses deux poignets juste à temps.

Elle se cabre tandis que je l'oblige à se mettre debout.

Au moment où nos peaux se touchent, ma magie se réveille, menaçant une fois de plus de m'engloutir dans ses souvenirs. Je serre les dents et m'efforce de repousser la bête en moi. Seuls les dieux savent ce qui se produirait si je me noyais une fois de plus dans sa tête.

— Lâche-moi, siffle-t-elle.

Sa voix. J'y entends toujours la même rage, la même férocité. Elle ignore complètement le fait qu'à présent, je connais ses souvenirs.

Qu'à présent, je la vois.

Je ne peux m'empêcher de la dévorer des yeux. Chacune de ses courbes, chacun de ses traits. La tache de naissance en croissant de lune sur sa nuque. Les étoiles blanches qui nagent dans les lacs argentés de ses yeux.

— Lâche-moi, répète Zélie d'un ton cette fois plus violent.

Elle tente de me donner un coup de genou, mais je parviens à l'esquiver.

— Attends.

J'essaie de la raisonner, mais après l'homme masqué, sa colère a trouvé un nouvel exutoire. Ses doigts se resserrent autour de son poignard primitif, et je sais qu'elle va attaquer.

Hé… Zél.

L'injonction détonne dans ma tête. Une voix rauque. Celle de son frère.

Tzain l'appelle Zél.

– Zél, arrête !

Dans ma bouche, ça sonne bizarre, mais Zélie se fige, stupéfaite de m'entendre l'appeler par son diminutif. Ses sourcils se froncent en une expression douloureuse, la même que lorsque les gardes ont emmené sa mère.

– Calme-toi. (Je relâche un peu ma poigne, comme une timide preuve de confiance.) Ne fais pas ça. Tu ruinerais notre seule chance de les retrouver.

Elle me regarde fixement. Des larmes suspendues à ses cils sombres roulent sur ses joues. Une nouvelle salve de souvenirs pénibles remonte à la surface. Je lutte pour les maintenir à distance.

– *Notre ?* demande-t-elle.

Venant de cette fille, ce mot semble encore plus étrange. Effectivement, nous ne sommes pas censés avoir quoi que ce soit en commun. Réflexion faite, cela me paraît à moi-même incongru.

Tue-la. Tue la magie.

Tout était si simple, avant. C'est ce que Père aurait voulu.

C'est ce qu'il a déjà fait.

Mais dans mon cœur, les maji pendus aux arbres sont comme une cicatrice.

Un crime parmi tous ceux, innombrables, dont Orïsha s'est rendu coupable.

En contemplant Zélie, j'ai enfin la réponse à cette question que je redoutais tant. Je suis incapable d'être comme Père.

Je ne serai pas ce genre de roi.

Je libère ses poignets et, ce faisant, me libère moi-même de bien d'autres choses. Des stratégies de Père. De sa vision d'Orïsha. De tout ce que je sais maintenant ne pas vouloir.

J'ai toujours accompli mon devoir envers mon royaume, mais désormais, je veux un Orïsha meilleur. Un Orïsha nouveau.

Un pays dans lequel un prince et un maji pourraient vivre ensemble. Un pays où même Zélie et moi pourrions dire *nous*.

Si je dois vraiment servir mon royaume, c'est cet Orïsha-là que je veux diriger.

— Oui, *notre*, je répète sur un ton que je voudrais confiant. Toi et moi avons besoin l'un de l'autre. Ils ont aussi emmené Amari.

Ses yeux me sondent. Ils sont remplis d'un espoir qu'elle s'efforce de combattre.

— Il y a dix minutes, tu pointais encore ton épée sur elle. Tout ce que tu veux, c'est le parchemin.

— Est-ce que tu le *vois*, ce parchemin ?

Zélie cherche des yeux l'endroit où elle a jeté son sac avant notre combat. Mais même lorsqu'elle l'a repéré, son visage reste sombre. Ils lui ont pris son frère. Sa monture, son alliée. Et le parchemin dont nous avons tous les deux besoin a disparu.

— Qu'importe que je recherche ma sœur ou ce parchemin, puisque ces hommes ont les deux. Désormais, nos intérêts convergent.

— Je n'ai pas besoin de toi. Je les retrouverai toute seule.

Mais tout en elle transpire la peur.

La peur de justement se retrouver seule.

— Sans moi, tu serais encore prisonnière de ce filet. Et ton seul espoir de trouver leur campement serait mort. Tu t'imagines vraiment pouvoir affronter ces hommes sans mon aide ?

J'attends qu'elle capitule, mais elle me foudroie du regard.

— Bon. Admettons que ton silence veuille dire non.

Elle jette un œil au poignard qu'elle tient dans sa main.

— Mais si tu me donnes la moindre raison de te tuer…

— C'est drôle que tu sois si sûre d'en être capable.

Nous nous faisons face, comme si nous étions encore en train de nous battre, croisant un bâton invisible contre une épée transparente. Mais lorsqu'elle finit par se trouver à court d'arguments, Zélie retourne auprès de l'homme masqué, toujours étendu dans la poussière et baignant dans son sang.

— D'accord, petit prince. On fait quoi maintenant ?

Ce surnom me fait frémir, mais j'essaie de ne pas en tenir compte. Le nouvel Orïsha ne peut plus attendre.

– Relève-le.

– Pourquoi ?

– Au nom du ciel, fais ce que je te dis !

Elle hausse un sourcil en signe de défiance, mais entreprend de remettre l'homme masqué sur ses pieds. Il bat un peu des paupières et gémit. Tandis que je m'approche, une chaleur insoutenable fait soudain crépiter l'air.

J'évalue les dégâts : les deux mains cassées, d'innombrables blessures et contusions… Cet homme n'est plus qu'une poupée de chiffon entre les mains de Zélie. Pourvu qu'il ne se vide pas de son sang.

– Écoute-moi bien. (Je relève son menton et l'oblige à me regarder dans les yeux.) Je te conseille de parler si tu ne veux pas mourir. Où sont-ils ?

CHAPITRE QUARANTE-DEUX

AMARI

IL Y A D'ABORD CETTE DOULEUR lancinante dans ma tête, si vive qu'elle me réveille. Puis vient le feu des mille et une coupures et éraflures qui constellent ma peau.

J'ouvre les yeux, mais l'obscurité persiste. Ma tête est recouverte d'un sac en toile de jute qui se colle à mon nez dès que j'inspire un peu trop fort, essayant vainement d'éviter l'hyperventilation.

Pourquoi font-ils ça ?

Je veux m'avancer, mais mes poignets sont attachés à une colonne. *Non, ce n'est pas une colonne.* Je me contorsionne pour explorer la surface rugueuse. *Un arbre…*

Nous sommes toujours dans la forêt.

Tzain ?

Je veux l'appeler, mais ma bouche est bâillonnée. La couenne de porc grillée du dîner me reste sur l'estomac.

Je tends l'oreille, à l'affût du moindre bruit – eau qui coule, présence d'autres prisonniers. Mais rien ne vient troubler le silence. Je n'ai plus qu'à puiser dans mes propres souvenirs pour trouver d'autres indices.

Bien que je ne voie rien, je ferme les yeux afin de me remémorer l'attaque surprise : Tzain et Nailah capturés dans des filets, la forte odeur acide, puis l'obscurité. Et toutes ces silhouettes masquées surgissant de l'ombre, rapides et silencieuses.

Nous avons tous été faits prisonniers.

Mais pourquoi ? Que cherchent-ils ? Si leur but était de nous détrousser, c'est chose faite. S'ils avaient voulu nous tuer, je ne respirerais plus. Leur attaque doit faire partie d'un plan plus vaste. Je finirai bien par le déchiffrer, je trouverai un moyen de m'évader.

– Elle est réveillée.

Une voix de femme. Je me raidis, immobile. Un bruissement, des pas qui s'approchent. Une odeur de sauge emplit mes narines.

– On devrait appeler Zu.

Cette fois, je décèle dans sa voix un accent traînant que j'ai déjà entendu dans la bouche de nobles originaires du Sud. Je visualise mentalement la carte d'Orïsha de Père. Hormis Ilorin, Warri est le seul grand village du Sud pourvu d'un palais. C'est forcément de là que venaient ces nobles.

– Zu attendra, lui répond une voix d'homme marquée du même accent.

Il est si près que je peux sentir la chaleur de son corps.

– Kwame, non !

Je sens une main saisir puis arracher le sac de ma tête. Le geste est si brutal que ma nuque se retrouve projetée vers l'avant. La lumière d'une lanterne réactive ce martèlement dans ma tête. Ma vision se trouble, mais je lutte contre la douleur pour examiner l'endroit où je me trouve.

Devant moi, il y a le visage d'un devîn dont les yeux sombres m'observent avec méfiance. Il porte une barbe épaisse. Tandis qu'il se rapproche, je remarque que son oreille droite est percée d'un petit anneau en argent. Malgré son air menaçant, il ne doit guère être plus âgé que Tzain.

Derrière lui se tient un autre devîn, une jolie fille à la peau sombre et aux yeux de chat. Ses longs cheveux blancs et bouclés dégringolent jusqu'au bas de ses reins et recouvrent ses bras croisés. Autour de nous, une vaste toile de tente tendue entre deux grands arbres.

– Kwame, les masques !

– On n'en a plus besoin, répond-il. (Je sens le souffle chaud de son haleine sur mon visage.) Pour une fois, c'est elle qui est en danger. Pas nous.

Derrière lui, quelqu'un est attaché à une grosse racine d'arbre, la tête emprisonnée dans un sac en toile. *Tzain.* Je laisse échapper un soupir, mais mon soulagement est de courte durée. Le haut du sac est taché de sang. Ses bras sont recouverts de plaies et d'hématomes. Le transport jusqu'ici a dû être rude.

— Tu veux lui parler, c'est ça ? me demande Kwame. Alors dis-moi d'abord où tu as volé ce parchemin.

Il agite l'objet sacré sous mes yeux. Mon sang se fige. *Ciel. Que nous a-t-il pris d'autre ?*

— Ton couteau te manque ? poursuit-il, comme s'il avait lu dans mes pensées. (Il tire la dague d'os de sa ceinture.) Nous ne pouvions tout de même pas laisser une telle arme entre les mains de ton amoureux.

D'un coup sec, Kwame tranche mon bâillon, m'éraflant la joue au passage.

— C'est ton unique chance, siffle-t-il entre ses dents. Je te déconseille de mentir.

— Je l'ai pris au palais royal, dis-je. Nous avons pour mission de ramener la magie. Ce sont les dieux qui m'ont confié cette tâche.

— Je vais chercher Zu… hasarde la fille qui se tient derrière lui.

— Attends, Folake, l'interrompt Kwame d'un ton cinglant. Il nous faut d'abord quelques réponses avant d'aller trouver Jailin.

Il se tourne de nouveau vers moi en plissant les yeux :

— Ainsi, un kosidàn et une noble seraient chargés de ramener la magie sans qu'aucun maji ne les accompagne ?

— Nous avons une…

Je m'interromps un instant afin de trier toutes les informations que contient cette simple question. Elle me téléporte à l'un de ces déjeuners au palais, lorsqu'il me fallait décrypter la vérité derrière les mensonges et les sourires hypocrites. Il nous croit seuls. Cela pourrait signifier que Zélie et Inan ont été emmenés ailleurs, mais aussi qu'ils n'ont pas été capturés. *Voire, qu'ils sont sains et saufs…*

Je ne sais pas si cette hypothèse est source d'espoir. Si Zélie et Inan sont toujours ensemble, ils devraient pouvoir nous retrouver. Mais il n'est pas impossible que l'un d'eux soit mort.

– À court de mensonges ? demande Kwame. Parfait. Plus d'autre choix que de nous dire la vérité. Comment nous avez-vous trouvés ? Combien êtes-vous ? Et qu'est-ce qu'une noble fabrique avec le parchemin ?

« Le » parchemin ?

J'enfonce mes ongles dans la poussière. *Mais bien sûr.* Comment n'ai-je pas remarqué ce détail ? Lorsque je lui ai expliqué que je voulais récupérer le rouleau pour ramener la magie, Kwame n'a pas cillé. Et tout devin qu'il est, le fait de le toucher n'a pas activé sa propre magie.

Ce n'est pas la première fois qu'il l'a entre les mains…

– Écoute…

– Non, coupe-t-il.

Il se dirige vers Tzain et lui arrache le sac de jute. Tzain est à peine conscient. Sa tête penche sur le côté. Quand Kwame dirige la dague d'os vers son cou, mon cœur s'affole.

– Je veux la vérité.

– Tout ce que je dis est vrai ! je m'écrie en tirant sur mes liens.

– Allons chercher Zu, insiste Folake.

Elle recule vers l'entrée de la tente, comme pour tenir l'horreur à distance.

– Il nous faut la vérité, s'énerve Kwame. Tu sais aussi bien que moi que cette fille ment !

– Ne lui faites pas de mal, je supplie.

– Je t'ai accordé une chance, dit Kwame, mâchoires serrées. Tout dépend de toi. Je ne laisserai pas de nouveau massacrer ma famille…

– Que se passe-t-il ?

Une jeune fille vient d'entrer dans la tente. Elle serre les poings. Son dashiki vert rehausse l'éclat de sa peau couleur de noix de coco. De longs cheveux blancs et vaporeux encadrent son visage tel un nuage. Elle ne doit pas avoir plus de treize ans ; pourtant, Kwame et Folake sont au garde-à-vous.

— Te voilà, Zu. J'ai insisté pour qu'on aille te chercher, s'empresse de préciser Folake.

— Je voulais qu'elle réponde d'abord à mes questions, poursuit Kwame. Mes éclaireurs les ont capturés près de la rivière, et ils avaient le parchemin.

Zu prend le rouleau des mains de Kwame. Lorsqu'elle voit les inscriptions à l'encre passée, ses yeux brun foncé s'écarquillent. La façon dont elle passe le pouce sur les symboles confirme mon intuition.

— Tu as déjà vu ce parchemin, n'est-ce pas ? dis-je.

La fille lève les yeux sur moi. Remarquant mes éraflures ainsi que l'entaille profonde sur le front de Tzain, elle s'efforce de garder une expression neutre, mais les commissures de ses lèvres se plissent.

— Vous auriez dû me réveiller.

— On n'a pas eu le temps, se justifie Kwame. Ils étaient déjà en route. Nous devions agir avant qu'il ne soit trop tard.

— Combien étaient-ils ?

— Il y en avait deux autres, dit Folake. Peut-être plus. Ils nous ont échappé. Et Jailin…

— Où est-il ?

Folake et Kwame échangent un regard coupable.

— Il n'est toujours pas revenu. On pense qu'il a été capturé.

Le visage de Zu s'assombrit. Le parchemin se froisse sous ses doigts.

— Et vous n'êtes pas partis à sa recherche ?

— Je te l'ai dit, on n'en a pas eu le temps et…

— C'était pourtant la seule chose à faire, tonne Zu. Personne ne doit rester derrière. Nous devons nous assurer de la sécurité de tous !

Tête baissée, Kwame croise les bras.

– Le parchemin m'a semblé prioritaire, Zu. D'autres gardes pourraient arriver, et il doit rester en notre possession. J'ai bien soupesé le risque.

– Nous ne sommes pas des gardes ! je m'écrie. Nous ne faisons pas partie de leur armée.

Zu me dévisage, puis s'avance vers Kwame.

– À te prendre pour le roi, tu nous as tous mis en danger.

Ses paroles sévères sont aussi empreintes de tristesse. Lorsqu'elle hausse ainsi les sourcils, elle paraît encore plus jeune.

– Rassemble tout le monde dans ma tente, ordonne-t-elle à Kwame avant de désigner Tzain du doigt. Folake, nettoie sa tête et bande-la. Ses blessures ne doivent surtout pas s'infecter.

– Et elle ? demande Folake, pointant le menton dans ma direction. On en fait quoi ?

– Rien. (Zu me lance de nouveau un regard indéchiffrable.) Elle reste là.

CHAPITRE QUARANTE-TROIS

INAN

AUTOUR DE NOUS, tout est silencieux.

Un silence lourd et épais, comme en suspens.

Seul le bruit de nos pas vient le troubler. Zélie et moi gravissons péniblement la plus haute colline de la forêt. Je m'étonne qu'avec leurs filets lestés, nos assaillants masqués n'aient pas laissé davantage de traces derrière eux. Et quand moi-même je trébuche sur un sentier, mes empreintes disparaissent aussitôt.

Zélie ouvre la marche.

– Par-là, dit-elle en avisant les arbres.

Suivant le conseil de l'homme masqué, qui s'est avéré être un jeune garçon, je cherche les troncs portant la mention d'une croix surmontée de deux croissants divergents. Selon lui, suivre ces symboles est la seule façon de trouver leur campement.

– En voilà un autre, s'exclame Zélie en pointant l'index vers la gauche.

Nous bifurquons. Zélie poursuit son ascension avec une détermination sans faille. Je la suis, m'efforçant de ne pas être à la traîne. Le guerrier inconscient pèse lourd sur mon épaule. Il entrave mon souffle. J'avais presque oublié combien le fait de repousser la magie rendait ma respiration douloureuse.

En me battant avec Zélie, j'ai dû lâcher prise. Il me fallait toute mon énergie pour garder le contrôle. À présent, je dois de nouveau me mobiliser entièrement contre l'afflux magique. Mais j'ai beau lutter, la menace de ressentir la souffrance de Zélie est toujours là. Une menace constante et croissante…

Mes pieds dérapent sur le sol. Dans un cri, j'enfonce mon talon dans la poussière pour ne pas dévaler la pente. Cette chute suffit à tout déclencher.

Tel un léopardaire bondissant hors de sa cage, ma magie se libère.

Aussitôt, l'essence de Zélie s'engouffre en moi comme un raz de marée. D'abord froide et coupante, puis tiède et douce. L'odeur de la mer m'envahit tandis que le clair ciel nocturne se reflète dans les vagues noires. Excursions au marché flottant avec Tzain. Heures passées sur une barque-noix de coco avec Baba.

Ces bribes de la vie de Zélie éclairent quelque chose en moi. Mais cette lueur reste fugace.

Très vite, je me noie dans les ténèbres de sa douleur.

Par le ciel ! Je repousse tout en bloc, elle et son fichu virus. Voilà, c'est passé. Je me sens plus léger, même si l'effort déployé me lacère toujours la poitrine. Quelque chose dans son essence réveille la magie, la fait surgir à la moindre occasion. Son esprit plane autour de moi, puis explose avec la force d'une mer déchaînée.

— Tu me ralentis, lance Zélie, déjà presque au sommet de la colline.

— Tu n'as qu'à le porter, toi ! Je serais ravi de le voir saigner sur ton dos plutôt que sur le mien…

— Peut-être qu'en cessant de refouler ta magie, tu retrouverais la force de le porter.

Peut-être que si tu refermais ton maudit esprit, je ne gaspillerais pas tant d'énergie à t'expulser du mien.

Mais je tiens ma langue. Tout dans son âme n'est pas si sombre. À ses souvenirs familiaux se mêle un amour farouche. Un sentiment qui m'est inconnu. Je repense à tous ces jours où je croisais le fer avec Amari, à toutes ces nuits où les colères de Père me faisaient trembler. Si Zélie avait ma magie, quels aspects de ma vie verrait-elle ?

Cette question me hante tandis que je serre les dents en abordant la dernière étape de notre ascension. Une fois parvenu au sommet, je dépose le prisonnier sur le sol pour m'avancer jusqu'au plateau de la colline. Le vent me gifle le visage et je meurs d'envie d'ôter mon casque.

Je lance un coup d'œil à Zélie ; elle connaît déjà mon secret. Depuis que cette saleté de mèche est apparue, c'est la première fois que je ne suis pas obligé de la cacher.

Je retire mon casque. Tout en savourant la fraîcheur de la brise sur ma tête, je m'approche du bord escarpé de la colline. Cela fait si longtemps que je n'ai plus eu l'occasion d'être tête nue sans avoir peur.

En bas, le clair de lune et les ombres se répandent sur les collines boisées de la vallée du Gombe. À cette altitude, un seul symbole se détache nettement sur cette terre plantée de séquoias géants. Contrairement aux arbres de la forêt dispersés au gré du hasard, ce bosquet forme un cercle géant. Depuis notre point d'observation avantageux, on peut distinguer la croix peinte en blanc sur le feuillage de quelques arbres.

— Il n'a pas menti, constate Zélie, étonnée.

— On ne lui a pas vraiment laissé le choix.

— Oui mais quand même, ajoute-t-elle en haussant les épaules, cela aurait été facile pour lui de nous baratiner.

Au milieu du cercle d'arbres se dresse un mur. Construit avec des matériaux rudimentaires tels que de la terre, des pierres et des branches, il s'élève pourtant plusieurs mètres au-dessus des troncs.

Devant lui se tiennent deux silhouettes armées d'épées qui surveillent ce qui doit vraisemblablement être l'entrée. À l'instar du jeune garçon que nous avons interrogé, ces guerriers sont masqués et entièrement vêtus de noir.

— Je ne comprends toujours pas qui ils sont, marmonne Zélie entre ses dents.

Je me pose la même question. Hormis leur localisation, la seule autre information que nous ayons pu soutirer du garçon est que ces gens cherchent les artefacts.

– Si tu ne l'avais pas torturé, peut-être nous aurait-il apporté d'autres réponses.

Zélie grogne.

– Si je n'avais pas fait ça, jamais nous n'aurions pu trouver cet endroit.

D'un pas résolu, elle entame sa descente vers le terrain arboré.

– Où vas-tu ?

– Chercher mon frère et ta sœur.

– Attends. (Je la rattrape par le bras.) On ne peut pas arriver comme ça.

– Je peux me charger de deux hommes.

– Ils sont bien plus nombreux, dis-je en désignant le portail de l'entrée et ses environs. (Zélie met un certain temps à bien distinguer les lieux. Les guerriers masqués sont si immobiles qu'ils se fondent dans l'obscurité.) Rien que de ce côté, il y en a au moins une trentaine. Sans compter les archers dissimulés dans les arbres.

Je pointe du doigt un pied qui pend d'une branche, seul signe de vie parmi le feuillage.

– Si ce groupe-là est aussi nombreux que celui qui combat au sol, on peut s'attendre à ce qu'il y en ait aussi une quinzaine dans les arbres.

– Nous attaquerons à l'aube, quand ils ne pourront plus se cacher, tranche Zélie.

– La lumière du jour ne changera rien à leur nombre. Et il y a fort à parier qu'ils sont tous aussi habiles que ceux qui ont capturé Amari et Tzain.

Zélie me regarde en fronçant les sourcils. Je m'en rends compte, moi aussi : dans ma bouche, le nom de son frère sonne d'une manière étrange.

Elle tourne les talons. Ses boucles blanches brillent au clair de lune. Alors qu'auparavant ils étaient raides, ses cheveux s'enroulent désormais en spirales serrées que le vent torsade encore davantage.

Me revient l'un de ses souvenirs d'enfance, quand elle était encore plus frisée qu'aujourd'hui. Je vois sa mère qui rit. Elle essaie de lui faire un chignon, mais comme sa fille ne tient pas en place, elle doit faire appel à des forces occultes pour qu'elle cesse enfin de se débattre.

— On fait quoi ? dit Zélie, m'arrachant à mes pensées.

Je me concentre de nouveau sur le mur. Le combat à mener balaie d'un coup les souvenirs de la mère de Zélie et de ses cheveux.

— À dos de léopardaire, Gombe n'est qu'à un jour d'ici. Si je pars tout de suite, je peux ramener deux gardes pour demain matin.

— Tu parles sérieusement ? (Zélie recule d'un pas.) Tu comptes vraiment faire venir des gardes ici ?

— Sans renfort, nous ne pourrons jamais y pénétrer. Je ne vois pas d'autre solution.

— Les gardes sont peut-être *ta* solution, dit-elle, enfonçant un doigt dans ma poitrine. Mais ce n'est pas la mienne.

— Ce garçon est un devîn, dis-je en désignant notre prisonnier. Qu'allons-nous faire s'ils sont plus nombreux, derrière ce mur ? Maintenant qu'ils ont le parchemin, qui sait ce que nous devrons affronter.

— Évidemment. Toujours ce parchemin. Excuse-moi, je suis vraiment idiote, je pensais qu'il s'agissait d'aller délivrer mon frère et ta sœur…

— Zélie…

— Change de stratégie. Si derrière ce mur il y a des devîns et que tu ramènes tes gardes, jamais nous ne délivrerons Tzain et Amari. Ils seront morts dès l'arrivée des soldats.

— C'est faux…

— Va chercher des gardes, et je leur raconterai ton petit secret. (Elle croise ses bras.) Et quand ils s'en prendront à nous, je m'assurerai qu'ils te tuent, toi aussi.

Mon estomac se retourne. Je recule d'un pas. L'épée de Kaea s'abat de nouveau sur mon esprit. La peur qui fait trembler sa main sur la poignée. La haine dans ses yeux.

Une étrange tristesse m'envahit tandis que je plonge une main dans ma poche pour la refermer sur le pion de senet. Je retiens tous les mots que je voudrais lui jeter à la face. Si seulement elle avait tort.

— Bon. Dans ce cas, que proposes-tu ? Je ne vois pas comment nous pourrons franchir ce mur sans l'aide de guerriers.

Zélie se tourne face au campement et enserre ses épaules de ses bras. Bien que l'air moite nous fasse transpirer, elle frissonne.

— Je trouverai un moyen d'entrer, finit-elle par dire. Et une fois à l'intérieur, on se séparera.

Sans qu'elle le dise, je sais qu'elle pense au parchemin. Lorsque nous serons là-dedans, la lutte pour le récupérer sera plus âpre que jamais.

— Et quelle stratégie as-tu à l'esprit ?

— Ça, ça ne te regarde pas.

— Si, puisque je remets ma vie entre tes mains.

Ses yeux se posent sur moi. Durs. Méfiants. Puis elle presse ses deux mains contre le sol. Une mélopée s'élève dans l'air.

— *Èmí àwọn tí ó ti sùn…*

Ses paroles font infléchir le sol selon sa volonté. Il se fissure. Il s'éboule. Il craque. Et finalement une silhouette faite de terre surgit, animée par la seule magie de ses mains.

— Par le ciel !

Comment a-t-elle appris à faire ça ? Mais elle ne prend pas la peine de me répondre et se tourne vers le campement.

— On appelle ça des animations, dit-elle. Elles obéissent à mes ordres.

— Combien peux-tu en créer ?

— Au moins huit, peut-être plus.

— Cela ne suffira pas, dis-je en secouant la tête.

— Elles sont très puissantes.

— Peut-être, mais il y aura trop de guerriers, là-bas. Il nous faut plus de renfort…

– Parfait. (Zélie s'accroupit sur ses talons.) Si nous passons à l'attaque dans la nuit de demain, je me débrouillerai pour en créer davantage.

Elle s'éloigne, puis marque une pause.

– Et un conseil, petit prince : si tu tiens à ta vie, ne la remets jamais entre mes mains.

CHAPITRE QUARANTE-QUATRE

ZÉLIE

LA SUEUR MOUILLE MON DASHIKI DÉCHIRÉ et dégoutte sur la paroi rocheuse. La centaine d'incantations que je viens de réciter fait encore trembler mes muscles, mais Inan ne me laisse aucun répit. Après notre escarmouche, il se relève et frotte sa poitrine nue pour se débarrasser de la terre sèche qui la recouvre. Bien que ma dernière animation lui ait laissé une marque rouge sur la joue, il reste campé sur sa position.

– Recommence.

– Bon sang, laisse-moi faire une pause, dis-je, hors d'haleine.

– On n'a pas le temps. Si tu n'as pas la force d'exécuter ton plan jusqu'au bout, nous devrons en imaginer un autre.

– Mon plan est parfait, je te l'ai prouvé, je marmonne. Mes animations seront bien assez fortes, pas besoin d'en créer autant…

– En bas, ils sont plus de cinquante, Zélie. Des hommes armés et prêts à en découdre. Si tu t'imagines que huit animations vont suffire…

– Elles seront largement suffisantes. Regarde-toi, dis-je en désignant l'hématome qui gonfle son arcade sourcilière et le sang qui tache la manche droite de son kaftan. Tu arrives à peine à venir à bout d'une seule. Qu'est-ce qui te fait croire qu'ils réussiront à les battre ?

– Ils sont *cinquante* ! s'écrie Inan. Et je suis très faible. Tu ne peux pas te fier à moi.

– Alors prouve-moi que j'ai tort, petit prince. (Je serre les poings, impatiente de voir encore couler son sang royal.) Montre-moi comme je suis faible, moi aussi. Montre-moi ce que tu as dans le ventre !

– Zélie…

– Ça suffit ! je rugis.

J'enfonce mes paumes dans la terre. Pour la première fois, mes voies spirituelles s'ouvrent sans incantation ; mon ashê coule à flots et, surgissant de terre à mon commandement muet, dix nouvelles animations prennent vie dans un grondement sourd. Les yeux d'Inan s'écarquillent lorsqu'elles foncent sur lui en dévalant la colline.

Juste avant de passer à l'assaut, il cligne des yeux, et une veine se met à battre dans son cou en même temps que tous les muscles de son corps athlétique se tendent. Telle une brise tiède, sa magie refait surface et diffuse sa chaleur autour de lui.

Il transperce aussitôt deux animations qui s'effondrent dans la poussière. Puis il fond comme la foudre sur les autres, qu'il esquive et attaque en même temps. *Par les dieux.* Je mords l'intérieur de mes joues. Il est plus rapide que n'importe quel garde.

Plus meurtrier qu'un prince ordinaire.

– *Èmí àwọn tí ó ti sùn…*

Je reprends mes incantations et fais apparaître trois nouvelles animations. J'espère que son afflux magique va finir par s'émousser et le ralentir, mais en quelques secondes dévastatrices, Inan a fait le vide autour de lui. La sueur dégouline de son front et le sol asséché se craquelle sous ses pieds.

Douze animations plus tard, il est toujours debout.

– Alors, satisfaite ?

Bien que très essoufflé, jamais il ne m'a semblé si vivant. La sueur fait briller ses muscles et son corps n'est plus du tout décharné. Lorsque dans un bruit sec il plante son épée dans le sol, son visage s'empourpre.

– Si à moi tout seul je peux en détruire douze, à ton avis, combien pourront-ils en affronter ?

J'appuie mes paumes sur la falaise, bien décidée à créer une animation qu'il ne pourra pas vaincre. Le sol gronde, mais mon ashê s'épuise. Je sens que je n'y arriverai pas. J'ai beau me concentrer de toutes mes forces, plus rien ne prend forme.

Je ne sais pas si mon désespoir se lit sur mon visage ou si Inan le ressent à travers sa magie. Il pince l'arête de son nez et réprime un grognement.

– Zélie…

Je le coupe aussitôt :

– Non.

Mes yeux se posent sur mon sac.

Grâce à la pierre de soleil, je pourrais faire apparaître plus d'animations qu'il n'en faudrait pour tuer cinquante hommes. Mais Inan ne sait pas que je l'ai. Et si ces types masqués recherchent les artefacts, ils voudront aussi faire main basse sur la pierre. Ma frustration a beau s'accroître, je sais que j'ai raison. J'ai certes de bonnes chances de retrouver le rouleau et la dague d'os, mais si la pierre venait à se retrouver entre les mains de mauvais maji, ces derniers deviendraient trop puissants pour que je puisse la récupérer.

À moins que je n'utilise la magie du sang…

Je contemple ma main ; autour du pouce, les marques de morsure commencent à cicatriser. Un sacrifice du sang serait largement suffisant, mais après ce qui s'est passé dans l'arène d'Ibeji, je me suis promis de ne plus jamais invoquer ce type de magie.

Inan me dévisage, et son air interrogateur ne fait que confirmer ma décision. Je n'aurai recours à aucun de ces deux moyens.

– Laisse-moi juste encore un peu de temps.

– Mais nous n'en avons plus ! (Inan se passe la main dans les cheveux ; sa mèche blanche semble plus épaisse que jamais.) Et tu es encore loin du compte. Si tu ne peux pas le faire, nous devrons recourir aux gardes.

Tandis qu'il inspire profondément, la chaleur que dégagent ses pouvoirs commence à se dissiper et son visage devient pâle. À mesure qu'il repousse sa magie, ses forces l'abandonnent.

Comme si la vie même était aspirée hors de son corps.

– Et puis pourquoi tout reposerait sur moi ? dis-je d'une voix étranglée. (Je ferme les yeux. Je le hais de me faire prendre conscience de ma propre faiblesse. Je le hais de s'affaiblir lui-même.) Si tu acceptais d'utiliser toi aussi ta magie, nous n'aurions pas besoin de gardes.

– Je ne peux pas.

– Tu ne peux pas, ou tu ne veux pas ?

– Ma magie n'est pas offensive.

– Tu en es sûr ? j'insiste. (Je repense aux histoires de Mama, aux images de Lekan représentant les Connecteurs.) N'as-tu jamais immobilisé personne ? jamais attaqué en envoyant un sort ?

Son visage est parcouru d'un léger tremblement que je ne sais pas interpréter. Il empoigne son épée et regarde ailleurs. L'air se refroidit tandis qu'il repousse encore sa magie au plus profond de lui.

– Au nom du ciel, Inan, sois un peu plus résolu. Si ta magie peut sauver Amari, pourquoi tu ne le fais pas ? (Je m'approche et m'efforce de mettre un peu de douceur dans ma voix.) Si tu acceptes, je ne parlerai pas de ton stupide secret…

– Non !

La force de sa détermination me fait bondir en arrière.

– La réponse est *non*. (Il avale sa salive.) Je ne peux pas. Jamais je ne referai une chose pareille. Écoute, je sais que tu te méfies des gardes, mais je suis leur prince. Je te promets qu'ils m'obéiront…

Je tourne les talons et me dirige à nouveau vers l'endroit où le versant de la colline fait une saillie.

– Zélie !

En l'entendant crier mon nom, je serre les dents et résiste à l'envie de le frapper avec mon bâton. Jamais je ne réussirai à sauver mon frère, ni à récupérer la dague et le parchemin. Je secoue tristement la tête, luttant pour contenir le tourbillon d'émotions qui m'assaille.

– Dis-moi, petit prince, je demande en me tournant vers lui. Qu'est-ce qui t'est le plus pénible ? Les sentiments qui te submergent quand tu utilises ta magie, ou la douleur physique quand tu la repousses ?

Inan a un mouvement de recul.

– Tu ne peux pas comprendre.

– Si si, je comprends très bien, dis-je en contemplant son visage d'assez près pour voir la barbe de trois jours qui recouvre ses joues. Tu préférerais laisser mourir ta sœur et voir Orïsha succomber sous les flammes plutôt que de révéler ton secret.

– Mais c'est justement en préservant ce secret que je protège Orïsha ! (Je sens que ses pouvoirs se réveillent, réchauffant soudain l'atmosphère.) La magie est la source de tous nos problèmes, la source de tous les malheurs d'Orïsha !

– La source des malheurs d'Orïsha, c'est ton père ! (La colère fait trembler ma voix.) C'est un tyran, et un lâche !

– Mon père est ton roi. (Il fait un pas vers moi.) Un roi qui s'efforce de protéger son peuple. Il a éradiqué la magie pour qu'Orïsha soit en sécurité.

– Ce monstre l'a fait pour pouvoir massacrer des milliers de personnes. Pour que des innocents restent à jamais sans défense !

Inan marque une pause. La température continue de monter. Son visage revêt une expression de culpabilité.

– Il a fait ce qu'il pensait être juste, reprend-il en détachant chaque mot. Mais s'il a eu raison de supprimer la magie, il a eu tort quant à l'oppression qui s'est ensuivie.

J'enfonce la main dans mes cheveux. Son aveuglement met le feu à mes joues. Comment peut-il *défendre* son père ? Comment peut-il ne pas voir la vérité en face ?

– La suppression de nos pouvoirs et notre oppression sont une seule et même chose, Inan. Sans nos pouvoirs, nous ne sommes plus que des cafards et la monarchie nous traite comme de la racaille !

– Ces pouvoirs ne sont pas la solution. Ils ne feraient que renforcer la guerre. Je comprends que tu n'aies aucune confiance en mon père, mais si tu pouvais apprendre à me faire confiance, à moi et à mes gardes…

– Faire *confiance* aux gardes ? (Je crie si fort que pas un seul guerrier caché dans cette fichue forêt ne peut ignorer ma voix.) Tu parles de ceux qui ont enroulé une chaîne autour du cou de ma mère ? Qui ont battu mon père presque à mort ? Qui me tripotent dès qu'ils en ont l'occasion, en attendant de pouvoir me violer quand ils m'auront envoyée à la Réserve ?

Inan ouvre de grands yeux, mais il insiste :

– Les gardes que je connais sont bons. Ils assurent la sécurité de Lagos…

– Par les dieux, je ne peux pas entendre ça, dis-je en m'éloignant. Quelle idiote je suis d'avoir cru qu'on pourrait faire équipe.

– Hé, je te parle.

– Assez parlé, petit prince. Tu ne comprendras jamais rien, c'est évident.

– Je pourrais en dire autant ! (Il me poursuit à grands pas.) Tu n'as pas besoin de magie pour réparer les choses.

– Fous-moi la paix…

– Si tu savais seulement d'où je viens…

– Va-t-en, je te dis.

– Tu n'as pas besoin d'avoir peur…

– J'ai *toujours* peur !

Je ne sais pas si c'est la puissance de ma voix ou les mots eux-mêmes qui me choquent le plus.

Peur.

J'ai toujours eu peur.

C'est une vérité que je refoule depuis des années, un fait que je me suis efforcée de surmonter. Parce que sous son emprise, je suis comme paralysée.

Je ne peux plus respirer.

Je ne peux plus parler.

Tout à coup, je m'effondre sur le sol en pressant ma main contre ma bouche pour réprimer des sanglots. Qu'importe si je suis forte ou si j'ai des pouvoirs magiques surpuissants. Toujours, ils me haïront.

Toujours, j'aurai peur.

– Zélie…

– Non, dis-je en sentant monter les larmes. Tais-toi. Tu crois savoir ce que j'éprouve, mais tu ne sais rien. Tu ne sauras jamais.

– Alors aide-moi. (Tout en gardant une certaine distance, Inan s'agenouille à mes côtés.) Je t'en prie. Je veux comprendre.

– Tu ne peux pas. Ce monde a été bâti pour toi, par amour pour toi. Personne ne t'a jamais insulté dans la rue, n'a jamais enfoncé la porte de ta maison. Personne n'a traîné ta mère par le cou pour la pendre à un arbre.

Maintenant que les vannes sont ouvertes, je ne peux plus m'arrêter. Ma poitrine est gonflée de sanglots. Mes doigts tremblent.

J'ai peur.

C'est une réalité plus tranchante que le plus aiguisé des couteaux.

Et quoi que je fasse, je sais que cette peur ne me quittera jamais.

CHAPITRE QUARANTE-CINQ

INAN

LA DOULEUR DE ZÉLIE se déverse telle la pluie.

Elle se diffuse sous ma peau.

Ses sanglots soulèvent ma poitrine. Son angoisse me laboure le cœur.

Et pendant tout ce temps, j'éprouve la pire terreur de ma vie.

Elle disloque mon âme.

Elle anéantit tout désir de vivre.

Je ne peux pas croire qu'elle vive dans un tel monde.

Je ne peux pas croire que Père l'ait voulu ainsi. Mais plus sa souffrance m'étreint la gorge, plus je réalise à quel point sa peur est omniprésente.

— Si tes gardes étaient là, tout serait toujours aussi délabré et sans espoir. Leur tyrannie nous empêche de vivre. Il n'y a qu'en retrouvant nos pouvoirs que nous serons sauvés.

À peine Zélie a-t-elle prononcé ces paroles que ses pleurs cessent. Comme si soudain, elle se souvenait d'une vérité plus profonde, d'un moyen d'échapper à la souffrance.

— Tes gardes ne sont qu'une bande d'assassins, de violeurs et de voleurs. Ce ne sont que des criminels en uniforme.

Elle se relève et essuie ses larmes.

— Tu peux toujours te bercer d'illusions, petit prince, mais ne feins pas l'innocence avec moi. Ton père devra répondre de ses crimes. Et je ne laisserai pas ton aveuglement étouffer mon chagrin.

Sur ce, elle disparaît en courant. Le bruit feutré de ses pas se fond dans le silence.

Je comprends alors à quel point j'avais tort.

J'ai beau être dans sa tête, jamais je ne pourrai mesurer l'étendue de sa souffrance.

CHAPITRE QUARANTE-SIX

AMARI

Au palais, il y avait une pièce dans laquelle chaque jour, à midi et demi, Père allait s'enfermer.

Il se levait de son trône et traversait l'entrée principale, escorté de l'amiral Ebele à sa droite, et de la commandante Kaea à sa gauche.

Avant le Raid, la curiosité me poussait souvent à m'élancer derrière eux sur mes petites jambes et à les regarder s'engouffrer dans les escaliers en marbre froid. Un jour, j'ai décidé de les suivre.

J'étais si petite que je devais m'agripper à la rampe d'albâtre pour descendre, marche après marche. J'imaginais une salle remplie de gâteaux de haricots, de tartes au citron et de jouets flambant neufs qui n'attendaient que moi. Mais lorsque je me suis approchée du souterrain, aucune bonne odeur d'agrumes ni de sucre n'est venue effleurer mes narines, et je n'entendais ni rires ni manifestations de joie. De cette cave glacée ne s'échappaient que des hurlements.

Les hurlements d'un jeune garçon.

Puis j'ai entendu un claquement sonore – le poing de Kaea s'abattant sur le visage d'un jeune serviteur. À chaque coup, les bagues qu'elle portait aux doigts entaillaient la peau du garçon.

En le voyant ensanglanté, j'ai dû pousser un cri, parce qu'ils se sont tous retournés pour me regarder. Je ne connaissais pas le nom de ce domestique. Tout ce que je savais, c'était qu'il faisait mon lit.

Père m'a soulevée dans ses bras et, sans même m'accorder un regard, m'a emmenée hors de la pièce.

« Les prisons ne sont pas un endroit pour une princesse », m'a-t-il dit.

Un autre claquement a retenti.

Tandis que le soleil disparaît à l'horizon et que cette longue journée se fond dans la nuit, je repense aux paroles de Père. Je me demande ce qu'il dirait s'il me voyait, maintenant. Peut-être qu'il me passerait lui-même la corde autour du cou.

Ignorant la tension dans mes épaules, je me contorsionne et tire sur les liens qui enserrent et blessent mes poignets. Après avoir passé la journée à les frotter contre l'écorce de l'arbre, ils commencent à s'effilocher, mais je dois encore les user un peu pour pouvoir m'en libérer.

Des gouttes de sueur perlent au-dessus de mes lèvres.

– Ciel, je soupire.

Pour la dixième fois, je fouille la tente du regard dans l'espoir de trouver un objet plus coupant. Mais hormis Tzain, il n'y a rien d'autre que de la poussière.

La seule fois où j'ai pu jeter un œil à l'extérieur, c'est quand Folake est venue nous apporter de l'eau. Derrière le rabat de la tente, j'ai entraperçu le regard noir de Kwame. La dague d'os était toujours entre ses mains.

Je frissonne et ferme les yeux, m'obligeant à inspirer profondément. Je n'arrive plus à me sortir de la tête cette image de la dague pointée sur le cou de Tzain. Si je n'entendais pas le faible sifflement de sa respiration, rien ne m'indiquerait qu'il est encore en vie. Quand Folake a nettoyé et bandé sa plaie, il n'a même pas remué.

Il faut absolument que je le sorte d'ici avant leur retour, que je trouve un moyen de le sauver, lui, mais aussi la dague et le parchemin. Une journée entière a déjà passé. Plus que cinq jours avant le centenaire du solstice.

Le rabat de la tente s'ouvre ; je me fige. Zu est enfin de retour. Elle porte un joli kaftan noir aux ourlets ornés de broderies vertes et jaunes. Ses cheveux sont tirés en arrière, et une mèche de cheveux blancs lui barre le front.

– Qui es-tu ? je demande. Qu'est-ce que tu cherches ?

Elle me regarde à peine et va s'agenouiller auprès de Tzain.

– S'il te plaît ! (Mon cœur se met à cogner contre ma poitrine.) Il est innocent. Ne lui fais pas de mal.

Zu ferme les yeux et pose ses mains sur la tête bandée de Tzain. Une douce lueur orange jaillit de ses paumes. Je retiens mon souffle. D'abord faible, elle brille de plus en plus fort et diffuse sa chaleur dans la tente. La lumière grandit jusqu'à envelopper la tête de Tzain.

La magie…

Je suis aussi stupéfaite que le jour où j'ai vu de la lumière s'échapper des mains de Binta. La magie de Zu est tout aussi belle, et contredit toutes les horreurs auxquelles Père a voulu me faire croire. Mais comment s'y prend-elle ? Comment peut-elle, si jeune, à ce point maîtriser sa magie ? Où a-t-elle appris l'incantation qu'elle est en train de murmurer ?

– Qu'est-ce que tu lui fais ?

Pour toute réponse, Zu serre les dents et grimace. Des gouttes de sueur apparaissent sur ses tempes, et la moindre vibration fait trembler sa main. Soudain, la peau de Tzain s'illumine et ses blessures disparaissent.

– Ciel !

Mes muscles se détendent. Tzain émet un grognement, le tout premier son qui sort de sa bouche depuis notre enlèvement. Bien que toujours inconscient, il remue faiblement ses poignets, comme pour se libérer de la corde.

– Tu es une Guérisseuse ? je demande.

Zu pose ses yeux sur moi, mais ne semble pas me voir. On dirait qu'elle aimerait guérir d'autres blessures, comme si le pouvoir de soigner ne faisait pas seulement partie de sa magie, mais qu'il répondait aussi à une nécessité du cœur.

– S'il te plaît. Nous ne sommes pas vos ennemis.

– Pourtant vous avez notre parchemin ?

Comment ça, *notre* parchemin ? Le fait qu'elle-même, Kwame et Folake soient tous les trois des maji n'est pas une coïncidence. Il y en a forcément d'autres en dehors de cette tente.

— Nous ne sommes pas seuls. La fille que Kwame n'a pas pu capturer est une maji, une puissante Faucheuse. Nous sommes allés à Chândomblé et un sêntaro nous a révélé les secrets de ce parchemin…

— Tu mens, dit Zu en croisant les bras. Une kosidàn comme toi n'aurait jamais pu rencontrer un sêntaro. Dis-moi qui tu es vraiment. Où sont les gardes ?

— C'est pourtant la vérité. (Mes épaules s'affaissent.) Et j'ai dit exactement la même chose à Kwame. Si aucun de vous deux ne veut me croire, je ne peux rien faire de plus.

Zu pousse un soupir et sort le parchemin de son kaftan. Tandis qu'elle le déroule, la dureté de son expression s'évanouit et une vague de tristesse la submerge.

— La dernière fois que j'ai vu ce rouleau, j'étais recroquevillée au fond d'un bateau de pêche. Des gardes royaux m'ont obligée à les regarder tuer ma sœur.

Ciel…

Dans la voix de Zu, je décèle ce même accent du sud d'Orïsha. Je comprends : elle devait être à Warri quand Kaea a repris le parchemin. Kaea pensait avoir tué tous les nouveaux maji, mais Zu, Kwame et Folake ont trouvé le moyen de lui échapper.

— Je suis désolée, je murmure. Je n'imagine même pas combien cela a dû être horrible.

Zu reste longtemps silencieuse. La lassitude qui soudain l'accable la vieillit de plusieurs années.

— J'étais encore un bébé au moment du Raid. Je ne me rappelle même plus à quoi ressemblaient mes parents. Le seul souvenir que j'en ai gardé, c'est la peur. (Zu se penche vers le sol et arrache machinalement quelques brins d'herbe à ses pieds.) Je me suis longtemps demandé comment on pouvait continuer à vivre après avoir vécu des choses si atroces. À présent, je sais.

Pendant un instant, je revois le visage de Binta, son sourire radieux, les lumières éblouissantes qui s'échappaient de ses mains.

Jusqu'à ce qu'il soit noyé par le rouge de son sang.

— Tu es une noble, dit Zu en se relevant. (Elle s'avance vers moi, un feu nouveau allume son regard.) Je le sens. Je ne vous laisserai pas nous exterminer.

— Je suis de votre côté, je réponds en secouant la tête. Relâche-moi, et je te le prouverai. Le parchemin peut faire bien davantage que de réactiver la magie des maji qui le touchent. Il existe un rite qui permet de rendre la magie à tout le pays.

— Je comprends pourquoi Kwame se méfie autant, dit Zu en reculant. Il est convaincu que tu as été envoyée pour nous espionner. Et tes mensonges plutôt habiles me laissent croire qu'il a raison.

— Zu, je t'en prie…

— Kwame.

Sa voix se brise en le voyant entrer. Elle agrippe le col de son kaftan.

D'un air menaçant, Kwame passe ses doigts sur la lame de la dague d'os.

— C'est l'heure ?

Zu acquiesce. Son menton tremble. Elle ferme les yeux.

— Pardon, murmure-t-elle. Mais nous devons nous protéger.

— Va-t'en, lui ordonne Kwame. Tu n'as pas besoin de voir ça.

Zu essuie ses larmes et me lance un dernier regard avant de quitter la tente. Lorsqu'elle est partie, Kwame entre dans mon champ de vision.

— J'espère que tu es prête à dire toute la vérité.

CHAPITRE QUARANTE-SEPT

INAN

— Zélie !

Je crie son nom, même si je doute qu'elle me réponde. Vu la manière dont elle m'a fui, je me demande si je la retrouverai un jour.

Le soleil commence à décliner derrière les collines. Adossé à un arbre, j'essaie de reprendre mon souffle en observant les ombres qui tournent et s'allongent autour de moi.

— Zélie, s'il te plaît ! je m'écrie entre deux halètements, agrippant l'écorce quand la douleur me déchire le cœur.

Depuis notre dispute, ma magie se venge et me brûle. Le simple fait de respirer suscite de vives douleurs dans ma poitrine.

— Zélie, je regrette tellement.

Mes excuses résonnent à travers la forêt. Mais elles sonnent creux, je ne sais même pas ce que je regrette. De ne pas la comprendre, ou d'être le fils de Père ? Rien ne pourra jamais réparer tout ce qu'il a fait.

— Un nouvel Orïsha, je marmonne.

Prononcés à voix haute, ces mots semblent encore plus ridicules. Comment puis-je prétendre réparer quoi que ce soit alors que je suis inextricablement lié à ce problème ?

Par le ciel.

Zélie m'a mis la tête à l'envers. Sa seule présence détricote tout ce que l'on m'a appris à penser, tout ce dont j'ai besoin pour agir.

La nuit tombe, et nous n'avons toujours pas défini de stratégie. Sans ses animations, nous devrons tout laisser aux hommes masqués : Tzain, Amari, le parchemin…

Une douleur fulgurante poignarde soudain mon abdomen. Je me cramponne au tronc d'un arbre pour ne pas basculer. Tel un léopardaire sauvage, ma magie refait surface à coups de griffes.

Mama !

Je ferme les yeux. Les cris de Zélie résonnent dans ma tête, des cris déchirants qu'aucun enfant ne devrait jamais avoir poussés.

Pour que la magie disparaisse vraiment, pas un seul maji ne devait survivre. Tant qu'ils goûteraient à ce pouvoir, ils continueraient à se battre pour se le réapproprier.

Le visage de Père s'invite dans ma tête. Sa voix posée. Ses yeux vides.

J'ai cru à ses paroles.

Malgré la peur qu'elles m'inspiraient, j'admirais sa fermeté inébranlable.

— Crie plus fort, tant que tu y es.

J'ouvre les yeux ; je ne saurais expliquer pourquoi, mais le fait est qu'en présence de Zélie, ma magie se calme.

— Vu ta discrétion, je m'étonne qu'ils ne t'aient pas déjà capturé.

Zélie s'avance et, ce faisant, atténue encore ma magie. Son esprit m'enveloppe comme une fraîche brise marine. Je me laisse glisser sur le sol.

— Je n'y peux rien si ça fait si mal, dis-je entre mes dents.

— Ce serait moins douloureux si tu lâchais enfin prise. C'est justement parce que tu la repousses que ta magie t'attaque.

Son visage reste dur, mais à ma plus grande surprise, je décèle dans sa voix un soupçon de pitié. Elle sort de l'ombre et s'appuie contre un arbre. Ses yeux d'argent sont encore rouges et gonflés d'avoir pleuré.

Devoir revivre ses souffrances passées n'est rien. Elles ne m'assaillent que par moments, alors qu'elle les a endurées toute sa vie.

— Dois-je comprendre que tu te battras à mes côtés ? je demande.

Zélie croise ses bras.

– Je n'ai pas le choix. Tzain et Amari sont toujours prisonniers. Je ne peux pas les délivrer toute seule.

– Et les animations ?

Elle sort alors de son sac un globe lumineux, et aussitôt d'anciennes conversations avec Kaea me reviennent à l'esprit. À la manière dont ces rayons orange et rouges pulsent sous le cristal, je devine que cet objet est la pierre de soleil.

– S'ils recherchent le parchemin et la dague, ils voudront aussi ça.

– Et tu l'as tout le temps eue avec toi ?

– Je ne voulais pas prendre le risque de la perdre, mais elle m'aidera à créer autant d'animations que nécessaire.

J'acquiesce. Pour une fois, son plan est sûr. Avec la pierre, nous devrions nous en sortir, mais là n'est pas la question.

Tes gardes ne sont qu'une bande d'assassins, de violeurs et de voleurs. Ce ne sont que des criminels en uniforme.

Ses paroles me reviennent à l'esprit, mais elles ne font plus écho au bruit de son bâton et de mon épée qui s'entrechoquent.

Après tout ce qui s'est passé, nous ne pouvons plus reculer. L'un de nous doit baisser les armes.

– Tu m'as demandé ce qui était le plus pénible, dis-je en m'arrachant ces mots de la bouche : le fait de recourir à ma magie, ou de la repousser. Eh bien je ne peux répondre à cette question. (Je serre le pion de senet à m'en blesser la paume.) Les deux me font horreur.

Les larmes qui se pressent derrière mes paupières me brûlent. Je m'éclaircis la gorge, essayant désespérément de les retenir. Si Père me voyait, son poing s'abattrait déjà sur mon visage.

– Je hais ma magie, dis-je à voix basse. Je n'ai que mépris pour la façon dont elle m'empoisonne. Et ce que je hais par-dessus tout, c'est la piètre opinion qu'elle me donne de moi-même.

Relever la tête et croiser les yeux de Zélie est presque au-dessus de mes forces. Soutenir son regard me fait mourir de honte.

J'ai dû appuyer sur une corde sensible, car ses yeux s'emplissent encore de larmes. Son âme aux effluves de sel marin semble s'échapper mais, pour la première fois, je voudrais la retenir.

— Ta magie n'est pas un poison, dit-elle d'une voix tremblante. C'est toi qui t'empoisonnes en voulant la repousser et en promenant partout avec toi ce jouet pathétique. (Elle m'arrache le pion de senet des mains et le brandit sous mes yeux.) Il est en majacite, espèce d'imbécile ! C'est un miracle que tous tes doigts ne soient pas déjà tombés.

Je contemple le pion terni dont la rouille a effacé la couleur. J'ai toujours pensé qu'à l'origine, il était peint en noir. Alors durant tout ce temps, j'ai tripoté du majacite ?

Je le lui reprends des mains et le soupèse doucement, ressentant sa piqûre sur ma peau. Et moi qui pensais que je le serrais juste trop fort.

Mais bien sûr…

Ma méprise me fait presque rire. Je repense au jour où Père me l'a *offert*.

Avant le Raid, nous jouions au senet chaque semaine. Durant cette heure qu'il me consacrait, Père devenait bien plus qu'un roi. Chaque pièce, chaque coup était une leçon, un enseignement visant à me préparer à mes futures fonctions.

Mais après le Raid, il n'y avait plus de temps pour jouer, plus de temps pour moi. Un jour, j'ai commis l'erreur d'apporter le jeu dans la salle du trône, et Père m'a jeté les pions à la figure.

Laisse, avait-il aboyé quand je m'étais baissé pour les ramasser. *C'est aux domestiques de faire cela. Pas à un futur roi.*

Ce pion est la seule pièce que j'aie pu sauver.

Une nouvelle vague de honte me submerge.

Le seul cadeau qu'il m'ait fait. Imprégné de haine.

— Ce pion appartenait à mon père, dis-je calmement.

Une arme secrète empruntée à ceux qui méprisaient la magie, et conçue pour tuer les gens comme moi.

— Tu l'agrippes comme un enfant sa couverture, fait remarquer Zélie en soupirant. Tu te bats pour un homme qui te détestera toujours pour ce que tu incarnes.

Comme ses cheveux, son regard d'argent brille dans le clair de lune ; le regard le plus perçant qui m'ait jamais traversé. Je la regarde fixement.

Je la regarde, alors que j'aurais des choses à dire.

Je laisse tomber le pion dans la poussière et le repousse du pied. Je dois tracer une ligne dans le sable. J'ai été un mouton, un mouton quand mon royaume exigeait que je me comporte en roi.

Le devoir avant soi-même.

Le credo s'effrite sous mes yeux, emportant avec lui tous les mensonges de Père. La magie est peut-être dangereuse, mais ce qui a été commis pour l'éradiquer n'a pas rendu la monarchie meilleure.

— Je sais qu'il t'est impossible de me faire confiance, mais accorde-moi une dernière chance de faire mes preuves. Je vais réussir à nous introduire dans ce campement, et je ramènerai ton frère.

Zélie se mordille la lèvre.

— Et une fois que nous aurons retrouvé le parchemin ?

J'ai un instant d'hésitation. Le visage de Père m'apparaît. *Si nous n'éradiquons pas la magie, tout Orïsha sera voué aux flammes.*

Mais les seuls incendies que j'ai vus ont été allumés de sa main. De sa main et de la mienne. Je lui ai consacré toute ma vie.

— Il sera à toi, dis-je. Quoique Amari et toi décidiez, je me plierai à votre volonté.

Je lui tends ma main. Elle la regarde. Je ne sais pas si mes paroles l'ont convaincue. Mais après un long moment, elle place sa paume dans la mienne. À son contact, une chaleur étrange m'envahit.

À ma plus grande surprise, ses mains sont calleuses. Peut-être est-ce d'avoir trop manié le bâton.

Lorsque nous nous lâchons, nous évitons de nous regarder dans les yeux. Au lieu de quoi, nous contemplons le ciel étoilé.

– Alors on fait comme on a dit ? demande-t-elle.

J'acquiesce.

– Je vais te montrer quel genre de roi je pourrai être.

CHAPITRE QUARANTE-HUIT

ZÉLIE

OYA, S'IL TE PLAÎT, aide-nous.

Le cœur battant, j'adresse au ciel une prière silencieuse. Nous avançons parmi les ombres, puis restons un moment accroupis face au campement des hommes masqués. Jusque-là, mon plan me semblait parfait, mais à présent je ne peux m'empêcher de penser à tout ce qui pourrait le faire échouer. Et si Tzain et Amari n'étaient pas à l'intérieur ? Et si on se retrouvait nez à nez avec un maji ? Comment Inan réagirait-il ?

Je lui jette un coup d'œil, soudain saisie d'effroi. Je dois commencer par lui remettre la pierre de soleil ; soit j'ai perdu la tête, soit j'ai déjà perdu ce combat.

Inan observe les lieux et dénombre les gardes postés autour du portail. Il a troqué son uniforme contre les vêtements noirs que portait notre prisonnier.

Je ne sais toujours pas quoi penser de lui, ni de tous ces sentiments qu'il a fait surgir en moi. Sa haine m'a ramenée aux jours les plus sombres qui ont suivi le Raid, quand je méprisais la magie et que j'en voulais à Mama.

Je maudissais les dieux de nous avoir créées ainsi.

Une boule monte dans ma gorge tandis que j'essaie d'oublier cette souffrance ancienne. Au fond de moi, je sens toujours l'ombre de cette tromperie qui m'incite à détester mon sang et me donne envie d'arracher mes cheveux blancs.

Cette haine de moi qu'ont tissée les mensonges de Saran a bien failli me dévorer vivante. Mais il m'a déjà pris Mama. Je ne veux pas le laisser aussi escamoter la vérité.

Durant les lunes qui ont suivi le Raid, je me suis accrochée aux enseignements de Mama. Je les ai enfouis dans mon cœur jusqu'à ce qu'ils fassent autant partie de moi que mon propre sang. Quoi qu'en disent les autres, ma magie était belle. Même sans pouvoirs, j'étais bénie des dieux puisqu'ils m'avaient fait un cadeau.

Mais les larmes d'Inan ont fait ressurgir ce mensonge mortifère qu'on nous oblige à avaler. Saran a réussi son coup.

Inan se déteste déjà beaucoup plus que je ne pourrais jamais me haïr moi-même.

– OK, chuchote-t-il, j'y vais.

Lui remettre mon sac me coûte énormément.

– Ne prends pas de risques, ajoute-t-il. Et n'oublie pas de garder quelques animations pour assurer ta défense.

– Je sais, je sais, dis-je en levant les yeux au ciel. Allez, vas-y, c'est bon.

Bien que je m'interdise la moindre émotion, mon estomac se retourne quand, émergeant de l'ombre, Inan s'avance vers le portail. Me revient le souvenir de sa main dans la mienne. Ce contact m'a étrangement apaisée.

Les deux silhouettes masquées postées à l'entrée pointent leur arme. Ceux qui se cachent dans les arbres bougent aussi. D'en haut, j'entends quelques claquements secs : des cordes d'arc se tendent.

Je sais qu'Inan les a entendus lui aussi, mais il continue d'avancer, sûr de lui. Il ne s'arrête qu'après avoir parcouru quelques centaines de mètres, à mi-chemin du portail.

– Je suis venu vous proposer un échange, déclare-t-il. J'ai quelque chose que vous recherchez.

Il pose mon sac par terre et en extrait la pierre de soleil. J'aurais dû le mettre en garde contre l'afflux qu'elle provoque. Même à cette distance, j'entends son cri étouffé. Des secousses le parcourent des mains à la tête, et une douce lumière bleue irradie de ses paumes. Je me demande si, derrière ses paupières, il voit Orí.

Ce spectacle tombe à pic puisqu'il ne peut que convaincre les hommes masqués. Quelques-uns sortent de leur cachette et commencent à l'encercler en brandissant leurs armes.

— À genoux ! aboie une femme masquée tout en dirigeant prudemment ses hommes à l'extérieur du portail.

Elle pointe sa hache et hoche la tête. D'autres guerriers masqués sortent de l'ombre.

Par les dieux. Ils sont déjà bien plus nombreux que ce que nous avions imaginé. *Quarante… cinquante… soixante ?*

— Faites d'abord sortir les prisonniers.

— Seulement quand tu seras à l'intérieur.

Le portail en bois s'ouvre. Sans quitter la cheffe des yeux, Inan recule d'un pas.

— Désolé, dit-il en tournant les talons. Je crains que cet échange ne puisse se faire.

Bondissant des fourrés, je cours aussi vite que mes jambes me le permettent. De toutes ses forces, Inan lance la pierre de soleil comme s'il s'agissait d'une balle d'agbön. Elle fend l'air à une vitesse impressionnante. Je l'attrape pourtant au vol et, la serrant contre ma poitrine, je plonge et atterris dans un roulé-boulé.

La pierre de soleil m'emplit de cet afflux grisant auquel je commence à prendre goût. Une bouffée de chaleur m'envahit tandis que mon ashê se propage dans mon sang.

Sous mes yeux surgit une autre image d'Oya. Cette fois, elle est enveloppée de soieries rouges qui illuminent sa peau noire. Le vent s'engouffre sous ses jupes et fait danser ses cheveux.

De sa main tendue s'échappe une lumière blanche. Bien que je ne sente plus mon corps, je vois ma main rejoindre la sienne. L'espace d'un bref instant, nos doigts se touchent…

Dans un grondement sonore, un nouveau monde prend vie.

— Attrapez-la ! crie une voix que j'entends à peine.

Dans mes veines, la magie rugit. Partout, les esprits prolifèrent. Répondant à mon appel, ils surgissent comme un tsunami. Leur vacarme recouvre les sons des vivants.

Ils déferlent en moi, pareils à une grande marée convoquée par la lune.

– *Ẹ̀mí àwọn tí ó ti sùn…*

Je plonge ma main dans la terre qui se fend sous mes doigts.

Dans un grondement qui monte de ses entrailles, une armée de morts surgit en tourbillonnant, tel un ouragan de brindilles, de pierres et de poussières. Aussitôt, je leur donne le signal :

– Attaquez !

CHAPITRE QUARANTE-NEUF

AMARI

Un énorme craquement retentit.

Je chancelle. Le poing de Kwame vient de s'abattre sur la mâchoire de Tzain.

Sa tête pend sur le côté, son visage est rouge et noir et bleu de contusions et d'ecchymoses.

— Arrêtez ! je m'écrie, en larmes.

Ses yeux s'injectent de sang. Tout le bénéfice des soins de Zu est anéanti.

Kwame pivote et saisit mon menton.

— Qui d'autre sait que tu es là ? Où sont les gardes ?

Contre toute attente, sa voix est tendue, presque désespérée. Comme si cet interrogatoire le mettait autant au supplice que moi.

— Il n'y a *pas* de gardes. Allez trouver la maji avec qui nous voyageons. Elle vous confirmera que tout ce que je dis est vrai !

Kwame ferme les yeux et prend une profonde inspiration. Je frissonne de le voir rester ainsi immobile.

— Quand ils sont venus à Warri, ils étaient comme toi. (Il tire la dague d'os de sa ceinture.) Ils tenaient le même langage que toi.

— Kwame, non…

D'un coup, il plante la dague dans la jambe de Tzain. Je ne sais pas, qui de lui ou moi, crie le plus fort.

— Si tu es en colère, défoule-toi sur moi !

Si seulement c'était moi qu'il pouvait blesser *à sa place*. Ou frapper. Ou battre.

Tel un bélier forçant la porte de ma mémoire, Binta me revient à l'esprit. Elle aussi a souffert. Elle a souffert à ma place.

Kwame poignarde de nouveau Tzain à la cuisse et de nouveau je laisse échapper un cri, de nouveau les larmes brouillent ma vue. D'un geste peu assuré, Kwame arrache la dague. Ses tremblements redoublent quand il la pointe vers la poitrine de Tzain.

— C'est sa dernière chance.

— Nous ne sommes pas vos ennemis ! je m'écrie. Tous ceux que les gardes ont tués à Warri, nous les aimions autant que vous !

— Mensonges ! hurle Kwame d'une voix étranglée. (Sa main ne tremble plus ; il abaisse la dague.) Les gardes font partie de votre peuple. Ce sont eux que vous aimez…

La tente s'ouvre. Folake entre précipitamment, manquant de bousculer Kwame.

— Nous sommes attaqués.

Le visage de Kwame se décompose.

— Par les gardes de la fille ?

— Je ne sais pas. Je crois qu'il y a un maji avec eux.

Kwame remet la dague à Folake et s'élance hors de la tente.

— Kwame…

— Reste là, répond-il.

Folake se retourne pour nous dévisager. Elle voit mes larmes, le sang qui gicle de la cuisse de Tzain. Portant la main à sa bouche, elle laisse tomber la dague sur le sol et prend la fuite.

— Tzain ?

Son pantalon est imbibé de sang. Lentement, il cligne des yeux : ils sont si gonflés qu'il peine à les ouvrir.

— Ça va ?

Des larmes amères me montent aux yeux. Après ce qu'il vient de subir, il me demande si je vais bien.

— Il faut qu'on se sorte de là, dis-je en tirant de nouveau sur mes liens qui commencent à s'effilocher dans un petit bruit sec.

La corde me déchire la peau, mais dans ma poitrine, la douleur s'allège.

Autrefois, au palais, j'étais entravée par des chaînes dorées. J'aurais dû les secouer avec la même rage que maintenant.

Si je n'avais pas été si passive, Binta serait encore en vie.

Je serre les dents, les deux pieds bien ancrés dans le sol. Puis, appuyant mon talon contre l'écorce, je fais de mon corps un levier et tire de toutes mes forces pour me libérer.

— Amari, dit Tzain d'une voix de plus en plus faible.

Il a perdu tellement de sang. L'écorce me blesse la plante des pieds, mais j'appuie encore plus fort afin de tendre la corde au maximum.

Bats-toi, Amari.

La voix de Père résonne dans ma tête, mais je n'ai que faire de ses encouragements. Seuls ceux de Binta m'apaisent :

Sois courageuse, Amari.

Tu es la Lionaire.

Le cri que je pousse pour contrer la douleur est presque un rugissement. Dehors, j'entends la voix de Folake. La tente s'ouvre…

La corde cède enfin. Basculant en avant, je tombe face contre terre. Folake plonge pour se saisir de la dague, mais je bondis sur mes pieds et me précipite sur elle.

Tête baissée, je charge. Elle s'écroule sur le sol. Elle tente quand même de s'emparer de l'artefact, mais je la frappe à la gorge. Tandis qu'elle suffoque, je lui envoie mon coude dans le ventre.

Je referme mes doigts autour de la lame d'ivoire. Son étrange et violent pouvoir me fait frissonner.

Frappe, Amari.

Le visage de Père réapparaît. Dur. Impitoyable.

Voilà contre quoi je t'ai mise en garde. Si nous ne les combattons pas, ces cafards signeront notre arrêt de mort.

Mais quand je regarde Folake, je revois la douleur dans les yeux de Kwame, la peur qui écrase les frêles épaules de Zu. Toutes les vies que Père a emportées et le chagrin laissé dans son sillage.

Je ne peux pas me comporter comme Père.

Les maji ne sont pas mes ennemis.

Mon poing percute sa mâchoire. Sa tête craque et vacille, ses yeux se révulsent, et elle perd connaissance.

Je bondis pour trancher les cordes qui emprisonnent Tzain. Elles ont à peine le temps de tomber sur le sol que je les ramasse pour lui garrotter la cuisse.

— Pars ! (Tzain veut me repousser, mais ses bras sont faibles.) On n'a pas le temps !

— Tais-toi.

Sa peau est moite. Une fois la corde serrée, le sang s'écoule plus lentement, mais il peine à garder les yeux ouverts. Ce garrot ne suffira pas.

Je jette un œil hors de la tente. Des gens déboulent de tous les côtés. Bien que les limites du campement ne soient pas visibles, nous pouvons au moins surveiller ce qui se passe.

— Très bien.

Je ramasse discrètement une branche morte et rentre dans la tente pour mettre ce bâton de fortune dans la main droite de Tzain. Puis je lance son autre bras par-dessus mon épaule et serre les genoux pour ne pas vaciller sous son poids.

— Amari, non.

Tzain grimace. Sa respiration est saccadée.

— Ne dis rien. Pas question de te laisser ici.

Prenant appui sur moi et sur le bâton, Tzain risque un premier pas sur sa jambe valide. Tant bien que mal, nous marchons vers l'entrée de la tente avant de faire une dernière pause.

— Nous ne mourrons pas ici, dis-je.

Je ne le permettrai pas.

CHAPITRE CINQUANTE

INAN

DEHORS, C'EST LE CHAOS.

Un enchevêtrement d'hommes masqués et d'animations.

Je fonce dans la mêlée, esquivant les épées, sautant par-dessus les racines des arbres afin de rejoindre le portail.

D'autres silhouettes masquées surgissent de toute part. Les animations de Zélie apparaissent comme des montagnes jaillissant de terre. Elles pullulent tel un fléau auquel nul ne peut échapper.

Ça fonctionne. Poursuivant ma course, je souris malgré moi. Le monde n'est plus qu'un vaste champ de bataille. C'est la partie de senet la plus folle à laquelle j'aie jamais joué.

Autour de moi, les guerriers masqués tombent comme des mouches, hurlant quand les animations de Zélie les terrassent. Tels des cocons, les soldats de terre s'enroulent autour d'eux pour les clouer au sol.

Pour la première fois, la magie me semble excitante. Ce n'est plus une malédiction, mais un cadeau. Un guerrier masqué fonce droit sur moi, mais je n'ai même pas le temps de dégainer mon épée qu'une animation l'a déjà balayé de mon chemin.

Lorsque j'enjambe son cadavre, l'animation se tourne vers moi. Bien qu'elle soit dépourvue d'yeux, je peux sentir son regard. J'en frissonne tandis que je m'approche du portail.

Un cri retentit au loin, mais il résonne dans ma tête.

L'odeur marine faiblit.

Je me retourne ; une flèche vient de se planter dans le bras de Zélie.

– Zélie !

Une autre flèche fuse, qui se fiche dans ses côtes et la fait chanceler. De nouvelles animations surgissent, arrêtant les flèches à mains nues.

– Vas-y ! me crie-t-elle depuis le champ de bataille quand elle m'aperçoit au milieu de cette frénésie.

Une de ses mains renferme toujours la pierre de soleil, l'autre reste plaquée sur ses côtes afin d'arrêter l'hémorragie.

Mes pieds sont lourds comme du plomb, mais je ne peux ignorer son injonction. L'entrée n'est plus qu'à quelques mètres. Ma sœur, son frère et le parchemin sont toujours à l'intérieur.

Au moment où je franchis le portail, un devîn plutôt robuste s'élance hors du campement, les mains et le visage ensanglantés. Je ne sais pas pourquoi, mais je pense aussitôt à Tzain.

Mais le plus troublant, c'est cette odeur de fumée et de cendre qui soudain me submerge. Je ne comprends pas d'où elle vient jusqu'à ce que, tournant la tête, je voie que les mains du devîn sont en feu.

Un Brasero…

Cette vision m'interrompt dans ma course et fait ressurgir la peur que Père m'a inoculée toute ma vie. Ce devîn appartient au clan maji qui a brûlé sa première famille. Ce sont précisément ces monstres qui l'ont fait entrer en guerre.

Autour des mains du maji brûle un feu indomptable d'où s'élèvent d'inquiétants nuages rouges. Les flammes brillent dans la nuit, émettant un son proche du rugissement. Tandis qu'il emplit mes oreilles, ce son se transforme soudain en cris. Sans doute les vaines suppliques de la famille de Père.

L'arrivée du Brasero déclenche une nouvelle salve de flèches qui se déversent depuis les arbres. Zélie recule. Elle ne peut pas les affronter toutes à la fois.

La pierre de soleil lui échappe des mains.

Non !

Le monde bascule, le temps se fige tandis que se profile l'horreur à venir. Le Brasero se précipite sur la pierre. Depuis le début, il attendait ce moment.

Zélie s'avance pour la récupérer, mais les flammes qui s'élèvent des mains du maji éclairent son visage crispé. Trop tard.

À peine les doigts du Brasero ont-ils effleuré la pierre que son corps entier s'embrase.

Le feu qui brûle dans sa poitrine s'échappe de sa gorge, de ses mains, de ses pieds.

Maudit soit le ciel.

Je n'ai jamais vu une chose pareille.

Les flammes dévorent tout. La température est soudain insoutenable. Sous les pieds du Brasero, la terre devient de la lave incandescente. Sa simple présence fait fondre la poussière comme un forgeron ferait fondre du métal.

Mes pieds bougent sans que mon cerveau leur en ait donné l'ordre. Je m'élance entre les séquoias géants, évitant les hommes masqués pétrifiés. Je n'ai plus de plan. Plus de réelle stratégie. Et pourtant, je continue de courir.

Tandis que je me hâte pour arriver à temps, le Brasero lève ses mains en feu devant son visage, et à travers les flammes j'entrevois son air hagard, comme s'il ne savait plus très bien quoi faire.

Mais soudain, ses poings se serrent, et son corps devient un trou noir. Habité d'une force neuve, il semble redécouvrir la vérité. Enfin, il maîtrise son pouvoir.

Un pouvoir qu'il est impatient d'exercer.

– Zélie ! je crie.

Tandis qu'il s'avance vers elle, une nuée d'animations se ruent sur lui, mais il les repousse, imperturbable, tandis qu'elles se pulvérisent en débris brûlants.

Zélie tente de se remettre debout pour combattre, mais ses blessures sont trop graves. Elle retombe et le Brasero lève alors sa main.

– Non !

Je me jette entre lui et Zélie. Lorsque je me trouve face aux flammes du Brasero, je sens la terreur déclencher une poussée d'adrénaline.

Une comète de feu tourbillonne dans sa main. Sa chaleur tord l'air.

Mais dans ma poitrine, ma magie se réveille et explose dans mes phalanges. Le souvenir de mes pouvoirs contrôlant l'esprit de Kaea me revient et je lève mes mains pour me battre...

– Arrête !

Le Brasero se fige.

Lorsqu'il se retourne vers celle qui vient de crier, le désarroi me rattrape. Une jeune fille traverse le campement en courant.

La lune illumine son visage ainsi que la mèche blanche qui lui barre le front.

Une fois qu'elle nous a rejoints, elle regarde fixement ma propre mèche blanche.

– Ils sont des nôtres.

Dans la main du Brasero, la comète de feu s'éteint.

CHAPITRE CINQUANTE ET UN

ZÉLIE

IL A ESSAYÉ DE ME PROTÉGER.

Au milieu des questions et de la confusion, cette surprise éclipse tout le reste. D'abord, le moment où Inan récupère la pierre de soleil pour la placer entre mes mains. Puis celui où il me prend dans ses bras et me serre contre sa poitrine.

Emboîtant le pas à la jeune fille à la mèche de cheveux blancs, Inan me porte à l'intérieur du campement. À notre passage, les guerriers ôtent leurs masques et révèlent leurs boucles blanches. Derrière ce portail, presque tous les autres sont eux aussi des devîns.

Qu'est-ce que ça veut dire ?

Malgré la douleur qui embrume mon cerveau, j'essaie de comprendre : le Brasero, les devîns, la gamine qui apparaît pour les guider. Mais toutes ces questions sont balayées lorsque nous voyons enfin à quoi ressemble le campement.

Au centre de la forêt de séquoias convergent plusieurs vallées. Cette déclivité forme une vaste plaine emplie de tentes bariolées, de carrioles et de chariots. De loin, je renifle les délicieux effluves de bananes plantain frites et de riz wolof qui recouvrent même l'odeur acide et cuivrée de mon propre sang. Et parmi cette population comprenant le plus grand nombre de devîns que j'aie croisés depuis mon enfance me parviennent, ici et là, des phrases murmurées en yoruba.

Nous passons devant un groupe occupé à disposer des fleurs dans un grand vase bleu lavande. *Un autel.* Dédié à Mère Ciel.

— Qui sont tous ces gens ? demande Inan à cette jeune fille appelée Zulaikha Zu. Qu'est-ce qu'ils fabriquent ?

— Un instant. Promis, je vous ramènerai vos amis et répondrai à toutes vos questions, mais laissez-moi un peu de temps.

Zu chuchote quelque chose à une devîn vêtue d'une jupe à motifs verts ; un turban assorti recouvre ses cheveux.

— Ils ne sont plus dans la tente, lui répond-elle dans un murmure.

— Retrouve-les, dit Zu, visiblement inquiète. Ils ne peuvent pas être bien loin puisqu'ils n'ont pas franchi le portail. Dis-leur que nous sommes avec leurs amis et que nous savons maintenant qu'ils ont dit vrai.

Je tends l'oreille afin d'en apprendre davantage, mais une soudaine douleur au ventre me fait sursauter. Inan me serre plus fort contre lui. J'entends les battements de son cœur, aussi puissants et réguliers que les vagues. Je me laisse bercer par ce son, en proie à une grande confusion.

— Ce Brasero allait te massacrer, je chuchote.

Le simple fait d'être allongée à côté de ce maji m'a brûlée. Ma peau est rouge et à vif, elle me démange. J'ai une cloque sur le bras.

Ces picotements me rappellent ce moment où j'ai bien cru rendre mon dernier souffle. Pour la première fois, la magie n'était pas mon alliée.

Elle m'a presque tuée.

— À quoi tu penses ? je demande.

— Au fait que c'est toi qui étais en danger. Pas moi.

Il effleure une égratignure sur mon menton. Cette caresse me fait frissonner. Sa réponse me trouble. Je ne sais quoi répondre.

Inan est toujours sous l'influence de la pierre de soleil. Grâce à la magie, sa peau cuivrée a retrouvé son aspect sain et son corps, des proportions harmonieuses. À la lueur de la lanterne, je constate que ses os ne sont plus saillants sous sa peau.

Zu nous emmène dans une tente où des lits de fortune ont été installés.

– Allonge-la ici, dit-elle en désignant l'un deux.

Inan m'y dépose avec délicatesse. Lorsque ma tête touche le coton rugueux, je lutte contre la nausée.

– Il nous faut de l'alcool et des bandages pour les blessures, dit Inan.

– Je m'en occupe, répond Zu en hochant la tête.

Ses paumes pressées contre mes côtes entaillées me font sursauter. Quand elle commence à psalmodier, le feu qui brûle mes entrailles est comme un coup de poignard.

– *Babalúayé, dúró tì mí bayi bayi. Fún mi ní agbára, kí nle fún àwọn tókù ní agbára…*

Je m'efforce de relever la tête ; sous les mains de Zu brille une lumière orangée. La douleur laisse la place à une sensation de chaleur anesthésiante tandis que la douce lueur s'insinue sous ma peau et enveloppe chaque muscle déchiré, chaque ligament froissé.

Tandis que la magie de Zu cicatrise mes plaies, je laisse échapper un long soupir.

– Ça va mieux ?

Levant les yeux, je réalise soudain que je serre la main d'Inan. Je la relâche aussitôt, rougissante, et passe mes doigts à l'endroit où la flèche m'a transpercée. Il y a encore un peu de sang, mais la plaie est complètement refermée.

Une fois de plus, des questions surgissent. En une heure, j'ai vu plus de types de magie qu'en dix ans.

– Tu nous dois quelques explications, dis-je à Zu.

Je me mets à la détailler. Sa peau brune aux reflets cuivrés m'est étrangement familière et ressemble à celle des pêcheurs qui toutes les deux lunes, venaient en bateau à Ilorin pour échanger leurs truites de mer contre notre poisson-tigre frit.

– Qu'est-ce qui se passe ? Où sommes-nous ? Où sont la dague d'os et le parchemin ? Et où sont mon frère et la sœur d'Inan ?

La tente s'ouvre et Amari apparaît, titubant sous le poids de Tzain qu'elle soutient de son bras. Il est à demi conscient. Je bondis sur mes pieds pour lui venir en aide. Mon frère est si affaibli qu'il tient à peine debout.

— Qu'est-ce qui lui est-il arrivé ? je m'écrie.

Amari sort la dague d'os et la pointe contre la nuque de Zu.

— Guéris-le !

La fille recule, les mains en l'air.

— Allonge-le. (Elle prend une profonde inspiration.) Ensuite je répondrai à toutes vos questions.

Assis dans un silence pesant, nous laissons décanter en nous les derniers événements tandis que Zu soigne la jambe et la tête de Tzain. Attentifs et tendus, Kwame et Folake se tiennent debout derrière elle.

Kwame esquisse un mouvement, et instinctivement ma main se pose sur mon sac, recherchant sous le cuir la chaleur de la pierre de soleil. J'ai du mal à le regarder sans revoir les flammes qui entouraient son visage.

Je m'appuie contre Nailah, si soulagée de l'avoir retrouvée, en repoussant mon sac derrière ses pattes pour qu'il soit à l'abri des regards. Mais quand Zu commence à trembler de tous ses membres à cause de l'incantation, je me surprends à vouloir ressortir la pierre pour la lui prêter.

En l'observant, je me revois à cinq ans, me traînant derrière Mama, les bras chargés de bandages et de récipients d'eau chaude. Quand la Guérisseuse d'Ibadan était débordée, Mama venait lui prêter main-forte. Assises côte à côte, elles travaillaient ensemble, la Guérisseuse usant de sa magie tandis que Mama veillait à ce que le patient ne rende pas son dernier souffle. *Vois-tu ma petite Zél*, me disait-elle, *les bons Faucheurs ne se contentent pas de donner la mort. Ils aident aussi à rester en vie.*

Je contemple les petites mains de Zu et pense à celles de Mama. Malgré son jeune âge, Zu maîtrise parfaitement sa magie. Tout commence à s'éclaircir quand elle explique qu'elle a été le premier devîn à pouvoir toucher le parchemin.

— Je n'avais pas conscience de mes pouvoirs, dit-elle d'une voix que sa magie éraille. (Folake lui tend une coupelle en bois remplie d'eau, et elle la remercie d'un hochement de tête avant de boire une gorgée.) Quand les gardes de Saran sont venus nous attaquer, à Warri, nous n'étions pas prêts. On s'est échappés de justesse.

Inan et Amari échangent un regard. On dirait que leurs yeux poursuivent une conversation muette. L'expression de culpabilité qui, depuis le matin, n'a pas quitté le visage d'Inan, gagne à présent celui de sa sœur.

— Après Warri, il nous fallait trouver un endroit sûr où les gardes ne pourraient pas nous pourchasser. On a d'abord installé quelques tentes, puis on a envoyé des messages codés aux devîns d'Orïsha, et le campement s'est vite agrandi.

Inan se redresse.

— Vous l'avez construit en une lune ?

— Oui, mais cela n'a pas été pénible, dit Zu en haussant les épaules. Les dieux n'ont pas cessé de nous envoyer des devîns. Avant même que je comprenne ce qui se passait, le campement était là.

Elle esquisse un sourire, qui disparaît dès qu'elle se retourne vers Amari et Tzain. Elle déglutit puis, baissant les yeux, fait courir sa main le long de ses bras.

— Ce qu'on vous a fait… (Zu marque une pause.) Ce que je leur ai *permis* de vous faire… j'en suis vraiment désolée. Je vous jure, ça m'a rendue malade. Mais quand nos éclaireurs nous ont dit qu'ils avaient vu une noble avec le parchemin, on ne pouvait pas prendre de risque. (Elle ferme les yeux ; un mince filet de larmes s'en échappe.) Il fallait empêcher à tout prix que le drame de Warri ne se reproduise ici.

À la vue des larmes de Zu, mes propres yeux commencent à s'embuer. Le visage de Kwame prend une expression peinée. Malgré ce qu'il a fait à Tzain, je ne parviens pas à le détester. Je ne vaux pas mieux que lui, je suis peut-être même pire. Si Inan n'avait pas été là, je n'aurais pas hésité à tuer leur compagnon s'il avait refusé de parler. À l'heure qu'il est, il serait face contre terre au lieu d'attendre les soins de Zu, allongé lui aussi sur un lit de camp.

— Je suis désolé, dit Kwame à voix basse, mais j'ai promis à ces gens que je ferais tout pour les protéger.

De nouveau, je revois les flammes danser autour de son visage, mais elles ne me semblent plus aussi menaçantes. Sa magie m'a glacé le sang, mais il se battait pour son peuple. *Notre* peuple. Même les dieux ne lui en voudraient pas. Comment pourrais-je le faire ?

Du revers de la main, Zu essuie ses larmes. À présent, elle paraît enfin son âge, et non plus celui que ses responsabilités lui ont fait endosser. N'écoutant que mon cœur, j'ouvre les bras et la serre contre moi.

— Je suis tellement désolée, dit-elle en sanglotant contre mon épaule.

— Je ne t'en veux pas, dis-je en lui caressant le dos. Tu voulais juste protéger ton peuple. Tu as bien agi.

Je cherche le regard de Tzain et d'Amari ; ils acquiescent. Il est impossible de lui en vouloir. À sa place, nous aurions fait la même chose.

— Voilà. (Zu extrait le parchemin de la poche de son dashiki noir et me le remet.) Quels que soient vos besoins, tout le monde ici est prêt à vous aider. S'ils m'écoutent, c'est parce que j'ai été la première à toucher ce rouleau. Mais puisque, selon Amari, vous êtes les élus des dieux, désormais, nous exécuterons tous vos ordres.

Ses paroles me mettent mal à l'aise. Comment pourrais-je diriger qui que ce soit alors que j'ai du mal à décider pour moi-même ?

— Merci, mais vous devez continuer à protéger ces gens. Notre mission, c'est d'aller à Zaria et d'y affréter un bateau. Il ne reste que cinq jours jusqu'au solstice.

— J'ai de la famille à Zaria, déclare Folake. Des marchands de toute confiance. Si je vous accompagne, je pourrai leur demander de vous prêter leur bateau.

— Moi aussi, je viens avec vous. (Zu saisit ma main, l'espoir qui soudain l'anime s'exprime dans son étreinte.) Ici, ils sont bien assez nombreux à assurer la sécurité, et je suis sûre qu'une Guérisseuse pourra vous être utile.

— Si vous voulez bien aussi de moi… (La voix de Kwame devient inaudible. Il s'éclaircit la gorge et s'oblige à regarder Tzain et Amari dans les yeux.) Je veux combattre à vos côtés. Et le feu est toujours une bonne défense.

Tzain lui lance un regard glacial en frottant sa cuisse blessée. Même si Zu a fait cesser les saignements, elle n'a pas réussi à supprimer toute la douleur.

— Tu as intérêt à bien prendre soin de ma sœur, ou la prochaine fois que tu fermeras les yeux, c'est toi qui auras un couteau planté dans la jambe.

— C'est d'accord.

Au moment où Kwame et Tzain se serrent la main, un silence plein d'émotion se fait dans la tente.

— Il faut fêter ça !

Un large sourire illumine le visage de Zu, si radieux et innocent qu'elle redevient soudain la gamine qu'elle n'aurait jamais dû cesser d'être ; sa joie est tellement contagieuse que même Tzain se surprend à sourire.

— J'ai envie d'organiser quelque chose d'amusant, ajoute-t-elle, une fête qui puisse rassembler tous les habitants du campement. Je sais que ce n'est pas la saison, mais demain, nous pourrions célébrer Àjọyọ̀.

— Àjọyọ̀ ?

Je n'en crois pas mes oreilles. Quand j'étais enfant, les fêtes en l'honneur de Mère Ciel et de la naissance des dieux étaient le meilleur moment de l'année. Baba nous offrait toujours, à Mama et moi, des kaftans en soie assortis et ornés de perles, avec de longues traînes qui s'étiraient sous nos pas. Lors du dernier Àjọyọ̀ qui a précédé le Raid, Mama avait économisé toute l'année pour m'acheter les anneaux dorés dont elle parait ma chevelure.

– Ce serait parfait ! (Zu parle de plus en plus vite à mesure que son excitation grandit.) On pourrait démonter les tentes pour la procession d'ouverture, trouver un endroit pour lire les histoires sacrées et installer une scène pour que chaque maji puisse toucher le parchemin. Tout le monde pourra retrouver ses pouvoirs !

J'ai un instant d'hésitation en repensant aux flammes de Kwame. Hier encore, je rêvais de voir tous ces devîns se transformer en maji, mais pour la première fois, je réfléchis. Plus de magie, cela signifie plus de potentiel, et donc plus de risques de voir le parchemin tomber entre des mains inexpérimentées. *Mais si je ne le lâche pas des yeux… Et si tous ces devîns obéissent déjà à Zu…*

– Qu'en penses-tu ? demande Zu.

Je la regarde ; puis je regarde Kwame, qui se fend d'un large sourire. Ma décision est prise.

– Génial, dis-je. Ce sera un Àjọyọ̀ inoubliable.

– Et le rite ? s'inquiète Amari.

– Si on part juste après la fête, ça ira. Il nous reste encore cinq jours pour arriver jusqu'à Zaria. Avec le bateau de Folake, le temps du trajet sera réduit de moitié.

Le visage de Zu s'éclaire au point qu'elle semble être sa propre source de lumière. Elle serre ma main, et je n'en reviens pas de la chaleur qu'elle me communique. Elle est bien plus qu'une simple alliée. Avec elle, nous formerons une véritable communauté.

– Alors c'est parti ! (Zu saisit aussi la main d'Amari et saute comme un cabri.) Je ne vois pas de meilleure façon de vous rendre hommage, à tous les quatre.

– Nous ne sommes que trois, rectifie Tzain.

Son laconisme fait retomber mon excitation naissante.

– Il ne sera pas du voyage, conclut-il en désignant Inan.

Le regard que les deux garçons échangent me glace. Je savais que ce moment viendrait, mais j'espérais que ce serait plus tard.

Consciente de cette tension, Zu hoche la tête avec raideur.

— On vous laisse régler vos comptes entre vous. On a beaucoup à faire pour que tout soit prêt demain.

Sur ce, elle se lève. Kwame et Folake suivent son exemple, nous laissant seuls et muets. Je ne peux m'empêcher de jeter un coup d'œil au parchemin. Et maintenant ? Par quoi devons-nous… *Est-ce qu'on peut dire « nous » ?*

C'est Inan qui rompt le silence en premier.

— Je sais que tout ceci n'est pas facile à accepter. Mais depuis qu'Amari et toi avez été capturés, les choses ont changé. J'en demande peut-être beaucoup, mais si ta sœur pouvait apprendre à me faire confiance…

Tzain se tourne brusquement vers moi, son regard noir me percute comme un coup de bâton dans le ventre. Tout son visage crie : « Dis-moi que je rêve. »

— Tzain, si je n'avais pas voulu le tuer, ils m'auraient capturée, moi aussi…

Parce que Inan voulait me tuer de ses propres mains. Quand les hommes masqués ont attaqué, il avait toujours l'intention de me transpercer le cœur de son épée.

J'inspire un grand coup et passe ma main sur mon bâton. Cette fois, je ne peux plus me permettre de tout gâcher. Il faut que Tzain m'écoute.

— Au début, bien sûr, je ne faisais absolument pas confiance à Inan. Mais il a combattu avec moi. Et quand j'ai été en danger, il s'est jeté devant moi pour me protéger. (Ma voix vacille. Incapable de soutenir leur regard, je contemple mes mains.) Il a vu, il a ressenti des choses que je ne pourrai jamais expliquer à personne.

— Pourquoi devrais-je gober un truc pareil ? dit Tzain en croisant les bras.

— Parce que… (Je me tourne vers Inan.) Parce que c'est un maji.

— Quoi ?

Amari reste bouche bée. Elle se tourne à son tour vers son frère. Même si je l'ai déjà surprise en train d'observer la mèche d'Inan, ce n'est que maintenant qu'elle comprend.

– Comment est-ce possible ?

– Je ne sais pas, répond Inan. C'est arrivé il y a quelque temps, à Lagos.

– Juste avant que tu ne réduises notre village en cendres ? s'écrie Tzain.

Inan serre les dents.

– Je ne savais pas encore…

– Mais quand tu as tué Lekan, tu savais.

– Il nous a attaqués. Mon amirale craignait pour nos vies…

– Et hier soir, quand tu as essayé de tuer ma sœur ? Tu étais un maji, à ce moment-là ?

Tzain veut se lever, mais sa douleur à la cuisse le fait grimacer.

– Laisse-moi t'aider, dis-je, mais il repousse ma main.

– Dis-moi que tu n'es pas si stupide ! (Son regard exprime cette fois une douleur différente.) Tu ne peux pas lui faire confiance, Zél. Maji ou pas, il n'est pas de notre côté.

– Tzain…

– Il a essayé de te *tuer* !

– S'il vous plaît, intervient Inan. Je sais que tu n'as aucune raison de te fier à moi. Mais c'est fini, je ne veux plus me battre. Nous désirons tous la même chose.

– Ah bon, quoi ? demande Tzain, railleur.

– Un Orïsha meilleur, un royaume où des maji tels que ta sœur ne vivront plus constamment dans la peur. J'ai vraiment à cœur de changer cela. (Inan plonge ses yeux d'ambre dans les miens.) Et je veux le changer avec elle.

Je regarde ailleurs, inquiète des émotions que pourrait trahir mon visage. Puis je me tourne vers mon frère, espérant que quelque chose dans les paroles d'Inan l'ait touché. Mais il serre si fort les poings que ses avant-bras en tremblent.

– Tzain…

– Laisse tomber. (Il se lève, grimaçant, et clopine vers la sortie de la tente.) Il faut toujours que tu fasses tout capoter. Après tout, pourquoi ça changerait ?

CHAPITRE CINQUANTE-DEUX

AMARI

— INAN, ATTENDS !

Je me faufile parmi une foule de devîns sur le sentier herbeux qui sépare deux longues rangées de tentes. Si leur étrange regard ralentit mon pas, il ne me détourne pas pour autant des questions que j'ai dans la tête. Quand Tzain est sorti, Zélie l'a rattrapé, essayant vainement de lui faire entendre raison. Ensuite, c'est mon frère qui s'est élancé à la poursuite de Zélie, et je me suis retrouvée toute seule dans la tente.

Lorsqu'il entend ma voix, Inan s'arrête mais ne se retourne pas. Il ne quitte pas Zélie des yeux, et la cherche encore quand elle disparaît dans la foule. Il finit par se tourner vers moi ; je ne sais pas par quoi commencer.

C'est comme autrefois, au palais : je suis tout près de lui et, pourtant, un monde nous sépare.

— Tu devrais demander à Zulaikha de soigner ça, dit-il en saisissant mon poignet marqué par les contusions rouge sombre et le sang séché là où les cordes ont entaillé ma peau.

Tant que j'étais occupée à porter Tzain, oublier la douleur était facile. Mais à présent, elle m'élance constamment et devient brûlure dès que la brise m'effleure.

— Je le ferai quand elle sera reposée. (Je retire mes mains et croise les bras pour cacher mes plaies.) Soigner Tzain l'a épuisée, et elle doit encore s'occuper de Jailin. Je ne veux pas qu'elle tombe malade.

— Elle me fait penser à toi, dit Inan dans un demi-sourire. Tu avais ce même air fou quand une idée te venait et que tu savais que tu n'en démordrais pas.

Je vois parfaitement à quel air il fait allusion. D'ailleurs, il l'avait, lui aussi. Il se fendait alors d'un sourire si large que son nez se retroussait et que ses yeux se fermaient presque. C'est cet air-là qui me sortait du lit, la nuit, et m'incitait à nous introduire en douce dans les étables royales, ou à plonger tête la première dans un baril de sucre à la cuisine. Une époque où les choses étaient simples. Où nous n'étions pas encore tiraillés entre Père et Orïsha.

— Je voulais te donner ceci, dit Inan en portant la main à sa poche.

Je m'attends à une menace de mort de Père. Quand je vois briller ma tiare, j'ai le souffle coupé.

— Comment… ? dis-je d'une voix étranglée.

Bien qu'elle soit cabossée, rouillée et tachée de sang, la tenir entre mes doigts me réchauffe le cœur. C'est comme si je retrouvais un peu de Binta.

— Je l'ai sur moi depuis Sokoto. J'ai pensé que tu aimerais la récupérer.

Je serre la tiare contre ma poitrine et regarde mon frère, pleine de gratitude. Mais cette gratitude ne rend la réalité que plus insupportable.

— Es-tu vraiment un maji ?

La question fuse tandis que je contemple sa mèche blanche. Tiare ou pas, je ne comprends pas : quels sont ses pouvoirs ? Et pourquoi en a-t-il et pas moi ? Si vraiment les dieux désignent leurs élus, pourquoi ont-ils porté leur choix sur Inan ?

Inan passe une main dans ses cheveux et hoche la tête.

— Je ne sais ni pourquoi ni comment c'est arrivé, mais cela s'est produit quand j'ai touché le parchemin à Lagos.

— Père est-il au courant ?

— Est-ce que je respire encore ?

Bien que prononcées à voix basse, ces paroles laissent transparaître une profonde douleur. Immédiatement, je revois Père transperçant Binta de son épée. Ce n'est pas difficile de l'imaginer transpercer Inan.

— Comment as-tu pu faire ça ?

Lorsque je parviens enfin à lui poser la seule question vraiment importante, toutes les autres disparaissent. Toutes les fois où j'ai dû défendre la cause d'Inan auprès de Zélie me reviennent en mémoire. Je pensais connaître le cœur de mon frère. À présent, je ne sais même plus si je le connais tout court.

— Je peux comprendre que tu sois sous l'influence de Père, mais il n'est pas là. Comment veux-tu que je te fasse confiance quand depuis le début tu luttes contre toi-même ?

Les épaules d'Inan s'affaissent. Il se gratte la nuque.

— Tu ne peux pas, c'est vrai, répond-il. Mais je t'apprendrai malgré tout. Je te le promets.

Dans une autre vie, ces paroles auraient suffi. Mais dans mes souvenirs, la mort de Binta demeure une plaie ouverte. Je ne peux m'empêcher de repenser à toutes ces occasions manquées de l'arracher à sa vie au palais. Si j'avais été plus vigilante, mon amie serait toujours en vie.

— Ces gens sont tout pour moi, dis-je en agrippant la tiare. Je t'aime Inan, mais je ne te laisserai pas faire aux maji le mal que tu m'as fait.

— Je sais, dit-il en hochant la tête. Mais je te jure sur le trône que ce n'est pas mon but. Zélie m'a fait comprendre à quel point j'avais tort à leur sujet. Je sais reconnaître mes erreurs.

Quand il prononce le nom de Zélie, sa voix s'adoucit comme s'il évoquait un souvenir qui lui est cher. Tandis qu'il se retourne pour la chercher parmi la foule, d'autres questions me viennent aux lèvres, mais je décide de ne pas les lui poser pour l'instant. Je ne sais pas comment elle a réussi à retourner le cerveau de mon frère, mais qu'importe : la seule chose qui compte, c'est qu'il ait changé.

— Je te souhaite vraiment de ne plus en faire.

Inan me lance un regard trop fuyant pour que je puisse l'interpréter.

– Est-ce une menace ?

– Non, une promesse. Si je suspecte la moindre duperie de ta part, c'est à mon épée que tu auras affaire.

Ce ne serait pas la première fois que nous croiserions le fer. Mais cette fois, ce serait sûrement différent.

– Je saurai te convaincre, toi et vous tous, déclare Inan. Tu as choisi le bon camp. Mon seul désir est de t'y rejoindre.

– Tant mieux.

M'accrochant à cette promesse, je m'approche de lui et le serre dans mes bras.

Mais quand ses mains se posent sur mon dos, je n'oublie pas les cicatrices qui le parcourent.

CHAPITRE CINQUANTE-TROIS

ZÉLIE

LE LENDEMAIN MATIN, Zu fait irruption dans ma tente.

— Allez, Zélie. Il est presque midi ! dit-elle en me secouant le bras. J'ai tant de choses à te montrer.

Ses encouragements finissent par payer, et je me redresse dans mon lit en me grattant la tête.

— Dépêche-toi. (Zu dépose dans mes bras un dashiki rouge sans manches.) Dehors, tout le monde t'attend.

Elle s'en va. Je souris à Tzain, qui s'obstine à me tourner le dos. Je sais qu'il est réveillé, mais il ne réagit pas. Le silence pénible qui régnait entre nous hier soir malgré mes excuses ne s'est pas dissipé.

— Tu viens faire un tour ? dis-je doucement. Ça te ferait du bien de marcher un peu.

Pas de réponse. Je parle à un mur.

— Tzain…

— Je ne bouge pas. (Il se retourne et étire son cou.) Je n'ai pas envie de marcher avec *tout le monde*.

Je suppose que Zu voulait parler de Kwame et Folake, mais Inan est probablement dehors, lui aussi. Si Tzain est toujours aussi furieux, le croiser n'arrangera rien.

— Comme tu veux. (J'enfile le dashiki et je m'attache les cheveux avec un foulard à motifs bleus et rouges que Zu m'a prêté.) Je ne serai pas longue. J'essaierai de te rapporter quelque chose à manger.

– Merci.

Je m'accroche à cette réponse et me la répète dans ma tête. Après tout, si Tzain parvient à articuler un *merci*, c'est peut-être le signe que les choses sont en bonne voie.

– Au fait, Zél. (Il tourne la tête dans ma direction et intercepte mon regard.) Sois prudente. Je ne veux pas que tu te retrouves toute seule avec lui.

J'acquiesce et quitte la tente, plombée par cette mise en garde. Mais une fois dehors, je retrouve ma légèreté.

La vaste vallée est inondée de soleil, et le moindre arpent de verdure explose de vitalité. Partout, des jeunes devîns s'affairent dans un dédale de cabanes, de tentes et de chariots. Avec leurs cheveux blancs, leurs daishikis aux motifs incrustés et leurs kaftans bariolés, ils sont resplendissants. C'est comme si, après tout ce temps, la promesse de Mère Ciel se concrétisait enfin sous mes yeux.

– Par les dieux…

Je me retourne pour mieux contempler ce spectacle quand j'aperçois Zu qui me fait de grands signes. Tant de sourires, tant de rires qui résonnent dans les collines ; tant de cheveux blancs tressés, rassemblés en dreadlocks ou détachés. Un air de liberté inhabituel allège les épaules de tous ces devîns et se lit dans leurs yeux.

– Attention !

Je lève les bras et souris à un groupe de jeunes gens qui me bousculent dans leur course. Les plus âgés ont entre vingt et vingt-cinq ans. De tous les devîns qui m'entourent, ce sont eux qui me déconcertent le plus, car jamais je n'en ai encore croisé autant qui, au sortir de l'adolescence, ne soient pas en prison ou à la Réserve.

– Ah, enfin !

Zu me prend par le bras. Arborant un sourire presque trop grand pour son visage, elle m'entraîne au-delà de la carriole jaune où Inan et Amari nous attendent. En me voyant arriver, cette dernière esquisse un sourire, puis, constatant que Tzain n'est pas avec moi, elle se rembrunit.

— Il a besoin de se reposer, dis-je, anticipant sa question.

Et il n'a pas envie de croiser ton frère.

Dans son kaftan bleu cobalt et son pantalon ajusté et à motifs, Inan est magnifique, et surtout méconnaissable sans son uniforme aux lignes strictes. Ses nouveaux vêtements lui donnent un air plus doux, plus chaleureux. Sa mèche blanche n'est plus dissimulée sous un casque ou par de la teinture noire. Nos yeux s'attardent un moment l'un sur l'autre mais, très vite, Zu s'interpose entre nous et nous entraîne dans son sillage.

— On a bien avancé, mais il reste encore beaucoup à faire d'ici ce soir.

Les mots se bousculent dans sa bouche, elle n'a même pas fini d'émettre une idée qu'une autre lui vient déjà à l'esprit.

— Ici, vous pourrez écouter nos vieilles légendes, dit-elle en désignant une scène de fortune installée sur une butte herbeuse. Elles seront racontées par une devîn de Jimeta. Vous verrez, elle est merveilleuse. On pense qu'elle sera une Mascaret. Oh, et là, c'est l'endroit où les devîns pourront toucher le parchemin. J'ai tellement hâte d'y être, ça va être incroyable !

Zu se meut à travers la foule avec le magnétisme d'une reine. Des devîns s'arrêtent sur son passage en la montrant du doigt et chuchotent en nous voyant nous tenir la main. D'habitude, je déteste être exposée aux regards, mais aujourd'hui, j'adore ça. Pour une fois, ce ne sont pas des gardes ou des kosidàn qui voudraient me voir disparaître. Leur regard est au contraire empreint de vénération, d'une nouvelle forme de respect.

— Et voici le plus beau. (Zu nous montre une vaste clairière que des devîns décorent de lanternes peintes et de tentures colorées.) C'est d'ici que partira le défilé d'ouverture. Zélie, il faut absolument que tu en fasses partie !

— Oh, je ne crois pas, dis-je en secouant vigoureusement la tête.

Mais je ris quand Zu m'attrape par le poignet en sautillant. Sa gaieté est si contagieuse que même Inan ne peut réprimer un sourire.

— Tu vas être magnifique ! insiste-t-elle en écarquillant les yeux. En plus, on n'a pas encore de Faucheuse, et la tenue d'Oya t'ira à ravir. C'est une longue jupe rouge avec un haut doré. Donne-moi ton avis, Inan : tu ne penses pas qu'elle sera sublime ?

Ne sachant quoi dire, Inan ouvre de grands yeux qu'il pose d'abord sur moi, puis sur Zu, espérant que l'une de nous deux le dispensera de répondre.

— C'est très gentil, Zu, dis-je, balayant d'un geste sa proposition, mais je suis sûre que tu trouveras quelqu'un d'autre.

— Cela vaut mieux, sans doute, ajoute Inan. Mais oui, je pense que Zélie ferait une très belle Oya.

Le rouge me monte aux joues, qui deviennent franchement écarlates quand Amari se met à nous dévisager. Je me retourne et fixe mon attention sur autre chose, essayant d'ignorer le picotement qu'a provoqué la réponse d'Inan. Une fois de plus, je repense à la manière dont il m'a portée à l'intérieur du campement.

— Et ça, qu'est-ce que c'est ? je demande en désignant un chariot noir précédé d'une longue file de devîns.

— C'est le stand où Folake doit peindre les baajis des différents clans.

— Les baajis ? répète Amari, perplexe.

Zu pointe du doigt un symbole dessiné dans son cou. Puis elle prend Inan et Amari par la main.

— Ils sont vraiment jolis. Venez, je vais vous les montrer !

Zu les emmène au pas de charge dans la foule. Je m'apprête à les suivre quand quelque chose me pousse à ralentir. À chaque fois que je croise un devîn, mon esprit s'emballe en imaginant quel type de maji il pourrait devenir. Ceux à ma gauche sont peut-être de futurs

Éoliens ? à ma droite, des Voyants ? Et puisqu'il existe dix clans, qui sait si un futur Faucheur ne se trouve pas juste devant m…

Un étranger vêtu de rouge et de noir me bouscule en surgissant derrière moi. Je manque de tomber, mais il me rattrape de justesse par la taille.

– Mille excuses, dit-il dans un sourire. Mes pieds ont la fâcheuse habitude de suivre mon cœur.

– Pas de pro…

Ma voix s'éteint. L'étranger ne ressemble à rien de connu, du moins à aucun descendant de la lignée des Orïshan. Son teint est de la couleur du grès, rehaussé de nuances cuivrées. Contrairement aux yeux ronds des Orïshan, les siens sont bridés et à paupières tombantes, soulignant son regard gris orage.

– Je m'appelle Roën, annonce-t-il en souriant de nouveau. Enchanté. J'espère que tu auras la bonté de pardonner ma maladresse.

Son accent le fait buter sur les *d* et rouler les *r*. Ce doit être un marchand venu d'un pays lointain.

Enfin.

Je détaille le jeune homme de la tête aux pieds. Tzain m'a déjà raconté ses rencontres avec des étrangers lorsqu'il sillonnait Orïsha lors de ses compétitions d'agbön, mais c'est la première fois que j'en vois un. J'ai longtemps espéré qu'un voyageur ou un marchand viendrait à Ilorin, mais aucun ne s'est jamais aventuré jusqu'à notre côte occidentale.

Tandis que les questions se bousculent dans ma tête, je réalise que sa main est toujours posée au creux de mes reins. Les joues cuisantes, je me dégage. Je ne devrais pas le fixer ainsi, mais son petit sourire en coin me dit qu'il y prend un malin plaisir.

– À une prochaine fois, dit-il en m'adressant un clin d'œil.

Il s'en va tout en soutenant mon regard. Avant qu'il ait eu le temps de disparaître, Inan surgit et lui saisit le bras.

Roën pose les yeux sur la poigne d'Inan et perd aussitôt son sourire.

— J'ignore quelle est ton intention, mon frère, mais elle pourrait bien te faire perdre cette main.

— La tienne aussi, espèce de voleur. (Inan serre les mâchoires.) Rends immédiatement ce que tu lui as pris.

L'étranger aux yeux gris me lance un rapide coup d'œil. Haussant les épaules d'un air penaud, il sort de la poche de son pantalon drapé un cylindre de métal. Bouche bée, je tâte ma ceinture vide.

— Comment tu as fait ça ?

Je lui arrache mon arme. Mama Agba nous a pourtant entraînées à détecter la main des voleurs, mais je n'ai absolument pas senti la sienne.

— Facilement, quand on s'est bousculés.

— Alors pourquoi tu n'as pas détalé tout de suite ?

— Je n'ai pas pu résister. (Roën ricane tel un renardien, révélant des dents un peu trop étincelantes.) De derrière, je ne voyais que ce magnifique objet. J'ignorais que la fille qui le portait l'était tout autant.

Je lui décoche un regard noir, mais son sourire ne s'en élargit que davantage.

— Que la paix et l'amour soient avec vous. (Il s'incline.) Et à la revoyure…

Là-dessus, il s'éloigne d'un pas nonchalant, se dirigeant au-devant de Kwame qui apparaît au loin. Ils se saluent en cognant familièrement leurs poings, puis échangent quelques mots que je ne peux entendre.

Kwame me lance un bref coup d'œil, puis tous deux disparaissent sous une tente. Interdite, je me demande ce qu'il peut bien fabriquer avec ce type.

— Merci, dis-je à Inan en effleurant les symboles gravés sur mon bâton.

C'est tout ce qui me reste d'Ilorin, tout ce qui me relie à ma vie d'autrefois. Je repense à Mama Agba. J'aimerais tant la revoir. Et Baba, aussi.

— Si j'avais su qu'il suffisait d'un charmant sourire pour détourner ton attention, j'aurais essayé depuis longtemps.

– Ça n'a rien à voir avec son sourire, dis-je en relevant le menton. Je n'avais encore jamais rencontré d'étranger. Ça m'a surprise, c'est tout.

– Ah, c'était juste pour ça ? répond Inan avec une mimique désarmante.

Depuis que je le connais, j'ai vu ses lèvres exprimer toutes sortes d'émotions, de la rage à la douleur. Mais un vrai sourire, jamais. Une fossette se creuse dans sa joue et ses yeux d'ambre se plissent.

– Quoi, qu'est-ce qu'il y a ?

– Rien, dis-je, retournant à mon bâton.

Entre son kaftan et l'expression de son visage, difficile de croire que j'aie affaire au même petit prince que…

– Ahh !

Le sourire d'Inan devient grimace. Serrant les dents, il agrippe ses côtes.

– Que se passe-t-il ? Tu veux que j'aille chercher Zu ?

Il secoue la tête et laisse échapper un soupir de frustration.

– Contre ce genre de chose, elle ne pourra rien faire.

Je penche la tête, perplexe, mais finis par comprendre le sens de ses paroles. Il semblait si différent dans son kaftan bleu cobalt que je n'avais même pas remarqué qu'autour de lui, l'air était devenu glacé.

– Tu repousses ta magie. (Mon cœur se décroche.) Tu n'es pas obligé, Inan. Ici, personne ne sait qui tu es.

– Non, ce n'est pas ça. (Il rassemble ses forces avant de se redresser.) Il y a trop de monde. Je dois me contrôler. Si je la laisse sortir, quelqu'un pourrait être blessé.

Une fois de plus, je regarde ce petit prince désemparé qui me chargeait avec son épée. Je savais qu'il avait peur, mais je n'imaginais pas que c'était avant tout de lui-même.

– Je peux t'aider, dis-je en lui tendant la main. Enfin, un peu. Si tu savais contrôler ta magie, ce serait moins douloureux.

Inan tire sur le col de son kaftan, qui pourtant bâille autour de son cou.

— Ça te dirait de m'apprendre ?

— Pas de problème.

Je le prends par le bras pour l'emmener à l'écart de la foule.

— Viens. Je connais un endroit où on sera tranquilles.

Près de nous, le Gombe emplit l'air de son chant mélodieux. Je pensais que cet endroit apaiserait Inan, mais maintenant que nous sommes assis, je réalise que c'est moi qui ai besoin de me calmer. De contenir la panique que j'ai ressentie quand Zu m'a demandé de diriger la procession. En réalité, je ne sais pas comment aider Inan. Moi-même je n'ai toujours pas vraiment compris comment exercer ma magie de Faucheuse.

— Alors vas-y, explique-moi, dit-il.

Je prends une profonde inspiration en feignant d'avoir cette confiance qui me fait tant défaut.

— Qu'est-ce que tu ressens quand ta magie apparaît ? À quel moment se manifeste-t-elle avec le plus de force ?

Inan déglutit ; ses doigts tripotent un objet fantôme.

— Je ne sais pas. Je n'y comprends rien du tout.

— Tiens. (Plongeant ma main dans ma poche, j'en retire une pièce de bronze que je lui remets.)

— Qu'est-ce que c'est ?

— Quelque chose que tu pourras tripoter sans t'empoisonner. Ça t'apaisera.

Inan sourit, et son sourire sans retenue contamine à nouveau son regard et l'adoucit. Du pouce, il caresse le guépardaire gravé sur la pièce, symbole de la monnaie d'Orïsha.

— Je crois bien que c'est la première fois de ma vie que je touche une pièce de bronze.

— Garde ce genre d'information pour toi, je rétorque avec une moue exagérée.

– Pardonne-moi. (Inan soupèse la pièce dans sa main.) Et merci.

– Remercie-moi plutôt en faisant en sorte que ça marche. À quand remonte la dernière fois où tu as vraiment laissé ta magie affluer ?

Tout en faisant rouler la pièce de bronze entre ses doigts, Inan réfléchit.

– C'était dans le temple.

– À Chândomblé ?

Il acquiesce.

– Cet endroit décuplait mes pouvoirs. Quand je te cherchais, je me suis assis sous la peinture d'Orí et… je ne sais pas. Pour la première fois, j'ai senti que je pouvais un peu contrôler les choses.

Le paysage onirique. Je repense à la dernière fois où nous nous y sommes retrouvés. Qu'ai-je bien pu lui dire ? Et si je lui avais révélé un secret que j'aurais dû taire ?

– Comment ça se passe, exactement ? Parfois, j'ai l'impression que tu peux lire dans ma tête comme dans un livre.

– Un puzzle plutôt qu'un livre, rectifie Inan. Ce n'est pas toujours très clair, mais quand tes pensées et tes émotions sont intenses, je les ressens aussi.

– Et tu ressens ça chez tout le monde ?

Il secoue la tête.

– Pas aussi fort. Quand les autres ont vaguement conscience d'être mouillés par la pluie, toi tu es un tsunami.

Ses paroles me tétanisent. J'essaie d'imaginer ce que cela doit être. La peur. La douleur. Tous les souvenirs liés à l'enlèvement et au meurtre de Mama.

– Ça doit être horrible, je murmure.

– Pas toujours. (Il me regarde fixement comme s'il pouvait lire directement dans mon cœur, comme s'il voyait tous les aspects de ma personne.) Parfois, c'est vraiment incroyable. Beau, même.

Mon cœur enfle dans ma poitrine. Une mèche de cheveux tombe devant mes yeux. Inan la replace derrière mon oreille. Quand ses doigts effleurent ma peau, mon cou se hérisse de chair de poule.

Je m'éclaircis la gorge et regarde ailleurs, ignorant le sang qui bat dans ma tête. Je ne comprends pas vraiment ce qui se passe, mais je sais que je ne dois pas me laisser aller à ce genre d'émotion.

— Ta magie est forte. (J'essaie de me ressaisir.) Crois-le ou non, mais elle te vient naturellement. Ce que tu perçois d'instinct, la plupart des maji ne peuvent le voir qu'au moyen d'une puissante incantation.

— Comment puis-je contrôler ce phénomène ? Que dois-je faire ?

— Ferme les yeux et répète après moi : « Je ne connais pas les incantations des Connecteurs, mais je sais comment solliciter l'aide des dieux. »

Inan ferme les yeux et serre la pièce de bronze dans sa main.

— C'est simple… *Orí, bá mi sòrò.*

— Oribamissoro ?

— *Orí, bá mi sòrò,* je répète, corrigeant sa prononciation avec un sourire.

C'est touchant, cette façon maladroite qu'il a de parler le yoruba.

— Répète en visualisant Orí. Laisse-toi aller et demande-lui son aide. Être un maji consiste surtout en cela. Avec les dieux à tes côtés, tu ne seras jamais seul.

Inan baisse les yeux.

— Ils sont vraiment toujours là ?

— Toujours. (Je repense à toutes ces années où je leur tournais le dos.) Même dans les moments les plus sombres. Que nous reconnaissions leur présence ou non, ils ont toujours un dessein.

Inan referme sa main sur la pièce de bronze d'un air pensif.

— D'accord, acquiesce-t-il. Je veux essayer.

— *Orí, bá mi sòrò.*

— *Orí, bá mi sòrò.*

Il psalmodie à voix basse en faisant tourner la pièce de bronze entre ses doigts. Au début, rien n'advient. Mais il insiste, et l'air commence à se réchauffer. Une lueur bleu pâle apparaît dans ses mains et se propage jusqu'à moi.

Je ferme les yeux ; tout se met à tourner et à devenir brûlant, exactement comme la dernière fois. Lorsque le manège s'arrête, je suis dans le paysage onirique.

Mais quand je sens de nouveau les roseaux chatouiller mes pieds, je n'ai plus peur.

CHAPITRE CINQUANTE-QUATRE

INAN

IL Y A dans l'air du paysage onirique comme un bourdonnement, une mélodie. Douce.

Sonore.

Bercé par ce chant, je laisse mes yeux s'attarder sur la peau nue de Zélie qui se baigne dans le lac et glisse sur les vagues aux reflets chatoyants tel un cygne noir. Jamais je n'ai vu son visage exprimer un tel bien-être, comme si, soudain, elle ne portait plus le poids du monde sur ses épaules.

Elle disparaît sous l'eau quelques secondes puis refait surface, offrant son visage aux rayons du soleil. Elle ferme les yeux. Ses cils interminables. Ses boucles d'argent sur sa peau. Quand elle se tourne vers moi, mon souffle se suspend. Je n'arrive plus à respirer.

Ni à réfléchir.

Il fut un temps où je pensais qu'elle était un monstre.

— Arrête de me regarder comme ça, c'est flippant.

Un sourire me vient aux lèvres.

— Est-ce une manière déguisée de m'inviter à te rejoindre ?

Elle sourit à son tour. Un sourire semblable au soleil. Mais elle se retourne et, déjà, la chaleur que cette vision distille dans mes os me manque. N'y tenant plus, j'ôte ma chemise et je saute pour la rejoindre.

Quand je m'écrase dans l'eau agitée, Zélie tousse et crache, giflée par une vague. Aussitôt, le courant m'attire vers les profondeurs avec une force inattendue. D'un coup de pied, je me propulse à la surface.

Tandis que je m'éloigne du rugissement de la cascade, Zélie regarde la forêt qui s'étend derrière nous à perte de vue, bien au-delà de la bordure blanche qui, la dernière fois, longeait la rive du lac.

— C'est la première fois que tu te baignes ou quoi ? me crie Zélie.

— Qu'est-ce qui te fait dire ça ?

— Ça se voit à ta tête, répond Zélie. Tu as l'air stupide quand tu es surpris.

Un nouveau sourire fleurit immédiatement sur mes lèvres. Cela m'arrive de plus en plus souvent en sa présence.

— Il semble que tu aimes bien te moquer de moi.

— Presque autant que te frapper avec mon bâton.

Cette fois, c'est elle qui esquisse un sourire, ce qui élargit encore le mien d'un cran. D'un bond, elle se retourne sur le dos puis se laisse dériver entre les roseaux flottants et les nénuphars.

— Si j'avais ta magie, je passerais tout mon temps ici.

Je hoche la tête, même si je me demande à quoi pourrait bien ressembler mon paysage onirique sans elle.

— L'eau semble être ton élément, dis-je. Je m'étonne que tu ne sois pas une Mascaret.

— Peut-être l'étais-je dans une autre vie. (Du plat de la main, elle frôle la surface de l'eau et la regarde glisser entre ses doigts.) Je ne sais pas d'où ça vient. J'aimais déjà les lacs d'Ibadan, mais j'adore encore plus l'océan.

Telle une pluie d'étincelles, son souvenir m'envahit : ses yeux d'enfant grands ouverts ; sa fascination pour les vagues incessantes.

— Tu vivais à Ibadan ? dis-je, me laissant gagner par son odeur tandis que je dérive vers elle.

Bien que je ne me sois jamais aventuré jusqu'à ce village, les souvenirs de Zélie me semblent aussi vivaces que si j'étais en train de les vivre. Émerveillé par les vues stupéfiantes qu'offrent les montagnes autour d'Ibadan, j'emplis mes poumons de leur air vif.

Ces souvenirs recèlent une chaleur particulière. L'amour de sa mère l'enveloppe comme une couverture.

– C'est là que nous habitions avant le Raid. (Revivant ces moments avec moi, sa voix se fait hésitante.) Et puis… (Elle secoue la tête.) Trop de mauvais souvenirs nous ont obligés à partir.

Dans ma poitrine, l'odeur de chair brûlée ravive ma culpabilité. Les flammes que j'observais depuis le palais ressurgissent, ainsi que toutes ces vies innocentes qui se consumaient sous mes yeux. Des images que j'avais enfouies au fond de moi, comme ma magie. Mais à présent que je contemple Zélie, tout revient : la douleur. Les larmes. La mort.

– On devait seulement passer à Ilorin, poursuit Zélie, s'adressant plus à elle-même qu'à moi. Mais quand j'ai vu la mer… (Elle sourit malgré elle.) Baba m'a promis que nous n'en partirions plus jamais.

Dans mon monde parallèle, le désespoir de Zélie me foudroie ; c'est insoutenable. Ilorin était toute sa joie. Et je l'ai réduit en cendres.

– Je suis désolé. (Ces mots me viennent à la bouche malgré moi, et je me déteste encore plus de m'entendre les prononcer tant ils me semblent vains, inadéquats face à son chagrin.) Je sais que je ne peux rien réparer et qu'il m'est impossible de revenir en arrière, mais… je peux reconstruire Ilorin. Quand tout ceci sera passé, ce sera la première chose que j'entreprendrai.

Zélie laisse échapper un rire sec et dénué de joie.

– Continue de dire des choses aussi naïves, et tu ne feras que donner raison à Tzain.

– Que veux-tu dire ? je demande. Qu'est-ce qu'il pense ?

– Il pense que lorsque tout sera fini, l'un de nous deux sera mort. Et il a peur que ce soit moi.

CHAPITRE CINQUANTE-CINQ

ZÉLIE

JE NE SAIS PAS pourquoi je suis là.

Je ne sais pas pourquoi j'ai eu envie qu'Inan me rejoigne dans l'eau.

Je ne sais pas pourquoi je suis si troublée à chaque fois qu'il nage à mes côtés.

C'est passager, me dis-je. *Et d'ailleurs, ce n'est même pas réel.* Quand tout ceci sera passé, Inan ne portera plus de kaftans. Il ne m'accueillera plus dans son monde onirique.

J'essaie de me représenter le combattant sauvage que je connais, le prince qui m'a abordée avec son épée. Au lieu de quoi, je vois la lame qui m'a délivrée du filet des hommes masqués. Je le vois braver les flammes de Kwame.

Il a bon cœur. Ces paroles prononcées il y a si longtemps par Amari me reviennent à l'esprit. À l'époque, je la croyais dans le déni.

— Zélie, je ne te ferai plus jamais de mal. (Il secoue la tête, grimaçant.) Pas après tout ce que j'ai vu.

Quand il lève les yeux vers moi, je vois qu'il est parfaitement sincère. Comment ai-je pu être si aveugle ? Toute la culpabilité et la compassion qu'il portait en lui… *Par les dieux du ciel.*

Je sais que c'est vrai : il a tout vu.

— Je pensais que mon père n'avait pas le choix. On m'a toujours répété qu'il avait agi ainsi pour protéger Orïsha. Mais depuis que je connais tes souvenirs… (Sa voix faiblit.) Aucun enfant ne devrait vivre cela.

Je laisse de nouveau mes doigts jouer avec les vaguelettes. Je ne sais pas quoi dire. Ni quoi penser. Il a vu les pires aspects de mes souvenirs, ceux que je ne pensais jamais pouvoir partager avec quiconque.

— Mon père s'est trompé, reprend Inan d'une voix si faible que le vacarme de la cascade la recouvre presque entièrement. Sans doute aurais-je dû m'en rendre compte plus tôt, mais à présent, la seule chose que je peux faire est d'essayer de réparer ses torts.

Ne le crois pas. Il vit dans son imagination, dans un rêve. Mais à chacune de ses promesses, mon cœur se gonfle de l'espoir secret qu'au moins l'une d'elles soit vraie. Lorsque Inan lève les yeux sur moi, je retrouve cette même lueur d'optimisme que j'ai toujours vue briller dans le regard d'Amari. Il est déterminé à tenir parole, envers et contre tout.

Il veut vraiment qu'Orïsha change.

Et puisque c'est par un descendant de Saran que Mère Ciel t'a octroyé le parchemin, son intention est claire. Les paroles de Lekan résonnent dans ma tête tandis que je regarde Inan, fascinée par sa puissante mâchoire et la barbe de trois jours qui souligne son menton. Si c'est vraiment un descendant de Saran qui doit m'aider, se pourrait-il que les dieux aient choisi Inan pour changer les choses ? Est-ce cela que nous sommes en train d'accomplir ? Pour cela qu'ils lui ont octroyé sa magie ?

Inan s'approche encore plus près. Mon cœur s'emballe. Je devrais m'éloigner, mais non, je reste là, incapable de bouger.

— Je ne veux plus qu'il y ait des morts, murmure-t-il. Ma famille a déjà bien trop de sang sur les mains.

De beaux mensonges. Ni plus ni moins. Mais si c'est le cas, alors pourquoi suis-je incapable de m'éloigner ?

Par les dieux, a-t-il au moins des vêtements sur lui ? Je balaie du regard sa large poitrine, les contours de chacun de ses muscles, puis je relève vite les yeux avant d'apercevoir la partie immergée de son corps. Par Mère Ciel, qu'est-ce que je fabrique ?

Je traverse la cascade à la nage afin d'aller m'allonger au bord de la falaise. Tout ceci est absurde. Pourquoi l'ai-je laissé m'emmener ici ?

J'espère que la chute d'eau le dissuadera de venir me rejoindre, mais en un clin d'œil il la traverse à son tour.

Bouge de là. J'ordonne à mes jambes de déguerpir, mais son doux sourire m'a déjà piégée.

— Tu veux que je m'en aille ?

Oui.

Voilà ce que je devrais lui dire. Mais plus il approche, plus j'ai envie qu'il reste. Il marque une pause avant d'être trop près, m'obligeant ainsi à lui répondre.

Veux-tu vraiment qu'il s'en aille ?

Bien que mon cœur se mette à cogner dans ma poitrine, je sais déjà ce que je vais lui dire.

— Non.

Il ne sourit plus. Son regard est soudain habité d'une douceur que je ne lui connaissais pas. Chaque fois qu'un garçon me dévisage ainsi, j'ai envie de lui arracher les yeux. Mais avec Inan, je voudrais que cela ne s'arrête jamais.

— Est-ce que je peux…

Il rougit, incapable de formuler son désir. Mais il n'a pas besoin d'en dire davantage. Pas quand une partie de moi veut incontestablement la même chose que lui.

J'acquiesce. D'une main tremblante, il caresse ma joue. Je ferme les yeux, emportée par l'émotion qui brûle ma poitrine et enflamme ma colonne vertébrale. Sa main glisse dans mes cheveux et chatouille mon crâne.

Par les dieux…

Si un garde voyait cela, il me tuerait sur-le-champ. Et malgré son titre de prince, Inan pourrait être jeté en prison.

Mais faisant fi des lois de notre monde, son autre main m'attire vers lui, m'invitant à lâcher prise. Je ferme les yeux et m'abandonne, plus proche que jamais du petit prince.

Ses lèvres effleurent les miennes…

– Zélie !

Dans un sursaut, mon corps réintègre le monde réel et mes yeux s'ouvrent juste au moment où Tzain soulève Inan par le col de son kaftan et le pousse par terre.

– Tzain, arrête !

Je bondis sur mes pieds et tente de m'interposer.

– Ne t'approche pas de ma sœur !

– Je m'en vais. (Inan me regarde un long moment avant de se relever en serrant fort la pièce de bronze dans sa main.) Je retourne au campement.

– C'est quoi ton problème ? je crie dès qu'Inan est suffisamment loin pour ne pas m'entendre.

– C'est quoi *mon* problème ? rugit Tzain. Bon sang, Zél, qu'est-ce que tu fabriques ? J'ai cru que tu étais blessée !

– J'essayais de l'aider. Il ne sait pas comment contrôler sa magie. Elle lui fait mal…

– Par les dieux, il est notre ennemi. S'il a mal, c'est bien fait pour lui !

– Tzain, je sais que tu ne vas pas y croire, mais il veut réparer Orïsha. Il veut que tous les maji puissent y vivre en sécurité.

– Il t'a lavé le cerveau ou quoi ? (Tzain secoue la tête.) C'est ça, sa magie ? Tu as pas mal de défauts, Zél, mais je sais que tu n'es pas naïve à ce point-là !

– Tu ne comprends rien. (Je détourne les yeux.) Tu n'as jamais eu à faire cet effort. Toi, le kosidàn irréprochable que tout le monde adore. Tandis que moi, tous les jours, j'ai peur.

Tzain recule, sidéré.

– Tu crois que je ne sais pas ce que c'est que de se réveiller chaque matin en se disant que c'est peut-être le dernier ?

– Alors laisse-lui sa chance ! Amari n'est qu'une princesse. Quand la magie sera de retour, elle ne sera pas la première sur les rangs.

Si je parviens à convaincre le prince héritier, le futur roi d'Orïsha sera de notre côté !

— N'importe quoi ! Il s'en fout, de toi, Zél. Tout ce qu'il cherche, c'est à te faire écarter les cuisses !

Je deviens écarlate. L'offense se double de honte. Ce n'est pas Tzain, ce n'est pas le frère que j'aime.

— Atterris ! Il est le fils de l'homme qui a assassiné Mama. Tu as perdu la tête ou quoi ?

— Tu peux parler ! je rétorque. Tu t'es vu avec Amari ?

— Amari n'a tué personne ! hurle Tzain. Elle n'a pas réduit notre village en cendres !

L'air se met à bourdonner autour de moi et mon cœur cogne comme un fou. Ses paroles me blessent, plus profondément que toutes les batailles que j'ai dû affronter.

— Que dirait Baba ?

— Laisse Baba en dehors de ça…

— Et Mama ?

— Tais-toi ! je crie.

Le bourdonnement se fait crépitement explosif. Je m'efforce de réprimer la fureur qui monte en moi.

— Si elle savait qu'elle est morte pour que tu puisses devenir la putain du prince…

La magie fuse, brûlante, violente. Elle fait rage sans qu'aucune incantation ne la canalise. Telle une lance, une ombre surgit de mon bras en tournoyant et frappe avec la fureur des morts.

Tzain crie. Je tombe à la renverse.

Lorsque c'est passé, il saisit son épaule.

Du sang coule sous ses doigts.

Je contemple mes mains tremblantes et les fines ombres de la mort qui tourbillonnent tout autour. Au bout d'un certain temps, elles finissent par s'évanouir.

Mais le mal est fait.

– Tzain… (Je secoue la tête, en larmes.) Je ne voulais pas ça, je te le jure.

Tzain me regarde comme s'il ne me connaissait plus. Comme si je venais de trahir tout ce que nous avions.

– Tzain…

Il regarde ailleurs. Son visage est dur. Intraitable.

Je ravale un sanglot et m'écroule sur le sol.

CHAPITRE CINQUANTE-SIX

ZÉLIE

Jusqu'au coucher du soleil, je me tiens cachée dans les arbres aux abords du campement. Là, je n'ai pas à affronter qui que ce soit. Je n'ai pas à m'affronter moi-même.

Lorsque je ne peux plus rester ainsi assise dans le noir, je regagne ma tente en priant pour ne pas croiser mon frère. Dès qu'Amari me voit, elle accourt pour me remettre un kaftan de soie.

— Où étais-tu passée ? (Me prenant par la main, elle m'entraîne dans sa tente et me déshabille presque de force pour passer la robe par-dessus ma tête.) C'est presque l'heure de la célébration et on ne t'a toujours pas coiffée !

— Amari, s'il te plaît…

— Inutile de résister. (Elle me donne une tape sur la main et m'oblige à rester assise.) Tous ces gens veulent te voir, Zélie. Il faut que tu sois resplendissante.

Tzain ne lui a rien dit…

C'est la seule explication. Amari applique du carmin sur mes lèvres et du khôl autour de mes yeux comme le ferait une grande sœur. Puis c'est à mon tour de la maquiller. Si elle apprenait la vérité, j'imagine qu'elle serait épouvantée.

— C'est fou comme tes cheveux ont bouclé, dit-elle en dégageant une mèche de mon front.

— Ce doit être la magie. Les cheveux de Mama étaient pareils.

— Ça te va bien. Je n'ai même pas fini, et tu es déjà magnifique.

Mes joues s'empourprent. Je jette un œil au kaftan qu'elle m'a fait enfiler. Son motif violet allié à des jaunes vibrants et à des bleus profonds tranche sur ma peau sombre. Je passe un doigt sur l'encolure rebrodée de perles. Si seulement Amari pouvait rendre ce vêtement à la personne qui le lui a prêté. Je ne me souviens même plus du jour où j'ai porté une robe pour la dernière fois. Sans tissu sur mes jambes, j'ai l'impression d'être toute nue.

— Il ne te plaît pas ? demande Amari.

— Je m'en fiche, des habits, dis-je en soupirant. J'ai juste hâte que cette fête soit passée.

— Est-il arrivé quelque chose ? sonde-t-elle avec tact. Ce matin encore, tu trépignais, et maintenant Zu me dit que tu ne veux plus officier au partage du parchemin ?

Lèvres pincées, je m'agrippe à l'étoffe du kaftan. En voyant s'évanouir le sourire de Zu, j'ai éprouvé un nouveau genre de honte. Tous ces gens attendent que je les guide, et je ne suis même pas fichue de contrôler ma propre magie.

Ni ma magie, ni le reste…

Le souvenir des flammes infernales de Kwame ressurgit avec une telle violence que je ressens des picotements de chaleur sur ma peau. J'avais réussi à me convaincre que je n'avais rien à craindre, mais à présent j'ai peur. Que serait-il arrivé si Zu ne l'avait pas maîtrisé ? Si Kwame n'avait pas réussi à éteindre le feu, je ne serais plus là…

— Cette fête n'est pas une bonne idée, finis-je par répondre. Il ne nous reste que quatre jours jusqu'au solstice…

— Raison de plus pour rendre dès maintenant leurs pouvoirs aux maji, non ? (Amari tire un peu plus fort sur mes cheveux.) Je t'en prie, Zélie, parle-moi. Je voudrais comprendre.

Je resserre mes genoux contre ma poitrine. Les paroles d'Amari m'arrachent presque un sourire. Je me souviens du temps où la simple vue de la magie la faisait tressaillir. Maintenant, c'est elle qui se bat pour qu'elle réapparaisse, et c'est moi qui suis lâche.

J'essaie de chasser le visage de Tzain et le regard glacial qu'il m'a adressé. J'ai vu la terreur dans ses yeux, la même qu'il y avait dans les miens quand Kwame s'est enflammé.

— Est-ce à cause d'Inan ? insiste Amari face à mon mutisme. As-tu peur de ce qu'il va faire ?

— Non, ce n'est pas Inan, le problème.

Du moins, pas ce problème-là.

Amari lâche mes cheveux et s'agenouille à mes côtés. Le dos droit et les épaules relevées, majestueuse dans sa robe dorée, elle ressemble plus que jamais à une princesse.

— Que s'est-il passé quand Tzain et moi n'étions pas là ?

Mon cœur s'arrête de battre, mais mon visage reste impassible.

— Je te l'ai déjà dit : nous avons fait équipe pour vous retrouver.

— Zélie, s'il te plaît, sois sincère. J'aime mon frère, vraiment. Mais je ne l'ai encore jamais vu agir ainsi.

— Agir comment ?

— S'opposer à mon père. Se battre pour les maji. Il lui est forcément arrivé quelque chose, et je sais que c'est lié à toi.

Elle me regarde, l'air entendu, et mes oreilles deviennent brûlantes. Je nous revois dans notre monde parallèle, quand nos lèvres se touchaient presque.

— Il a compris, dis-je en haussant les épaules. Il a vu ce qu'a fait Saran, et comment ses gardes se comportent vraiment. Il veut trouver un moyen de tout réparer.

Amari croise les bras et fronce les sourcils.

— Tu me crois aveugle ou stupide, on dirait.

— Je ne comprends pas de quoi tu parles…

— Zélie, il n'arrête pas de te regarder. Il sourit comme – Ciel, je ne peux même pas le décrire. Il n'y a que toi qui parviennes à le faire sourire ainsi. (Je fixe le sol, mais elle relève mon menton, m'obligeant à la regarder dans les yeux.) Je veux que tu sois heureuse, Zél, bien plus que tu ne l'imagines. Mais je connais mon frère.

— Que veux-tu dire par là ?

Amari marque une pause et replace une mèche.

— Soit il est sur le point de nous trahir, soit il se passe autre chose.

Dégageant mon menton de sa main, je me tourne vers le sol. La culpabilité s'infiltre dans tous mes membres.

— Tu parles comme Tzain.

— Tzain est inquiet, et il a toutes les raisons de l'être. Je peux lui parler, mais il faut d'abord que je sache si je dois le faire.

Non, tu ne dois pas.

C'est évident. Mais malgré tout ce qu'il a fait, le souvenir d'Inan me portant dans ses bras à l'intérieur du campement reste vivace. Je ferme les yeux et inspire profondément.

Je ne me souviens pas de m'être jamais sentie autant en sécurité dans les bras de quelqu'un.

— Quand tu m'as dit qu'Inan avait bon cœur, j'ai pensé que tu étais folle. Maintenant, c'est moi qui ai l'impression d'être folle, mais son bon cœur, je l'ai vu. Il m'a sauvée des guerriers masqués de Zu, et il a fait tout ce qu'il a pu pour vous ramener, Tzain et toi. Et quand il a eu l'occasion de se saisir du parchemin et de s'enfuir, il est resté. Il a essayé de me sauver.

Je marque une pause et cherche les mots qu'elle veut entendre. Ceux que je redoute tellement de prononcer à voix haute.

— Son cœur est bon. Et je crois qu'il l'écoute enfin.

Les mains d'Amari s'agitent. Elle les presse contre sa poitrine.

— Amari…

Elle m'enveloppe de ses bras et me serre. Stupéfaite, je me raidis. Ne sachant quoi faire d'autre, je finis par lui rendre son étreinte.

— Je dois te sembler ridicule, mais… (Elle se libère pour essuyer ses larmes sur le point de couler.) Inan a toujours été écartelé entre le bien et le mal. Je ne demande qu'à croire qu'il est capable de choisir le bien.

Je hoche la tête et pense à ce que j'attends de lui. Je m'en veux d'avoir si souvent songé à lui, aujourd'hui. À ses lèvres, à son sourire.

J'ai beau tout faire pour écarter la sensation de manque, elle est toujours là : un besoin désespéré de sentir encore ses caresses…

Les yeux d'Amari s'embuent de nouveau ; j'essuie ses larmes du revers de ma manche.

— Arrête de pleurer, tu vas ruiner ton maquillage.

Amari renifle.

— Je crois que tu t'en es déjà chargée.

— Comme ça tu as appris quelque chose sur moi : il ne faut jamais me faire confiance avec le khôl !

— Comment peux-tu manier aussi bien le bâton et être aussi nulle en maquillage ?

Nous nous mettons à glousser et cette gaieté retrouvée me prend par surprise. Mais quand Tzain fait irruption dans la tente, nos rires s'arrêtent net.

Il me regarde d'abord comme une étrangère, mais très vite, quelque chose en lui fond.

— Qu'est-ce qu'il y a ? demande Amari.

Le menton de Tzain tremble. Il baisse les yeux.

— Elle… Zélie ressemble à Mama.

Ses paroles me fendent le cœur en même temps qu'elles le réchauffent. Tzain n'évoque jamais Mama. Parfois, je me dis qu'il l'a vraiment oubliée, mais il est clair qu'il pense à elle à chaque fois qu'il respire.

— Tzain…

— La procession.

Sur ce, il tourne les talons. J'ai le cœur à l'envers.

Amari glisse sa main dans la mienne.

— Je lui parlerai.

— Surtout pas, dis-je, en sentant un goût amer dans ma bouche. Tu ne réussirais qu'à le rendre furieux contre toi aussi.

Et quoi que tu lui dises, tout restera entièrement de ma faute.

Je tire sur les manches de ma robe, défroissant un pli qui n'existe pas. Après toute une vie d'erreurs, je croule sous les regrets. Mais ça… cette erreur-là, je donnerais n'importe quoi pour ne pas l'avoir commise.

Le cœur lourd, je m'apprête à sortir en dissimulant ma tristesse. Mais Amari m'attrape de nouveau la main et m'oblige à rester.

– Tu ne m'as toujours pas expliqué pourquoi tu ne veux plus participer à la fête. (Elle me fait face et me dévisage.) Dehors, tous les devîns de la vallée attendent de devenir des maji. Pourquoi devrions-nous le leur refuser ?

Ses paroles me frappent comme les coups de bâton de Mama Agba et l'épée qui a transpercé la poitrine de Lekan. Ils ont renoncé à tout pour me donner cette chance, et moi, je ne m'en saisis même pas.

Quand j'ai d'abord envisagé de leur faire toucher le parchemin, je n'arrêtais pas de penser à toute la beauté et à la joie que la nouvelle magie dispenserait. La vie redeviendrait comme avant le Raid. Les maji régneraient de nouveau.

Mais à présent, je vois les sourires de chaque maji devenir des grimaces en constatant les dégâts que leur éveil pourrait engendrer : Telluriens fendant le sol sous nos pieds, Faucheurs perdant le contrôle et déclenchant des vagues de mort. Je ne peux risquer de réveiller leur magie. Pas sans règles. Sans guide. Sans plan.

Et si je ne parviens pas à faire cela maintenant, comment pourrai-je être en mesure de compléter le rite ?

– Amari, c'est compliqué. Qu'est-ce qu'on fera si l'un d'eux perd le contrôle ? Ou si ce n'est pas la bonne personne qui touche la pierre de soleil ? Nous pourrions éveiller un Cancer et tous mourir d'une épidémie !

– Mais de quoi parles-tu ? (Amari m'attrape par l'épaule.) Zélie, d'où sors-tu ça ?

– Tu ne peux pas comprendre, dis-je en secouant la tête. Tu n'as pas vu ce que Kwame est capable de faire. Si Zu ne l'avait pas arrêté… Si des contremaîtres de la Réserve détenaient ce genre de pouvoirs, ou un homme comme ton père… (Ma gorge se serre au souvenir de l'incendie.) Imagine le nombre de personnes qu'il pourrait tuer s'il savait faire apparaître le feu !

Je déverse tout d'un coup : la peur, la honte qui m'empoisonnent depuis ce matin.

– Et Tzain…

Mais je ne parviens pas à aller au bout de ma phrase. Si je ne peux même pas contrôler ma propre magie, comment un maji néophyte pourrait-il s'en sortir ?

– Longtemps, j'ai cru que la magie serait notre planche de salut, mais maintenant… maintenant je ne sais plus quoi penser. Nous n'avons aucun plan, aucun moyen d'établir des règles ni de contrôler quoi que ce soit. Si nous la faisons revenir dans ces conditions, des innocents pourraient être blessés.

Amari reste un long moment silencieuse et réfléchit. Son regard s'adoucit et elle me prend par la main.

– Amari…

– Viens.

Elle m'entraîne hors de la tente et aussitôt, je suis émerveillée.

Pendant que nous parlions, le campement s'est animé. Débordant d'une énergie toute neuve, la vallée est éclairée de lanternes qui diffusent leurs douces lueurs rouges. De savoureuses tourtes à la viande et des bananes plantain passent sous notre nez tandis que le martèlement des tambours vibre sous notre peau. Tous dansent au son joyeux de la musique, surexcités à l'idée de prendre part au défilé.

Au milieu de cette euphorie festive, j'aperçois Inan. Dans son agdaba bleu sombre et son pantalon assorti, il est d'une élégance folle. Lorsqu'il me voit, il reste bouche bée. Sous son regard, je sens ma poitrine palpiter. Je détourne la tête et tente désespérément de réprimer mon émotion. Il s'approche, mais avant qu'il ne puisse me rejoindre, Amari m'entraîne dans la foule.

– Viens vite, lui crie-t-elle, il ne faut pas rater ça !

Nous nous faufilons dans la cohue, tandis qu'à nos côtés, les célébrants se bousculent et se dandinent. Bien qu'une partie de moi ait envie de pleurer, je me dévisse le cou pour contempler la foule, enivrée par sa joie, sa vitalité.

Les enfants d'Orïsha dansent comme s'il n'y avait pas de lende-main : chacun de leurs pas est une louange aux dieux. Leurs bouches disent l'extase de la libération, et leurs cœurs entonnent des chants de liberté en yoruba. Mes oreilles se délectent de ces mots qui appar-tiennent à ma langue, des mots que je ne pensais plus jamais entendre ailleurs que dans ma tête. C'est comme un enchantement.

Comme si le monde entier respirait à nouveau.

– Tu es magnifique ! s'exclame Zu en m'avisant. Tous les garçons mourront d'envie de danser avec toi... même si je pense que tu es déjà prise.

En suivant son regard, je vois qu'Inan me dévore des yeux. Je vou-drais tant répondre à son appel, me laisser aller à ce frisson qui court sous ma peau. Et pourtant, je m'oblige à détourner la tête.

Je ne peux pas à nouveau blesser Tzain.

« *Mama ! Òrìsà Mama ! Òrìsà Mama, àwá un dúpè pé egbó igbe wá...* »

Plus nous approchons du centre, plus les chants sont puissants. Je repense aux montagnes d'Ibadan, quand Mama me chantait cette chanson pour m'endormir et que sa voix s'élevait, pleine et douce, pareille à du velours et à de la soie. Je m'imprègne de cette sensation familière. Une fille toute menue mais à la voix puissante dirige la foule.

« *Mama, Mama, Mama...* »

Tandis que les voix emplissent la nuit de leur chant céleste, une jeune devîn à la peau marron clair et aux cheveux blancs et courts entre dans le cercle. Dans sa somptueuse robe bleue, elle ressemble au por-trait que Lekan nous a fait de Yemọja, la déesse qui a recueilli les larmes de Mère Ciel. Tout en portant sur sa tête une jarre d'eau, la devîn tourne sur elle-même au son de la musique. Au refrain, elle jette la jarre en l'air et ouvre grands ses bras tandis que l'eau se déverse sur sa peau. Acclamée par la foule, elle sort alors du cercle, bientôt rem-placée par Folake. Les perles de son kaftan jaune attrapent la lumière et illuminent sa peau de reflets chatoyants qui suivent ses mouvements. Folake aguiche les garçons de son sourire, et particulièrement Kwame.

Lorsque l'excitation est à son comble, elle lève ses mains d'où fusent des étincelles dorées ; la foule hurle et la suit en dansant à travers le campement.

« *Mama, Mama, Mama…* »

L'un après l'autre, chaque devîn entre dans le cercle, habillé en enfant de Mère Ciel. Bien qu'ils ne maîtrisent pas la magie, leurs imitations emplissent la foule de joie. À la fin s'avance une fille qui doit avoir mon âge. Elle est habillée de soie rouge et vaporeuse, et une coiffe ornée de perles étincelle contre sa peau. C'est Oya… ma déesse-sœur.

Même si son éclat n'est pas comparable à celui que revêtait Oya dans mes visions, cette devîn a pourtant une aura magique qui lui est propre. Comme Folake, ses longues boucles blanches tournoient quand elle danse, virevoltant tout autour de son corps en même temps que la soie rouge. Dans une main, elle tient un irukere, le symbole d'Oya représentant un petit fouet en crin de lionaire. Tandis qu'elle le fait tournoyer autour du cercle, les louanges des devîns s'amplifient.

– Tu appartiens à cette communauté, Zélie. (Amari entrelace ses doigts dans les miens.) Ne laisse personne nous voler cette magie.

CHAPITRE CINQUANTE-SEPT

AMARI

LA PROCESSION EST TERMINÉE, mais musique et danse se prolongent jusque tard dans la nuit. Tout en contemplant les festivités, je mords dans du moin-moin et me délecte de haricots bouillis qui fondent dans la bouche. Un devîn passe avec un plateau de shuku shuku, et le goût de ces biscuits à la noix de coco me fait presque pleurer.

— C'est pas trop tôt !

Le souffle de Tzain me chatouille l'oreille et se transforme en délicieux frisson dans mon cou. Il profite de ce rare moment de solitude où il n'est plus importuné pas ces nuées de filles qui toute la soirée ont essayé d'attirer son regard.

— Pardon ? je demande en engloutissant le reste de shuku shuku.

— Je te cherchais. Pas facile de te trouver !

J'essuie les miettes restées accrochées aux coins de ma bouche, essayant désespérément de cacher que durant tout le festival, je n'ai pas arrêté de manger.

— Pas facile, en effet, quand on ne peut pas faire un pas sans être bloqué par un troupeau de filles, je lui lance.

— Toutes mes excuses, princesse, dit Tzain en riant. Ça prend du temps, d'approcher la plus jolie fille de la soirée.

Son sourire s'adoucit, comme ce soir où il m'a jetée dans la rivière et qu'il a ri quand j'ai essayé de lui rendre la pareille. Cette légèreté est si rare, chez lui. Avec tout ce qui s'est produit par la suite, je ne pensais vraiment pas la revoir.

– Qu'est-ce qu'il y a ?

– Oh rien, je repensais à quelque chose, dis-je en haussant les épaules. (Je me tourne vers la foule des danseurs.) En fait, je m'inquiète pour toi. Je sais que tu n'es pas rancunier, mais ça n'a pas dû être drôle sous cette tente.

– Hum… (Tzain esquisse un sourire.) C'est vrai, je connais des façons plus agréables de passer la nuit sous une tente avec une fille.

Je deviens toute rouge. Mon teint doit jurer avec les nuances dorées de ma robe.

– Cette nuit-là était la première que j'aie passée avec un garçon.

Tzain rit doucement.

– Et alors, c'était pareil que dans tes rêves ?

– Je ne sais pas… (Je presse un doigt contre mes lèvres.) Je crois que je n'imaginais pas que le garçon serait pieds et poings liés.

À ma plus grande surprise, il éclate de rire. Je ne l'ai encore jamais entendu rire de si bon cœur, et cela me fait chavirer. Depuis Binta, je n'avais plus provoqué une telle hilarité chez personne. Avant que je puisse répondre, un gloussement attire mon attention.

À quelques tentes de là, Zélie est en train de danser, un peu à l'écart de la foule. Elle sirote une bouteille de vin de palme et rit elle aussi en faisant tournoyer un très jeune devîn. Sa joie me fait sourire, mais Tzain se rembrunit. Cette tristesse se dissipe pourtant lorsqu'il aperçoit Inan. Mon frère regarde Zélie comme si elle était la seule rose rouge dans un jardin de fleurs blanches.

– Tu as vu ça ?

Je saisis la main de Tzain et l'entraîne vers un groupe de devîns qui forment un cercle. Lorsque ses doigts enveloppent les miens, des papillons se mettent à palpiter dans mon ventre.

Ses larges épaules fendent la foule tel un berger se déplaçant à travers son troupeau de moutons. Au milieu du cercle, une fille exubérante et débordante de vitalité est en train de danser. Sa robe rebrodée de perles brille sous la lune et souligne chacun de ses déhanchements. Chaque courbe de son corps ondule en cadence, électrifiant la foule.

Tzain me pousse en avant, mais je me retiens à son bras.

– Mais qu'est-ce que tu fais ?

– Viens, dit-il en riant. Il est temps que je te voie danser.

– Tu as bu trop d'ogogoro !

– Et si moi je danse, demande-t-il, tu me suis ?

– Jamais de la vie !

– Vraiment pas ?

– Tzain, j'ai dit non…

Lorsqu'il entre dans la ronde, la danseuse s'immobilise, et la foule recule. Tzain reste un long moment sans bouger, scrutant chaque personne de l'assemblée d'un air grave et moqueur. Mais quand résonnent les premières notes de cor du chant suivant, il se lance dans une danse effrénée, se contorsionnant comme s'il avait des fourmis rouges dans son pantalon.

Je ris tellement que je ne peux plus respirer, et je dois m'appuyer contre mon voisin pour ne pas tomber. Chacun de ses mouvements suscite davantage de vivats, et double le nombre de spectateurs qui viennent élargir le cercle.

Tandis qu'il roule des épaules et se laisse tomber sur le sol, la danseuse le rejoint en tournoyant. Je la regarde bouger, la peau parcourue de picotements. Son regard lascif et ses roulements de hanches sensuels me font grimacer. Mais comment pourrait-elle résister à ce sourire, à ce corps si puissant, si imposant ?

Soudain, je sens des mains calleuses encercler mes poignets.

– Tzain, non !

Mais sa malice l'emporte sur ma peur. Avant de réaliser ce qui m'arrive, je me retrouve à mon tour au centre du cercle. Je me fige, tétanisée par tous ces regards braqués sur moi. Je veux m'enfuir, mais Tzain me tient fermement et me fait soudain tournoyer devant tout le monde.

– Tzain !

Bientôt, ma terreur se dissout en un éclat de rire. Et tandis que mes pieds si gauches finissent par attraper le rythme, l'excitation me gagne. L'espace d'un instant, la foule disparaît et je ne vois plus que Tzain. Son sourire, ses grands yeux bruns.

Je me sens si bien, à virevolter et à rire dans ses bras. Je voudrais que cela ne s'arrête jamais.

CHAPITRE CINQUANTE-HUIT

INAN

Zélie n'a jamais été aussi belle.

Elle donne la main à un jeune devîn. Dans sa robe violette, elle resplendit, déesse tourbillonnant dans la foule. La senteur marine de son âme envahit mes narines et recouvre tous les effluves de nourriture de la fête.

Un parfum qui m'emporte, pareil à une grande marée.

À force de la regarder, j'en oublierais presque les maji, la monarchie, et Père. Zélie occupe tout mon esprit. Comme la pleine lune dans une nuit sans étoiles, son sourire illumine le monde.

Fatiguée de tourner comme une toupie, elle serre l'enfant dans ses bras et dépose un baiser sur son front. Il en couine de plaisir et part en courant. Aussitôt, trois autres jeunes hommes s'avancent pour prendre sa place.

– Excuse-moi…

– Salut, je m'appelle Deka…

– Tu es très belle, ce soir…

Leur manège de séduction me fait sourire car chacun essaie de crier plus fort que l'autre. Je les laisse palabrer entre eux et, plaquant ma main sur la taille de Zélie, je l'attire contre moi.

– M'accorderais-tu cette danse ?

Elle se retourne, d'abord indignée avant de réaliser que c'est moi. Son sourire me fait fondre. Un sourire plein de désir, mais non dénué d'effroi. Tzain traverse son esprit. Je la serre contre moi.

– Viens, je t'emmène dans un endroit où il ne nous verra pas. (Une vague de chaleur se diffuse de son corps au mien. Je resserre mon étreinte.) Alors, c'est oui ?

Je la prends par la main et, ignorant les regards assassins de ses prétendants, l'emmène à travers la foule. Nous marchons jusqu'à la forêt, à la lisière du campement. Loin de la fête et de la danse. L'air frais nous fait du bien. Il exhale une riche odeur de feu de camp, d'écorce et de feuilles mouillées.

– Tu es sûr que Tzain n'est pas dans les parages ?

– Sûr et certain.

– Et si… oh !

Zélie trébuche et s'affale sur le sol en gloussant. Tandis que je réprime mon propre rire pour l'aider à se relever, une odeur d'alcool me monte au nez.

– Ciel, Zélie, mais tu es ivre ?

– Je n'y peux rien. Ceux qui fabriquent cette boisson ne savent pas ce qu'ils font. (Elle saisit ma main et s'adosse à un arbre.) Je crois que j'ai trop tourbillonné avec Salim.

– Je vais te chercher un verre d'eau.

Je m'apprête à partir, mais Zélie me rattrape par le bras.

– Reste.

Ses doigts glissent dans ma main. À ce seul contact, je frissonne.

– Tu es sûre ?

Elle hoche la tête et glousse de nouveau. Son rire mélodieux m'attire tout près d'elle.

– Tu m'as demandé de danser avec toi. (Ses yeux d'argent s'allument d'une lueur espiègle.) Je suis d'accord.

Je m'avance avec le même empressement que les garçons qui l'entouraient tout à l'heure. Lorsque je referme ma main autour de son poignet, elle ferme les yeux et inspire. Ses doigts s'enfoncent dans l'écorce.

Toutes mes cellules sont saturées d'un désir viscéral, plus violent que jamais. Je dois faire un effort surhumain pour ne pas l'embrasser, pour ne pas poser mes mains sur ses courbes et la plaquer contre l'arbre.

Quand elle rouvre les yeux, je me penche de telle manière que mes lèvres effleurent son oreille.

– Dans ce cas, il va falloir que tu bouges, *petite Zél.*

Elle se raidit.

– Ne m'appelle pas comme ça.

– Toi tu me donnes du *petit prince*, mais moi, je ne peux pas t'appeler *petite Zél* ?

Sa main retombe le long de son corps. Elle détourne la tête.

– Mama m'appelait comme ça.

Par le ciel.

Je la relâche, luttant pour ne pas me taper la tête contre l'arbre.

– Zél, je suis désolé. Je ne…

– Je sais.

Elle baisse les yeux. Sa gaieté s'évanouit, noyée dans un océan de chagrin. Puis c'est la terreur qui l'envahit.

– Que se passe-t-il ?

Sans prévenir, elle s'accroche à moi et presse sa tête contre ma poitrine. Je sens sa peur s'insinuer sous ma peau, s'enrouler autour de mon cou. Une peur sauvage qui la terrasse comme l'autre jour, dans la forêt. Mais cette fois, ce n'est plus seulement la monarchie qui la hante, mais aussi les ombres de la mort qui fusent de ses mains.

Je l'enlace et la serre fort. Je donnerais n'importe quoi pour chasser cette peur. Nous restons ainsi un long moment, blottis l'un contre l'autre.

– Tu sens la mer.

Elle lève les yeux vers moi.

– Je parle de ton esprit. Il a toujours senti la mer.

Elle me fixe d'un air étrange que je n'ai pas vraiment le temps de déchiffrer. Me perdre dans ses yeux, ne plus exister qu'à travers son regard d'argent me suffit.

J'accroche une boucle de cheveux derrière son oreille. Elle enfouit de nouveau son visage contre ma poitrine.

– J'ai perdu le contrôle, aujourd'hui, dit-elle d'une voix tremblante. Je l'ai blessé. J'ai blessé Tzain.

J'entrouvre un peu plus mon esprit, juste en deçà du seuil du relâchement total. Le souvenir de Zélie s'y engouffre telle une vague se brisant sur le rivage.

Alors je perçois tout : les paroles venimeuses de Tzain, les ombres déchaînées, la culpabilité, la haine et la honte qui subsistent après le réveil de la magie.

Je serre Zélie un peu plus fort, et lorsqu'elle me rend son étreinte, un courant chaud me traverse.

– Moi aussi, il m'est arrivé un jour de perdre le contrôle.

– Il y a eu des blessés ?

– Quelqu'un a péri, dis-je.

Elle recule et me regarde, les yeux pleins de larmes.

– C'est pour cela que tu as si peur de ta propre magie ?

Je hoche la tête. Le souvenir de la mort de Kaea est comme un coup de poignard.

– Je ne veux pas que ça se reproduise.

Zélie se blottit encore contre moi et laisse échapper un long soupir.

– Je ne sais plus quoi faire.

– À quel sujet ?

– La magie.

Mes yeux s'écarquillent. Jamais je n'aurais imaginé l'entendre formuler un tel doute.

– Voilà ce que je veux, reprend-elle, désignant d'un geste l'allégresse de la fête. Cela représente tout ce pour quoi je me suis toujours battue. Mais après ce qui s'est passé… (Sa voix s'évanouit, et l'épaule ensanglantée de Tzain lui revient à l'esprit.) Ces gens sont la bonté même. Ils ont tous le cœur pur. Mais une fois que j'aurai fait revenir la magie, qu'arrivera-t-il si elle tombe entre les mains d'un mauvais maji ?

Je connais cette peur. On dirait la mienne. Et pourtant, cette peur n'est plus tout à fait aussi forte qu'avant.

Zélie veut encore parler, mais aucun son ne sort de sa bouche. Mon regard s'attarde un peu trop sur ses lèvres qu'elle mordille.

– C'est tellement injuste, soupire-t-elle.

Je peine à croire que nous sommes tous les deux éveillés. Combien de fois ai-je rêvé de la serrer ainsi dans mes bras ? Et qu'elle réponde à mon étreinte ?

– Tu viens toujours danser dans ma tête, mais moi je n'ai aucune idée de ce qu'il y a dans la tienne.

– Tu veux vraiment le savoir ?

– Bien sûr ! C'est tellement gênant de ne pas…

Je la pousse contre le tronc d'arbre. Ma bouche s'aventure dans son cou. Lorsque mes mains courent le long de son dos, elle laisse échapper un petit gémissement.

– À ça, je murmure. (À chaque mot, mes lèvres effleurent sa peau.) C'est à ça que je pense. C'est ça que j'ai dans la tête.

– Inan, dit-elle dans un souffle.

Ses doigts s'enfoncent dans mon dos et m'attirent encore un peu plus contre elle. Je ne suis plus que désir. Je la veux. Elle. Pour toujours.

Et avec ce désir, tout devient clair. Tout commence à faire sens.

Nous n'avons plus besoin de craindre la magie.

C'est l'un de l'autre dont nous avons besoin.

CHAPITRE CINQUANTE-NEUF

ZÉLIE

TU NE PEUX PAS.

Tu ne peux pas.

Tu ne peux pas.

J'ai beau me l'interdire, mon désir fait rage, pareil à un fauve incontrôlable.

Si Tzain l'apprenait, il nous tuerait. Mais même avec cette idée en tête, mes ongles continuent de labourer le dos d'Inan. Je l'attire contre moi, jusqu'à sentir son corps m'écraser. J'en veux plus. Je le veux, lui.

– Reviens à Lagos avec moi.

Je m'oblige à ouvrir les yeux en me demandant si j'ai bien entendu.

– Quoi ?

– Si tu veux être libre, rentre à Lagos avec moi.

C'est comme si je plongeais dans un lac glacé d'Ibadan. Un choc qui brutalement m'arrache à notre rêve. Un monde où Inan n'est plus qu'un garçon vêtu d'un joli kaftan. Un maji, et pas un prince.

– Tu m'avais promis de ne pas t'interposer.

– Je tiendrai parole, Zélie. Là n'est pas la question.

Un mur s'élève autour de mon cœur. Je sais qu'il le sent. Il recule d'un pas et prend mon visage entre ses mains.

– Lorsque tu feras revenir la magie, toute la noblesse luttera bec et ongles contre les maji. Le Raid recommencera, encore et encore. La guerre ne s'arrêtera que lorsqu'une génération entière d'habitants d'Orïsha aura été décimée.

Je détourne les yeux, mais au fond de moi, je sais qu'il a raison. C'est pour cela qu'il y aura toujours la peur, pour cela que je ne peux réellement me laisser aller à faire la fête. Zu a construit un petit paradis, mais quand la magie sera de retour, ce rêve prendra fin. La magie ne nous apportera pas la paix.

Elle nous donnera tout au plus des armes pour nous battre.

— En quoi mon retour à Lagos réglerait-il ces questions ? Pendant que nous parlons, ton père ne rêve que de me tuer.

— Mon père a peur, dit Inan en secouant la tête. Il s'est fourvoyé, mais sa peur est justifiée. La monarchie n'a jamais connu les maji autrement que voulant la détruire. Jamais elle n'a eu l'occasion de faire ce genre d'expérience. (Il montre le campement ; son visage exprime un tel espoir que son sourire éclaire presque la nuit.) Zu a mis ceci sur pied en une lune, et il y a déjà plus de devîns à Lagos que partout ailleurs à Orïsha. Imagine tout ce que nous pourrions accomplir en bénéficiant des ressources de la monarchie !

— Inan…

Je résiste encore, mais il replace une mèche de cheveux derrière mon oreille et fait glisser son pouce sur ma nuque.

— Si mon père pouvait voir tout ceci… s'il pouvait te voir, toi…

Ce seul contact me fait chavirer et repousse mes doutes. Je me blottis contre lui, affamée de caresses.

— Il verrait ce que tu m'as montré. (Il me serre dans ses bras.) Les maji d'aujourd'hui ne sont plus ceux qu'il a combattus. Si nous parvenons à établir à Lagos la même colonie qu'ici, il comprendra qu'il n'a rien à redouter.

— Si ce campement survit, c'est uniquement parce que personne n'en connaît l'existence. Ton père ne permettrait jamais que des maji soient regroupés ailleurs que dans la Réserve.

— Il n'aura pas le choix. (Inan resserre son étreinte, avec soudain une pointe de défi dans la voix.) Une fois la magie revenue, il ne pourra plus la détruire. Sans doute commencera-t-il par me désapprouver, mais avec le temps il finira par admettre que c'était la meilleure solution. Pour la première fois, nous allons nous unir pour ne former qu'un seul royaume. Amari et moi, nous assurerons la transition. Si tu restes à nos côtés, nous y arriverons.

Une lueur d'espoir s'allume en moi. Je ferais mieux de l'éteindre. Mais la vision d'Inan commence à se cristalliser dans ma tête : les édifices que les Telluriens pourraient bâtir ; les techniques que Mama Agba pourrait enseigner à tous. Baba n'aurait plus jamais à s'inquiéter des impôts. Tzain pourrait consacrer le restant de sa vie à l'ag…

Mais soudain, la culpabilité me rattrape. Le souvenir du sang s'écoulant sous la main de mon frère fait retomber mon excitation.

— Ça ne marcherait pas, je murmure. La magie serait toujours beaucoup trop dangereuse. Des innocents pourraient en subir les conséquences.

— Il y a encore quelques jours, j'aurais dit la même chose. (Inan recule d'un pas.) Mais ce matin, tu m'as prouvé que c'était faux. En une seule leçon, j'ai compris qu'un jour, je pourrais vraiment contrôler ma magie. Si les maji apprennent à faire cela dans certaines colonies, ils pourront s'entraîner et revenir à Orïsha.

Les yeux d'Inan s'allument et les mots se bousculent.

— Zélie, imagine ce qu'Orïsha pourrait devenir. Des Guérisseurs tels que Zu pourraient vaincre la maladie. Avec une équipe de Telluriens et de Soudeurs, il ne serait plus nécessaire d'envoyer des gens à la Réserve. Pense à tout ce que notre armée pourrait combattre avec l'aide de tes animations.

Il appuie son front contre le mien, s'approchant bien trop près pour que je puisse réfléchir.

— Ce sera un nouvel Orïsha, dit-il d'un ton plus posé. Notre Orïsha. Plus de batailles. Plus de guerres. Nous vivrons enfin en paix.

La paix…

Cela fait si longtemps que je ne l'ai plus connue, hormis dans ce monde parallèle où Inan me tient serrée contre lui.

Je me laisse aller à imaginer la fin de la lutte pour les maji. Sans épées et sans révolution. Juste grâce à la paix.

Et grâce à Inan.

– Tu parles sérieusement ?

– Plus que cela, Zél, j'en ai besoin. Je veux tenir toutes les pro-messes que je t'ai faites, mais je n'y parviendrai pas seul. Ma magie ne suffira pas. Mais ensemble… (Le sourire qui s'épanouit sur ses lèvres me gagne.) Rien ne pourra nous arrêter. Jamais Orïsha n'aura connu une équipe pareille.

Je jette un œil sur les danseurs, au loin, et aperçois mon jeune cava-lier de tout à l'heure, Salim, tourner sur lui-même telle une toupie, puis s'écrouler dans l'herbe.

La main d'Inan quitte ma joue pour venir entrelacer ses doigts avec les miens. Il me prend dans ses bras, m'enveloppant de sa chaleur comme d'une douce couverture.

– Je sais que nous sommes faits pour bâtir tout cela ensemble. (Sa voix se fait murmure.) Et pour être ensemble tout court…

Ses paroles me font tourner la tête. À moins que ce ne soit l'alcool. Mais même dans ce brouillard, je sais qu'il a raison. C'est le seul moyen d'assurer la sécurité de tous. La seule décision qui puisse mettre fin à cet interminable conflit.

– D'accord.

Inan me dévisage. L'espoir bourdonne autour de lui comme le son des tambours, au loin.

– Vraiment ?

J'acquiesce.

– Il faudra convaincre Tzain et Amari, mais si tu es sérieux…

– Zél, je n'ai jamais été aussi sérieux de ma vie.

– Ma famille devra aller s'installer à Lagos, elle aussi.

– Évidemment.

– Et tu devras malgré tout reconstruire Ilorin…

– Ce sera la première tâche à laquelle les Telluriens et les Mascarets s'attelleront !

Sans me laisser le temps d'émettre une autre objection, Inan me fait tourner dans ses bras. Son sourire est si radieux que je ne peux

que lui sourire en retour. Lorsqu'il me repose à terre, le monde continue de valser pendant quelques secondes.

— Est-ce bien raisonnable de décider du sort d'Orïsha en tourbillonnant ainsi dans la forêt…

Il acquiesce en marmonnant, et fait lentement glisser ses mains de
ma taille vers mon visage.

— Et ce que nous sommes en train de faire là, est-ce bien
raisonnable ?

— Inan…

Je voudrais lui expliquer qu'il ne faut pas, que la hache de Tzain
vient d'être aiguisée et n'est qu'à quelques tentes d'ici, mais Inan presse
ses lèvres contre les miennes et plus rien d'autre n'a d'importance.
Son baiser tendre force ma bouche avec douceur. Et ses lèvres de
soie…

Plus soyeuses que tout ce que j'aurais pu imaginer.

Elles embrasent chaque cellule de mon corps, diffusant une vague
de chaleur le long de ma colonne vertébrale. Lorsqu'il se recule enfin,
mon cœur bat aussi vite qu'après un combat. Inan rouvre lentement
les yeux, un sourire extatique sur le visage.

— Et maintenant… (Il passe son pouce sur mes lèvres.) Tu veux
peut-être retourner à la fête ?

Oui.

Je sais parfaitement ce que je devrais faire. Ce que je dois faire. Mais
maintenant que j'ai goûté au fruit défendu, toute ma retenue
s'effondre.

J'attrape la tête d'Inan et attire de nouveau sa bouche contre la
mienne.

La retenue attendra demain.

Ce soir, c'est lui que je veux.

CHAPITRE SOIXANTE

AMARI

Tzain me fait tournoyer, encore et encore, et je finis par tomber, en riant comme cela ne m'est plus arrivé depuis des années. Mais lorsqu'il se penche pour m'aider à me relever, il se fige. Son sourire s'efface. En suivant son regard, je vois Inan saisir le visage de Zélie pour l'embrasser.

Ciel !

Je savais bien qu'il y avait quelque chose entre eux, mais jamais je n'aurais pensé que cela se déclarerait si tôt. J'observe un instant la manière dont il la tient tendrement serrée, ses mains qui vagabondent puis l'attirent contre lui… Puis je détourne la tête, écarlate. Tzain ne partage pas mon embarras et ne les quitte pas des yeux. Je peux sentir que chaque muscle de son corps se contracte.

— Tzain…

Et soudain, il bondit, prêt à attaquer. Jamais je ne l'ai vu animé d'une telle rage.

— Tzain !

Mais il est déjà trop loin pour m'entendre, et je sais qu'il ne s'arrêtera pas avant d'avoir resserré ses mains autour du cou de mon frère.

Puis c'est Zélie qui agrippe Inan pour attirer ses lèvres contre les siennes.

Tzain s'arrête net, comme foudroyé. On dirait qu'il vient d'être coupé en deux, comme une brindille sèche que l'on brise entre ses poings fermés.

Puis il fait demi-tour, en se frayant un chemin à travers la foule. Je m'efforce d'accorder mon pas au sien pour le rejoindre dans sa tente. Lorsque j'entre derrière lui, il est déjà en train d'empoigner sa hache…

— Tzain, non !

Sans me prêter attention, il fourre la hache dans son sac, ainsi que son manteau et des vivres.

— Mais qu'est-ce que tu fais ?

J'essaie de poser ma main sur son bras, mais il m'esquive d'un coup d'épaule.

— Tzain…

— Quoi ? crie-t-il.

Je tressaille. Il marque une pause, puis laisse échapper un long soupir.

— Pardon, je… je ne suis pas capable de… Je n'en peux plus.

— Qu'est-ce que tu veux dire ?

Tzain passe les bras dans les sangles de son sac à dos avant de les resserrer.

— Je m'en vais. Si tu veux, tu peux partir avec moi.

— Comment ça ?

Tzain ne prend pas la peine de s'arrêter pour me répondre. Avant même que je puisse ajouter quoi que ce soit, il a quitté la tente, m'abandonnant dans la nuit froide.

— Tzain !

Je m'élance à sa poursuite, mais il est loin. Tandis qu'il vole parmi les herbes hautes, j'entends au loin le rugissement atténué du fleuve Gombe. Il a déjà atteint la vallée suivante quand j'arrive enfin à le rattraper.

— Tzain, je t'en prie !

Il s'arrête, mais ses jambes restent tendues, comme s'il s'apprêtait à repartir.

— Tu ne veux pas ralentir un peu ? je supplie. Juste… juste pour souffler ! Je sais que tu détestes Inan, mais…

– Je me fiche complètement d'Inan. Qu'ils fassent ce qu'ils veulent, ça ne me concerne plus.

Ma poitrine se serre. La dureté de ses paroles anéantit toute la chaleur des moments que nous avons partagés un peu plus tôt. Mes jambes tremblent, mais je m'oblige malgré tout à avancer.

– Je comprends que tu sois bouleversé, mais…

– Bouleversé ? (Il plisse les yeux.) Amari, je suis fatigué de devoir lutter pour survivre, fatigué de payer pour les erreurs des autres. J'en ai assez de faire l'impossible pour la protéger et de la voir piétiner tout ce que j'ai mis en place !

Il baisse la tête et rentre les épaules. Pour la première fois depuis que je le connais, il me semble anéanti. Le voir dans cet état me déconcerte.

– J'espère toujours qu'elle va mûrir, poursuit-il. Mais elle ne pourra pas y arriver si je suis toujours dans les parages. Pourquoi elle change-rait si je suis toujours là pour réparer les dégâts ?

Je m'avance vers lui et entrelace mes doigts entre les siens.

– Je sais que leur relation est troublante… mais je suis persuadée que les intentions de mon frère sont bonnes. Zélie détestait Inan plus que quiconque. Si à présent ses sentiments ont changé, cela veut bien dire quelque chose.

– Ça veut dire la même chose que d'habitude. (Inan retire sa main de la mienne.) Une fois de plus, Zélie agit sans réfléchir, et tôt ou tard ça lui éclatera à la figure. Attends l'explosion si ça t'amuse, mais moi c'est terminé. (Sa voix se brise.) De toute façon, je n'ai jamais voulu participer à tout ceci.

Tzain s'éloigne de nouveau et une brèche se creuse en moi. Ce n'est pas l'homme que je connais et que j'ai commencé à…

Aimer ?

Ce mot flotte dans ma tête, et pourtant, ce n'est pas celui qui convient. Ce genre d'amour est trop fort, trop intense pour ce que je ressens – pour ce que je suis autorisée à ressentir. Et pourtant…

– Tu n'as jamais renoncé à la protéger, je m'écrie. Jamais. Pas une seule fois. Même quand elle t'a fait souffrir, tu es resté à ses côtés.

Comme Binta. Le sourire espiègle de mon amie me revient à l'esprit, éclairant la nuit froide. L'amour que Tzain porte à sa sœur est le même que le sien : un amour farouche et inconditionnel, même quand il ne faudrait pas.

– Pourquoi renoncer maintenant ? je poursuis. Après tout ce que tu as traversé, pourquoi ?

– Parce qu'il a détruit notre maison, crie-t-il en se retournant. (Je peux voir ses veines saillir dans son cou.) Des gens se sont noyés. Des enfants sont morts. Et dans quel but ? Ce monstre a passé des semaines à essayer de nous tuer, et maintenant elle veut lui pardonner ? Elle veut l'embrasser ? (Sa voix se tend ; il marque une pause, serrant puis desserrant lentement ses poings.) Je peux la protéger de bien des dangers, mais si elle s'obstine à être aussi stupide, aussi imprudente… elle finira par se faire tuer. Je ne veux pas assister à ça.

Sur ce, il se retourne, resserre les liens de son sac et disparaît dans l'obscurité.

– Attends !

Cette fois, Tzain ne ralentit pas. À chacun de ses pas, mon cœur tambourine un peu plus fort contre ma poitrine. Il va vraiment le faire.

Il va vraiment partir.

– Tzain, s'il te plaît…

Un cor résonne dans la nuit.

Puis d'autres cors se joignent au premier et font taire les tambours de la fête.

Je me retourne. Mon cœur a cessé de battre. Le sceau royal qui m'a tant hantée étincelle soudain sur une multitude d'armures. Les yeux des léopardaires des neiges brillent dans la nuit.

Les soldats de Père sont là.

CHAPITRE SOIXANTE ET UN

ZÉLIE

J'INSPIRE PROFONDÉMENT en sentant les mains d'Inan glisser le long de mes cuisses. Ses doigts font exploser chaque partie de mon corps, et je ne peux même plus me concentrer pour l'embrasser. Mais si mes lèvres oublient ce qu'elles doivent faire, celles d'Inan ne me quittent pas. Ses baisers électriques vont de ma bouche à mon cou, si intenses que j'en ai le souffle coupé.

– Inan…

Mon visage s'empourpre, mais à quoi bon le cacher. Il sait quel effet me font ses baisers, combien ses caresses me brûlent. Et puisque mon émotion le submerge tel un tsunami, il doit aussi savoir à quel point je le désire, à quel point mon corps ne veut rien d'autre que de laisser ses mains explorer et s'aventurer…

Inan presse son front contre le mien et glisse ses mains dans le creux de mes reins.

– Crois-moi, Zél. L'effet que je te fais n'est rien à côté de ce que je ressens.

Le cœur palpitant, je ferme les yeux tandis qu'il m'attire contre lui pour m'embrasser encore…

Un cor retentit.

– Qu'est-ce que c'est ? je demande.

Le son du cor se fait entendre une deuxième fois et nous fait sursauter. Inan resserre son étreinte.

– Inan, que se passe-t-il ?

– Viens !

Me dégageant de son emprise, je m'élance vers la fête. La musique s'est arrêtée et une hystérie muette s'est emparée de la foule, s'amplifiant à mesure que les questions surgissent.

Et tout à coup, un bataillon de gardes royaux se met à charger, défonçant le portail sur son passage avant de se diriger vers le sommet de la colline qui surplombe la vallée. Les flammes rouges de leurs torches éclairent le ciel noir.

Quelques soldats encochent des flèches, d'autres dénudent des lames aiguisées. Les plus terrifiants d'entre eux retiennent une meute de panthéraires sauvages. Écumant et grognant, les fauves semblent ronger leur frein, impatients d'attaquer.

Inan me rejoint, ralentissant le pas face à ce spectacle, et prend ma main.

Le commandant des troupes, reconnaissable aux stries dorées sur son armure, s'avance et place un porte-voix devant sa bouche.

– Ceci est un unique avertissement, tonne-t-il. Si vous refusez d'obtempérer, nous userons de la force. Rendez-nous le parchemin et livrez-nous la fille, et nous ne vous ferons aucun mal.

Des murmures s'élèvent parmi les devîns. La peur et la confusion se propagent tel un virus à travers la foule. Quelques-uns tentent de s'échapper. Un enfant se met à pleurer.

– Zél, nous devons partir, répète Inan en agrippant mon bras.

Mais je ne sens plus mes jambes. Je ne peux même plus parler.

– Je ne le répéterai pas, crie le commandant. Sinon, nous devrons user de la force !

Rien ne se passe.

Puis une vague départage la foule en deux.

Lentement, une frêle silhouette s'avance. Sa chevelure blanche danse à chacun de ses pas.

– Zu… dis-je dans un souffle, me retenant de m'élancer vers elle pour la ramener parmi ses compagnons.

Zu se tient droite et, malgré son jeune âge, arbore un air plein de défiance. Le vent s'engouffre dans son kaftan vert émeraude dont les reflets chatoyants brillent contre sa peau sombre.

Bien qu'elle n'ait que treize ans, l'armée entière est sur le qui-vive. Instinctivement, les archers reculent derrière leurs arcs, et ceux qui portent une épée agrippent les rênes de leurs panthéraires.

– J'ignore de quelle fille vous parlez, crie Zu dont la voix est portée par le vent. Mais je peux vous assurer que nous n'avons pas ce parchemin. Cette fête est pacifique. Si nous sommes rassemblés ici, c'est uniquement pour célébrer notre héritage.

S'ensuit un silence assourdissant. Mes mains sont prises d'un tremblement que je ne peux réprimer.

– Je vous en prie… commence Zu en s'avançant.

– Ne bouge pas ! la coupe le commandant en tirant son épée.

– Si vous voulez nous fouiller, allez-y, répond Zu. Mais s'il vous plaît, baissez vos armes. (Elle lève les mains en signe de reddition.) Je ne veux pas de bles…

Tout se passe très vite. Trop vite.

Zu se tient debout, face à eux.

La seconde suivante, une flèche transperce sa poitrine.

– Zu ! je m'écrie.

Mais je ne reconnais pas mon propre cri.

Je n'entends pas ma voix. Je ne ressens plus rien.

Je manque d'air. Zu baisse les yeux, ses petites mains agrippées à la flèche, et tire sur la hampe imprégnée de toute la haine d'Orïsha.

Elle s'arc-boute, membres tremblants, et fait même un pas. Non pas en arrière, pour se replier.

Mais en avant, afin de nous protéger.

Non…

Les larmes brouillent ma vue et inondent mon visage. C'est une Guérisseuse. Une enfant.

Et pourtant, nous assistons pétrifiés à ses derniers instants.

Du sang gicle sur la soie de son kaftan.

Ses jambes vacillent. Puis elle s'écroule.

– Zu !

Je fonce vers elle, même si je sais que je ne peux pas la sauver.

C'est alors que le monde explose.

Les gardes passent à l'attaque.

– Zél, dépêche-toi !

Inan me tire par le bras, mais une seule pensée m'occupe l'esprit.

Par les dieux.

Tzain.

Avant qu'Inan ait le temps de protester, je me mets à courir, trébuchant à plusieurs reprises. Des cris de terreur emplissent la nuit tandis que nous essayons désespérément d'échapper aux archers dont les attaques pleuvent du ciel. Autour de nous, les devîns tombent les uns après les autres.

Puis, soudain, des gardes en armure chargent à travers la foule, brandissant leurs épées et chevauchant des panthéraires enragés. Impitoyables, ils frappent tous ceux qui sont sur leur chemin.

– Tzain !

Mon cri vient grossir le chœur des hurlements. Non, il ne peut pas mourir comme Mama. Il ne peut pas nous abandonner, Baba et moi.

Mais où que j'aille, partout, des corps s'écroulent, des esprits répandent leur sang sur la terre. Soudain, au milieu de la foule, j'aperçois Salim, l'adorable garçon que j'ai fait tournoyer dans mes bras et dont les cris perçants s'élèvent au-dessus de tous les autres.

Un garde l'a vu aussi et fonce sur lui. Salim lève les bras en signe de reddition.

Il n'a pas de magie. Pas d'arme. Aucun moyen de se battre.

Pour ce garde, ça n'a aucune importance.

Je ne peux me retenir de crier en voyant la lame de son épée s'enfoncer dans le petit corps de Salim.

Avant même de tomber sur le sol, il est déjà mort.

Nous ne pouvons pas gagner. Ni vivre. Jamais nous n'avons eu la moindre chan...

Soudain, je sens quelque chose au tréfonds de moi, quelque chose d'aussi puissant que le battement de mon cœur.

Cette chose fait bouillir la magie dans mon sang et aspire tout l'air de mes poumons.

Puis Kwame apparaît devant moi, brandissant un poignard avec lequel il entaille sa propre paume.

La magie du sang.

L'épouvante vient instantanément se loger dans mes os.

C'est comme si le monde s'arrêtait lentement de tourner. Kwame s'effondre sur le sol tandis que le liquide rouge qui s'écoule de sa blessure se met à diffuser une lueur blanche comme l'ivoire.

Puis la lueur entoure tout son corps, illuminant sa peau sombre. Pendant un instant, il ressemble à une divinité venue du ciel.

Lorsqu'elle atteint le sommet de son crâne, son destin est scellé.

Sa peau s'embrase. Des braises ardentes pleuvent de son corps. Il est encerclé par les flammes. Le feu surgit de tous ses membres, fusant hors de sa bouche, de ses bras, de ses jambes. L'incendie s'élève haut dans le ciel, si puissant qu'il illumine l'horrible spectacle nocturne. Sous le choc, les gardes interrompent leur attaque, tandis que celle de Kwame commence.

Chaque fois qu'il brandit ses poings droit devant lui, par vagues rougeoyantes des nappes de feu s'abattent sur les tentes. Les flammes dévorent tout sur leur passage, embrasant les gardes et détruisant le campement.

Une odeur écœurante de chair brûlée et de sang me monte à la gorge.

La mort frappe si soudainement les soldats qu'ils n'ont même pas le temps de crier, contrairement à Kwame dont les hurlements d'agonie résonnent à travers la nuit. La magie du sang le dévaste, lui et tout ce qui l'entoure, sauvage et impitoyable.

L'incendie dépasse de loin ce qu'un maji est capable de faire. C'est le pouvoir de son dieu qui brûle à travers Kwame.

Et soudain ses veines éclatent et son visage vire au rouge. Sa peau se recouvre de cloques et se dissout, révélant ses muscles et ses os. Personne ne peut contrôler une chose pareille. Personne ne peut en réchapper.

La magie du sang le dévore, et pourtant je sens qu'il est prêt à se battre jusqu'à son dernier souffle.

– Kwame ! s'écrie Folake depuis la vallée.

Un robuste devîn la retient de se précipiter dans l'incendie.

Une dernière gerbe de flammes jaillit de la gorge de Kwame, repoussant les gardes encore plus loin. Pendant ce temps, les devîns fuient dans toutes les directions, esquivant le mur des flammes et laissant derrière eux une terre dévastée.

Grâce à Kwame et à sa magie, ils vivront.

Il me semble que le monde s'est arrêté. Les cris ont été étouffés par le néant. La fête a disparu dans un trou noir. Je repense aux promesses d'Inan, à notre Orïsha, à ce pacte que la vie ne lui permettra pas de conclure. *La paix.*

Jamais nous ne l'obtiendrons.

Tant que nous n'aurons pas récupéré la magie, jamais ils ne nous traiteront avec respect. Les mots de Baba me reviennent à l'esprit : *Il faut qu'ils sachent que nous avons les moyens de riposter. S'ils brûlent nos maisons, nous brûlerons les leurs.*

Enfin, dans un cri ultime, Kwame explose telle une étoile qui meurt. Une dernière fois les flammes se déchaînent tous azimuts, laissant à la terre ce qui reste de son corps.

Tandis que retombent les dernières braises, mon cœur se déchire dans ma poitrine. Je m'en veux d'avoir douté de Baba. Jamais ils ne nous permettront de prospérer.

Nous resterons toujours prisonniers de la peur.

Notre seul espoir est de nous battre. De nous battre et de vaincre.

Et pour cela, il nous faut la magie.

Il me faut le parchemin.

– Zélie !

Je relève la tête. Depuis combien de temps suis-je là, immobile ? Le monde semble toujours tourner au ralenti, comme alourdi par le sacrifice de Kwame, comme freiné par le poids de ma douleur et de ma culpabilité.

Tzain et Amari viennent vers moi, installés sur le dos de Nailah. Amari serre mon sac contre sa poitrine.

Alors que je crie son nom, un garde se tourne vers moi.

– La fille, s'exclame-t-il. La fille, c'est elle !

Avant que je puisse faire un pas de plus, des mains se referment autour de mon bras.

De ma taille.

De ma gorge.

CHAPITRE SOIXANTE-DEUX

AMARI

QUAND LE SOLEIL SE LÈVE sur la vallée, un sanglot monte dans ma gorge. Les rayons éclairent la vallée carbonisée où s'est tenu le défilé. Noirs décombres de ce qui fut un lieu de réjouissances.

Je contemple la terre roussie où Tzain et moi avons dansé et me souviens de la manière dont il me faisait tourbillonner. De son rire.

À présent, il n'y a plus que du sang. Des cadavres. De la cendre.

Je ferme les yeux en plaquant ma main contre ma bouche, essayant vainement d'effacer cette vision douloureuse. Bien que tout soit silencieux, les hurlements des devîns n'en finissent pas de résonner dans ma tête. Juste après viennent les cris des soldats qui les ont massacrés, le fracas des épées, les cris d'agonie. Je rouvre les yeux. C'est insoutenable.

Tzain est en train de scruter ce champ de désolation, cherchant visiblement Zélie parmi tous les visages sans vie.

– Je ne la vois pas.

La voix de Tzain n'est que murmure, comme s'il craignait, en parlant plus fort, de libérer sa rage, sa douleur, son chagrin d'avoir encore perdu un membre de sa famille.

Je ne peux m'empêcher de penser à Inan, à ses promesses, à ses possibles mensonges. Et pourtant, je ne peux me résoudre à le chercher parmi les morts. Au fond de moi, je sais qu'il est vivant.

Même si je me refuse à croire que ce massacre soit de son fait, je ne sais plus quoi penser. Si ce n'est pas lui qui nous a trahis, comment les gardes ont-ils pu nous trouver ? Et où est mon frère, à présent ?

Nailah nous suit en poussant de petits gémissements. Je caresse son museau comme j'ai vu Zélie le faire si souvent. Lorsqu'elle me répond en frottant à son tour sa truffe contre ma paume, mon cœur se serre.

– Je pense qu'ils l'ont capturée, dis-je en essayant d'y mettre le plus de tact possible. Tel que je connais mon père, c'est ce qu'il aura ordonné. Elle est bien trop importante pour qu'ils la tuent.

Je voudrais tant lui insuffler un peu d'espoir, mais son visage reste fermé. Le souffle saccadé, il regarde fixement les corps qui jonchent le sol.

– J'ai promis. (Sa voix s'étrangle.) Quand Mama est morte, j'ai promis de toujours rester à ses côtés. J'ai juré que je prendrais soin d'elle.

– Et c'est ce que tu as fait, Tzain. Toujours.

Mais il s'est retranché dans son monde, à un endroit où mes paroles ne peuvent plus l'atteindre.

– Et Baba… (Son corps se raidit ; il serre les poings afin de faire cesser les tremblements.) J'ai dit à Baba. Je… je lui ai dit que je…

Je veux poser ma main sur son épaule, mais il esquive mon geste. Et soudain, c'est comme si toutes les larmes qu'il avait retenues se déversaient d'un coup. Il s'écroule dans la poussière et presse si fort ses poings serrés contre ses tempes que j'ai peur qu'il ne se fasse mal. Son cœur saigne à gros bouillons, faisant céder ses digues intérieures. Je m'accroupis à ses côtés.

– Tu ne peux pas renoncer. Nous avons toujours le parchemin, mais aussi la pierre et la dague. Tant que mon père n'aura pas récupéré les artefacts, il ne la tuera pas. Nous pouvons encore la sauver et nous rendre au temple.

– Elle ne parlera pas, murmure Tzain. Jamais elle ne nous mettra en danger. Ils vont la torturer. (Ses mains agrippent la terre.) C'est comme si elle était déjà morte.

– Zélie est la fille la plus forte que je connaisse. Elle survivra. Elle luttera.

Tzain ne m'entend pas, tout ce que je dis est inutile.

– Elle va mourir. (Il ferme les yeux.) Et elle me laissera tout seul.

Les gémissements de Nailah s'amplifient tandis qu'elle frotte son museau contre Tzain, essayant de lécher ses larmes. Ce spectacle me dévaste et pulvérise les derniers fragments d'espoir qui me restaient. Comme lorsque j'ai vu la lumière magique surgir des mains de Binta et que juste après, l'épée de Père a transpercé sa poitrine. Combien de familles Père a-t-il ainsi irrémédiablement brisées en les condamnant à pleurer leurs défunts ? Pendant combien de temps le laisserai-je continuer à exercer son pouvoir mortifère ?

Debout sur la colline, je me tourne vers la ville de Gombe, petite tache de fumée grise avant le massif d'Olasimbo. La carte de la salle du conseil de Père me revient à l'esprit, avec les croix qui signalaient l'emplacement de ses bases militaires. Tandis que je la visualise, un nouveau plan prend forme dans ma tête. Je ne peux pas laisser Tzain endurer cette perte.

Je ne laisserai pas Père triompher.

– Il faut partir, dis-je.

– Amari…

– Maintenant.

Allongé sur le sol, Tzain lève les yeux vers moi. Je saisis sa main et essuie les traces de poussière mêlées à ses larmes.

– À l'extérieur de Gombe, il y a une forteresse. C'est probablement là qu'ils l'ont emmenée. Si nous parvenons à nous y introduire, nous réussirons à la sortir de là.

Et nous pourrons mettre un terme à la tyrannie de Père.

Tzain me lance un regard exténué et je sens qu'il lutte contre la timide lueur d'espoir qui y transparaît.

– On peut y entrer ? Comment ?

Je me tourne vers Gombe.

– J'ai un plan.

– Tu es sûr de toi ?

Je hoche la tête. Pour une fois, le combat ne me fait pas peur. J'ai déjà prouvé une fois que je pouvais vraiment être une lionaire.

Pour Tzain et Zélie, je le serai de nouveau.

CHAPITRE SOIXANTE-TROIS

ZÉLIE

LES MENOTTES DE MAJACITE ME BRÛLENT les poignets et les chevilles. Suspendue à des chaînes noires au-dessus du sol de ma cellule de prison, je suis incapable de réciter la moindre incantation. Un ventilateur souffle sans cesse de l'air chaud et me fait énormément transpirer. J'imagine que c'est intentionnel.

Sans doute que la chaleur amplifiera la douleur à venir.

Vis… Alors que j'affronte ma propre mort, les paroles de Lekan résonnent comme un reproche.

Je leur avais pourtant bien dit, à lui et aux autres, qu'en me désignant, ils gaspillaient leur dernière chance. Il suffit de voir le résultat. Pendant que le roi organisait ce massacre, moi je riais, je dansais et j'échangeais des baisers.

Dehors résonne un bruit de bottes ferrées qui s'approchent de la porte. Je tressaille. Je suis enfermée dans une pièce aux murs métalliques dépourvue de fenêtre, et seules deux torches allumées m'empêchent de croupir dans le noir.

J'avale ma salive, essayant vainement d'étancher ma soif. *Tu as déjà vécu cela un nombre incalculable de fois,* me dis-je. Je réalise que les coups que Mama Agba nous infligeait visaient moins à nous punir qu'à nous préparer, à nous endurcir. Et j'ai fini par apprendre à minimiser la douleur en m'efforçant de ne pas me crisper. Avait-elle pressenti que ma vie se terminerait ainsi ?

Quel désastre. Des larmes de honte me piquent les yeux quand je pense à tous ces cadavres que j'ai laissés derrière moi. Bisi. Lekan. Zu.

Tant de vies sacrifiées pour rien.

Tout est de ma faute. Nous n'aurions jamais dû rester. D'une manière ou d'une autre, c'est sûrement à cause de nous que l'armée a trouvé le campement. Sans nous, ils seraient peut-être tous encore en vie. Zu ne serait pas…

Le flux de mes pensées ralentit.

Le regard noir de Tzain surgit dans mon esprit. Mon cœur tressaille. Inan nous aurait-il trahis ?

Non.

Le doute me brûle la gorge. Je le ravale comme si c'était de la bile. Il n'aurait jamais fait une chose pareille. Après tout ce que nous avons traversé, il n'aurait tout simplement pas pu. S'il avait eu l'intention de me trahir, il aurait eu mille occasions de le faire. Il aurait très bien pu voler le parchemin sans sacrifier autant de victimes innocentes.

Le visage d'Amari remplace celui de Tzain ; ses yeux d'ambre sont pleins de compassion. *Soit il est sur le point de nous trahir, soit il se passe autre chose.*

Le sourire d'Inan perce à travers leur haine. Cette douceur qui émanait de lui, juste avant qu'il ne m'embrasse. Mais soudain, son regard redevient noir et brûlant, et ses mains se resserrent de nouveau autour de mon cou…

– Non !

Je ferme les yeux et me souviens de la manière dont il me tenait dans ses bras. *Il m'a sauvée.* À deux reprises. Et il a même tenté de le faire une troisième fois. Non, il ne nous a pas trahis. C'est impossible.

Un bruit métallique retentit.

Le premier verrou de ma cellule s'ouvre. Je me prépare à souffrir et m'accroche aux derniers bons souvenirs qui me restent.

Au moins, Tzain est vivant. Au moins, Amari et lui auront survécu, j'en suis sûre. Nailah a dû les emmener loin. Elle est si rapide. C'est à cette idée que je dois me raccrocher. Et Baba…

Je dois retenir mes larmes en repensant à son sourire en coin que je m'étais juré de revoir un jour.

Mais elles coulent malgré tout, aussi piquantes que de minuscules lames. Je ferme les yeux. Pourvu qu'il soit mort.

Pourvu qu'il n'ait jamais eu à vivre cette douleur-là.

Le dernier verrou saute et la porte s'ouvre. Je me raidis.

Mais lorsque Inan apparaît dans l'embrasure, toutes mes défenses tombent.

Je secoue mes chaînes tandis que le petit prince entre, flanqué de deux gardes. Après l'avoir vu vêtu de kaftans et de dashikis, j'avais oublié à quel point il pouvait avoir l'air froid dans son uniforme.

Non…

Je cherche dans son regard un signe attestant qu'il s'agit bien du garçon qui m'a promis de me décrocher la lune.

Du garçon pour qui j'ai failli renoncer à tout.

Mais ses yeux sont distants. Tzain avait raison.

– Menteur !

L'écho de mon cri résonne dans la cellule.

Les mots ne suffisent pas. Ils sont impuissants à dire ce que je ressens. De toute façon, je ne peux même plus réfléchir. Je m'agrippe si violemment aux chaînes qu'elles me cisaillent la peau. Sans la douleur qui m'empêche de penser, plus rien ne pourrait arrêter mes larmes.

– Sortez, ordonne Inan aux deux gardes.

Il ne me regarde même pas. Pour lui, je ne suis rien.

Comme s'il y a encore quelques heures, il ne m'avait pas tenue dans ses bras.

– Elle est très dangereuse, Votre Altesse. Nous ne pouvons pas…

– C'est un ordre.

Les gardes échangent un regard mais quittent la pièce à contrecœur. Comment pourraient-ils contester cet ordre venant directement de leur précieux prince Inan ?

Habile. Je secoue la tête. Il n'est pas difficile de deviner pourquoi Inan veut me voir en privé. La mèche blanche qui tranchait tellement avec le reste de sa chevelure est désormais recouverte d'une nouvelle couche de teinture noire. Personne ne doit découvrir le secret du petit prince.

Est-ce le plan qu'il mijotait depuis le début ?

Je verrouille toutes mes émotions afin qu'elles ne transparaissent pas sur mon visage. Il ne doit pas voir ma douleur. Il ne doit pas savoir combien il m'a blessée.

La porte se referme, et nous nous retrouvons seuls. Maintenant Inan me regarde, tandis que les bruits de pas s'éloignent. Une fois qu'ils ont complètement disparu, il abandonne son air dur et redevient celui que je connais.

Son regard d'ambre empli de crainte, il s'avance et contemple la plus grande tache de sang sur ma robe. Une bouffée d'air chaud emplit mes poumons. À quel moment ai-je cessé de respirer ? Quand ai-je commencé à avoir autant besoin de lui ?

Je secoue la tête.

— Ce n'est pas mon sang, je murmure. (*Pas encore.*) Qu'est-ce qui s'est passé ? Comment ils nous ont trouvés ?

— C'est à cause du festival. (Inan baisse les yeux.) En allant se ravitailler à Gombe, des devîns ont éveillé la suspicion de quelques gardes qui les ont suivis.

Par les dieux. Je ravale une nouvelle vague de larmes. Alors ils ont été massacrés à cause de cette fête.

— Zél, nous n'avons pas beaucoup de temps, dit-il d'une voix tendue et rauque. Je n'ai pas pu te rendre visite plus tôt, mais une caravane militaire vient juste d'arriver. Quelqu'un doit venir, et quand il… (Inan se retourne vers la porte, croyant avoir entendu du bruit.) Zél, il faut que tu me dises où est le parchemin et surtout comment le détruire.

— Quoi ?

J'ai dû mal entendre. Après tout ce qui s'est passé, je ne peux pas y croire.

— Si tu acceptes, je pourrai te protéger. Tant que le retour de la magie restera une menace, Père ne cessera de vouloir te tuer.

Par les dieux.

Il n'a même pas compris que nous avons déjà perdu. Si personne ne sait le déchiffrer, le parchemin ne sert à rien. Mais cela, je ne peux pas le lui révéler.

S'ils découvrent la vérité, ils nous tueront tous, hommes, femmes et enfants. Ils ne s'arrêteront pas avant que leur haine ait exterminé jusqu'au dernier d'entre nous.

— Ce sont des brutes, Zél. (Inan avale sa salive et me ramène au moment présent.) Si tu ne cèdes pas, tu mourras.

— Alors je mourrai.

Inan blêmit.

— Si tu refuses de parler, ils feront couler ton sang.

Une boule se forme dans ma gorge. J'en étais sûre. Mais je ne parlerai pas.

— Très bien, qu'ils me saignent, alors.

— Zél, je t'en prie. (Il s'avance et pose ses mains sur mon visage tuméfié.) Je sais, nous avions des projets, mais tu dois comprendre que tout a changé…

— Bien sûr que tout a changé ! je m'écrie. Les hommes de ton père ont assassiné Zu ! Et Salim ! Et tous ces enfants. (Je secoue la tête.) Alors qu'ils ne pouvaient même pas se battre, les gardes les ont massacrés !

Inan grimace, le visage parcouru d'une expression douloureuse. Ses gardes. Ses hommes. Et notre extermination, une fois de plus.

— Je sais, Zélie, répond-il d'une voix brisée. Je sais. Chaque fois que je ferme les yeux, je vois leurs cadavres.

Je détourne la tête, luttant une nouvelle fois contre les larmes. Je revois le sourire radieux de Zu, sa joie de chaque instant, sa lumière. À l'heure qu'il est, nous aurions dû être avec elle, déjà à mi-chemin de Zaria. Elle et Kwame devraient toujours être parmi nous.

— Ils n'auraient pas dû attaquer, murmure Inan. Zulaikha méritait une chance. Mais les gardes craignaient que tu te serves du parchemin pour lever une armée de maji. Et après ce qu'a fait Kwame…

Inan n'achève pas sa phrase. Toute sa peine semble avoir laissé place à la peur.

— Il a anéanti trois pelotons entiers en quelques secondes. Il les a brûlés vifs et a carbonisé tout le campement. Et s'il ne s'était pas lui-même consumé dans les flammes, nous serions probablement morts, nous aussi.

Je recule, dégoûtée. Par les dieux, mais de quoi parle-t-il ?

— Kwame s'est sacrifié pour nous protéger !

— Mets-toi à la place des gardes. (Inan parle à toute vitesse.) Je sais que les intentions de Kwame étaient pures, mais il est allé trop loin. Depuis toujours, on nous met en garde contre ce genre de magie. Ce qu'a fait Kwame était pire que toutes les prédictions de Père !

Je cligne des yeux pour mieux scruter le visage d'Inan. Où est passé le futur roi prêt à sauver les maji ? Le prince qui a bravé les flammes pour me protéger ? Je ne connais pas ce garçon apeuré qui cherche des justifications à tout ce qu'il prétendait détester. Ou alors, je le connais trop bien.

Peut-être le vois-je enfin tel qu'il est vraiment : un petit prince brisé.

— Ne te méprends pas, cette attaque était une abomination. Je sais qu'il va falloir régler cela, mais dans l'immédiat, nous devons agir. Les soldats sont terrifiés à l'idée qu'un autre maji puisse de nouveau les attaquer comme l'a fait Kwame.

— Parfait. (Je m'agrippe à mes chaînes pour dissimuler le tremble-ment de mes mains.) Qu'ils aient peur.

Qu'ils goûtent à cette terreur qu'ils nous infligent depuis tant d'années.

— Zélie, s'il te plaît. (Inan serre les dents.) Ne fais pas ce choix-là. Nous pouvons encore réunifier notre peuple. Collabore avec moi et je trouverai le moyen de te faire venir à Lagos. Nous trouverons un moyen plus sûr de sauver Orïsha, sans la magie…

— Mais qu'est-ce que tu racontes ? (Mon cri résonne contre les murs.) Il n'y a rien à sauver ! Après ce qu'ils viennent de faire, il n'y a absolument plus rien à sauver !

Inan me regarde longuement. Les larmes lui montent aux yeux.

– Tu crois que c'est cela que je veux ? Tu crois qu'après avoir rêvé de construire un nouveau royaume avec toi, je veuille *cela* ? (Je vois mon propre chagrin se refléter dans ses yeux : la fin de notre rêve, le futur qu'Orïsha ne connaîtra jamais.) Je pensais que les choses pouvaient être différentes. Je voulais qu'elles soient différentes. Mais après ce à quoi nous venons d'assister, nous n'avons plus le choix. Nous ne pouvons pas octroyer ce genre de pouvoir à notre peuple.

– On a toujours le choix, dis-je dans un souffle. Et tes gardes ont fait le leur. Si la magie leur a toujours fait peur, maintenant ils vont connaître la terreur.

– Zélie, n'ajoute pas ta mort à toutes les autres. Ce parchemin est le seul argument qui m'ait permis de les convaincre de te garder en vie. Si à présent, tu refuses de dire où il est et comment le détruire…

De nouveau, des bruits de pas. Inan recule juste au moment où la porte s'ouvre.

– Ai-je dit que vous pouviez entr…

Inan s'interrompt, soudain pâle comme la mort.

– Père ? s'exclame Inan, bouche bée.

Même sans sa couronne, il est impossible de ne pas reconnaître le roi.

En sa présence, tout s'assombrit en une seconde. Au moment où la porte se referme violemment derrière lui, un torrent d'émotions me submerge. Lorsque je croise le regard sans âme de l'assassin de Mama, j'en oublie de respirer.

Dieux, aidez-moi.

Est-ce un rêve ? un cauchemar ? Je sens ma peau s'échauffer comme jamais, et pourtant la peur fait battre mon cœur à tout rompre. Toute ma vie, depuis les premiers jours qui ont suivi le Raid, je n'ai cessé d'imaginer le moment où je me retrouverais face à lui. J'ai si souvent orchestré sa mort dans ma tête que je serais capable d'écrire un livre entier sur les mille et une manières dont il pourrait crever.

Le roi Saran pose sa main sur l'épaule de son fils, qui tressaille comme s'il s'attendait à être frappé. En dépit de tout, la terreur que je lis dans ses yeux me peine. Je l'ai déjà vu brisé, mais aussi paniqué, jamais.

— Les gardes m'ont dit que tu avais retrouvé sa trace lors de ce soulèvement.

Inan se tient raide et droit, mâchoires serrées.

— Oui, Père. J'étais justement en train de l'interroger. Si vous nous laissez seuls encore un instant, j'obtiendrai les informations dont nous avons besoin.

La voix d'Inan est si posée que j'en arrive presque à croire son mensonge. Il essaie de m'éloigner de son père. Sans doute sait-il que je vais mourir.

Cette pensée me fait frissonner, et pourtant je reste d'un calme irréel. La peur que suscite en moi la présence de Saran est indéniable, mais elle n'éteint pas mon désir de vengeance.

Cet homme diabolique représente à lui seul tout un royaume. Une nation entière de haine et d'oppression me regarde droit dans les yeux. Certes, ce sont les gardes qui ce jour-là ont forcé les portes d'Ibadan, mais ils n'étaient que ses instruments.

L'origine du mal, c'est lui.

— C'est elle qui a tué l'amirale Kaea ? demande-t-il à voix basse.

Les yeux d'Inan s'écarquillent et se posent sur moi. Mais lorsque son père suit son regard, le petit prince comprend son erreur. Quoi qu'il dise, il ne pourra plus empêcher le roi d'Orïsha de m'approcher.

Même dans cette cellule étouffante, la présence de Saran me glace le sang, et la proximité de sa lame de majacite me brûle de plus en plus. Il est si près que je peux voir les marques de vérole sur sa peau sombre, les poils gris qui émaillent sa barbe.

J'attends les insultes, mais la manière dont il me dévisage est bien pire. Distante. Détachée. Comme si j'étais une bête ramassée dans la boue.

– Mon fils semble croire que tu connais les circonstances de la mort de l'amirale Kaea.

Inan a les yeux exorbités. Tout se lit sur son visage.

Quelqu'un a péri. Je me souviens de ce qu'il m'a dit, lors de la fête.

– Je t'ai posé une question, tonne la voix de Saran. Qu'est-il arrivé à mon amirale ?

Ton fils maji l'a tuée.

Derrière Saran, Inan ne peut s'empêcher de reculer, probablement horrifié à l'idée que je hurle tous ses secrets à la face du monde. Que je les crache, là, par terre. Mais sa terreur est telle qu'il m'est impossible de le faire.

Je détourne les yeux, incapable de soutenir le regard de ce monstre qui a ordonné la mort de Mama. Si Inan est vraiment de mon côté, peut-être que quand je ne serai plus là, c'est lui qui sera le seul espoir des ma…

Saran attrape mon menton et m'oblige à le regarder en face. Je tremble de tous mes membres. Le calme qu'il y avait dans ses yeux a laissé place à une violente colère. Je ne respire plus. Tandis que ses ongles s'enfoncent dans ma peau, je dois faire un effort surhumain pour ne pas pleurer et pour ravaler ma terreur.

– Tu ferais bien de me répondre, petite.

Je ferais bien. Oui, en effet, je ferais bien.

Ce serait parfait si Saran apprenait la vérité, là, maintenant, et qu'il veuille lui-même tuer son fils. Inan n'aurait alors plus d'autre choix que de tuer son père. Il accéderait ainsi au trône et débarrasserait Orïsha de la haine de Saran.

– Encore en train de comploter, hein ? demande Saran. Encore en train de marmonner tes ignobles incantations ? (Ses ongles s'enfoncent dans mon menton et le font saigner.) Je te préviens : au moindre geste, je te tranche les mains.

– P… Père, dit Inan d'une voix faible.

Mais il avance malgré tout d'un pas.

Saran lui lance un regard noir. Pourtant, quelque chose chez son fils le touche. D'un geste violent, il relâche mon menton et, avec une grimace, essuie ses doigts sur sa tunique.

– Je suppose que je n'ai qu'à m'en prendre à moi-même, poursuit-il, plus calme. Écoute-moi bien, Inan. À ton âge, je pensais moi aussi que les enfants des cafards avaient le droit de vivre et qu'il n'était pas nécessaire de verser leur sang.

Saran agrippe mes chaînes, m'obligeant à le regarder dans les yeux.

– Après le Raid, vous étiez censés fuir la magie. La peur aurait dû vous rendre obéissants, mais je constate qu'il n'y a pas moyen de vous éduquer. Vous autres cafards êtes tous obsédés par ce mal qui infeste votre sang.

– Vous auriez pu nous retirer la magie sans nous tuer. Sans nous supplicier ! je m'écrie en secouant mes chaînes.

L'envie me prend de libérer la magie que ma colère la plus noire a fait émerger. Ma colère immense, à cause de tout ce qu'il nous a pris.

De nouveau, la peau me brûle. Je lutte contre le majacite, faisant tout mon possible pour invoquer ma magie malgré le pouvoir des chaînes noires. De la fumée grésille sur ma chair tandis que je combats en vain.

Saran fronce les sourcils, mais je ne peux pas me taire. Pas quand mon sang bout et que mes muscles tremblent à force de se tendre.

Je ne laisserai pas ma peur occulter la vérité.

– Vous nous avez écrasés pour construire votre monarchie au prix de notre sang. Votre erreur n'a pas été de nous maintenir en vie, mais de croire que jamais nous ne riposterions !

Inan s'avance, la mâchoire crispée. Son regard se pose alternativement sur son père et moi. Dans les yeux de Saran, la colère fait rage. Et pourtant il se contente de ricaner.

– Sais-tu ce qui m'intrigue chez ton peuple ? Vous racontez toujours l'histoire en commençant par le milieu. Comme si mon père ne s'était pas battu pour vos droits. Comme si vous autres cafards n'aviez pas brûlé vive toute ma famille.

– Vous ne pouvez pas réduire tout un peuple en esclavage au nom de la rébellion de quelques-uns.

Saran découvre ses dents.

– On peut faire tout ce que l'on veut lorsqu'on est le roi.

– Votre aveuglement sera la cause de votre chute, je lui crache à la face. Avec ou sans magie, nous n'abandonnerons jamais. Avec ou sans magie, nous reprendrons ce qui nous appartient.

Sa lèvre supérieure se retourne en un rictus.

– Voilà des paroles bien téméraires pour un sale petit cafard qui s'apprête à mourir.

Un cafard.

Comme Mama.

Comme tous ceux qui ont été massacrés sur ses ordres.

– Vous feriez mieux de me tuer tout de suite, je murmure. Parce que vous n'aurez pas le parchemin.

Saran esquisse un lent et sinistre sourire de chat sauvage.

– Oh, mon enfant, dit-il en riant. À ta place, je n'en serais pas si sûre.

CHAPITRE SOIXANTE-QUATRE

INAN

LES MURS DE LA PIÈCE SE RAPPROCHENT. Piégé dans cet enfer, je m'efforce de ne pas vaciller sous le regard noir de Père. Alors que je peine à respirer, Zélie, elle, se dresse contre lui. Rebelle et intrépide, comme à son habitude.

Sans craindre pour sa vie.

Sans redouter la mort.

Arrête, voudrais-je lui crier. *Ne dis plus un mot !*

Chacune de ses paroles ne fait que renforcer le désir de Père de la briser.

Père frappe deux coups sur la porte métallique. Un instant plus tard, le médecin de la forteresse entre, escorté de trois gardes. Tous ont les yeux rivés au sol.

— Que se passe-t-il ? dis-je d'une voix rauque.

Parler tout en repoussant ma magie m'est difficile. Le souffle chaud du ventilateur me fait transpirer à grosses gouttes. Le médecin se tourne vers moi.

— Votre Altesse a-t-elle…

— C'est moi qui donne les ordres, le coupe Père. Pas mon fils.

S'avançant précipitamment, le médecin tire un couteau acéré de sa poche et l'approche du cou de Zélie. Je réprime un cri.

— Mais qu'est-ce que vous faites ? je m'exclame.

Zélie serre les dents tandis que le couteau entaille sa peau.

— Arrêtez ! je m'écrie, paniqué.

Pas maintenant. Pas ici.

Je veux me précipiter vers elle, mais Père presse si violemment sa main contre mon épaule que je manque de tomber. Horrifié, je regarde le médecin graver une croix dans la chair de Zélie. Puis, d'une main tremblante, il enfonce une aiguille creuse dans la veine découverte.

Zélie repousse brusquement la tête en arrière. Tandis qu'un des gardes la maintient, le médecin remplit une petite fiole de liquide noir, puis commence à le verser dans l'aiguille.

– Père, est-ce bien raisonnable ? Elle sait des choses. Elle peut trouver tous les artefacts. Elle est la seule qui sache déchiffrer le parchemin...

– Ça suffit ! tonne Père, resserrant sa poigne sur mon épaule.

Je l'irrite. Si j'insiste, il fera encore plus souffrir Zélie.

Le médecin me regarde, comme s'il attendait que je lui dise d'arrêter. Mais lorsque Père tape de nouveau du poing contre le mur, il verse le sérum dans l'aiguille creuse, et le liquide noir s'écoule directement dans le cou de Zélie.

Pris de spasmes, son corps se contorsionne. Son souffle est court, saccadé. Ses pupilles se dilatent.

Ma propre poitrine se comprime tandis que le sang bat contre mes tempes.

Et ce n'est qu'un faible écho de ce qu'ils lui font subir...

– Ne t'inquiète pas, dit Père, prenant mon effroi pour de la déception. D'une manière ou d'une autre, elle finira bien par nous dire tout ce qu'elle sait.

Les muscles de Zélie se contractent, secouant les chaînes. Mes jambes se dérobent, je prends appui contre le mur. Si je veux la sauver, je dois garder mon calme.

– Que lui avez-vous injecté ? dis-je d'une voix aussi neutre que possible.

– Quelque chose qui maintiendra ce sale cafard éveillé. (Père sourit.) Il ne faudrait pas qu'elle s'évanouisse avant que nous ayons obtenu ce que nous voulions.

L'un des gardes extrait une dague de sa ceinture tandis qu'un autre déchire la robe de Zélie, exposant la peau lisse de son dos. Puis le premier approche sa lame de la flamme d'une torche et attend que le métal se mette à rougeoyer.

Père s'avance. Les spasmes de Zélie s'intensifient, de plus en plus violents.

– J'admire ton courage, petite. Je suis presque impressionné. Mais en tant que roi, je me dois de te rappeler ce que tu es.

Lorsque la lame chauffée à blanc se pose sur sa peau nue, son agonie m'envahit avec violence.

Le hurlement de Zélie me glace le sang.

– Non !

N'en pouvant plus, je bondis. Mes poings frappent le garde qui torture Zélie, tandis que Père crie :

– Maîtrisez-le !

Instantanément, les deux autres gardes s'emparent de moi et immobilisent mes bras. Tout devient blanc. Une odeur de chair brûlée emplit mes narines.

– Je savais bien que tu ne pourrais pas supporter cela. (Au milieu des cris déchirants de Zélie, je perçois la déception de Père.) Mettez-le dehors, tranche-t-il. Tout de suite !

Je ressens plus l'ordre de Père que je ne l'entends. Je me débats pour aller vers Zélie, mais à chaque tentative, on me repousse. Ses cris augmentent.

Elle s'éloigne de plus en plus.

Ses sanglots et ses hurlements rebondissent contre les murs de métal. Sur sa peau, je distingue un C.

Et lorsque son souffle se fait plus ténu, le garde commence à dessiner un A.

– Non !

Ils me jettent dans le couloir et referment aussitôt la porte derrière moi.

Je la martèle de mes poings jusqu'à ce qu'ils soient en sang. Mais personne ne m'ouvre.

Maintenant je frappe la porte à coups de tête. Ses cris augmentent et je ne peux pas entrer.

Réfléchis ! Il faut que je la sorte de là.

Je m'élance à travers le corridor, mais la distance n'apaise en rien mon angoisse. Titubant, je croise des visages inquiets.

Je vois des lèvres remuer. Des gens parlent.

Zélie crie si fort que je ne les entends pas. Ses hurlements traversent la porte ; ils résonnent encore plus dans ma tête.

Je me jette dans la première salle de bains qui se trouve sur mon chemin et parviens à fermer la porte à clé.

À présent, je sens qu'ils ont commencé à inscrire le F. C'est comme s'ils le tatouaient dans ma propre chair.

De mes mains tremblantes, j'agrippe les bords du lavabo de porcelaine. Le contenu de mon estomac s'y déverse en me brûlant la gorge.

Autour de moi, tout se met à tanguer. Il ne faut pas que je m'évanouisse. Je dois résister.

Je dois sauver Zélie…

Je respire bruyamment.

Sur mon visage, l'air frais me fait l'effet d'une brique en pleine face. J'inhale une odeur d'herbe mouillée. Des roseaux flétris me chatouillent les pieds.

Le paysage onirique.

Quand je comprends où je suis, je tombe à genoux.

Mais je n'ai pas de temps à perdre. Je dois la sauver. Il faut que je la fasse venir ici.

Les yeux fermés, je me remémore son visage. Son regard d'argent si envoûtant. Quelle nouvelle lettre ont-ils gravée dans son dos ? dans son cœur ? dans son âme ?

En quelques secondes, Zélie apparaît. Suffoquant et à demi nue. Ses mains agrippent la terre.

Ses yeux sont vides.

Elle contemple ses doigts tremblants, ignorant où elle est.

Qui elle est.

– Zélie ?

Il manque quelque chose. En une seconde, je comprends ce qui cloche. Son esprit ne déferle pas comme les vagues de l'océan.

Son âme n'exhale plus cette odeur de sel marin.

– Zél ?

Les contours blancs du paysage semblent rétrécir autour de nous. Elle se tient immobile. Tellement immobile que je me demande si elle peut m'entendre.

Je lui tends la main. Lorsque mes doigts effleurent sa peau, elle crie et a un mouvement de recul.

– Zél…

Une lueur sauvage traverse son regard. Ses tremblements augmentent.

Quand je m'approche, elle recule. Dévastée. Brisée.

Je m'arrête et lève les mains en l'air. Mon cœur souffre de la voir ainsi. Elle n'a plus rien de la guerrière que je connais. De la combattante qui a craché à la face de Père. Je ne la retrouve plus du tout.

Père a fait d'elle une coquille vide.

– Tu es en sécurité, je murmure. Ici, personne ne pourra te faire du mal.

Mais ses yeux se remplissent de larmes.

– Je ne le sens pas, s'écrie-t-elle. Je ne le sens pas du tout.

– Qu'est-ce que tu ne sens pas ?

Je m'avance vers elle, mais elle secoue la tête et se traîne à reculons dans les roseaux.

– C'est parti, répète-t-elle à nouveau. Parti.

Elle se recroqueville dans les roseaux, écrasée par le poids d'une douleur à laquelle elle ne peut échapper.

Le devoir avant soi-même.

J'enfonce mes doigts dans la poussière.

La voix de Père tonne dans ma tête. *Le devoir avant tout le reste.*

Les flammes de Kwame ressuscitent sous mes yeux, dévorant tout sur leur passage. Mon devoir, c'est d'empêcher cela.

Mon devoir est de maintenir Orïsha en vie.

Mais ce credo sonne creux, il creuse un trou en moi comme le couteau qui taillade le dos de Zélie.

Le devoir n'est pas une motivation suffisante dès lors qu'il s'agit d'anéantir celle que j'aime.

CHAPITRE SOIXANTE-CINQ

AMARI

Nous allons y arriver.

Ciel, il le faut.

Je m'accroche à ce fragile espoir, tandis que Tzain et moi arpentons les ruelles de Gombe, entourés d'édifices rouillés qui se fondent dans l'obscurité.

À Gombe, ville de fer et de fonte, les forges tournent jusque tard dans la nuit. Construites par les Soudeurs avant le Raid, leurs structures métalliques aux courbes impossibles se dressent dans le ciel.

À Lagos, les classes sociales se répartissent en trois quartiers distincts, mais Gombe en comprend un quatrième, dédié à l'activité métallurgique et situé à l'écart de la vie résidentielle. À travers les fenêtres aux vitres recouvertes de poussière, on y voit des devîns à l'ouvrage, forgeant les biens manufacturés qui dès le lendemain seront commercialisés dans tout Orïsha.

– Attends, me retient Tzain tandis que des gardes en armure patrouillent en faisant résonner leurs bottes ferrées sur les pavés. C'est bon, dit-il une fois qu'ils se sont éloignés.

Mais sa voix n'a plus la détermination qui la caractérise habituellement. *Ça va marcher,* me dis-je une fois de plus, espérant que Tzain en soit lui aussi convaincu. *Et après, Zélie sera tirée d'affaire.*

Bientôt, nous laissons derrière nous les ruelles étroites et encombrées du quartier des forges pour nous retrouver au milieu des hautes coupoles métalliques du centre-ville. Une sonnerie retentit, libérant un groupe d'ouvriers recouverts de poussière et de brûlures causées par le métal chauffé à blanc. Nous nous laissons guider par le son de la musique et des tambours qui enfle dans la nuit.

L'odeur d'alcool a remplacé la puanteur de la fumée, et nous voyons apparaître une multitude de bars nichés sous des petites coupoles rouillées.

— Tu crois qu'il y sera ? je demande, tandis que nous nous dirigeons vers un établissement particulièrement vétuste mais qui semble moins bruyant que les autres.

— C'est là que nous aurons le plus de chances de le trouver. L'année dernière, quand j'étais à Gombe pour assister aux jeux d'Orïsha, Kenyon et son équipe m'emmenaient ici tous les soirs.

— Alors c'est parfait.

— Ne te réjouis pas trop vite. Même si nous le trouvons, je doute qu'il accepte de nous aider.

— C'est un devîn. Il n'aura pas le choix.

— Les devîns ont rarement la possibilité de choisir, dit Tzain en frappant à la porte. Et quand ils l'ont, en général, ils privilégient leur intérêt personnel.

Avant que je puisse répondre, la porte s'entrouvre.

— Mot de passe ? aboie une voix bourrue.

— *Lo-ïsh.*

— C'est plus le bon.

— Oh ! … (Tzain attend, comme si par miracle le nouveau sésame allait apparaître.) Je n'en connais pas d'autre.

L'homme hausse les épaules.

— Les mots de passe changent tous les quarts de lune.

Poussant Tzain de côté, je me hisse sur la pointe des pieds afin de jeter un œil à l'intérieur.

— Nous ne sommes pas de Gombe. S'il vous plaît, aidez-nous.

Le type fronce les sourcils et crache à travers la porte entrebâillée. Je recule, dégoûtée.

— Personne ne rentre sans mot de passe, dit-il, furieux. Et encore moins les nobles.

– Je vous en prie…

Tzain me repousse sur le côté.

– Vous pouvez dire à Kenyon que Tzain Adebola d'Ilorin veut lui parler ?

Le battant se referme violemment. Je le fixe d'un air consterné. Si nous ne pouvons pas entrer, nous n'avons aucune chance de retrouver Zélie.

– Y a-t-il une autre entrée ? je demande.

– Non, grogne Tzain. Je savais bien que ça ne marcherait pas. On perd du temps. Pendant qu'on poireaute ici, Zél est probablement en train de…

Sa voix s'étrangle. Il ferme les yeux pour contenir son émotion. Je desserre ses poings et lui caresse la joue.

– Fais-moi confiance, Tzain. Je ne te laisserai pas tomber. Si Kenyon n'est pas ici, nous trouverons quelqu'un d'autre…

– Par les dieux ! (La porte s'ouvre en grand, laissant apparaître un robuste devîn aux bras tatoués.) C'est malin, maintenant je dois une pièce d'or à Khani.

Ses cheveux blancs sont rassemblés en un chignon de dreadlocks serrées. Il passe son bras autour des épaules de Tzain, éclipsant presque sa silhouette massive.

– Qu'est-ce que tu fais là, mon pote ? Je ne suis pourtant pas censé vous battre avant une lune.

– Justement, je m'inquiète pour ton équipe, répond Tzain avec un rire forcé. Il paraît que tu t'es foulé le genou ?

Kenyon retrousse son pantalon, révélant une attelle métallique fixée autour de sa cuisse.

– Le médecin dit que je serai rétabli pour les épreuves de qualification, mais je ne me fais pas de souci. Même en dormant, je te mettrais la pâtée. (Ses yeux se posent sur moi. Il me contemple d'un air amusé.) Et toi, jolie sauterelle, tu es venue jusqu'ici juste pour voir Tzain perdre ?

Les deux garçons se chahutent en riant, puis Kenyon passe un bras autour des épaules de Tzain. Je m'étonne qu'il ne ressente pas le désespoir que son ami cache au fond de lui.

— Il peut entrer, Di, lance Kenyon au portier. T'inquiète, je réponds de lui.

Le type à la voix bourrue nous jette un coup d'œil. Il semble avoir moins de trente ans, et son visage est très balafré.

— La fille aussi ? demande-t-il en me désignant du menton.

Tzain pose sa main sur la mienne.

— Elle est OK, le rassure-t-il. Elle ne dira rien.

Di hésite puis recule et laisse Kenyon nous guider à l'intérieur. Non sans me foudroyer du regard jusqu'à ce que j'aie disparu de son champ de vision.

Dans le bar mal éclairé, le martèlement sourd des tambours vibre sur ma peau. L'endroit est bondé, et les clients, dont aucun ne paraît beaucoup plus âgé que Kenyon ou Tzain, sont comme des ombres se mouvant dans la lueur vacillante des bougies. Les murs à la peinture écaillée dévoilent des taches de rouille.

Tout au fond, dans un coin, deux hommes scandent un rythme doux avec aisance sur leur ashiko, tandis qu'un autre frappe les lattes en bois d'un balafon.

— Quel est cet endroit ? je chuchote à l'oreille de Tzain.

Bien que je n'aie jamais mis les pieds dans une taverne, je comprends vite pourquoi l'entrée de celui-ci nécessite un mot de passe. Presque tous les clients ont les cheveux blancs. Les rares kosidàn présents sont visiblement tous liés aux devîns habitués du lieu. Des couples assis se tiennent la main, et je remarque que lorsqu'ils s'embrassent, leurs hanches se rapprochent.

— Ça s'appelle un tóju, répond Tzain. Des devîns l'ont ouvert il y a quelques années. On en trouve dans la plupart des villes. C'est l'un des rares endroits où ils peuvent se retrouver sans être inquiétés par les gardes.

L'animosité du portier ne me semble soudain plus si déplacée. J'imagine aisément ce que les gardes feraient s'ils parvenaient à s'introduire dans un endroit comme celui-là.

– Pendant des années, j'ai joué contre ces gars-là, murmure Tzain tandis que Kenyon nous dirige vers une table au fond de la salle. Ils sont loyaux, mais sur leurs gardes. Laisse-moi mener la conversation, je préfère d'abord les mettre à l'aise.

– On n'a pas de temps à perdre en amabilités, je réponds. Si nous n'arrivons pas à les mobiliser pour se battre…

– Avant cela, mieux vaut d'abord les convaincre, dit Tzain en me donnant un petit coup de coude. Je sais bien que le temps presse, mais avec eux, il faut y aller doucement…

– Tzain !

Accueillis par un concert d'exclamations, nous arrivons à une table occupée par trois devîns, peut-être quatre puisque l'un d'eux a le crâne rasé. Vraisemblablement l'équipe d'agbön de Kenyon au complet. Ils sont tous plus immenses les uns que les autres. Même les sœurs jumelles que Tzain appelle Imani et Khani sont presque aussi grandes que lui.

La présence de Tzain suscite sourires et rires. Chacun se lève pour lui serrer la main, lui taper sur l'épaule ou le taquiner à propos du prochain tournoi d'agbön. J'essaie de m'en tenir à sa recommandation de ne pas brusquer ses amis, mais ils se montrent si enflammés par les jeux qu'ils ne semblent pas du tout réaliser que pour Tzain, le monde vient de s'écrouler.

– Nous avons besoin de votre aide, dis-je au milieu du brouhaha.

C'est la première phrase que je parviens à placer. Tous se taisent et me regardent comme s'ils venaient juste de s'apercevoir de ma présence.

Kenyon sirote sa boisson orange vif et se tourne vers Tzain.

– Parle. De quoi as-tu besoin ?

Ils écoutent attentivement Tzain leur expliquer la situation. Quand il évoque la destruction du campement, chacun se tait. Il leur raconte tout, depuis l'origine du parchemin jusqu'au rite imminent, puis termine par l'enlèvement de Zélie.

— Le solstice a lieu dans deux jours, j'ajoute. Si nous voulons y arriver, nous devons agir vite.

— Je suis désolé, soupire Ife, dont le crâne rasé reflète la lueur des bougies, mais si elle est vraiment enfermée là-bas, on ne peut rien faire.

— Il doit bien y avoir un moyen, dit Tzain en s'adressant à Femi, un costaud à courte barbe. Ton père pourrait nous aider. Il soudoie toujours les gardes ?

Le visage de Femi s'assombrit. Sans un mot, il recule sa chaise et se lève si précipitamment qu'il manque de renverser la table.

— Ils ont emmené son père, il y a quelques mois, explique Khani. Ils l'ont d'abord accusé d'avoir commis une erreur dans la perception des impôts…

— Et trois jours plus tard, on a retrouvé son corps, termine Imani.

Ciel. Je regarde Femi se frayer un chemin dans la taverne. Encore une victime de la tyrannie de Père. Et une raison de plus pour agir tout de suite.

Le visage de Tzain se décompose. Il empoigne une chope en étain et la serre si fort qu'elle se tord.

— Tout n'est pas perdu, dis-je. Même si nous ne pouvons pas soudoyer les gardes, il existe forcément un moyen de la faire sortir.

Kenyon émet un grognement et prend une autre gorgée de sa boisson.

— On est costauds, mais pas idiots.

— En quoi est-ce idiot ? je demande. Vous n'aurez pas besoin de vos muscles, juste de votre magie.

Au mot *magie*, toute la tablée se fige, comme si je venais de les insulter. Chacun se tourne vers son voisin d'un air perplexe, mais Kenyon me lance un regard noir.

— Nous n'avons pas de magie.

– Pas pour l'instant, je concède en sortant le parchemin de mon sac. Mais nous pouvons vous rendre vos pouvoirs. La forteresse a été conçue pour emprisonner des hommes, pas des maji.

Je m'attends à ce qu'au moins l'un d'entre eux regarde le parchemin de plus près, mais tous le fixent comme s'il s'agissait d'une bombe sur le point d'exploser. Kenyon s'éloigne de la table.

– Il est temps que vous partiez.

Aussitôt, Imani et Khani se lèvent et m'agrippent chacune par le bras.

– Hé, lâchez-moi, s'écrie Tzain en essayant de se dégager de l'emprise d'Ife et de Kenyon.

Tous les clients nous regardent. J'ai beau me débattre et crier, les filles ne cèdent pas. Mais lorsque la respiration d'Imani se fait plus saccadée et que Khani resserre sa poigne, je comprends enfin.

Ils ne sont pas en colère.

Ils ont peur.

Je réussis à me dégager d'un coup d'épaule et saisis la poignée de mon épée d'un geste vif. Aussitôt, je la frappe d'un coup sec contre le sol, déployant la lame.

– Je n'ai pas l'intention de vous blesser, dis-je à voix basse. Mon seul désir est de vous rendre votre magie.

– Mais qui es-tu ? demande Imani.

Parvenant enfin à se libérer de Kenyon et d'Ife, Tzain s'avance.

– Elle est avec moi, s'énerve-t-il en faisant reculer Imani. Vous n'avez pas besoin d'en savoir plus.

– Tout va bien, dis-je.

J'avance d'un pas et sors de l'ombre protectrice de Tzain. Tous les yeux sont braqués sur moi, mais pour une fois je n'ai pas envie de disparaître sous terre. Je repense à Mère qui n'a qu'à hausser un sourcil pour se faire obéir de toute une assemblée d'oloyes. C'est ce pouvoir-là que je dois invoquer, ici et maintenant.

– Je suis la princesse Amari, fille du roi Saran, et… (Jamais encore je n'ai prononcé ces mots, mais je réalise que je n'ai pas d'autre choix.

Je ne peux plus laisser mes origines royales se mettre en travers de mon chemin.) Et je suis la future reine d'Orïsha.

Tzain hausse les sourcils, mais ne reste pas longtemps paralysé par la surprise. Des commentaires enflammés fusent de toute part, et Tzain met un temps fou à les faire taire.

— Il y a onze ans, mon père vous a confisqué votre magie. Si nous n'agissons pas maintenant, nous perdrons une occasion unique de la faire revenir.

Balayant le tóju du regard, j'attends que quelqu'un me contredise ou tente à nouveau de me jeter dehors. Quelques devîns quittent la salle, mais la plupart ne bougent pas, sans doute avides d'en savoir davantage.

Je déroule le parchemin et le maintiens à bout de bras afin que tous puissent voir les antiques inscriptions.

Un devîn s'approche pour le toucher, et pousse un petit cri en reculant au moment où un courant d'énergie traverse ses mains.

— Il existe un rite sacré qui peut restaurer votre connexion aux dieux. Si mes amis et moi-même ne parvenons pas à l'accomplir lors du centième solstice qui aura lieu dans deux jours, la magie disparaîtra pour toujours.

Et mon père continuera à arpenter les rues pour massacrer votre peuple. Il vous poignardera le cœur. Il vous tuera comme il a tué mes amis.

Je contemple l'assemblée, cherchant le regard de chaque devîn.

— Il n'y a pas que votre magie qui est menacée, mais aussi vos vies.

Le brouhaha enfle de plus belle, jusqu'à ce que quelqu'un crie :

— Que doit-on faire ?

Je m'avance, tête haute, et fais disparaître la lame de mon épée.

— Une jeune fille est enfermée dans la forteresse des gardes, à l'extérieur de Gombe. Elle est notre unique espoir, mais j'ai besoin de votre magie pour la délivrer. Si vous la sauvez, vous vous sauverez vous-mêmes.

Dans la salle se fait un long silence. Plus personne ne bouge. Kenyon s'adosse à sa chaise et croise les bras. Je ne parviens pas à interpréter l'expression de son visage.

– De toute façon, la magie que nous apportera ce parchemin ne sera jamais assez puissante.

– Ne t'inquiète pas. (Je fouille dans le sac de cuir de Zélie et en sors la pierre de soleil.) Si vous acceptez de nous aider, elle le sera.

CHAPITRE SOIXANTE-SIX

INAN

LES CRIS DE ZÉLIE ME HANTENT encore longtemps après qu'ils se sont tus.

Des cris aigus.

Perçants.

Même si sa conscience brisée est restée dans le paysage onirique, ma connexion physique avec son corps demeure et l'écho de son angoisse me brûle la peau. Par moments, la douleur est si forte que je ne peux même plus respirer. Tout en luttant contre cette souffrance, je frappe à la porte de Père.

Je dois la sauver. Je ne décevrai pas Zélie une deuxième fois.

Si je la laissais périr ici, je ne me le pardonnerais jamais.

– Entrez.

Tout en repoussant ma magie, j'entre dans la pièce dont Père a fait sa salle de commandement. Debout dans son peignoir de velours, il est en train d'étudier une carte aux couleurs pâlies. Son visage n'exprime aucune haine. Pas même un soupçon de dégoût.

Pour lui, graver le mot CAFARD dans le dos d'une jeune fille n'est qu'une tâche parmi d'autres.

– Tu voulais me voir.

Père laisse passer un long moment avant de me répondre. Il soulève la carte et la tient près d'une lampe. Une croix barre la vallée des devins.

Et soudain je comprends : la mort de Zu ; les cris de Zélie. Tout cela lui est indifférent, car les maji ne sont rien.

Père prêche le devoir avant soi-même, mais son Orïsha n'inclut pas les majis. Ne les a jamais inclus.

Il ne tient pas seulement à éradiquer la magie.

Il veut aussi les anéantir.

– Tu m'as contrarié, finit-il par dire. Quand on mène un interrogatoire, on ne se comporte pas comme tu l'as fait.

– Je n'appelle pas cela un interrogatoire.

Père repose sa carte.

– Pardon ?

Non, rien.

C'est ce qu'il voudrait m'entendre dire.

Mais dans un coin de ma tête, Zélie sanglote et tremble.

De la torture. Ni plus ni moins.

– Je n'ai rien appris d'intéressant, Père. Et toi ? (Ma voix devient de plus en plus assurée.) La seule information que j'en ai retirée, c'est que tu es capable de faire crier une fille vraiment très fort.

À ma plus grande surprise, Père sourit. Mais son sourire est plus dangereux que sa fureur.

– Les voyages ont fait de toi un homme, acquiesce-t-il. C'est bien. Mais ne gaspille pas ton énergie en prenant la défense de ce…

Cafard.

Je devine quel mot il va prononcer bien avant qu'il ne franchisse ses lèvres. C'est ainsi qu'il les voit, tous.

Et qu'il me verrait, moi, s'il savait.

Je me déplace discrètement jusqu'au miroir afin d'y observer mon reflet. La mèche est toujours recouverte de teinture noire, mais seul le ciel sait pour combien de temps.

– Nous ne sommes pas les premiers à devoir porter ce fardeau. À devoir en arriver à de telles extrémités pour assurer la sécurité de notre royaume. Les Bratoniens, les Pörltöganés ont tous été écrasés parce qu'ils n'ont pas su mener ce combat implacable contre la magie. Voudrais-tu que j'épargne les cafards et que j'abandonne Orïsha au même sort que le leur ?

— Ce n'est pas ce que je voulais dire, mais…

— Ces cafards sont comme des panthéraires sauvages, poursuit Père. Il ne s'agit pas seulement d'en obtenir des réponses, mais aussi de briser leur volonté, de leur montrer que tu es le chef. (Il pose de nouveau les yeux sur le parchemin et inscrit une autre croix sur Ilorin.) Tu comprendrais cela si tu étais resté. La fille a fini par me révéler tout ce que je voulais savoir.

Je sens la sueur couler dans mon dos.

— Tout ?

Père hoche la tête.

— Le parchemin ne peut être détruit que par la magie. Je m'en doutais déjà depuis l'échec de l'amiral Ebele, mais cette fille l'a confirmé. Maintenant que nous l'avons sous la main, nous l'obligerons à passer à l'acte dès que nous aurons récupéré le parchemin.

Mon cœur bat dans mon cou. Je dois fermer les yeux pour rester calme.

— Elle restera en vie ?

— Pour l'instant. (Père passe son doigt sur la croix recouvrant la vallée des devîns. L'encre épaisse et rouge coule comme du sang.) Peut-être est-ce mieux ainsi. (Il soupire.) Elle a tué Kaea. Pourquoi lui faire le cadeau d'une mort rapide ?

Mon corps se fige.

— Qu… quoi ? je balbutie. Elle a dit ça ?

Je voudrais poser d'autres questions, mais les mots se dessèchent dans ma bouche. Je revois le visage de Kaea, défiguré par la haine. *Cafard.*

— Elle a avoué être allée au temple de Chândomblé, poursuit Père, comme si la conclusion qu'il tirait de cette réponse allait de soi. C'est là que le corps de Kaea a été retrouvé.

Il ramasse un petit cristal turquoise taché de sang et l'examine à la lumière. Mon estomac se retourne.

— Qu'est-ce que c'est ? je demande, bien que connaissant déjà la réponse.

Père fait la moue.

– Une sorte de résidu que le cafard a laissé dans les cheveux de Kaea.

Il l'écrase, réduisant ce qui reste de ma magie en poussière. Une odeur d'acier et de vin me saute aux narines.

L'odeur de l'âme de Kaea.

– Et quand tu retrouveras ta sœur, tue-la. (Père s'adresse plus à lui-même qu'à moi.) Les ennemis que je n'hésiterais pas à éradiquer pour vous protéger, elle et toi, ne manquent pas, mais je ne peux lui pardonner d'avoir joué un rôle, quel qu'il soit, dans la mort de Kaea.

J'agrippe la poignée de mon épée et m'oblige à acquiescer. Je peux presque sentir le couteau graver le mot TRAÎTRE dans mon dos.

– Je suis désolé. Je sais… qu'elle était ton *soleil*. Je sais combien elle comptait pour toi.

Père tourne sa bague, perdu en lui-même.

– Elle ne voulait pas y aller. Elle redoutait que quelque chose de ce genre n'arrive.

– Je crois qu'elle redoutait bien plus de te décevoir que de mourir.

Comme nous tous, depuis toujours.

Et moi, plus encore que les autres.

– Que comptes-tu faire d'elle ? je demande.

– De qui ?

– Zélie.

Père me lance un bref coup d'œil.

Il a oublié qu'elle avait un nom.

– Le médecin est en train de la soigner. Nous pensons que son frère détient le parchemin. Demain, elle nous servira de monnaie d'échange pour le récupérer. Une fois qu'il sera entre nos mains, elle le détruira pour de bon.

– Et ensuite ? j'insiste. Que se passera-t-il, quand le parchemin sera anéanti ?

– Elle mourra. (Père retourne à sa carte et poursuit l'élaboration de son plan.) Ensuite nous exhiberons son cadavre dans tout Orïsha. Ainsi, chacun saura à quoi s'attendre s'il ose nous défier. À la moindre tentative de rébellion, nous les exterminerons tous. Sur-le-champ.

– Et si on s'y prenait autrement ? dis-je en jetant un coup d'œil aux villes sur la carte. Nous pourrions écouter leurs doléances et utiliser la fille comme ambassadrice. Il y a parmi eux des gens… des gens qu'elle aime et dont nous pourrions nous servir pour la contrôler. (Chaque mot que je prononce est une trahison, mais tant que Père ne m'interrompt pas, je poursuis. Je n'ai pas le choix. Je dois la sauver à tout prix.) Lors de notre expédition, j'ai vu quantité de choses et j'ai appris à mieux comprendre les devîns. Si nous pouvions améliorer leur situation, cela étoufferait en même temps toute velléité de rébellion.

– C'est aussi ce que pensait mon propre père.

Je reprends mon souffle.

Père évoque rarement sa famille.

Le peu que j'en connaisse, je l'ai appris par les ragots et les rumeurs qui circulaient au palais.

– Il voulait mettre un terme à l'oppression et bâtir un royaume plus juste. C'était aussi mon souhait, mais ils l'ont tué. Lui, et tous ceux que j'aimais. (Père pose une main glacée sur ma nuque.) Il faut me croire quand j'affirme qu'il n'y a pas d'autre solution. Tu as bien vu ce que ce Brasero a fait de leur campement.

J'acquiesce, même si j'aurais préféré ne pas assister à cet effroyable spectacle. Après avoir vu ces gens carbonisés sans même avoir eu le temps de crier, je ne peux plus donner tort à Père.

Sa poigne se resserre à m'en faire mal.

– Écoute ce que je te dis et prends-en de la graine avant qu'il ne soit trop tard.

Et soudain, Père me serre contre lui. Son geste m'est si peu familier qu'il me fait sursauter. La dernière fois qu'il m'a pris dans ses bras, c'était dans mon enfance, après que j'avais lacéré le dos d'Amari.

Un homme capable de blesser sa propre sœur a l'étoffe d'un grand roi.

Sur le coup, je m'étais senti fier.

Heureux de voir ma sœur saigner.

— Avant, je n'avais pas confiance en toi, dit Père en relâchant son étreinte. Je ne pensais pas que tu en serais capable mais tu as su protéger Orïsha. Et cela fera de toi un grand roi.

Je hoche la tête et reste sans voix. Père se penche de nouveau sur sa carte. Le débat est clos. N'ayant rien à ajouter, je quitte la pièce.

Réjouis-toi, me dis-je. *Essaie d'éprouver quelque chose.* Père vient de prononcer les mots que j'attendais depuis toujours. Après toutes ces années, il croit enfin que je serai un grand roi.

Mais lorsque la porte se referme derrière moi, mes jambes vacillent et je m'écroule sur le sol.

Comment pourrais-je me réjouir alors que Zélie est enchaînée ?

CHAPITRE SOIXANTE-SEPT

INAN

J'ATTENDS QUE PÈRE SOIT ENDORMI.

Puis j'attends que les gardes quittent leur poste.

Tapi dans l'ombre, j'observe le médecin sortir de la cellule en faisant grincer la porte.

Son visage est pâle et ses vêtements sont maculés de sang. La vue de cet homme renforce ma détermination.

Trouve-la. Sauve-la !

À pas de loup, je me dirige vers la cellule et glisse la clé dans la serrure. La porte s'ouvre dans un gémissement. J'imagine le pire.

Mais rien ne peut me préparer à une telle vision d'horreur.

Le corps de Zélie est inerte, presque sans vie. Sa robe déchirée est imbibée de sang. Un trou béant s'ouvre en moi.

Et Père pense que les bêtes, ce sont les maji !

Plein de honte et de rage, je cherche la bonne clé dans le trousseau. Cette fois, il ne s'agit plus de magie, il s'agit de la sauver, elle.

Je déverrouille les fers qui entravent ses poignets et ses chevilles, puis la prends dans mes bras tout en posant ma main sur sa bouche. Lorsqu'elle revient à elle, je parviens à étouffer ses cris.

Sa douleur me traverse de part en part. Du sang s'échappe de ses plaies.

— Je ne le sens pas, gémit-elle contre mon épaule.

J'ajuste mes bras de manière à maintenir les bandages en place dans son dos.

— Ça reviendra, dis-je, essayant de la consoler.

Mais de quoi parle-t-elle ?

Son cerveau est un mur contre lequel son supplice vient buter sans fin.

Pas d'océan, pas d'esprit. Pas d'odeur marine. Je ne vois rien au-delà de son angoisse. Elle est emmurée dans sa souffrance.

– C'est inutile. (Ses ongles labourent mon épaule tandis que nous montons les escaliers déserts.) Je me vide déjà de mon sang. Laisse-moi.

Un liquide chaud coule entre mes doigts. Je presse mes mains contre son dos.

– Nous trouverons un Guérisseur.

Des bruits de bottes résonnent à l'angle du couloir. Je me précipite dans une pièce vide pour attendre que les gardes passent leur chemin. Elle grimace, réprimant un cri. Je la serre encore plus fort contre moi.

Je grimpe une nouvelle volée de marches. Mon cœur cogne à chaque pas.

– Ils te tueront, chuchote-t-elle tandis que je cours. Il te tuera.

À ces mots, je me raidis.

Je ne peux pas penser à cela maintenant. La seule chose qui compte, c'est de sortir Zé…

D'abord, des cris.

Puis, cette chaleur.

Une déflagration venue du ciel fait exploser les murs de la forteresse et nous projette contre le sol.

CHAPITRE SOIXANTE-HUIT

AMARI

Surplombant Gombe, la forteresse se dresse à l'horizon. Les ombres du palais d'acier se fondent dans la nuit. Des hommes de troupe postés à tous les coins de rue surveillent chaque mètre carré, ne s'en éloignant tout au plus que pour quelques secondes. Le cœur battant, nous attendons que ceux qui patrouillent le long de la muraille sud passent. Nous n'aurons que trente secondes. Je prie pour que ce soit suffisant.

– Tu vas y arriver ? je chuchote à Femi, tandis que nous sortons des fourrés de kinkéliba où nous nous tenions cachés.

Depuis qu'il a touché la pierre de soleil, il ne cesse de tripoter ses doigts, sa barbe et son nez crochu.

– Je suis prêt, dit-il en hochant la tête. C'est difficile à expliquer, mais je le sens bien.

– Parfait. (Je me concentre à nouveau sur la patrouille.) Après leur prochain passage, on y va.

Une fois que les gardes ont disparu au coin de la rue, Femi et moi traversons la pelouse en courant, suivis de Tzain, Kenyon et Imani. Nous collons aux ombres, prenant garde de ne pas être vus de ceux qui nous surplombent. Même si au tóju la plupart des devîns étaient d'accord pour nous aider, seuls Kenyon et son équipe ont accepté de toucher le parchemin pour réveiller leur magie. J'espérais que cela suffirait pour attaquer la forteresse, mais parmi eux cinq, tous n'étaient pas aptes à se battre.

Khani s'est révélé Guérisseur, et Ife a réveillé des pouvoirs de Dompteur. Sans magie adaptée à la situation, il n'aurait pas été prudent de les faire entrer dans la forteresse. Heureusement, Kenyon est un Brasero, Femi un Soudeur, et Imani une Cancer. Certes pas l'armée de maji que j'espérais, mais grâce au pouvoir de la pierre de soleil, cela devrait faire l'affaire.

— Plus que quinze secondes, je murmure, hors d'haleine, lorsque nous atteignons le mur sud.

Femi fait courir ses doigts sur les bosses et les creux du métal froid. Il tâtonne, cherchant une sensation qui n'arrive pas. Notre précieux temps s'écoule.

— Dix secondes.

Femi ferme les yeux et appuie plus fort contre le mur. À chaque seconde qui s'envole, ma poitrine se comprime davantage.

— Cinq secondes !

Soudain, l'air se raréfie et une lumière verte se met à briller dans sa main. Comme des vagues à la surface de l'eau, le mur commence à onduler, et finalement une brèche apparaît, suffisamment grande pour nous permettre de nous faufiler à l'intérieur.

Un instant plus tard, des pas lourds résonnent à l'extérieur, et Femi a juste le temps de refermer le mur avant le passage de la patrouille.

Grâce au ciel.

Je laisse échapper un long soupir, savourant cette petite victoire avant d'aborder le combat suivant. Nous voilà dans la place.

Le plus difficile reste à venir.

Des épées étincelantes ornent les murs et reflètent nos visages inquiets. *Une armurerie…* Si cette forteresse a été conçue sur le même plan que celle de Lagos, nous devrions être au niveau de la salle de commandement. Ce qui signifie que les cellules de prison sont juste en dessous.

Une poignée s'abaisse. Je lève la main, signifiant aux autres de se cacher, et la porte de l'armurerie s'ouvre dans un grincement.

J'entends s'approcher un garde et aperçois son reflet sur les lames rutilantes.

Sans le quitter des yeux, je compte chacun de ses pas. Il est tout près. Encore un, et nous pourrons…

– Allez ! dis-je dans un souffle.

Tzain et Kenyon lui sautent dessus et le plaquent au sol. Pendant qu'ils lui enfoncent un chiffon dans la bouche, je cours fermer la porte. Puis je m'accroupis pour presser le métal froid de mon épée contre sa nuque en saisissant le chiffon.

– Si tu cries, je te tranche la gorge.

Le venin de mes paroles m'étonne moi-même. Père parle comme cela. Et ça produit son effet.

Lorsque je lui arrache son bâillon, le soldat déglutit.

– La prisonnière maji. Où est-elle ?

– La… la quoi ?

Tzain fait tournoyer sa hache au-dessus de la tête du garde d'un air menaçant.

– Elle est au sous-sol ! Dernière cellule à droite, en bas des escaliers.

Femi lui envoie un coup de pied dans la tête, et celle-ce retombe dans un bruit mat.

– Et maintenant, on fait quoi ? demande Tzain.

– On attend.

– Combien de temps ?

Je contemple le sablier suspendu au cou de Kenyon, et compte les grains de sable qui tombent après le quart.

– Ils devraient déjà avoir frappé…

Une énorme détonation retentit et fait vibrer le métal sous nos pieds. Tandis que toute la forteresse tremble, nous nous pressons contre le mur, les bras sur la tête pour esquiver les lourdes armes en métal qui dégringolent. D'autres détonations et des cris paniqués se font entendre de l'extérieur. Quand j'entrebâille la porte, des gardes passent en trombe devant moi.

Les devîns qui ont refusé d'éveiller leurs pouvoirs ont toutefois accepté de nous aider à fabriquer une cinquantaine de bombes incendiaires, pendant que d'autres bricolaient des frondes pour lancer les explosifs. À cette distance, ils devraient avoir le temps d'attaquer puis de s'enfuir sur leurs montures avant que les gardes interviennent. Profitant de cette diversion, nous aurons le champ libre pour aller délivrer Zélie.

Une fois que les bruits de bottes se sont tus, nous nous précipitons vers les escaliers, au centre de la forteresse, et nous dévalons les étages, nous enfonçant toujours plus bas dans la tour d'acier. Bientôt Zélie sera libre, et nous pourrons mettre le cap vers l'île sacrée. Plus que deux jours avant le solstice. Nous arriverons juste à temps pour le rite.

Alors que nous descendons un autre étage, un groupe de gardes nous bloque le passage. Ils lèvent leurs lames. Je n'ai plus d'autre choix que de crier :

– À l'attaque !

Kenyon frappe le premier. La chaleur qu'il dégage déclenche des ondes de peur sous ma peau tandis qu'une puissante lumière rouge tourbillonne autour de sa main. D'un coup de poing, il fait surgir un faisceau de flammes et trois hommes se retrouvent projetés contre le mur.

Pendant ce temps, Femi invoque sa magie du métal pour liquéfier les lames des gardes qui se rendent aussitôt. Enfin, Imani s'avance. De nous tous, c'est sans doute elle qui possède les pouvoirs les plus terrifiants.

De ses mains, elle fait apparaître un nuage maléfique qui se dirige vers nos assaillants. À son contact, leur peau jaunit à vue d'œil. Un instant plus tard, ils s'effondrent, dévastés par la maladie.

D'autres gardes prennent la relève, mais les pouvoirs des maji se déchaînent avec une force redoutable. Tous agissent par instinct, alimentés par le flux intarissable de la pierre de soleil.

– Allons-y, dis-je.

Profitant de la confusion qui s'ensuit, Tzain se glisse dans la mêlée. Je suis ses instructions et dévale l'escalier situé de l'autre côté pour le rejoindre. Avec un tel pouvoir, personne ne peut nous arrêter. Pas un seul soldat ne se mettra en travers de notre chemin. Nous pouvons vaincre l'armée entière. Et même affronter…

Père ?

Flanqué d'un essaim de gardes, Père est en train de monter à l'étage supérieur. Tandis qu'il balaie le tumulte du regard, son regard se pose soudain sur moi. La surprise le fait trébucher, mais il se ressaisit aussitôt et sa colère éclate au moment où je sens fondre ma détermination.

– Amari !

Son regard noir me glace le sang. Mais cette fois, je n'ai pas peur de me battre. J'entends la voix de Binta résonner dans ma tête : *Sois courageuse, Amari.* Et surtout je revois son sang couler. Enfin, je vais pouvoir la venger. Je vais pouvoir tuer Père. Pendant que les maji s'occupent des gardes, mon épée lui tranchera la tête. Juste châtiment pour tous les massacres perpétrés, pour chaque maji à qui il a ôté la vie…

– Amari ?

Tzain me sort de mes pensées, tandis que Père disparaît derrière une porte en fer tout au bout du grand hall. Une porte que Femi pourrait facilement faire fondre…

– Qu'est-ce qui se passe, Amari ?

Je lui réponds par un clin d'œil. Ce n'est pas le moment de lui expliquer. Un jour, je combattrai Père.

Mais aujourd'hui, c'est pour Zélie que je dois me battre.

CHAPITRE SOIXANTE-NEUF

INAN

Une nouvelle déflagration retentit et je serre Zélie contre ma poitrine. La forteresse vacille. Une fumée noire emplit l'air. Des cris rebondissent contre les murs de métal. Des pleurs résonnent à travers la porte calcinée.

Je me précipite dans une chambre et regarde par la fenêtre à barreaux. Bien que les flammes consument les murs de la forteresse, nul ennemi n'apparaît. Je ne vois que des gardes hurler tandis que des panthéraires paniqués courent dans tous les sens.

Je reconnais le pouvoir de Kwame. Une fois de plus, les maji attaquent, et mes soldats tombent comme des mouches.

Sans lâcher Zélie, je cours jeter un œil à travers la porte, et je découvre un spectacle terrifiant : dehors, ceux qui chargent sont aussitôt brûlés par les flammes d'un Brasero. Les archers sont piégés par un Soudeur barbu qui retourne chaque flèche à son envoyeur, transperçant son armure.

Mais la pire de tous, c'est une fille aux taches de rousseur. Je devine tout de suite que c'est une Cancer, une messagère de la mort dont les mains répandent des nuages verts infestés de maladies. En un souffle, les corps des gardes qui ont survécu aux attaques des deux autres se ratatinent et meurent.

Un massacre…

Un massacre, et non un combat.

À eux seuls, trois maji sont en train de pulvériser tout un bataillon avec leur pouvoir magique.

C'est encore pire que la destruction du campement des devîns. Au moins, les soldats étaient les premiers à donner l'assaut.

Père avait raison...

Force est de le constater. Quel que soit mon choix, si la magie revient, voilà comment mon royaume succombera.

– Inan... gémit Zélie.

Je réalise que son sang s'écoule toujours sur mes mains. L'avenir d'Orïsha saigne dans mes bras.

Je me précipite dans les couloirs déserts en l'entraînant avec moi. Le sens du devoir alourdit mon pas, mais je ne peux pas l'écouter maintenant. Quoi qu'il arrive, Zélie doit vivre. Une fois qu'elle sera hors de danger, je trouverai un moyen d'arrêter la magie.

Un escalier. Une autre déflagration fait trembler les murs et nous renverse. Je serre Zélie dans notre chute. Elle ne peut retenir un cri de douleur.

Nous nous adossons à un mur tandis qu'une autre détonation retentit. Si nous continuons, Zélie se sera vidée de son sang avant d'avoir pu s'enfuir.

Réfléchis.

Je ferme les yeux et presse sa tête contre mon cou. Me remémorant le plan de la forteresse, je cherche une issue. Entre les gardes, les maji et les bombes incendiaires, nous n'avons aucune possibilité de fuir. Mais nous n'avons pas besoin de fuir... puisqu'ils viennent la chercher ! Elle n'a pas besoin de sortir.

Ce sont eux qui doivent entrer.

La cellule ! Je bondis sur mes pieds. C'est sûrement là qu'ils ont l'intention d'aller. Pendant que je me hâte de redescendre, les cris de Zélie rejoignent les autres cris d'agonie qui se perdent dans la nuit.

– Nous y sommes presque, je murmure en empruntant le dernier corridor. Tiens bon. Ils arrivent. Nous retournons dans la cellule, où Tzain va...

Amari ?

Je n'identifie pas immédiatement ma sœur. La Amari que je connais a toujours eu peur de se servir d'une épée.

Mais la jeune femme qui s'avance dans le couloir en courant ressemble à une machine à tuer.

Un garde fonce droit sur elle en brandissant son épée, mais elle lui enfonce aussitôt la sienne dans la cuisse. Tzain, qui court derrière elle, assomme le soldat d'un coup sur la tête.

— Amari ! je m'écrie.

Ma sœur s'immobilise et, voyant Zélie dans mes bras, reste bouche bée devant tout ce sang.

Horrifiée, Amari recouvre sa bouche de sa main. Mais ce n'est rien comparé à la réaction de Tzain. Un son étranglé s'échappe de ses lèvres – quelque chose entre le râle et le gémissement. On dirait qu'il rapetisse. Étrange comme un jeune homme de sa taille peut soudain paraître minuscule.

Zélie sort la tête de mon cou.

— Tzain… ?

Laissant tomber sa hache, il accourt vers elle. Tandis que je la dépose dans ses bras, je remarque que dans son dos, des lettres rouges apparaissent sur le pansement.

— Zél ? murmure Tzain.

Le mot CAFARD est gravé dans son dos. Rien n'aurait pu le préparer à ça.

Cette vision me brise le cœur, et je peux imaginer combien elle bouleverse Tzain. Il la serre fort dans ses bras. Trop fort. Mais je n'ai pas le temps de le lui dire.

— Partez, dis-je. Père est là. D'autres gardes arrivent. Si vous traînez, vous ne pourrez plus vous enfuir.

— Viens avec nous !

L'espoir qu'il y a dans la voix d'Amari me fait l'effet d'un coup de poignard. Et à l'idée de quitter Zélie, ma poitrine se serre. Mais ce n'est pas mon combat. Je ne peux être de leur côté.

Zélie se tourne vers moi, les yeux pleins de larmes et de peur. Je caresse son front brûlant.

– Je te retrouverai, je chuchote.

– Mais... ton père…

Encore une détonation. Le couloir est envahi de fumée.

– Partez ! je crie tandis que la forteresse tremble. Vite, pendant qu'il en est encore temps !

Tzain emporte Zélie et disparaît au milieu du chaos. S'apprêtant à leur emboîter le pas, Amari a un moment d'hésitation.

– Je ne veux pas te laisser là.

– Père ne sait pas ce que j'ai fait. Si je reste, j'essaierai de vous protéger de l'intérieur.

Amari acquiesce et s'enfuit avec Zélie et Tzain. Une fois qu'ils ont disparu en haut des escaliers, je m'effondre contre un mur, étouffant mon désir de les suivre. Ils ont gagné. Ils ont accompli leur devoir.

Ma lutte pour sauver Orïsha ne fait que commencer.

CHAPITRE SOIXANTE-DIX

ZÉLIE

L'ÉVASION DE LA FORTERESSE n'est que brouillard, folie et douleur.

Les plaies qui meurtrissent mon dos me mettent au supplice. Ma vision s'obscurcit, mais je sais que nous avons réussi quand, soudain, la fournaise de la forteresse laisse place à la fraîcheur nocturne. Je la sens fouetter mes blessures tandis que Nailah nous emporte en un lieu plus sûr.

Tous ces gens…

Tous ces maji qui sont venus me secourir. Que feront-ils quand ils apprendront que je suis en morceaux ? plus bonne à rien ?

Dans ma nuit, j'essaie désespérément de ressentir l'afflux de la magie.

Mais nulle chaleur ne se répand dans mes veines, aucune poussée ne vient dilater mon cœur. Je ne sens que la douleur cuisante de la lame du médecin. Je ne vois que les yeux noirs de Saran.

N'ayant plus aucune conscience du temps ni du lieu où nous sommes, je m'évanouis avant que mes peurs ne deviennent réalité.

Lorsque j'émerge du brouillard, des mains calleuses me soulèvent de la selle de Nailah.

Tzain…

Jamais je n'oublierai son expression désespérée quand il m'a retrouvée. La seule fois où je l'ai vu si affligé, c'était après le Raid, quand il a découvert le corps enchaîné de Mama. Après tout ce qu'il a fait, je ne veux pas lui faire revivre ça.

– Tiens bon, Zél, murmure-t-il. On y est presque.

Il m'allonge sur le ventre, et j'entends aussitôt des exclamations horrifiées. Un jeune garçon se met à pleurer.

– Essaie juste une fois, dit une voix de fille.

Une maji me touche. Secouée d'un spasme, je me fige sous la douleur qui étreint mon dos.

– Je ne peux pas…

– Mais enfin, Khani, s'écrie Tzain, fais quelque chose. Tu vois bien qu'elle se vide de son sang !

– Ça va aller, dit Amari d'un ton rassurant. Tiens. Touche la pierre de soleil.

De nouveau, je tressaille sous la pression des mains de la maji. Mais cette fois, elles me réchauffent comme les bassins de marée qui entourent Ilorin. Et en se diffusant dans mon corps, cette chaleur apaise la douleur.

Après un premier soupir de soulagement, mon corps se détend enfin, et je m'endors.

En foulant la terre si douce, je sais instantanément où je suis. Les roseaux effleurent mes jambes nues tandis que j'entends le rugissement de la cascade. En d'autres circonstances, elle m'aurait attirée.

Mais aujourd'hui, ce bruit résonne de manière inhabituelle. Il est violent, comme mes cris.

– Zélie ?

J'aperçois Inan qui ouvre de grands yeux inquiets. Il avance d'un pas puis s'immobilise, comme s'il redoutait que sa proximité ne me fasse voler en éclats.

C'est pourtant ce que je voudrais.

Craquer.

M'écrouler dans la poussière et pleurer.

Mais ce que je ne veux surtout pas, c'est qu'il sache à quel point son père m'a anéantie.

Les yeux emplis de larmes, Inan fixe le sol. Je suis son regard, tandis que mes orteils s'enfoncent dans la terre.

– Je suis désolé, dit-il. (Je pense qu'il ne cessera jamais de s'excuser.) Je devrais te laisser te reposer, mais je voulais juste m'assurer que tu...

– Que j'allais bien ?

Après tout ce qui s'est passé, je ne sais pas si je pourrai un jour de nouveau aller bien.

– As-tu trouvé un Guérisseur ? demande-t-il.

Je hausse les épaules. Bien sûr que je suis guérie. Et ici, dans le paysage onirique, la haine du monde n'est pas gravée dans mon dos et je peux me comporter comme si ma magie coulait toujours dans mes veines. Je ne suis pas obligée de lutter pour parler. Pour ressentir. *Pour respirer.*

– Je...

L'expression que prend alors son visage me fait aussi mal que mon dos dans le monde réel.

Depuis que je connais Inan, j'ai vu toutes sortes de sentiments traverser ses yeux d'ambre : la haine, la peur. Le remords. J'ai tout vu. Absolument tout.

Mais de la pitié, jamais.

Non. La fureur me submerge. Saran ne me prendra pas aussi cela. Je veux retrouver ce regard qui disait que j'étais la seule fille qui comptait à Orïsha. Ce regard qui m'assurait que nous allions changer le monde. Mais celui qui me voit à tout jamais brisée, je n'en veux pas.

– Zél...

J'attire son visage contre le mien. À son contact, je peux éloigner la douleur. Sous ses baisers, je peux redevenir la fille de la fête.

Celle qui n'a pas le mot CAFARD gravé dans le dos.

Je me dégage de ses bras. Il garde les yeux fermés, comme après notre premier baiser.

Mais cette fois, il grimace.

Comme s'il avait mal.

Nos lèvres ont beau se joindre, ce n'est plus comme avant. Il ne passe plus ses doigts dans mes cheveux, n'effleure plus ma bouche de son pouce. Ses mains restent le long de son corps, comme s'il n'osait plus faire le moindre geste, comme s'il redoutait ses propres émotions.

– Tu peux me toucher, tu sais, je murmure d'une voix étranglée.

Il fronce les sourcils.

– Zél, ne me dis pas que tu en as envie.

Je presse de nouveau mes lèvres contre les siennes. Il inspire, et je sens ses muscles se détendre. Après ce baiser, j'appuie mon front contre son nez.

– Tu ne sais pas de quoi j'ai envie.

Il ouvre les yeux. Cette fois, j'y retrouve cette lueur qui me manquait tant, celle du garçon qui ne pensait qu'à m'emmener sous sa tente et qui savait me convaincre que tout ira bien.

Ses doigts passent sur mes lèvres ; je ferme les yeux, me demandant s'il va savoir se contenir. Il caresse mon menton et…

Saran attrape mon menton et me force à le regarder en face. Je tremble de tous mes membres. Le calme qu'il y avait dans ses yeux a laissé place à une violente colère. Je ne respire plus. Tandis que ses ongles me griffent jusqu'au sang, je dois faire un effort surhumain pour ne pas pleurer et ravaler ma terreur.

– *Tu ferais bien de me répondre, petite…*

– Zél ?

Pour faire cesser le tremblement de mes mains et ne pas pleurer, j'enfonce mes ongles dans son cou.

– Zél, qu'est-ce que tu as ?

Dans sa voix, j'entends revenir cette inquiétude, pareille à une araignée rampant dans l'herbe. Son visage se décompose.

Et moi avec.

– Zél…

Je l'embrasse avec une telle fougue que son hésitation, son mépris et sa honte se volatilisent. Le visage baigné de larmes, je l'étreins de toutes mes forces, cherchant désespérément à retrouver les sensations d'avant. Il me serre à son tour, bien qu'il lutte toujours pour ne pas céder. Il sait très bien ce qui nous attend s'il se laisse aller.

Je laisse échapper un soupir tandis que ses mains glissent de mon dos vers mes cuisses. Chaque baiser me téléporte dans un nouvel endroit, chaque caresse m'éloigne de la douleur.

Ses doigts remontent le long de mes reins. Obéissant à son ordre muet, j'enroule mes jambes autour de sa taille et, avec une délicatesse infinie, il m'allonge sur un lit de roseaux.

– Zél…

Nos gestes sont précipités, mais le temps presse. Lorsque nous serons sortis de ce rêve, tout s'arrêtera. La réalité reprendra ses droits, cruelle et impitoyable.

Plus jamais je ne pourrai regarder le visage d'Inan sans y voir celui de Saran.

Alors nous nous embrassons et nous agrippons l'un à l'autre jusqu'à faire disparaître chaque cicatrice, chaque douleur. À cet instant, je n'existe plus que dans ses bras, m'abandonnant entièrement.

Inan se dégage de mon étreinte. Son regard est empreint d'amour et de souffrance, mais j'y lis aussi de la dureté. Peut-être celle d'un adieu ?

Je réalise alors que je le veux tout entier.

Après tout ce que nous avons traversé, j'en ai besoin.

– Continue, je murmure, tandis que son souffle se fait plus court.

Il me dévore des yeux, mais je sens qu'il lutte toujours.

– Tu es sûre ?

Je le fais taire d'un long baiser.

– J'ai tant besoin de toi.

Je ferme les yeux tandis qu'il m'attire contre lui. Ensuite, toute douleur disparaît.

CHAPITRE SOIXANTE ET ONZE

ZÉLIE

Mon corps se réveille avant ma tête. Bien que je ne sois plus autant au supplice, une douleur lancinante pulse toujours dans mon dos et me fait tressaillir quand je me lève. *Où suis-je ?*

Une tente en toile entoure mon lit de camp. Mon esprit embrumé ne se souvient que de l'étreinte d'Inan. Le cœur palpitant, je me revois dans ses bras et je peux sentir encore la douceur de ses lèvres, la force de ses mains. Mais les mots qu'il a prononcés, les larmes que nous avons versées, les roseaux qui me chatouillaient le dos, tout cela est déjà loin, comme si je l'avais vécu dans une autre vie.

De ses yeux noirs, Saran observe le garde me taillader le dos.

– En tant que roi, je me dois de te rappeler ce que tu es…

J'agrippe les draps rugueux. La douleur s'insinue sous ma peau. Je réprime un gémissement tandis que quelqu'un entre dans la tente.

– Ah, tu es réveillée !

Une grande maji à la peau constellée de taches de rousseur et aux dreadlocks blanches s'avance vers moi. Sa main sur mon bras me fait d'abord tressaillir, mais quand une douce chaleur se diffuse sous ma tunique blanche, je pousse un soupir de soulagement.

– Je suis Khani, se présente-t-elle.

En l'examinant plus attentivement, le vague souvenir d'un match d'agbön où s'affrontaient deux filles qui lui ressemblaient me revient.

– Tu n'aurais pas une sœur ?

– Oui, une sœur jumelle. Mais c'est moi la plus jolie.

J'essaie de sourire à sa plaisanterie, sans succès. La joie n'est pas là.

– Je suis très amochée ou ça va ?

Ma voix est fluette et vide. Je ne la reconnais pas. On dirait une source tarie.

– Oh… je suis sûre qu'avec le temps…

Je ferme les yeux, me préparant à entendre la vérité.

– J'ai refermé les plaies, mais… je n'ai pas réussi à faire disparaître les cicatrices.

En tant que roi, je me dois de te rappeler ce que tu es…

Et revoilà le regard de Saran. Glacial.

Sans âme.

– Mais je ne suis pas encore très expérimentée, poursuit Khani. Je suis sûre qu'un meilleur Guérisseur saura y remédier.

J'acquiesce d'un hochement de tête, mais cela ne changera rien. Même si quelqu'un parvient à effacer ce mot, il ne pourra jamais effacer le mal qu'on m'a fait. Je frotte mon poignet qui porte toujours la marque des menottes en majacite.

Encore des cicatrices.

La tente s'entrouvre. Je me retourne. Pas envie de parler à d'autres personnes. Mais soudain, je l'entends.

– Zél ?

Cette voix timide n'est pas celle de mon frère, mais celle de quelqu'un qui a peur, qui a honte.

Je fais volte-face et je le vois, recroquevillé dans un coin de la tente. Aussitôt, je glisse hors de mon lit. Pour Tzain, je suis prête à ravaler toutes mes peurs et mes larmes.

– Hé ! s'exclame-t-il.

Les plaies me brûlent la peau tandis que je passe mes bras autour de sa taille. Lorsqu'il me serre contre lui, la douleur est encore plus vive, mais je le laisse faire. Je veux avoir l'air en forme.

– Je suis parti, dit-il d'une toute petite voix. J'étais furieux, alors j'ai quitté la fête. Je ne pensais pas… je ne savais pas…

Je recule d'un pas et lui souris.

— Tu sais, mes blessures étaient bien moins graves qu'elles n'en avaient l'air.

— Mais ton dos…

— Ça va. Grâce à Khani, bientôt on ne verra plus rien.

Tzain regarde Khani qui, heureusement, lui rend son sourire. Puis ses yeux me scrutent de nouveau, cherchant désespérément à croire à mon mensonge.

— J'avais pourtant promis à Baba, murmure-t-il. Et aussi à Mama…

— Tu as tenu ta promesse. Chaque jour. Tu n'as pas à te faire de reproches, Tzain. Moi, je ne t'en fais pas.

Sa mâchoire se crispe, mais il m'enlace une fois de plus ; peu à peu, je sens qu'il se détend entre mes bras.

— Tu es réveillée ! dit une voix.

Je ne reconnais Amari qu'au bout de quelques secondes. Ses longs cheveux noirs ne sont plus rassemblés en une natte, mais tombent en cascade dans son dos. Lorsqu'elle entre dans la tente, ils se soulèvent dans un bruissement de soie. La pierre de soleil qu'elle tient dans sa main l'illumine de son aura glorieuse. Mais en moi, rien ne bouge.

Ce constat m'affole. *Que s'est-il passé ?*

La dernière fois que j'ai tenu la pierre, la colère d'Oya a embrasé chacune de mes cellules. J'avais l'impression d'être une déesse. Et à présent, je me sens à peine vivante.

Même si je n'ai pas envie de penser à Saran, je me revois dans cette cellule.

En me lacérant le dos, c'est comme si cette ordure avait éteint ma magie.

— Comment te sens-tu ?

La voix d'Amari me tire de mes pensées. Ses yeux d'ambre me dévisagent. Je retourne m'asseoir sur le lit pour temporiser.

— Ça va.

— Zélie…

Amari cherche mon regard, mais je détourne la tête. Elle veut vraiment savoir, et je ne pourrai pas la duper comme Tzain ou Inan.

Khani quitte la tente. Derrière les montagnes, le soleil commence à décliner. Soudain, il plonge sous un pic escarpé et disparaît du ciel orangé.

— Quel jour sommes-nous ? je demande. Combien de temps suis-je restée inconsciente ?

Amari et Tzain échangent un regard embarrassé. Mon estomac fait un tel bond qu'il me semble qu'il vient de tomber à mes pieds. *Voilà pourquoi je ne sens plus ma magie...*

— On a manqué le solstice ?

Tzain garde les yeux rivés au sol pendant qu'Amari se mordille la lèvre inférieure.

— C'est demain, murmure-t-elle.

Je cache mon visage entre mes mains. Comment allons-nous rejoindre l'île ? Comment allons-nous pouvoir accomplir le rite ? Bien que je ne ressente pas le frisson des morts, je murmure l'incantation dans ma tête.

Èmí àwọn tí ó ti sùn, mo ké pè yín ní òní...

D'un trait, le soldat achève le A. De la bile jaillit de mes lèvres. Je hurle. Je hurle. Le supplice n'en finit plus...

Je jette un œil à mes mains brûlantes. Mes ongles ont gravé des croissants rouges dans mes paumes. Je desserre les poings et essuie le sang sur ma tunique, priant pour que personne n'ait rien remarqué.

J'essaie encore une fois de réciter l'incantation, mais nul esprit ne surgit du sol. Ma magie s'en est allée.

Et je ne sais pas comment la retrouver.

Un trou béant s'ouvre soudain en moi. Je n'ai pas ressenti ça depuis le Raid, quand Baba s'est écroulé dans les rues d'Ibadan et que j'ai su que, désormais, rien ne serait plus comme avant. Je repense à ma première incantation dans les dunes de sable d'Ibeji, à cet afflux dont j'ai été saisie en tenant la pierre de soleil et en effleurant la main d'Oya. J'en éprouve une douleur encore plus vive que celle du couteau qui a mutilé mon dos.

C'est comme si je perdais de nouveau Mama.

Amari est assise au pied de mon lit et repose la pierre de soleil. J'aimerais tant que ses ondes dorées me parlent encore.

– Qu'est-ce qu'on fait ?

Si vraiment nous sommes tout près de la chaîne d'Olasimbo, il faudra à Nailah au moins trois jours pour nous emmener à Zaria. Même si j'avais toujours ma magie, nous n'arriverions pas à temps pour embarquer vers les îles sacrées.

Tzain me regarde comme si je venais de le gifler.

– Il faut fuir. On va chercher Baba et on quitte Orïsha au plus vite.

– Il a raison, dit Amari. Mon père sait forcément que tu es toujours en vie. Si on ne peut pas gagner l'île, mieux vaut nous regrouper dans un lieu où nous serons en sécurité et d'où nous pourrons élaborer un autre plan d'attaque…

– Mais qu'est-ce que tu racontes ?

Un garçon presque aussi grand que Tzain vient de faire irruption dans la tente. Au bout d'un certain temps, je reconnais les boucles blanches d'un joueur d'agbön que j'ai déjà vu.

– Kenyon ?

Ses yeux se posent sur moi. Il semble plus furieux que nostalgique.

– Ravi de constater que tu as enfin daigné sortir de ton sommeil.

– Et moi, ravie de constater que tu es toujours aussi con.

Il me lance un regard assassin avant de se tourner vers Amari.

– Tu avais *promis* qu'elle ramènerait la magie. Et maintenant, il faut aller se cacher ?

– On n'a plus le temps ! crie Tzain. Rejoindre Zaria nous prendrait trois jours et…

– Mais il faut seulement une demi-journée pour atteindre Jimeta !

– Par les dieux, ça ne va pas recommencer…

– Des gens sont morts pour cela, hurle Kenyon. Pour elle. Et là, tu nous expliques que tu veux rebrousser chemin parce que c'est trop dangereux ?

Amari lui lance un regard si foudroyant qu'il pourrait briser un rocher en deux.

– Tais-toi ! Tu n'as pas idée de tous les risques qu'on a déjà pris.

– Espèce de…

– Il a raison, dis-je, en proie à un nouvel accès de désespoir.

Ce n'est pas possible. Après tout ce que nous avons enduré, je ne peux pas avoir perdu ma magie.

– Nous avons encore une nuit devant nous. Si on arrive jusqu'à Jimeta et qu'on trouve un bateau…

Et si je retrouve ma magie et un moyen de communiquer avec les dieux…

– Non, Zél.

Tzain s'accroupit pour que ses yeux soient à la hauteur des miens. C'est toujours ainsi qu'il s'adresse à Baba, parce que Baba est fragile et usé. Comme moi, désormais.

– C'est trop dangereux, à Jimeta, poursuit-il. On aura plus de chances de se faire tuer que de trouver de l'aide. Il faut que tu te reposes.

– Il faut qu'elle se bouge le cul, oui !

Tzain saute à la gorge de Kenyon, si vite que je m'étonne que dans son élan, il ne fasse pas tomber la tente.

– Arrêtez ! s'interpose Amari. Il n'est plus temps de se battre. Si nous ne pouvons mener notre projet à bien, nous devons l'abandonner.

Tandis qu'ils débattent sans fin, je fixe la pierre de soleil. Elle se trouve à une longueur de bras. Si seulement je pouvais la toucher… Juste l'effleurer…

S'il te plaît, Oya. Ne nous abandonne pas.

J'inspire un grand coup, me préparant à accueillir l'âme de Mère Ciel, le feu de l'esprit d'Oya. Mes doigts effleurent la pierre lisse…

Mais dans ma poitrine, l'espoir retombe.

Rien.

Pas la moindre étincelle.

La pierre reste froide.

C'est pire qu'avant mon éveil, quand je n'avais encore jamais touché le parchemin. Comme si ma magie avait été emportée avec le sang répandu sur le sol de cette cellule.

Les paroles de Lekan me reviennent en mémoire. *Seul un maji relié à l'esprit de Mère Ciel peut accomplir l'acte sacré.* Sans lui, aucun autre maji ne peut se connecter à Mère Ciel avant le rite.

Sans moi, pas de rite.

– Zélie ?

Je relève la tête. Tous les yeux sont braqués sur moi, attendant ma réponse.

C'est fichu. Autant le leur dire tout de suite.

J'ouvre la bouche, m'apprêtant à leur annoncer la nouvelle, mais ce ne sont pas ces mots-là que je m'entends prononcer. Impossible de renoncer. Pas après avoir tout perdu.

Pas après tout ça.

– On y va, dis-je.

Dieux du ciel, comme j'aurais aimé que ma voix soit plus affirmée. Il faut qu'on y arrive. Je *refuse* de m'avouer vaincue.

Mère Ciel m'a choisie. Elle m'a utilisée en m'arrachant à tous ceux que j'aimais. Elle ne peut pas m'abandonner comme ça.

Me laisser seule avec mes cicatrices.

– Zél…

– Ils m'ont tatoué CAFARD dans le dos, dis-je entre mes dents. On ira là-bas, quel qu'en soit le prix. Je ne les laisserai pas avoir le dernier mot.

CHAPITRE SOIXANTE-DOUZE

ZÉLIE

APRÈS UNE TRAVERSÉE de plusieurs heures dans la forêt entourant les montagnes d'Olasimbo, Jimeta se profile enfin à l'horizon. Ses falaises, aussi abruptes que le caractère de ses habitants, se découpent avec netteté sur la mer de Lokoja. La chanson des vagues qui se fracassent à leur pied m'est familière. Même si elles grondent comme le tonnerre, la simple proximité de la mer me revigore.

– Tu te souviens ? Autrefois, tu voulais vivre ici… murmure Tzain.

J'acquiesce avec un demi-sourire, trop heureuse d'être envahie de sensations nouvelles et de ne plus *penser* à tout ce qui pourrait faire échouer notre plan.

Après le Raid, j'avais insisté pour qu'on aille s'installer à Jimeta, pensant que cette ville sans lois était la seule où nous serions en sécurité. Je connaissais sa réputation, mais à mes yeux d'enfant, ce n'était rien comparé à la joie de vivre dans une cité sans gardes. Au moins, si des gens essayaient de nous tuer, ils ne porteraient pas le blason d'Orïsha.

Tandis que nous passons devant les petites maisons nichées au pied des hautes falaises, j'essaie d'imaginer à quel point nos vies y auraient été différentes. Ici, portes et fenêtres en bois dépassent des rochers comme si elles jaillissaient de la roche. Ainsi éclairée par la lune, cette ville semble presque paisible. Sans tous ces mercenaires tapis à chaque coin de rue, je pourrais même la trouver belle.

Nous croisons un groupe d'hommes masqués. Tout en gardant une expression impassible, je me demande de quel genre de malfrats il s'agit. Il paraît que Jimeta abrite toutes sortes de criminels, allant des petits voleurs à la tire aux assassins les plus féroces. La rumeur prétend aussi que l'unique moyen de fuir la Réserve consiste à faire appel à des mercenaires. Ce sont les seuls qui soient suffisamment forts et rusés pour défier les gardes et mener leur vie comme ils l'entendent.

Arrive une nouvelle bande de gens masqués, composée de femmes et d'hommes, de kosidàn et de devîns, d'Orïshan et d'étrangers. Nailah pousse un grognement. Ils regardent fixement sa crinière, évaluant probablement combien ils pourraient en tirer. Quand l'un d'eux ose s'avancer vers nous, je grogne, moi aussi.

C'est ça, bonhomme, viens me voir ! Je lui lance un regard noir, plaignant à l'avance celui qui voudra me chercher des noises.

Nous nous arrêtons devant une vaste grotte creusée au pied d'une falaise.

– C'est ici ? je demande à Kenyon.

L'ouverture est plongée dans l'obscurité. Impossible de distinguer ce qu'il y a à l'intérieur.

Il acquiesce.

– On le surnomme le Renardien aux yeux d'argent. Il paraît qu'il a tué des gardes à mains nues.

– Et il a un bateau ?

– Oui, et rapide. On dit qu'il est équipé d'une turbine actionnée par le vent.

– Parfait. (J'attrape Nailah par les rênes.) Alors on y va.

– Attendez, dit Kenyon, nous arrêtant d'un geste de la main. On ne peut pas entrer à plusieurs dans le repaire d'un clan. Seul l'un d'entre nous peut y aller.

Nous hésitons un long moment. Je ne m'attendais pas à ça.

Tzain empoigne sa hache.

– J'y vais.

– Pourquoi toi ? proteste Kenyon. Tout notre plan est basé sur Zélie. Si l'un d'entre nous doit y aller, c'est elle.

– Tu es fou ? Jamais je ne la laisserai les affronter toute seule.

– Elle est loin d'être faible et sans défense, raille-t-il. Sa magie la rend plus forte que nous tous réunis.

– Il a raison. (Amari pose sa main sur le bras de Tzain.) Ils seront plus enclins à nous aider s'ils voient sa magie à l'œuvre.

Là, je suis censée être d'accord et leur affirmer que je n'ai pas peur. Avec ma magie, convaincre ces guerriers serait sans doute un jeu d'enfant. Mais je me sentirais tellement mieux si au moins l'un de mes compagnons savait à quel point je suis démunie.

Je n'ai plus d'autre choix que de m'en remettre aux dieux.

– Non, répète Tzain en secouant la tête. C'est beaucoup trop risqué.

– Je peux le faire, dis-je en lui tendant les rênes de Nailah.

Il faut que ça marche. Quoi qu'il arrive, il faut que ce plan soit celui de Mère Ciel.

– Zél…

– Il a raison. J'ai plus de chances de les convaincre.

Tzain s'avance.

– Je ne te laisserai pas y aller seule.

– Écoute Tzain, on a besoin d'eux et de leur bateau, mais on n'a rien à leur offrir en échange. Si on veut arriver au temple, mieux vaut éviter d'engager le dialogue en commençant par enfreindre leurs règles.

Je tends mon sac, qui contient désormais les trois artefacts sacrés, à Amari et ne garde que mon bâton. Tout en passant mes doigts sur les symboles gravés, je prends une grande inspiration.

– Ne vous en faites pas, dis-je en adressant une prière silencieuse à Oya. Si j'ai besoin d'aide, vous m'entendrez crier.

Dans la grotte, l'air est humide et froid. Je tâtonne jusqu'à la paroi la plus proche et me dirige en faisant glisser mes mains le long de ses arêtes lisses. Mes pas sont lents et hésitants, mais quel plaisir de bouger, de faire enfin autre chose que lire et relire ce maudit parchemin en essayant de déchiffrer les inscriptions d'un rite que je ne serai peut-être même pas fichue d'accomplir.

Je passe devant des stalactites géantes et bleues qui touchent presque le sol. Elles diffusent une faible lueur, éclairant des chauves-souris à queue double qui semblent observer ma progression à travers la grotte. Je n'entends d'abord que leurs couinements aigus, jusqu'à ce que ceux-ci soient recouverts par des voix d'hommes et de femmes discutant autour d'un feu.

Je m'arrête un instant, prenant toute la mesure de l'étendue de leur domaine. Sous leurs pieds, le sol en pente est recouvert de mousse dont ils se sont fait des coussins. Des rais de lumière filtrent à travers les fissures de la voûte, éclairant des marches taillées dans la roche qui s'enfoncent dans la falaise.

Je m'avance de quelques pas. L'assemblée se tait.

Dieux, aidez-moi.

Je me fraie un passage parmi l'assistance. Des dizaines de mercenaires masqués et vêtus de noir me regardent passer, chacun assis sur un rocher saillant hors du sol. Les uns saisissent leur arme, d'autres adoptent une posture de combat. La moitié d'entre eux me dévisagent comme s'ils voulaient me tuer ; l'autre, comme s'ils allaient me dévorer toute crue.

Ignorant leur hostilité, je cherche des yeux gris au milieu de cette foule de regards ambre ou marron. Un jeune homme apparaît, et je remarque qu'il est le seul à ne pas être masqué. Comme les autres, il est habillé de noir, mais porte un foulard rouge sombre autour du cou.

— Toi ? dis-je, incapable de cacher ma stupeur.

Ce teint couleur de grès, ces yeux gris d'orage. *Le voleur… C'est lui qui a volé mon bâton au campement des devîns.* Notre rencontre remonte à quelques jours à peine, et pourtant il me semble que c'était dans une autre vie.

Roën tire une longue bouffée de sa cigarette roulée à la main et jette sur moi un regard oblique. Le rocher rond sur lequel il s'assoit me fait penser à un trône. Son sourire de renardien étire largement ses lèvres.

– Je t'avais dit qu'on se reverrait. (Il tire une autre bouffée et la recrache lentement.) Malheureusement, tu tombes mal. À moins que tu veuilles te joindre à moi et à mes hommes.

– *Tes* hommes ?

Roën semble à peine plus âgé que Tzain. Bien qu'il ait le corps robuste d'un guerrier, ceux qu'il commande font tous deux fois sa taille.

– Tu sembles trouver ça amusant. (Assis sur son trône de pierre, il se penche en avant avec un petit sourire en coin.) Eh bien moi, ce qui m'amuse, ce sont les petites majis qui débarquent sans arme dans ma grotte.

– Qui te dit que je ne suis pas armée ?

– Tu n'as pas vraiment la tête de quelqu'un qui sait manier l'épée. Mais bien sûr, si c'est ce que tu es venue apprendre ici, je serais ravi de te donner quelques cours.

Sa grossièreté suscite l'hilarité de ses compagnons. Mes joues sont en feu. Il se fiche de moi.

Balayant la grotte du regard, j'évalue rapidement les mercenaires. Si je veux le convaincre, je dois gagner son respect.

– Tu es trop aimable, dis-je en m'efforçant de garder un visage neutre. En fait, c'est moi qui comptais t'apprendre quelque chose.

Roën éclate de rire.

– Continue, tu m'intéresses.

– J'ai besoin de toi et de tes hommes pour une mission qui pourrait changer le destin d'Orïsha.

De nouveau, les gars s'esclaffent, mais cette fois le voleur ne rit pas. Il se penche encore un peu plus en avant.

– Il y a une île sacrée au large de Jimeta, je poursuis. Je voudrais que tu nous y emmènes avant le lever du soleil.

Il s'adosse de nouveau contre son trône de pierre.

— La seule île qui existe en mer de Lokoja, c'est Kaduna. Tu sais que cette île n'apparaît qu'une fois tous les cent ans ?

D'autres ricanements s'élèvent, mais Roën les fait taire d'un geste brusque.

— Que cherches-tu sur cette île, mystérieuse petite maji ?

— Le moyen de rendre la magie à Orïsha.

Les mercenaires se remettent à rire. Un homme râblé dont les muscles tendent son treillis noir s'avance.

— Tu nous fais perdre notre temps avec tes bobards. Roën, dégage cette fille, ou je…

Sa main posée sur mon dos réveille mes blessures. La douleur me submerge, m'enfermant de nouveau dans ma cellule…

Chaque fois que je secoue mes chaînes, les menottes rouillées m'écorchent les poignets. Mes cris rebondissent contre les murs d'acier.

Et pendant tout ce temps, Saran assiste tranquillement à mon supplice.

Sans réfléchir, je charge le type sur mon épaule et le projette sur le sol en pierre. Il tente de se relever, mais je déplie mon bâton d'un coup sec en visant son plexus. Je ne m'arrête que juste avant de l'entendre craquer. Ses cris ont beau résonner dans toute la grotte, ils ne couvrent pas ceux que j'entends toujours dans ma tête.

Tous retiennent leur souffle ; je me penche vers le mercenaire et pointe le bâton contre sa gorge.

— Ne t'avise pas de recommencer. Tu sais ce qui t'attend, je siffle entre mes dents.

Je laisse l'homme masqué s'éloigner en rampant. Maintenant qu'il a battu en retraite, plus personne ne rit.

Mon bâton a forcé leur respect.

Roën me jette un regard encore plus amusé que tout à l'heure. Après avoir écrasé son mégot, il s'avance vers moi et ne s'immobilise qu'à quelques millimètres de mon visage. L'odeur du tabac me pique le nez.

– Tu n'es pas la première à vouloir t'y risquer, mon chou, poursuit-il à voix basse. Kwame a déjà essayé de ramener la magie. Et d'après ce qu'on m'a dit, ça ne s'est pas très bien passé.

En entendant ce nom, j'ai un pincement au cœur. Je me souviens de sa rencontre avec Roën, au campement. Sans doute préparait-il déjà son coup d'éclat, sachant depuis toujours que nous devrions aller au combat.

– Cette fois, c'est différent. Je connais un moyen pour rendre d'un coup leurs pouvoirs à tous les maji.

– Et comment comptes-tu nous payer ?

– Pas en argent, dis-je. En échange, tu apprendras à gagner les faveurs des dieux.

– Ben voyons ! ricane-t-il. Et tu t'imagines que ça suffira pour susciter la bonne volonté de mes hommes ?

Il attend davantage. Je me creuse la cervelle, essayant désespérément de trouver un mensonge plus convaincant.

– Par deux fois, les dieux m'ont mise sur ton chemin. Ce n'est pas par hasard si on se retrouve. Ils t'ont choisi pour que tu nous aides.

Son sourire moqueur disparaît. Pour la première fois, il devient grave. Maintenant qu'il n'a plus cette lueur malicieuse, je n'arrive plus à déchiffrer son regard.

– Tu m'as convaincu, mon chou. Mais pour mes hommes, l'argument de l'intervention divine ne suffira pas.

– Si nous réussissons, ils seront engagés à la cour de la future reine d'Orïsha.

Je m'entends prononcer ces mots sans même être sûre de ce que j'avance. Tzain m'a vaguement dit qu'Amari avait l'intention d'accéder au trône, mais avec tout ce qui s'est passé depuis, je n'y ai plus jamais repensé.

À présent, c'est mon unique argument. Sans l'aide de Roën et ses hommes, jamais nous n'approcherons cette île.

– Hum… *Les mercenaires de la Reine*, ça sonne plutôt bien, je trouve, dit-il.

– Oui, comme de l'or qui tinte.

Je retrouve son sourire en coin. Son regard glisse de nouveau sur moi.

Il me tend enfin sa main, et je la serre en réprimant un sourire.

– On part quand ? je demande. Il faut qu'on accoste à l'aube.

– Tout de suite. (Roën sourit.) Mais le bateau est petit. Tu devras t'asseoir à côté de moi.

CHAPITRE SOIXANTE-TREIZE

ZÉLIE

Nous voguons sur la mer de Lokoja. Seul le bruit du vent trouble le silence. En effet, le bateau de Roën n'est pas très grand. D'une forme élégante et profilée, il est tout en métal et dépourvu de voiles. Ses turbines vrombissent, recyclant l'énergie du vent pour nous propulser sur ces eaux agitées.

Je me blottis contre Tzain et Amari tandis qu'une énorme vague s'écrase sur la coque. Contrairement à la mer de Warri qui borde les côtes d'Ilorin, celle de Lokoja est phosphorescente à cause d'un plancton bleu vif qui lui donne l'aspect d'un ciel étoilé. Mais, serrés entre la bande de Kenyon et l'équipage de Roën, nous sommes trop à l'étroit pour que je puisse pleinement apprécier ce spectacle.

Ignore-les, me dis-je. Je me tourne vers l'océan afin de savourer la sensation familière des embruns sur ma peau. Les yeux fermés, je me revois, pêchant à Ilorin avec Baba, à cette époque où la vie était douce et où je n'avais pas d'autre préoccupation que de me distinguer lors des combats organisés par Mama Agba.

Je contemple mes mains et repense à tous les événements survenus depuis. J'espérais qu'à l'approche du solstice, je retrouverais quelques sensations. Mais non, aucune magie ne coule dans mes veines.

Oya, s'il te plaît. Je serre les poings et je prie. *Mère Ciel et vous autres divinités, je m'en remets à vous.*

Ne trompez pas ma confiance.

— Ça va ? chuchote Amari.

Sa voix est douce.

– J'ai juste un peu froid.

Elle incline la tête, mais n'insiste pas. Entremêlant ses doigts aux miens, elle dirige de nouveau son regard vers la mer. Sa main est tendre. Indulgente. Comme si elle connaissait la vérité.

– On a de la visite, lance l'un des hommes.

Plusieurs navires de guerre à trois mâts se profilent dans l'obscurité. L'un deux est en avant des autres, assez proche pour que je puisse distinguer sur ses flancs le léopardaire des neiges, symbole d'Orïsha. Ma poitrine se comprime. Je ferme les yeux afin de chasser cette image…

Tandis que le couteau lacère mon dos, la chaleur décuple la douleur. J'ai beau hurler, l'obscurité ne vient pas. J'ai le goût de mon propre sang sur…

– Zél ?

Le visage d'Amari émerge de la pénombre. Je serre sa main à faire presque craquer les os de son poignet. Je voudrais m'excuser, mais les mots ne sortent pas. Je sens monter un sanglot dans ma gorge.

M'enlaçant de son autre bras, Amari se tourne vers Roën.

– On peut leur échapper ?

Roën, qui a mis un masque pour l'occasion, déplie une longue-vue et l'applique contre son œil.

– À celui qui vogue en avant des autres, oui, mais pas à la flotte qui le suit.

Amari regarde à son tour. Son corps se fige.

– Ciel ! Ce sont les cuirassés de Père.

Je revois les yeux froids de Saran. Je me retourne et agrippe la rambarde en bois pour contempler la mer.

En tant que roi, je me dois de te rappeler qui tu es.

– Combien ? dis-je d'une voix étranglée, bien que ce ne soit pas la question que je voulais poser.

Combien de ses gardes sont sur ces bateaux ?

Combien veulent me torturer ?

– Plus d'une douzaine, répond Amari.

– On change de cap, propose Tzain.

– Ne sois pas stupide. (Dans les yeux gris de Roën, la flamme malicieuse s'est rallumée.) Attaquons-nous plutôt à ce bateau isolé.

– Non, proteste Amari. Nous serions repérés.

– Ils m'ont tout l'air de se diriger vers la même île que nous. Quel meilleur moyen de nous y rendre qu'en empruntant l'un de leurs cuirassés ?

Je contemple ces impressionnants vaisseaux au milieu de la mer démontée. Où est Inan ? Sur l'un de ces navires, avec Saran ?

Cette pensée m'est trop pénible pour que je la prononce à voix haute. J'adresse une autre prière au ciel. S'il y a là-haut un dieu qui se soucie de moi, il s'arrangera pour que je ne croise plus jamais Inan.

– D'accord, on fait ça. (Tous les visages se tournent vers moi, mais je fixe obstinément la mer.) Si vraiment ces bateaux se dirigent vers l'île, nous devons être plus rusés que ça.

– Exactement. (Roën penche sa tête vers moi.) Vas-y Käto, mets le cap sur ce navire. Mais ne t'approche pas trop. Il ne faudrait pas qu'ils entendent notre moteur.

Tandis que notre bateau accélère, mon cœur se met à cogner d'une telle force qu'il me semble qu'il va bondir hors de ma cage thoracique. Comment affronter Saran ? Comment faire sans ma magie ?

Les mains tremblantes, j'attrape mon bâton et le secoue pour le déplier.

– Que fais-tu ?

Je lève les yeux. Roën est à mes côtés.

– Je me prépare à l'abordage.

– On ne va pas procéder comme ça, mon chou. Tu nous as confié une mission. Assieds-toi et laisse-nous faire.

Amari et moi échangeons un bref regard avant de nous retourner vers le monstrueux navire.

– Tu penses vraiment t'en emparer sans notre aide ? demande-t-elle.

– S'en emparer, ce sera facile. La seule question est de savoir en combien de temps.

Deux de ses hommes sortent une grosse arbalète à laquelle est attachée une corde avec un crochet. Roën lève la main, sans doute pour leur donner le signal.

– C'est quoi, ta limite ? me demande-t-il.

– Comment ça ?

– Jusqu'où nous permets-tu d'aller ? Personnellement, j'ai une préférence pour l'égorgement, mais comme nous sommes en mer, on peut se contenter de les noyer.

L'aisance avec laquelle il envisage de supprimer des vies humaines me fait frissonner. Son sang-froid est celui d'un homme qui n'a peur de rien. Même si, pour l'instant, je ne perçois la présence d'aucun esprit des morts, je n'ose pas imaginer combien d'entre eux viendraient à sa rescousse.

– Pas de morts.

Cet ordre me surprend moi-même, mais dès qu'il a franchi mes lèvres, je sais qu'il est juste. Tant de sang a déjà été versé. Que nous remportions la victoire ou non, il n'est pas utile que ces soldats meurent.

– Pff, t'es pas marrante, toi, grogne Roën. (Il se tourne vers ses hommes.) Bon, vous l'avez entendue : on les maîtrise sans les tuer.

Quelques mercenaires protestent. Mon cœur se serre. Pourquoi pensent-ils d'abord à la mort ? Mais Roën a déjà tiré un carreau qui va se ficher dans la coque en bois du navire. Apparemment, personne ne nous a remarqués.

Le plus robuste de ses hommes noue l'autre extrémité de la corde autour de son corps massif.

Le dénommé Käto quitte le gouvernail ; il se dirige vers la corde tendue et me bouscule au passage.

– Pardon, marmonne-t-il.

Bien qu'un masque dissimule en partie son visage, je remarque que ses yeux sont de la même couleur que ceux de Roën. Mais là où ce dernier se montre impétueux et moqueur, Käto se contente d'être cordial et sérieux.

Käto tire sur la corde pour tester sa solidité. Puis, aussi rapide qu'un renardien à oreilles de chauve-souris, il saute par-dessus bord et disparaît dans l'obscurité.

Un faible grognement se fait entendre, puis un autre. Quelques instants plus tard, nous accostons et des hommes montent aussitôt à bord.

– Dis-moi, mystérieuse petite maji, quelle sera la récompense des dieux si je prends ce navire ? me demande Roën. Dois-je leur préciser ce qui m'intéresse, ou le savent-ils déjà ?

– Ça ne marche pas comme ça…

– Il faut que je les impressionne, c'est ça ? Que m'offriront-ils si j'arrive à m'emparer de ce bateau en moins de cinq minutes ?

– Rien du tout, si tu restes là à palabrer sans passer à l'action.

Ses yeux se plissent à travers les trous de son masque et je devine son sourire de renardien. Il m'adresse un clin d'œil et bondit sur le navire. Nous voilà condamnés à attendre, avec les mercenaires pour seule compagnie.

– Cinq minutes… N'importe quoi, dis-je.

Cinq minutes, pour un navire de cette taille ? Le pont à lui tout seul pourrait rassembler une armée entière. Qu'ils s'estiment heureux s'ils parviennent à le prendre tout court.

Nous restons là, assis dans la nuit, à sursauter aux moindres gémissements qui nous parviennent d'en haut. Mais très vite, c'est de nouveau le silence.

– Ils ne sont qu'une douzaine, murmure Tzain. Tu crois vraiment qu'ils vont réussir à prendre tout un na…

Une ombre glisse le long de la corde. Roën se laisse retomber sur notre bateau dans un bruit sourd. Il relève son masque, révélant son sourire moqueur.

– Tu as réussi ? je demande.

– Non, soupire-t-il. (Il montre les cristaux colorés de son sablier.) Six minutes. Presque sept. Si tu m'avais autorisé à les tuer, tout aurait été plié en moins de cinq !

– C'est impossible, dit Tzain, les bras croisés.

– Vérifie par toi-même, frérot. Échelle !

Une échelle de corde vole au-dessus du bord du bateau. Je l'agrippe, ignorant la douleur qui me traverse le dos tandis que je grimpe les barreaux.

Lorsque je pose le pied sur le pont, je vois que des dizaines de gardes royaux gisent, inconscients et ligotés de la tête aux pieds. Leurs corps sont débarrassés de leur uniforme et jonchent le plancher comme des détritus.

Après avoir constaté qu'Inan et Saran ne font pas partie des prisonniers, je ne peux réprimer un soupir de soulagement.

– Il y en a d'autres dans la cale, me chuchote Roën à l'oreille.

Je souris malgré moi, même si juste après, je lève les yeux au ciel. Cette minuscule approbation suffit pourtant à le faire triompher.

Il hausse les épaules.

– Je suppose que ce genre d'exploit est normal quand on a été choisi par les dieux.

Son sourire persiste un moment, puis il reprend son rôle de capitaine.

– Mettez-moi ces hommes au cachot. Récupérez tous les objets susceptibles de faciliter une évasion. Rehema, prends le gouvernail du navire. Käto, tu nous suivras depuis notre bateau. En maintenant cette vitesse, nous accosterons sur l'île au lever du jour.

CHAPITRE SOIXANTE-QUATORZE

INAN

DEUX JOURS ONT PASSÉ.

Deux jours sans elle.

En son absence, l'air de l'océan est lourd.

Et chaque souffle de vent me chuchote son nom.

Accoudé au bastingage du cuirassé, je vois Zélie partout. Son reflet me poursuit. Son sourire illumine la lune et son esprit souffle dans le vent du large. Sans elle, le monde n'est que la mémoire de tous les moments heureux qui ne reviendront plus.

Je ferme les yeux pour la retrouver, allongée dans les roseaux de notre paysage onirique. Je ne savais pas que l'on pouvait se sentir aussi merveilleusement bien dans les bras de quelqu'un.

Ce moment-là, unique et parfait, où elle était si belle. Où la *magie* était si belle. Non plus une malédiction, mais un cadeau.

Avec Zélie, la magie est toujours un cadeau.

Je serre la pièce de bronze qu'elle m'a offerte, comme si c'était le dernier morceau de son cœur. Quelque chose en moi me dit que je devrais la jeter dans l'océan, mais je ne peux m'en séparer.

Si j'avais pu, je serais resté là-bas pour toujours. J'aurais renoncé à tout sans aucun regret.

Mais je me suis réveillé.

Et en ouvrant les yeux, j'ai su que rien ne serait plus jamais comme avant.

— Tu fais le guet ?

Je sursaute. Père vient de surgir derrière moi. Ses yeux sont aussi noirs et froids que la nuit.

Je détourne la tête pour dissimuler la nostalgie enfouie dans mon cœur. Père n'est pas un Connecteur, mais s'il sent faiblir ma détermination, les représailles seront immédiates.

— Je te croyais endormi, je bredouille.

— Jamais, dit-il en hochant la tête. Je ne dors jamais avant une bataille. Tu devrais d'ailleurs suivre mon exemple.

Évidemment. *Mettre chaque seconde à profit pour réfléchir à une nouvelle stratégie et contre-attaquer.* Une devise qu'il me serait facile d'appliquer si j'étais sûr du bien-fondé de mon action.

Je serre de nouveau la pièce de bronze jusqu'à ce que ses contours se gravent sur ma peau. J'ai déjà abandonné Zélie une fois. Je ne sais pas si j'aurai le cran de la trahir une deuxième fois.

Je lève les yeux vers le ciel, espérant apercevoir le regard d'Orí à travers les nuages. *Les dieux sont toujours là, même dans les moments les plus sombres*, me dit la voix de Zélie. *Ils ont toujours un dessein.*

Nos promesses, notre Orïsha… Même très éloigné, il existe forcément un monde où ce rêve nous est encore accessible. Suis-je en train de commettre une énorme erreur ? Est-il encore temps de faire marche arrière ?

— Tu hésites, dit Père.

C'est une affirmation, pas une question. Il doit renifler la faiblesse qui suinte de chaque pore de ma peau.

— Je suis désolé, je murmure, me préparant à recevoir son poing dans la figure.

Mais il me tapote l'épaule et se tourne vers la mer.

— Moi aussi, il m'est arrivé d'hésiter. C'était avant que je n'accède au trône, quand je n'étais encore qu'un jeune prince naïf.

Je ne bronche pas, de peur d'interrompre ce rare retour sur son passé. Un aperçu de l'homme qu'il aurait pu être.

— Jadis, il y a eu un référendum. La monarchie devait se prononcer sur la possibilité d'intégrer les chefs des dix clans maji à la cour royale. Mon père rêvait de réunir kosidàn et maji au sein d'un Orïsha tel que l'histoire n'en avait jamais connu.

Je le regarde, les yeux écarquillés. Un acte pareil aurait été d'une portée extraordinaire. Il aurait à tout jamais bouleversé les fondations de notre royaume.

– Ce projet a-t-il été bien accueilli ?

– Par le ciel, non ! (Père laisse échapper un petit rire.) Hormis ton grand-père, tout le monde était contre. Mais en tant que roi, il n'avait pas besoin de leur accord. Il pouvait l'imposer par ordonnance.

– Pourquoi as-tu hésité ?

La bouche de Père se referme en un trait mince.

– À cause de ma première femme, finit-il par répondre. Alika. Son cœur trop tendre la desservait. Elle voulait que je sois l'homme du changement.

Alika…

J'essaie d'imaginer le visage assorti à ce nom. D'après ce qu'en dit Père, ce devait être une femme dont la bonté se lisait sur ses traits.

– Par amour pour elle, j'ai soutenu mon père et j'ai fait passer mes sentiments avant le devoir. Je savais que les maji étaient dangereux, mais j'ai voulu me convaincre qu'en leur accordant notre confiance, nous pourrions travailler ensemble. Je pensais que les maji souhaitaient cette réunification, mais leur seul objectif était de nous détruire.

Il se tait, mais son silence me laisse entendre la fin de l'histoire. Le roi qui a péri en voulant aider les maji. L'épouse que Père n'a plus jamais pu tenir entre ses bras.

Cette prise de conscience fait ressurgir les images horribles de la forteresse de Gombe : les squelettes des gardes recouverts de métal fondu ; les corps jaunis et emportés par quelque maladie atroce. Cette désolation. Cette abomination. Et tout cela, à cause de la magie.

Après la fuite de Zélie, les cadavres empilés les uns sur les autres jonchaient le sol.

— Tu hésites parce qu'à présent tu comprends ce qu'implique d'être roi, dit Père. Entre le devoir et le cœur, il faut choisir. Et forcément, souffrir.

Père dégaine son épée de majacite noir. Sur la pointe de la lame, Il me montre une inscription gravée que je n'avais jamais vue.

Le devoir avant soi-même.

Le royaume avant le roi.

— Après la mort d'Alika, j'ai fait forger cette épée avec cette inscription pour ne pas jamais oublier mon erreur. Car en écoutant mon cœur, j'ai perdu l'amour de ma vie.

Père me tend son épée. Je n'en reviens pas. De toute ma vie, je ne l'ai jamais vu sans cette arme pendue à sa ceinture.

— Sacrifier son cœur pour le royaume est noble, fils. C'est le prix à payer pour être roi.

Je regarde fixement l'épée. L'inscription brille sous la lune. En simplifiant ma mission, ces mots ouvrent un espace où peut se loger ma peine. Un soldat. Un grand roi. C'est tout ce que j'ai toujours voulu être.

Le devoir avant soi.

Orïsha avant Zélie.

Je resserre ma main autour de la poignée de l'épée en majacite, tâchant d'ignorer à quel point ce simple contact me meurtrit la peau.

— Père, je sais comment récupérer le parchemin.

CHAPITRE SOIXANTE-QUINZE

ZÉLIE

Installée sous le pont dans la cabine du capitaine, je m'attends à m'endormir facilement. Mes yeux se ferment tout seuls, et mon corps est lourd. Blottie sous des draps en coton et une fourrure de panthéraire, je crois que je n'ai encore jamais connu de lit aussi confortable. Je ferme les yeux, attendant que le sommeil m'emporte, mais juste au moment de basculer dans l'inconscience, je me retrouve enchaînée…

En tant que roi, je me dois de te rappeler ce que tu es.

À moins que…

Je sursaute. Mes draps sont trempés de sueur. J'ai beau être éveillée, c'est comme si les murs en métal continuaient de se refermer sur moi.

Je bondis sur mes pieds et cours vers la porte. Sur le pont, la brise fraîche me fait du bien. La lune ronde est si basse dans le ciel qu'elle semble embrasser la mer.

Respire, me dis-je. Dieux, comme je regrette le temps où la seule chose que je redoutais en fermant les yeux, c'était de me retrouver dans le paysage onirique. Même si ce cauchemar est déjà loin, je peux toujours sentir la pointe du couteau me déchirer le dos.

— Alors, on admire la vue ?

Roën est appuyé contre le gouvernail. Même dans la pénombre, ses dents sont si blanches qu'elles brillent.

— Ce soir, la lune refusait de se lever, mais j'ai réussi à la convaincre de faire un effort en ton honneur.

– Jamais tu n'arrêtes de plaisanter ? dis-je d'un ton plus dur que je ne le voudrais.

Mais Roën sourit de plus belle.

– Si, parfois, dit-il en haussant les épaules. Mais ça rend la vie plus gaie, non ?

Il change de posture. La lune éclaire son treillis et ses poignets recouverts de bandages.

– On a fait du bon boulot, aujourd'hui, dit-il. Entendre parler de ton île magique a dû motiver les troupes.

À la vue de ses mains tachées de sang, je réprime un haut-le-cœur. *Ignore-le.* Je me tourne vers la mer pour m'apaiser.

Je ne veux pas imaginer ce qu'il a fait subir à ces hommes. J'ai vu assez de cadavres. Je vais rester là, au milieu des vagues déferlantes. Je m'y sens en sécurité. Ici, je peux rêver de bains de mer. Penser à Baba. À la liberté.

– J'ai vu tes cicatrices, au fait. (La voix de Roën me tire de mes pensées.) Elles sont récentes, on dirait.

Je lui lance un regard noir.

– Ça ne te regarde pas.

– Tant pis, j'aurais pu te donner quelques conseils.

Il retrousse sa manche. Tout le venin que je m'apprêtais à cracher s'évapore.

Des estafilades marquent ses poignets et sinuent jusqu'en haut des bras, disparaissant ensuite sous sa chemise.

– Vingt-trois, répond-il sans même que je lui aie posé la question. Eh oui, je me souviens de chacune de ces cicatrices. À chaque fois qu'ils tuaient un membre de mon équipage sous mes yeux, ils m'en gravaient une nouvelle.

Tandis qu'il passe ses doigts sur une balafre particulièrement longue, son visage se durcit. Rien qu'en la regardant, je sens mes propres cicatrices me picoter.

– Les gardes ?

— Non. Des types charmants de mon pays, de l'autre côté de la mer.

Je scrute l'horizon, imaginant une autre destination, loin du rite, de la magie et de Saran. Un pays où le Raid n'a jamais eu lieu.

— Comment il s'appelle, ce pays ?

— Sutori. (Son regard se perd dans le vague.) Tu t'y plairais.

— Si ses habitants sont tous comme toi, tu peux être sûr que je n'y mettrai jamais les pieds.

Roën sourit de nouveau. Un vrai sourire, beaucoup plus chaleureux que ce à quoi je m'attendais. Mais je le connais maintenant assez pour savoir qu'il peut aussi bien l'arborer en racontant une blague qu'en égorgeant quelqu'un.

— Sois franche. (Il s'avance et me regarde droit dans les yeux.) D'après ma modeste expérience, il faut du temps pour se remettre de ses cauchemars et de ses blessures. Or tes cicatrices me semblent trop récentes pour que je me sente à l'aise.

— Que veux-tu dire ?

Il pose sa main sur mon épaule ; si près de mes blessures qu'instinctivement, je me rétracte.

— Si tu ne peux pas, il faut que je le sache. Ne… (Il s'arrête avant que je ne proteste.) Ne le prends pas mal. Après avoir été blessé, il m'a fallu des semaines avant de pouvoir reparler. Et en aucun cas je n'aurais pu me battre.

On dirait qu'il est dans ma tête, qu'il sait que ma magie s'est asséchée. *Je ne peux pas !* hurle une voix en moi. *Si une armée attend, nous voguons vers notre propre mort.*

Mais les mots restent coincés dans ma bouche avant de refluer. Je dois faire confiance aux dieux. Je dois être convaincue que s'ils m'ont emmenée jusqu'ici, ils ne me tourneront pas le dos au moment crucial.

— Alors ? insiste Roën.

— Ceux qui m'ont fait ça sont les mêmes que ceux qui sont sur ce navire : des gardes de Saran.

– Je ne mettrai pas mes hommes en danger juste pour que tu sois vengée.

– Même si j'écorchais Saran vivant, je ne me sentirais toujours pas vengée, dis-je en repoussant sa main. Il ne s'agit pas de lui. Ni même de moi. Mais si je ne l'arrête pas, il détruira mon peuple comme il m'a détruite.

Pour la première fois depuis que j'ai été torturée, je ressens un timide retour de ce feu qui jadis rugissait plus fort que ma peur. Une flamme fragile, certes, qui, à peine allumée, est balayée par le vent.

– Très bien. Quand nous serons sur cette île, tu auras intérêt à être forte. Mes hommes sont les meilleurs, mais on aura une armée entière à nos trousses. Je ne veux pas prendre le risque que tu nous claques entre les doigts.

– Pourquoi est-ce que ça te préoccupe autant ?

Il porte la main à son cœur, faisant mine d'être blessé.

– Je suis un professionnel, chérie. Je déteste décevoir mes clients, surtout quand j'ai été choisi par mes dieux.

– Ce ne sont pas *tes* dieux, je rétorque en secouant la tête. Et ce n'est pas toi qu'ils ont choisi.

– Tu en es sûre ? (Roën se penche un peu plus sur la rambarde ; son sourire s'efface.) Jimeta compte plus de cinquante clans de mercenaires, soit cinquante cavernes où toi et ta bande auriez pu débarquer. Le fait que les dieux n'aient pas traversé la voûte de ma grotte ne signifie pas pour autant qu'ils ne m'ont pas choisi.

Je fouille son regard, y cherchant de la malice, mais n'en trouve aucune.

– C'est tout ce dont tu as besoin pour affronter une armée ? Croire en une intervention divine ?

– Ce n'est pas de la croyance, chérie. C'est de l'assurance. Je ne comprends rien au langage des dieux. Or dans mon métier, mieux vaut éviter de faire n'importe quoi dans un domaine qu'on ne comprend pas.

Il se tourne vers le ciel et s'écrie :

– Au fait, je préfère être payé en or !

Je m'entends éclater de rire et en suis tout étonnée. Jamais je n'aurais pensé que je puisse de nouveau rire.

– À ta place, je ne compterais pas trop dessus.

– Va savoir. (Roën prend mon menton dans sa main.) Ils ont déjà envoyé une mystérieuse petite maji dans ma caverne. Je suis sûr que d'autres trésors suivront.

Il s'en va, puis se retourne pour me crier :

– Tu devrais parler à quelqu'un. Les blagues ne sont pas d'un grand secours, mais parler, si. (Son sourire de renardien est de retour, et une lueur malicieuse brille dans ses yeux couleur d'acier.) Si ça t'intéresse, ma chambre est juste à côté de la tienne. On m'a souvent dit que j'avais une excellente écoute.

Je lève les yeux au ciel et me tourne de nouveau vers la mer. Mais plus je contemple la lune, plus je réalise qu'il a raison. Je n'ai pas envie d'être seule. Pas cette nuit, qui peut-être sera la dernière. Ma foi dans les dieux m'a peut-être menée jusqu'ici, mais pour me rendre sur cette île, j'ai besoin de plus de soutien.

Bravant mon hésitation, je traverse l'étroit couloir du bateau et passe devant la porte de Tzain, puis devant la mienne. J'ai besoin de compagnie.

Besoin de dire la vérité à quelqu'un.

Une fois devant la bonne porte, je frappe doucement. Mon cœur bat quand elle s'ouvre.

– Salut, je murmure.

– Salut, me sourit Amari.

CHAPITRE SOIXANTE-SEIZE

AMARI

TANDIS QUE JE FINIS DE DÉMÊLER SES CHEVEUX, Zélie se tortille comme si je lui enfonçais des épines dans le crâne.

– Excuse-moi, je répète pour la dixième fois.

– Il faut bien que quelqu'un s'y colle.

– Si tu te passais un coup de peigne un peu plus régulièrement, aussi…

– Amari, le jour où tu me verras brosser mes cheveux, s'il te plaît, appelle un Guérisseur.

Mon rire rebondit contre les murs en métal. Je sépare sa chevelure en trois parties. Bien qu'elle soit difficile à coiffer, j'éprouve une pointe de jalousie en m'attaquant à la troisième tresse. Autrefois doux comme la soie, ses cheveux blancs sont devenus drus et épais et encadrent son joli visage telle une crinière de lionaire. Elle ne semble pas remarquer la manière dont Roën et ses hommes la regardent.

– Avant que ma magie ne disparaisse, mes cheveux avaient cet aspect-là, dit Zélie, s'adressant plus à elle-même qu'à moi. Quand Mama me coiffait, elle devait faire appel à des animations pour que je reste tranquille.

Je m'esclaffe de nouveau en imaginant des silhouettes en pierre la pourchasser avec une brosse à cheveux.

– Ma mère aurait adoré ces créatures. Au palais, il n'y avait jamais assez de nounous pour m'empêcher de courir toute nue dans tout le palais.

– Tu te promenais toute nue ? demande Zélie en souriant.

– Oui, je ne sais pas pourquoi, je glousse. Petite, je me sentais tellement plus à l'aise sans vêtements.

Lorsque la tresse atteint sa nuque, Zélie serre les dents. Entre nous, le climat redevient tendu, une fois de plus. Comme si autour d'elle, je voyais soudain s'ériger un mur de mots informulés et de mauvais souvenirs. Je lâche sa natte et pose mon menton sur son crâne.

– Quoi que tu aies sur le cœur, tu peux me parler, tu sais.

Zélie soupire. Entourant ses cuisses de ses bras, elle ramène ses genoux contre sa poitrine. Je serre ses épaules avant de terminer la dernière natte.

– J'ai longtemps cru que tu étais faible, murmure-t-elle.

Je ne m'attendais pas à cela. De tout ce que Zélie devait penser de moi, « faible » était sans doute le qualificatif le plus indulgent.

– À cause de mon père ?

Elle acquiesce, quoique je la sente réticente à m'avouer cela.

– À chaque fois qu'on parlait de lui, tu te recroquevillais. Je ne comprenais pas comment tu pouvais aussi bien manier l'épée tout en étant si effrayée.

Je passe mes doigts sur ses tresses en suivant les raies dessinées sur son crâne.

– Et maintenant ?

Elle ferme les yeux. Ses muscles sont tendus, mais lorsque je l'enlace, je sens la digue sur le point de céder.

Zélie lâche finalement un sanglot.

– Je n'arrive pas à me le sortir de la tête, dit-elle en m'étreignant. (Ses larmes brûlantes tombent sur mes épaules.) Dès que je ferme les yeux, je le vois enrouler une chaîne autour de mon cou.

Tandis qu'elle pleure dans mes bras, je sens qu'elle libère enfin ses émotions. Ma gorge se serre. Toute cette peine, c'est ma famille qui la lui a infligée. Je repense à Binta qui aurait sans doute, elle aussi, eu besoin de réconfort. Elle me soutenait toujours, et je n'ai jamais pu lui rendre la pareille.

– Pardon pour tout ce que t'a fait subir mon père, je murmure. Et je suis désolée qu'Inan n'ait pas pu l'en empêcher. Que lui et moi ayons attendu si longtemps avant d'essayer de réparer les dégâts qu'il avait provoqués.

Zélie s'appuie contre moi et m'écoute. *Pardon, Binta*, dis-je, m'adressant à son esprit. *Je regrette de ne pas t'avoir soutenue davantage.*

– La première nuit de notre évasion, quand nous étions dans cette forêt, je n'arrivais pas à m'endormir. Dès que je fermais les yeux, je voyais l'épée de Père prête à s'abattre sur moi. (Je me dégage pour essuyer ses larmes et regarder droit dans ses yeux argent.) J'étais sûre que s'il me trouvait, il me tuerait. Mais sais-tu ce qui s'est passé quand je l'ai croisé dans la forteresse ?

Zélie fait non de la tête. En évoquant cette scène, mon pouls s'accélère. La colère de Père était terrible, mais ce dont je me souviens surtout, c'est du poids de mon épée.

– J'ai tiré mon épée pour le combattre ! Tu te rends compte ?

Elle me sourit. L'espace d'un instant, je retrouve Binta dans ses traits adoucis.

– Je n'en attendais pas moins de la part de la Lionaire, se moque-t-elle.

– N'empêche, je me souviens du jour où la Lionaire a été priée de prendre sur elle et de cesser de se comporter comme une princesse effarouchée.

– Tu plaisantes ? (Zélie rit à travers ses larmes.) J'ai été bien plus odieuse que ça.

– Oui, je te rassure : juste avant, tu m'as même poussée dans le sable.

– Et maintenant, c'est mon tour d'être poussée ? demande Zélie.

Je secoue la tête.

– J'avais besoin d'entendre cela. De l'entendre *de ta bouche*. Après la mort de Binta, tu as été la première à ne pas me traiter comme une stupide princesse. Tu n'en as peut-être pas conscience, mais tu as cru que je pouvais être une Lionaire avant que quiconque ait prononcé ce mot.

J'essuie ses dernières larmes et pose ma main sur sa joue. Je n'ai pas été là pour Binta, mais en présence de Zélie, je sens que le trou dans mon cœur se referme. Binta m'aurait encouragée à être courageuse. Avec Zélie, je le suis déjà.

– Quoi qu'il ait fait, et quoi que tu aies vu, crois-moi quand je te dis que ce n'est pas pour toujours, je poursuis. Si tu m'as libérée, tu trouveras aussi le moyen de le faire pour toi.

Zélie esquisse un bref sourire. Puis elle ferme les yeux et serre les poings, comme elle le fait toujours avant de réciter une incantation.

– Qu'est-ce qu'il y a ? je demande.

– Je n'arrive plus… (Elle regarde ses mains.) Je n'arrive plus à sentir ma magie.

Il me semble que mon cœur va s'arrêter. J'étreins le bras de Zélie.

– Comment ça ?

– Elle est partie. (Elle agrippe ses tresses, et je lis la douleur sur ses traits.) Je ne suis plus une Faucheuse. Je ne suis plus rien.

Le poids qu'elle porte sur ses épaules va la briser. Je ne souhaite rien tant que de la réconforter, mais cette nouvelle donne me laisse sans réaction.

– Comment est-ce arrivé ?

Zélie ferme les yeux et hausse les épaules.

– Je ne sais pas. Ils m'ont tailladé le dos, et puis…

– Comment allons-nous faire, pour le rite ?

– Je ne sais pas, répète-t-elle, tremblante et prenant une profonde inspiration. Je ne pourrai pas l'accomplir. Ni moi ni personne.

Le sol se dérobe sous mes pieds. Lekan a bien dit que seul un maji connecté à l'esprit de Mère Ciel pouvait accomplir le rite. Sans un sên-taro pour éveiller quelqu'un d'autre, personne ne pourra prendre la place de Zélie.

– Peut-être que la pierre de soleil suffirait…

– J'ai déjà essayé.

– Et alors ?

– Rien. Elle ne chauffe même pas.

Sourcils froncés, je mordille ma lèvre inférieure, essayant désespérément de trouver une autre solution. Si la pierre de soleil n'a rien donné, je doute que le parchemin puisse lui être utile.

– Ça ne date pas plutôt d'Ibeji ? je demande. La première fois, dans l'arène, tu disais que ta magie était bloquée.

– Oui, mais pas volatilisée. Même si ça coinçait, elle était toujours là. Mais maintenant, je ne sens plus rien.

Le désespoir me gagne. *Il faut faire demi-tour.* Il faut réveiller l'un des hommes de Roën et lui dire de changer de cap.

Le visage radieux de Binta m'apparaît, éclipsant ma peur, éclipsant la colère de Père. Il me ramène à ce jour fatal où je me trouvais dans les appartements de Kaea avec le parchemin entre les mains. Tout était contre nous, et la réalité nous prédisait l'échec. Cela ne nous a pas empêchés de lutter. De persévérer. De nous dresser.

– Tu peux le faire, dis-je à voix haute pour mieux m'en convaincre. Les dieux t'ont choisie. Je suis sûre qu'ils ne se trompent jamais.

– Amari…

– Depuis que je te connais, je t'ai toujours vue tenter l'impossible pour les gens que tu aimes. Je sais que tu peux faire la même chose pour sauver les maji.

Zélie détourne la tête, mais je la ramène vers moi pour l'obliger à me regarder dans les yeux. Si seulement elle pouvait se voir telle que je la vois : une héroïne qui s'ignore.

– Tu en es vraiment sûre ?

– Absolument certaine. Et puis, regarde-toi : si tu ne peux exercer la magie, personne ne le pourra.

Je lui tends le miroir et lui montre les tresses qui tombent jusqu'à ses reins. Ses cheveux ont tellement bouclé que j'avais oublié leur longueur.

– J'ai l'air forte, dit-elle en caressant ses nattes.

Je souris et repose le miroir.

– Tu as l'air d'une guerrière qui va ramener la magie.

Zélie presse ma main. Son étreinte laisse toujours transparaître une certaine tristesse.

– Merci Amari. Merci pour tout.

Front contre front, nous restons là, silencieuses, à nous exprimer notre amour par des gestes. *La Princesse et la Guerrière*. Quand les gens se raconteront nos aventures, c'est ainsi qu'ils intituleront cette histoire.

– Tu veux bien rester avec moi, cette nuit ? (Je recule afin de mieux contempler son visage.) Je n'ai pas envie d'être seule.

– Bien sûr, sourit-elle. Mon petit doigt me dit que je dormirai bien, dans ce lit.

Je roule sur le côté pour lui faire de la place. Elle grimpe et se blottit sous la couverture de panthéraire. Lorsque je me penche pour éteindre la torche, elle me saisit le poignet.

– Tu crois vraiment qu'on y arrivera ?

Mon sourire faiblit, mais je n'en laisse rien paraître.

– Ce que je crois, c'est qu'il faut essayer.

CHAPITRE SOIXANTE-DIX-SEPT

PEU AVANT LE LEVER DU SOLEIL, des nuages légers traversent le ciel rose et orange avec nonchalance, comme s'ils se moquaient de ce qu'apportera cette nouvelle journée. Une fois mis mon uniforme de garde, j'enfile le casque et y rentre mes tresses. Roën s'approche, son sempiternel sourire malicieux aux lèvres.

– Dommage que nous n'ayons pas pu discuter, hier soir, dit-il d'un air faussement consterné. Si c'est ta séance de coiffure qui t'en a empêchée, sache la prochaine fois que je sais très bien faire les tresses.

Je plisse les yeux, excédée de devoir admettre que l'uniforme lui va à ravir. Il le porte avec beaucoup d'assurance. On croirait vraiment qu'il lui appartient.

– Je vois que la perspective d'une mort imminente ne te casse pas le moral.

Le sourire de Roën s'élargit.

– Tu as fière allure, murmure-t-il en attachant la lanière de son casque. Je suis prêt.

D'un sifflement strident, il bat le rappel de l'équipage. Bientôt, tout le monde est sur le pont. Amari et Tzain se faufilent au premier rang, suivis de Kenyon et de ses quatre compagnons. Tzain m'adresse un hochement de tête complice auquel je m'efforce de répondre.

– J'ai interrogé les gardes de Saran, hier soir. (La voix de Roën porte au-dessus du vent marin.) Ils comptent se poster tout autour de l'île ainsi qu'à l'intérieur même du temple. En accostant, on ne pourra pas les éviter. Il ne faudra donc pas attirer leur attention ni éveiller leurs soupçons. Ils s'attendent à voir débarquer Zélie avec une armée de maji. Tant que nous porterons ces uniformes, ils ne se douteront de rien.

– Et quand nous entrerons à l'intérieur du temple ? demande Amari. Au moindre mouvement suspect, Père donnera l'ordre de tirer. Ils attaqueront dès qu'ils nous verront avec les artefacts.

– Une fois près du temple, on lancera un premier assaut pour faire diversion. Pendant ce temps-là, Zélie pourra procéder au rite.

Roën se tourne vers moi et me fait signe de prendre sa place. J'ai un mouvement de recul, mais Amari me pousse doucement au milieu de l'assemblée. Les mains derrière le dos, j'avale ma salive et m'efforce d'avoir l'air forte.

– Contentez-vous d'appliquer les consignes. Si on arrive à ne pas attirer l'attention, on devrait arriver jusqu'au temple sans problème.

Vous verrez alors que je ne peux rien faire et que les dieux m'ont abandonnée. C'est à ce moment-là que les hommes de Saran attaqueront.

À ce moment-là que nous mourrons tous.

Je déglutis de nouveau, chassant les doutes qui me donnent envie de fuir. *Il faut que ça marche. Mère Ciel a forcément prévu cela.* Mais tous ces yeux écarquillés et ces murmures inquiets me disent que ces quelques phrases ne suffisent pas. Ils veulent un discours enflammé. Le même que j'aurais besoin d'entendre, moi aussi.

– Par les dieux… jure Tzain.

Nous nous tournons vers la petite flotte amarrée à l'endroit même où devrait apparaître l'île. Tandis que le soleil se lève à l'horizon, celle-ci se matérialise soudain sous nos yeux. D'abord transparente comme un mirage surgi de la mer, elle prend la forme d'une grosse masse brumeuse recouverte d'arbres morts.

Une bouffée de chaleur envahit ma poitrine, aussi puissante que lorsque Mama Agba a retrouvé sa magie. Je me souviens encore de l'espoir que cela avait suscité en moi. Après toutes ces années, enfin, je ne m'étais plus sentie seule.

La magie est là. Vivante. Plus proche que jamais. Même si je ne peux pas encore la saisir, je m'accroche à l'idée que cela ne va pas tarder.

Caressant cet espoir, je fais comme si elle bouillonnait dans mes veines, plus puissante que jamais. Aujourd'hui, elle va me déchirer et sera aussi brûlante que ma rage.

– Je sais que vous avez peur. (Tous se tournent vers moi.) Moi aussi, j'ai peur. Mais je sais également que votre détermination est plus forte, puisqu'elle vous a menés jusqu'ici. Nous avons tous été trompés par les gardes, par cette monarchie qui avait juré de nous pro-téger. Mais aujourd'hui, nous allons nous venger. Aujourd'hui, ils devront payer !

Des cris enthousiastes s'élèvent, même parmi les mercenaires. Ils me galvanisent, libérant les mots enfouis en moi.

– Leur armée compte peut-être un millier d'hommes, mais pas un d'entre eux n'a le soutien des dieux. La magie est avec nous, alors soyez forts, soyez confiants.

– Et si ça ne marche pas ? demande Roën une fois les clameurs dissipées.

– Vous vous battrez ! je réponds. De toutes vos forces.

ZÉLIE

LA GORGE SÈCHE, je contemple l'interminable flot de soldats patrouillant dans l'île. À croire que tous les gardes d'Orïsha sont là.

Derrière eux se dresse une forêt obscure. La brume et la fumée tourbillonnante qui l'enveloppent font ployer l'air au-dessus des arbres noircis, signe qu'ils sont emplis d'énergie spirituelle.

Une fois que le dernier faux garde de notre troupe est descendu de la chaloupe, Roën prend la tête de notre expédition vers le temple.

– Dépêchons-nous, dit-il, il n'y a pas une minute à perdre.

Quant à moi, j'ai ressenti l'énergie spirituelle à l'œuvre dès que j'ai mis le pied sur l'île. Même si elle ne bourdonne pas dans mes os ; la magie irradie du sol et s'écoule des arbres calcinés. En voyant Roën écarquiller les yeux, je sais qu'il s'en rend compte, lui aussi.

Nous marchons parmi les dieux.

À cette pensée, quelque chose en moi se met à vibrer, quelque chose de beaucoup plus puissant que le flux magique habituel. En marchant sur cette île, c'est comme si je percevais le souffle d'Oya dans l'air frémissant. Si les dieux sont vraiment là, à mes côtés, alors j'ai peut-être eu raison de leur faire confiance. Peut-être avons-nous vraiment une chance.

Mais pour procéder au rite, nous devons d'abord tromper les gardes.

Nous traversons d'interminables rangées de soldats. Mon cœur cogne contre ma poitrine. À chaque pas, je suis convaincue qu'ils nos vont voir nos visages sous nos casques, mais le sceau d'Orïsha nous protège de leur regard. Parfaitement à l'aise dans son uniforme de commandant, Roën nous dirige avec panache. Son teint de grès et sa démarche assurée en imposent, au point que même les vrais officiers s'écartent sur son passage.

On y est presque, me dis-je, me raidissant pourtant dès qu'un garde nous observe avec un peu trop d'insistance. Chaque mètre qui nous rapproche de la forêt me semble interminable. Tzain porte la dague d'os, tandis qu'Amari se cramponne au sac de cuir renfermant la pierre de soleil et le parchemin. Quant à moi, je garde mon bâton à portée de main. Pourtant, même lorsque nous passons devant les dernières troupes, les soldats nous voient à peine. Les yeux rivés sur la mer, ils attendent une armée de maji qui ne débarquera pas.

– Par les dieux ! je soupire, une fois qu'ils ne peuvent plus nous entendre.

Mon sang-froid de façade se délite, mes nerfs me lâchent. J'inspire un grand coup.

– On a réussi !

Toute pâle sous son casque, Amari agrippe mon bras. Nous venons de remporter notre première bataille.

La deuxième commence maintenant.

Une fois dans la forêt, un brouillard froid nous saisit. Quelques kilomètres plus tard, il est si épais qu'il a éclipsé le soleil. On n'y voit presque plus rien.

– C'est vraiment étrange, chuchote Amari à mon oreille, bras tendus pour ne pas se cogner aux branches. Tu crois que c'est normal ?

– Aucune idée.

Quelque chose me dit que ce brouillard est une protection des dieux. *Ils sont à nos côtés.*

Ils veulent nous voir l'emporter.

M'accrochant à mes exhortations de tout à l'heure, je prie pour qu'elles se réalisent. Les dieux ne peuvent pas nous abandonner. Plus maintenant. Mais tandis que nous approchons du temple, je ne sens toujours pas de chaleur dans mes veines. Et bientôt, il n'y aura plus de brouillard pour nous cacher.

Je serai exposée à tous les regards.

Je repense au jour fatidique de ma rencontre avec Amari, au marché.

— Comment as-tu su ? je lui murmure alors que le temple surgit de la brume. Pourquoi m'as-tu choisie, à Lagos ?

Amari me regarde. Ses yeux d'ambre percent le brouillard blanc.

— À cause de Binta, dit-elle de sa voix douce. Elle avait les mêmes yeux argent que toi.

J'ai comme un déclic, et je vois dans sa réponse le signe d'une puissance supérieure. En nous précipitant à travers les voies les plus obscures, cette puissance nous a guidés jusqu'à cet instant. Quelle que soit l'issue de cette journée, nous exécuterons la volonté des dieux. Mais quel but peuvent-ils bien poursuivre, si nulle magie ne coule plus dans mes veines ?

Je m'apprête à répondre à Amari, mais soudain l'énergie spirituelle devient plus palpable. Telle la force de gravité, elle nous repousse et entrave chacun de nos pas.

— Tu sens la même chose que moi ? dit Tzain.

— Je ne vois pas comment faire autrement.

— Qu'est-ce qui se passe ? souffle Roën.

— Cela ne peut être que…

Le temple…

Aucun mot ne peut décrire la magnificence de la pyramide qui se révèle à nos yeux. Dressée haut dans le ciel, chacune de ses faces est en or translucide. Comme à Chândomblé, des sênbarias brillants sont gravés sur les murs, énonçant la volonté des dieux.

— Rehema, ordonne Roën, emmène ton équipe au sud de l'île. Une fois sur la plage, vous passerez à l'attaque, puis vous disparaîtrez dans le brouillard. Au retour, tu suivras les instructions d'Asha.

Rehema acquiesce et soulève la visière de son casque, laissant juste entrevoir ses yeux marron clair. Après avoir cogné son poing contre celui de Roën, elle s'enfonce dans la brume, suivie de deux hommes et de deux femmes.

— Et nous, on fait quoi ? je demande.

— On attend, répond Roën. Pendant qu'ils détourneront l'attention de l'armée, l'accès au temple sera libre.

Les minutes s'étirent en heures, aussi interminables que la mort. Chaque seconde qui passe me fait un peu plus basculer dans la culpabilité. Et s'ils se faisaient capturer ? S'ils mouraient ? Trop de personnes ont déjà péri.

Je ne supporterais pas d'avoir encore du sang sur les mains.

Au loin, une colonne de fumée noire fend le brouillard et s'élève haut dans le ciel, témoignant que Rehema a réussi. Quelques secondes plus tard, le son d'un cor se fait entendre.

Aussitôt, des dizaines de gardes se précipitent hors du temple et se dirigent vers le sud.

Lorsque la première vague de soldats est passée, nous gravissons les marches dorées aussi vite que possible et nous ne nous arrêtons qu'une fois parvenus à l'intérieur du temple.

Des pierres précieuses d'un éclat incomparable recouvrent entièrement les murs. Autour de nous, un portrait à couper le souffle de Yemọja en topaze et bleu saphir ; des vagues de diamants étincelants prolongent chacun de ses doigts. Au-dessus luisent les émeraudes d'Ògún, rendant hommage à son pouvoir sur la terre. À travers le plafond de cristal, j'entrevois les différents niveaux : dix au total, chacun dédié à un dieu ou une déesse.

Amari s'approche d'un escalier au centre de la salle. La pierre de soleil luit dans sa main.

Nous y sommes… Je serre les poings. Mes mains sont moites.

Voici enfin le lieu où nous devions nous rendre.

— Vous êtes prêts ? demande Amari.

Tout mon visage dit non, mais je descends la première marche, et tous s'engouffrent à ma suite dans l'escalier.

Je repense à Chândomblé. Ici aussi, des torches accrochées aux murs de pierre éclairent le couloir. Mais là-bas, nous avions encore nos chances.

Là-bas, je disposais encore de ma magie.

En laissant ma main frôler les murs, j'adresse aux dieux une prière silencieuse. *S'il vous plaît… si vous pouvez m'aider, c'est maintenant ou jamais.* J'attends dans l'angoisse tandis que nous descendons toujours plus bas. L'air s'est nettement rafraîchi, et je sens de la sueur glaciale ruisseler dans mon dos. *Mère Ciel, je t'en supplie, sois avec nous.*

J'attends de voir briller ses yeux argent, de ressentir son courant électrique dans mes os. Mais alors que je me remets à prier, la splendeur de la salle dédiée au rite me laisse sans voix.

Onze gigantesques statues dorées se dressent sous le dôme sacré. Dieux et déesses sont sculptés avec un luxe de détails exquis. Des rides creusant le visage de Mère Ciel jusqu'à la moindre boucle de ses cheveux, aucun trait, aucune courbe ne manque.

Toutes les divinités ont le regard tourné vers l'étoile de pierre à dix branches qui brille au firmament. Chaque branche est soutenue par une colonne de pierre dont les quatre faces sont gravées de sênbarias.

De son centre s'élève une colonne dorée au sommet de laquelle est creusé un cercle. Rond et lisse, il a la forme exacte de la pierre de soleil.

– Par les dieux ! s'exclame Kenyon tandis que nous nous avançons dans la salle.

Par les dieux, en effet.

Nous sommes au paradis.

Sous leur regard éthéré, je me sens à la fois puissante et protégée.

– Tu peux le faire, me dit Amari en me tendant le parchemin et la pierre de soleil.

Prenant ensuite la dague d'os des mains de Tzain, elle la glisse dans la ceinture de mon uniforme de garde.

Je m'empare des deux objets sacrés en hochant la tête. *Tu peux le faire,* je répète. *Il suffit d'essayer.*

Je m'avance, prête à mener ce voyage à son terme. Mais soudain, une silhouette bouge au loin.

– Attention ! je m'écrie en déployant mon bâton.

Telles des ombres, des gardes surgissent de derrière chaque statue, chaque colonne. Saran me regarde de son sourire moqueur et satisfait, tandis qu'Inan, armé d'une épée en majacite, arbore une expression douloureuse.

Ce tableau me transperce. La trahison d'Inan a l'âpreté de la glace. Il avait promis.

Il avait juré qu'il ne m'empêcherait pas de mener à bien ma mission.

Mais avant que je reprenne mes esprits, je découvre quelque chose de bien pire encore, une vision si terrible qu'elle semble irréelle.

Mon cœur cesse de battre lorsqu'ils l'obligent à s'avancer.

– Baba ?

ZÉLIE

Il était censé être en sécurité.

Cette pensée m'empêche d'admettre l'évidence. Je cherche parmi les gardes le visage ridé de Mama Agba, m'attendant à ce qu'elle attaque. Si Baba est avec les gardes, où est-elle ? Que lui ont-ils fait ? Elle ne peut pas être morte. Je n'arrive pas à croire que Baba se tienne là, devant moi.

Pourtant je le vois trembler sous la poigne d'Inan… Ses vêtements sont déchirés, son visage bâillonné est ensanglanté. Ils l'ont battu pour lui faire payer mes erreurs, et ils l'ont enlevé.

Exactement comme ils ont enlevé Mama.

Les yeux d'ambre d'Inan me mettent face à la réalité de sa trahison, mais maintenant qu'il a revêtu sa carapace de petit prince, ce n'est plus le regard que je connais. C'est celui d'un étranger. Un garde.

— Il me semble que la situation parle d'elle-même, mais comme tu es issue d'un peuple stupide, tu me permettras d'être explicite : renonce aux artefacts, et nous te rendrons ton père.

Le simple fait d'entendre la voix de Saran referme les menottes de majacite autour de mes poignets…

En tant que roi, je me dois de te rappeler qui tu es.

Malgré sa robe de velours et son rictus méprisant, il semble minuscule sous les statues des dieux qui le toisent.

— On les aura, murmure Kenyon derrière moi. On a la magie. Ils n'ont que des gardes.

– On ne peut pas prendre un tel risque, dit Tzain d'une voix étranglée.

Baba hoche très légèrement la tête. Je sais qu'il ne veut pas être sauvé.

Non.

Je m'avance, mais Kenyon m'agrippe le bras et m'oblige à me tourner vers lui.

– Tu ne peux pas renoncer !

– Lâche-moi…

– Cesse de ne penser qu'à toi ! Sans le rite, tous les maji mourront…

– Nous sommes déjà morts ! je m'écrie.

Ma voix rebondit contre le dôme, faisant éclater la vérité que je voudrais tant changer. *Dieux, s'il vous plaît !* Je supplie une dernière fois, mais rien ne se produit.

Une fois de plus, ils m'ont abandonnée.

– Ma magie a disparu. J'espérais qu'elle reviendrait, mais ce n'est pas le cas, dis-je d'une voix faible.

Les yeux rivés au sol, je ravale ma honte. Ma colère. Ma peine. Comment les dieux ont-ils pu oser revenir dans ma vie si c'était seulement pour me briser ?

En désespoir de cause, j'essaie encore une fois de ranimer les dernières miettes d'ashê qui pourraient subsister. Mais il n'en reste rien.

Je ne me laisserai pas déposséder davantage.

– Je suis vraiment désolée. (Mes paroles sont creuses, mais je n'ai rien d'autre à dire.) Je ne peux pas accomplir le rite, mais je ne veux pas pour autant perdre mon père.

Kenyon me lâche. Ses hommes commencent à me lancer des regards haineux. Même Roën semble déconcerté. Seule Amari conserve son regard bienveillant.

Je m'avance en pressant la pierre de soleil et le parchemin contre ma poitrine. La dague d'os frotte contre ma cuisse et la blesse presque à chaque pas. À mi-chemin, Kenyon s'écrie :

– On t'a sauvée ! (L'écho de ses cris résonne contre le mur.) Des gens sont morts pour *toi* !

Ses mots s'enfoncent dans mon âme et je pense à tous ceux que j'ai laissés derrière moi : Bisi, Lekan, Zu, peut-être même Mama Agba.

Tous morts.

Parce qu'ils ont osé croire en moi.

Parce qu'ils ont osé penser que je pourrais gagner.

Tandis que je m'approche d'Inan, les tremblements de Baba deviennent incontrôlés. Je ne peux pas le laisser briser ma résolution. *Je ne veux pas qu'ils gagnent, Baba.*

Mais je ne veux pas non plus te laisser mourir.

Je m'agrippe à la pierre et au parchemin. Inan s'avance et pousse doucement Baba devant lui. Ses yeux d'ambre sont emplis de regrets. Des yeux auxquels je ne ferai plus jamais confiance.

Pourquoi ? ai-je envie de hurler, mais mon cri reste dans ma gorge. À chaque pas, le souvenir de ses baisers me revient. Je fixe ses mains posées sur les épaules de Baba. Des mains que j'aurais dû écraser. J'aurais préféré mourir plutôt que de me laisser approcher par les gardes ; mais j'ai laissé leur capitaine faire tout ce qu'il voulait de moi.

Je sais que nous sommes faits pour travailler ensemble. Et pour être ensemble tout court.

Ses beaux mensonges résonnent à mes oreilles et me font verser de nouvelles larmes.

Rien ne pourra nous arrêter. Jamais Orïsha n'aura connu une équipe pareille.

Sans lui, Ilorin existerait toujours. Lekan serait encore vivant. Et en ce moment, je serais en train de sauver mon peuple au lieu de signer son arrêt de mort.

Les larmes me brûlent les yeux, mon cœur est à vif. La douleur est encore plus cuisante que celle du couteau de Saran. Malgré tout cela, je le laisse s'avancer.

Je le laisse gagner.

Baba secoue la tête une dernière fois, m'offrant une ultime chance de m'enfuir. Mais c'est trop tard. Tout s'achève avant même d'avoir commencé.

J'arrache Baba des griffes d'Inan. Le parchemin et la pierre tombent par terre. Je veux me saisir de la dague d'os, mais me souvenant soudain qu'Inan ne l'a jamais vue, je lance à la place le couteau que Tzain m'a donné et garde la vraie dague cachée dans ma ceinture. Au moins un artefact auquel je peux m'accrocher, maintenant qu'il m'a pris tout le reste.

– Zélie…

Avant qu'Inan ne prononce d'autres paroles traîtresses, j'arrache le bâillon de Baba et je m'en vais. Tandis que mes pas résonnent sur le sol sacré, je garde les yeux rivés sur les statues, évitant ainsi tous les regards de haine braqués sur moi.

– Pourquoi ? dit Baba d'une voix rauque. Tu étais si près du but…

– Je n'ai jamais été près du but, dis-je en réprimant un sanglot. Jamais. Pas même une seule fois.

Mais tu as essayé. Tu as fait tout ton possible, et même plus.

Cela n'aurait pas dû finir ainsi. Les dieux ont fait le mauvais choix.

Au moins, c'est passé. Au moins, tu es vivante. Tu vas pouvoir rentrer en bateau, trouver un nouveau…

– Non !

Je reste pétrifiée. Le cri déchirant d'Inan rebondit contre les murs du dôme. Baba me jette contre le sol tandis que quelque chose siffle au-dessus de ma tête.

Je me précipite sur Baba pour le protéger, mais c'est trop tard.

Une flèche vient de transpercer la poitrine de mon père.

Son sang s'écoule sur le sol.

CHAPITRE QUATRE-VINGT

ZÉLIE

Quand ils sont venus chercher Mama, je ne pouvais plus respirer. Je croyais que je ne respirerais plus jamais. Je croyais que nos vies étaient reliées par un fil et que si elle mourait, je mourrais aussi.

Quand ils ont frappé Baba, je me suis lâchement cachée, comptant sur Tzain pour qu'il soit fort à ma place. Mais quand ils ont enroulé la chaîne autour du cou de Mama, quelque chose en moi s'est brisé. La peur que m'inspiraient les gardes n'était rien comparée à la terreur que j'ai ressentie quand ils l'ont emmenée.

Je l'ai poursuivie dans le chaos d'Ibadan, les genoux recouverts de sang et de poussière. Je l'ai suivie aussi loin que j'ai pu. Et puis j'ai vu.

J'ai tout vu.

Elle, pendue à un arbre tel un ornement mortuaire, au beau milieu de la place du village. Elle et tous les autres maji qui représentaient une menace pour la monarchie. Tous morts.

Ce jour-là, je me suis juré de ne plus jamais ressentir cela. J'ai promis que jamais plus ils ne me prendraient un seul membre de ma famille. Et me voilà paralysée à la vue du sang qui s'écoule des lèvres de Baba. J'ai promis.

Mais à présent, il est trop tard.

– Baba ?

Rien.

Pas le moindre clignement d'œil.

Ses beaux yeux marron sont vides. Morts.

– Baba, je murmure de nouveau. *Baba !*

Tandis que son sang s'écoule entre mes doigts, tout bascule dans le noir et mon corps se réchauffe. Malgré l'obscurité, je vois tout – je le vois, lui.

Je le vois, enfant, courant dans les rues de Calabrar avec son plus jeune frère et poursuivant une balle dans la boue. Il sourit comme jamais je ne l'ai vu sourire, pas encore touché par la souffrance du monde. Il donne un vigoureux coup de pied dans la balle, et voici qu'apparaît le visage enfantin de Mama. Elle est magnifique. Radieuse. Il en a le souffle coupé.

Se succèdent ensuite d'autres images : la magie de leur premier baiser ; le ravissement de la naissance de leur fils ; Baba me berçant, bébé, et caressant mes cheveux blancs…

À travers son sang, je le vois à son réveil après le Raid, le cœur à tout jamais brisé.

À travers son sang, je ressens tout.

À travers son sang, je le ressens, lui.

L'esprit de Baba me déchire de part en part. C'est comme si la terre se fendait en deux. Les sons sont amplifiés, les couleurs se font plus éclatantes. Son âme fouille mon être à une profondeur qu'aucune magie n'a jamais atteinte. Ce ne sont plus des incantations qui coulent dans mes veines.

C'est son sang.

C'est lui.

Le sacrifice ultime.

La magie du sang la plus puissante que j'aie jamais ressentie.

– Tuez-la ! ordonne Saran.

Deux gardes foncent droit sur moi en brandissant leurs épées, ivres de haine.

Leur dernière erreur.

Tandis qu'ils approchent, l'esprit de Baba bondit hors de mon corps sous la forme de deux ombres agiles et tournoyantes. L'obscurité recèle le pouvoir de la mort et commande celui du sang. Les ombres transpercent les cuirasses des soldats et les embrochent comme des morceaux de viande. Le sang gicle tandis que de la matière sombre s'écoule des trous qu'ils ont à la poitrine.

Les yeux exorbités, les deux gardes étouffent et rendent leur dernier souffle. Puis, dans un râle, leurs corps se réduisent en cendres.

Encore.

Encore plus de morts. Plus de sang.

Ma colère trouve enfin ce qu'elle a toujours cherché : le pouvoir de venger Mama. Elle vengera aussi Baba. Je vais commander aux ombres de la mort de tous les éliminer.

Un à un et jusqu'au dernier.

Non. La voix de Baba résonne dans ma tête. Ferme et forte. *La vengeance n'a pas de sens. Il est encore temps de tout arranger.*

Mais comment ?

Les hommes de Roën et de Kenyon se jettent dans la bataille. *La vengeance n'a pas de sens,* je me répète. *La vengeance n'a pas de sens…*

Tandis que cette phrase se grave en moi, je vois Inan ramasser la pierre de feu au milieu du chaos.

Tant que nous n'aurons pas récupéré la magie, jamais ils ne nous traiteront avec respect, tonne l'esprit de Baba. *Il faut qu'ils sachent que nous avons les moyens de riposter. S'ils brûlent nos maisons…*

Je brûlerai les leurs.

INAN

Où est passée la fille que je tenais entre mes bras dans le paysage onirique ?

Je ne reconnais pas ce monstre enragé.

Un monstre aux crocs mortels.

Deux ombres noires jaillissent de ses mains et fusent tels des serpents venimeux assoiffés de vengeance. Après qu'elles ont transpercé les deux premiers gardes, une lueur étrange fait briller les yeux de Zélie.

Son regard se pose sur moi au moment où je ramasse la pierre de soleil qui luit dans ma main. J'ai à peine le temps de tirer mon épée que, déjà, la première ombre attaque.

Pointée comme un sabre, elle s'abat sur mon épée puis recule. L'attaque suivante arrive très vite, trop vite pour que je puisse la contrer…

– Prince Inan !

Un garde se précipite en avant et donne sa vie pour moi. L'ombre traverse son corps. Il laisse échapper un râle avant d'être pulvérisé en cendres.

Par le ciel !

Je prends la fuite, essayant d'échapper à toute cette folie. Les ombres reculent, s'apprêtant à attaquer de nouveau. Tandis que je cours, Zélie s'élance à ma poursuite et son âme aux effluves de sel marin se déchaîne telle une tempête océanique.

La pierre de soleil ne m'est d'aucun secours pour l'arrêter. Rien ni personne ne l'arrêtera. Je suis déjà mort.

J'ai succombé au moment même où son père s'est écroulé.

Par le ciel. J'essaie de contenir mes larmes. Le chagrin de Zélie étreint toujours mon cœur. Sa douleur est assez forte pour secouer la terre entière. Il devait vivre. Elle aurait dû être sauvée. J'étais censé tenir ma promesse et faire d'Orïsha un royaume paisible…

Concentre-toi, Inan. Je laisse échapper un long soupir et compte jusqu'à dix. Je ne dois pas abdiquer. La magie est toujours une menace, et je suis le seul à pouvoir y mettre un terme.

M'élançant à travers le dôme jusqu'à la statue d'Orí, j'essaie d'anticiper : si Zélie accomplit le rite, elle nous exterminera tous et Orïsha sera à feu et à sang. Je dois empêcher cela. Quoi qu'il advienne, mon plan reste le même : détruire les artefacts.

Éradiquer la magie.

De toutes mes forces, je lance la pierre de soleil contre le sol. *Au nom du ciel, brise-toi.* Mais elle rebondit et se met à rouler, intacte. Puisque c'est ainsi, je détruirai le parchemin.

Je l'extrais de ma poche et fonce dans la mêlée. Zélie se précipite sur la pierre. Durant les quelques secondes qui me restent à vivre, mon cerveau passe à la vitesse supérieure. Les paroles de Père me reviennent en mémoire. *Le parchemin ne peut être détruit que par la magie.*

La magie…

Et si je réactivais la mienne ?

Concentré sur le parchemin, je perds la trace de Zélie dans le tumulte. Une lueur turquoise enveloppe bientôt le rouleau jauni. Une odeur de sauge et de menthe emplit mes narines tandis qu'un étrange souvenir refait surface.

L'hystérie du temple s'efface ; la conscience d'un sêntaro colonise mon propre esprit : plusieurs générations de femmes à la peau tatouée de motifs blancs et sophistiqués psalmodient dans une langue qui m'est inconnue.

Le souvenir ne dure qu'un instant, mais ma magie reste sans effet.

Le parchemin est intact.

– Au secours !

Je me retourne, essayant de savoir d'où proviennent ces cris. Les ombres de Zélie viennent d'embrocher d'autres hommes. Une matière sombre consume leurs corps tétanisés.

Les soldats se désintègrent avant même de s'écrouler. Soudain, tout devient clair.

Si j'étais un Brasero, peut-être pourrais-je détruire le parchemin par le feu, mais à quoi me sert ici ma magie de Connecteur ? À rien, puisque ce n'est pas en contrôlant des esprits ou en paralysant des corps que je peux l'éliminer.

Mais la magie de Zélie, elle, en est capable.

Je ne l'ai jamais vue exercer ses pouvoirs avec une telle force. Véritable tornade s'engouffrant à l'intérieur du temple, sa magie détruit tout sur son passage. Ses flèches sont aussi meurtrières que des lances, transperçant armures et chairs. Tout ce qui a la malchance de croiser leur trajectoire est immédiatement réduit en cendres.

Si je m'y prends comme il faut, le parchemin sera lui aussi pulvérisé.

Je prends une profonde inspiration. Probablement la dernière. Les flèches noires de Zélie traversent les entrailles de quatre autres soldats. Leurs corps deviennent poussière dès qu'ils s'effondrent sur le sol.

Je m'élance vers Zélie.

– Tout ceci est ta faute, je m'écrie.

Elle s'immobilise. En cet instant, je me déteste. Mais il n'est pas question de nous. Jamais il n'aurait dû être question de nous.

Il faut que j'arrache cette souffrance de son cœur.

– Ton père n'aurait pas dû mourir.

Je sais que je ne devrais pas franchir cette ligne rouge. Mais pour désamorcer sa rage, je dois frapper un grand coup.

– Je t'interdis de parler de lui !

Ses yeux lancent des éclairs. Elle n'est que douleur, haine et colère. Son état me fait honte. Et pourtant, j'insiste.

— Tu n'aurais jamais dû venir ici. Tu aurais pu le ramener à Lagos !

Les ombres tourbillonnent autour d'elle comme un vent violent se muant en tornade.

À présent, elle est tout près.

Ma vie touche à sa fin.

— Si tu m'avais fait confiance, si tu avais accepté de faire équipe avec moi, il serait toujours vivant. Lui. (Je déglutis.) Mama Agba…

Les ombres fondent sur moi à une vitesse qui me coupe le souffle. Je parviens tout juste à serrer le parchemin sur ma poitrine. C'est alors qu'elle comprend son erreur. Le piège que je lui ai tendu.

Elle crie et tente de dégager sa main, mais il est trop tard.

Les ombres s'arc-boutent et déchirent le parchemin.

— Non !

Les cris de Zélie résonnent contre les murs sacrés du dôme. Des cendres se dispersent dans l'air. Les ombres se recroquevillent puis disparaissent tandis que des particules glissent entre ses doigts.

Tu as réussi…

Je n'arrive pas à y croire. C'est fini. J'ai gagné.

Orïsha est enfin en sécurité.

La magie disparaîtra à tout jamais.

— Fils !

Père, qui se tenait à l'écart de la bataille, court vers moi. Un sourire radieux illumine son visage. J'essaie de lui rendre son sourire, mais un soldat s'approche de lui par-derrière. Il lève son épée et vise son dos. *Une mutinerie ?*

Non.

Ce n'est pas un garde.

— Père !

Ma mise en garde ne lui parviendra pas à temps.

Sans réfléchir, je mobilise ce qui me reste d'afflux magique de la pierre. Un faisceau d'énergie bleu s'envole de mes mains, et comme à Chândomblé, ma magie transperce la tête du mercenaire et le paralyse sur place. Je fais durer le sort, le temps qu'un garde lui enfonce son épée dans le cœur.

Père est pétrifié.

— Ce n'est pas ce que tu imagines… je bredouille.

D'un bond, il recule, comme si j'étais un monstre. Ses lèvres se retroussent en une moue de dégoût. Je sens que je me ratatine.

— Ce n'est rien, dis-je à toute vitesse, si bien que mes paroles sont incompréhensibles. J'ai été contaminé, mais ça s'en va. Et puis, je l'ai fait. J'ai tué la magie.

Père retourne le mercenaire en le faisant rouler sous son pied et s'empare des cristaux turquoise restés dans ses cheveux. Puis il contemple ses mains. Son expression change, je le vois rassembler tous les éléments dans sa tête et soudain comprendre. Je devine ce qu'il se dit : ces cristaux sont les mêmes que ceux qu'il a eus entre les mains à la forteresse.

Les mêmes que ceux qui ont été prélevés sur le cadavre de Kaea.

Les yeux de Père sont traversés par un éclair. Il agrippe la poignée de son épée.

— Attends…

Sa lame me transperce.

Père écume de rage. Mes mains se referment sur l'épée, mais je suis trop faible pour l'extraire de mon corps.

— Père, je suis désolé…

Il arrache son arme en poussant un cri étouffé. Je tombe à genoux, enserrant ma plaie.

Du sang chaud coule à travers mes doigts.

Père lève de nouveau son épée, cette fois pour m'asséner le coup fatal. Il n'y a pas d'amour dans ses yeux, plus la moindre trace de la fierté qu'il affichait tout à l'heure.

Il n'y a que la même peur, la même haine qui consumaient le regard de Kaea avant de mourir. Je suis devenu un étranger. *Non.* J'ai renoncé à tout pour être son fils.

— Père… je t'en prie…

Ma vue s'obscurcit tandis que la souffrance de Zélie se déverse en moi. Le destin brisé des maji. La mort de son père. Son chagrin se mêle au mien, me rappelant douloureusement tout ce que j'ai perdu.

J'ai fait trop de sacrifices pour que ça se termine ainsi. J'ai commis trop d'atrocités en son nom.

Je lui tends une main tremblante, recouverte de mon propre sang. Je ne peux pas croire que ce soit pour rien.

Cela ne peut pas finir comme ça.

Mais Père l'écrase sous la semelle métallique de sa botte. Il plisse ses yeux sombres.

– Tu n'es plus mon fils.

CHAPITRE QUATRE-VINGT-DEUX

AMARI

UNE DOUZAINE D'HOMMES foncent droit sur nous, mais ils ne font pas le poids face à mon désir de vengeance. À mes côtés, Tzain s'élance sur les gardes en brandissant sa hache. Bien que son visage soit inondé de larmes, il se bat comme un diable. Moi, c'est sa douleur qui me pousse à me battre. La sienne, mais aussi celle que je ressens pour Binta et tous ceux qui ont perdu la vie à cause de Père. Tant de sang, tant de morts. Comme une tache immense et indélébile.

Mon épée frappe tous azimuts, offensive, dévastatrice.

Un garde s'effondre tandis que je lui tranche la gorge.

Un autre tombe, atteint à la cuisse.

Bats-toi, Amari. Je m'exhorte à avancer, ne m'attardant ni sur les insignes d'Orïsha qui ornent les armures, ni sur les têtes qui tombent sous mon couperet. Ces soldats ont juré de protéger Orïsha et sa couronne, mais en cherchant à me tuer, ils trahissent leur propre serment.

L'un d'eux lance son épée dans ma direction. Je me baisse pour l'esquiver et elle va se planter dans le corps d'un autre. Je m'apprête à frapper le suivant quand…

Non !

À l'autre bout du temple, les cris de Zélie me font me retourner juste au moment où ma lame transperce un autre soldat. Elle tombe à genoux, tremblant de tous ses membres. De la cendre coule entre ses doigts. Volant à son secours, je m'arrête dans ma course lorsque Père plonge son épée dans l'estomac de l'un de ses propres soldats.

Le garçon s'écroule. Dans sa chute, le casque tombe aussi. Ce n'est pas un soldat.

Inan.

Un froid glacial m'envahit tandis que du sang s'écoule de la bouche de mon frère.

Comme un coup d'épée dans mes propres entrailles. C'est *mon* sang qui coule. Le frère qui me portait sur ses épaules à travers les couloirs du palais. Qui m'apportait des gâteaux au miel chapardés à la cuisine quand Mère me privait de dessert.

Le frère que Père m'obligeait à combattre.

Le frère qui m'a fait ces cicatrices.

Ce n'est pas possible. Je cligne des yeux, espérant que l'image se corrige d'elle-même. *Pas lui…*

Pas le fils qui a renoncé à tout pour être tout ce que Père voulait qu'il soit.

Je vois Père lever de nouveau son épée pour trancher la tête d'Inan.

Comme il a tué Binta.

— Père, je t'en prie, supplie Inan dans un souffle.

Il avance sa main, mais Père l'écrase de son pied.

— Tu n'es plus mon fils.

— Père !

Je ne reconnais pas ma propre voix. Quand Père me voit accourir, sa colère explose.

— Les dieux m'ont maudit à travers mes enfants, crache-t-il. Deux traîtres qui salissent mon sang.

— La vraie malédiction, c'est justement ton sang, je rétorque. Mais elle prendra fin aujourd'hui.

CHAPITRE QUATRE-VINGT-TROIS

AMARI

PÈRE AIMAIT SES PREMIERS ENFANTS, même s'ils étaient frêles et faibles.

Lorsque Inan et moi sommes nés, il n'a pas voulu que nous soyons comme eux.

Des années durant, il nous a obligés à échanger des coups sous ses yeux. Malgré nos pleurs, il demeurait inflexible. Chaque combat était pour lui l'occasion de corriger ses erreurs passées, de faire revivre sa première famille. Nous devions être forts afin qu'aucune épée ne nous transperce jamais, afin qu'aucun maji ne puisse nous brûler. Nous avons lutté pour mériter son approbation, bataillé pour gagner son amour, mais n'avons obtenu ni l'un ni l'autre.

Inan et moi avons dû croiser le fer parce que aucun de nous deux n'avait le courage de le croiser avec lui.

Mais à présent que je brandis mon épée sous ses yeux enragés, je vois Mère et Tzain. Je vois ma chère Binta. Je vois tous ceux qui ont tenté de lui tenir tête, tous les innocents qu'il a fait périr.

— Tu m'as dressée pour combattre des monstres, je murmure en m'avançant vers lui. J'ai mis trop de temps à comprendre que le vrai monstre, c'était toi.

Je bondis en avant et le prends par surprise. Mieux vaut ne pas tergiverser. La moindre hésitation me serait fatale.

Bien qu'il lève son épée pour se défendre, je reprends le dessus et abats la mienne à quelques millimètres de son cou. Il s'arc-boute, mais je me rue sur lui. *Frappe, Amari ! Frappe !*

Balançant mon épée en décrivant un demi-cercle, je la lui enfonce dans la cuisse. La douleur le fait vaciller, il ne s'attendait pas à un coup si violent. Je ne suis plus la petite fille qu'il connaissait. Je suis une princesse. Une future reine.

Je suis la Lionaire.

Je fonce, esquivant de justesse la lame visant mon cœur. Maintenant qu'il n'est plus pris au dépourvu, ses coups sont impitoyables.

Le cliquetis de nos armes qui s'entrechoquent couvre la folie ambiante ; d'autres gardes dévalent les escaliers.

Après avoir éliminé tous nos ennemis de l'espace sacré du rite, les hommes de Roën s'en prennent aux derniers arrivés. Tandis qu'ils se battent, Tzain s'élance à travers la pièce pour me rejoindre.

– Amari…

– Va-t'en ! je lui crie tout en parant une attaque de Père.

Tzain ne peut pas m'aider. Pas maintenant. Ce combat, je m'y suis préparée toute ma vie. C'est une affaire entre le roi et moi. Un seul de nous y survivra.

Père trébuche. J'y vois une occasion inespérée de mettre un terme à cette danse qui n'en finit plus.

Vas-y, maintenant !

Le sang bat à mes oreilles tandis que je m'élance en brandissant mon épée. Je vais enfin débarrasser Orïsha de son pire monstre. Éradiquer la source de tous ses malheurs.

Mais au dernier moment, j'hésite et relève ma lame. Nos épées se heurtent frontalement.

Maudit soit le ciel.

Je ne peux pas l'achever ainsi. Si je le faisais, je ne vaudrais pas mieux que lui.

Orïsha ne survivra pas si nous aussi appliquons ses méthodes. Père doit être neutralisé, mais c'est trop me demander de plonger mon épée dans son cœur…

Il redresse sa lame. Dans mon élan, je suis projetée vers lui.

Avant que je puisse pivoter, Père me frappe le dos d'un coup d'épée.

– Amari !

La voix de Tzain me semble loin. Je m'effondre contre un pilier sacré. Ma peau me brûle. La même douleur cuisante que celle infligée par Inan quand j'étais enfant.

Père fonce droit sur moi. Plus rien ne l'arrête ; il veut tuer.

L'idée d'assassiner sa propre fille, chair de sa chair, ne le fait pas hésiter une seconde. Sa décision est prise.

Cette fois, je dois décider, moi aussi.

Je fais un bond de côté et son épée frappe le pilier, ébréchant la pierre. Sans lui laisser le temps de reprendre ses esprits, je projette ma lame en avant.

Les yeux de Père s'écarquillent.

Du sang chaud se déverse de son cœur. Un râle monte de sa gorge tandis qu'un filet pourpre s'écoule du coin de ses lèvres.

D'une main tremblante, j'enfonce plus profondément mon épée. Des larmes brouillent ma vue.

– Sois sans crainte, je murmure pendant qu'il rend son dernier souffle. Je serai une bien meilleure reine que tu n'as été roi.

CHAPITRE QUATRE-VINGT-QUATRE

ZÉLIE

– Allez !

Je concentre toute mon énergie sur le parchemin réduit en poussière. C'est impossible. Je ne peux pas échouer si près du but.

L'esprit de Baba surgit dans mes bras puis explose au bout de mes doigts sous la forme de deux ombres mouvantes. Mais nul parchemin ne renaît des cendres. C'est fini.

Nous avons perdu.

L'horreur que m'inspire ce constat me coupe la respiration.

J'ai moi-même détruit le seul objet qui pouvait nous sauver.

– Non, non, non !

Les yeux fermés, j'essaie de me souvenir de l'incantation. J'ai dû lire ce parchemin plus d'une douzaine de fois. Bon sang, mais quel était le début de ce maudit rite ?

Ìya awọn òrun, àwa ọmọ képè ọ lọnì... Non. Je secoue la tête, essayant de combiner les divers fragments de mots qui s'entrechoquent dans ma mémoire. Plutôt *àwa ọmọ re képè ọ lọnì. Et après...*

Ô dieux.

C'était quoi, après ?

Un claquement sec résonne à travers le dôme. Aussi puissant qu'un coup de tonnerre, il fait trembler tout le temple. Chacun se fige lorsque débris et poussière pleuvent du plafond.

Une lumière aveuglante part des pieds nus de la statue de Yemoja et remonte les courbes et les plis des vêtements de pierre pour atteindre les yeux. Les orbites dorées émettent alors une lueur bleu vif qui se diffuse dans tout le dôme.

C'est ensuite la statue d'Ògún qui s'anime ; ses yeux brillants prennent une teinte vert sombre, tandis que ceux de Sàngó deviennent rouge feu et ceux d'Ochumare jaune vif.

– Une réaction en chaîne… je m'exclame, suivant son évolution jusqu'à Mère Ciel. Oh, dieux…

Le solstice.

Il a lieu maintenant !

Je fouille dans les cendres, y cherchant un signe. N'importe lequel. Ce parchemin portait les mots de l'ancien rite. L'esprit des sêntaros qui les ont inscrits devrait s'y trouver aussi, non ?

Mais tandis que j'attends d'être parcourue du frisson des morts, je prends soudain conscience du nombre de cadavres qui jonchent le sol. Je ne les ai pas sentis mourir.

Tout ce que je ressentais, c'était l'esprit de Baba.

La magie dans mon sang.

– Une connexion…

Je comprends enfin. C'est par le sang que je suis connectée à lui. Si l'incantation du parchemin était censée nous relier à Mère Ciel par la magie, peut-être qu'il existe un autre moyen de l'atteindre ?

Mon cerveau est en ébullition. Et si je pouvais me relier à mes ancêtres par le sang et, de là, créer une nouvelle connexion à Mère Ciel et à ses dons via nos esprits ?

Amari surgit à mes côtés, repoussant un garde hors de l'espace sacré. Malgré son dos ensanglanté, elle affronte les nouveaux soldats en redoublant de férocité. Roën et ses hommes ne faiblissent pas davantage lorsque l'armée tout entière déboule.

Envers et contre tout, ils se battent.

Et puisqu'ils ne baissent pas les bras, je continue, moi aussi.

Le cœur battant, je bondis sur mes pieds. Une autre statue s'éclaire, illuminant le dôme de sa lumière bleue. Plus que quelques dieux encore dans l'ombre avant d'arriver à Mère Ciel.

L'apogée du solstice est proche.

Je ramasse la pierre de soleil échouée sur le sol. Elle est brûlante. Au lieu de voir Mère Ciel, je vois du sang. Je vois des os.

Je vois Mama.

C'est son image que je garde à l'esprit en déposant la pierre sur l'unique colonne dorée située au milieu du dôme. Si son sang afflue dans mes veines, pourquoi pas aussi celui de mes autres ancêtres ?

J'extrais la dague d'os de la ceinture de mon pantalon et incise mes deux paumes. Puis je presse mes mains ensanglantées sur la pierre, libérant ainsi le sang qui me relie à mes ancêtres pour l'ultime sacrifice.

– Aidez-moi ! je m'écrie, invoquant leur force. S'il vous plaît, venez à mon secours !

Tel un volcan en éruption, le pouvoir de mes aïeux maji et kosidàn se déverse en moi. Chacun d'eux vient se greffer sur cette connexion du sang. Leurs esprits se mêlent au mien, à celui de Mama et de Baba pour nous propulser en avant et nous battre.

– Encore !

Je les invoque tous, remontant notre lignée jusqu'aux tout premiers ayant bénéficié des dons de Mère Ciel. À chaque nouvel ancêtre qui prend forme, mon corps hurle de douleur. J'ai l'impression d'être écartelée. Mais peu importe.

J'ai trop besoin d'eux.

Un chœur de morts-vivants commence à se faire entendre. J'attends qu'ils prononcent l'incantation du parchemin, mais celle qu'ils récitent m'est parfaitement inconnue. Leurs mots étranges résonnent dans ma tête, dans mon cœur, dans mon âme. Lorsqu'ils parviennent jusqu'à ma bouche, je n'ai aucune idée de l'effet qu'ils produiront.

– *Àwa ni ọmọ rẹ nínú ẹ̀jẹ̀ àti egungun !*

De nouvelles voies spirituelles s'ouvrent en moi. Tandis que la pierre bourdonne sous mes mains, je lutte pour parvenir à prononcer ces mots. La lumière remonte jusqu'à la poitrine de Mère Ciel, un peu au-dessus de sa main enserrant un cor. C'est bientôt fini.

Le solstice touche à sa fin.

– *A ti dé ! Ìkan ni wá ! Dà wá pò Mama ! Kí ìtànná wa tàn pèlú èbùn àìníye rè lèèkan síi !*

Ma gorge se serre ; je peine à respirer et encore plus à parler. Mais je continue, mobilisant tout ce qui me reste d'énergie.

– *Jé kí agbára idán wa tàn kárí,* je crie tandis que la lumière atteint le cou de Mère Ciel.

Dans ma tête, les chants résonnent si fort qu'il me semble que le monde entier doit les entendre. À la fin de l'incantation, ils montent encore en volume. La lumière franchit maintenant le nez de Mère Ciel. Grâce à leur sang, je vais pouvoir aller jusqu'au bout.

Plus rien ne pourra m'arrêter.

– *Tan ìmólè ayé lèèkan síi !*

Alors que je prononce les dernières paroles de l'incantation, un faisceau de lumière blanche explose dans les yeux de Mère Ciel. La pierre de soleil se brise entre mes mains, diffusant sa lumière jaune dans toute la salle. Je ne comprends pas ce qui se passe. Je ne sais même pas ce que j'ai fait. Mais tandis que chaque fibre de mon corps irradie, tout ce qui m'entoure devient éblouissant.

La naissance des humains, l'origine des dieux : c'est la création du monde qui tourbillonne sous mes yeux. Par vagues successives, la magie inonde l'espace en un arc-en-ciel déclinant les couleurs les plus éclatantes du spectre.

Faisant voler en éclats les cœurs, les âmes et les êtres, elle s'introduit dans la coquille de l'humanité pour nous relier tous les uns aux autres.

Son pouvoir me brûle la peau. C'est à la fois une extase et un supplice.

Et tandis qu'elle disparaît, la vérité qui se dissimulait à nos yeux se révèle dans toute sa lumière.

Nous sommes des enfants de sang et d'os.

Tous, nous sommes tour à tour les instruments de la vengeance et de la vertu.

Cette vérité m'enveloppe et me berce comme une mère bercerait son enfant. Elle m'ancre dans son amour tandis que la mort m'engloutit.

CHAPITRE QUATRE-VINGT-CINQ

ZÉLIE

MOI QUI AI TOUJOURS ASSOCIÉ la mort au vent qui souffle l'hiver, ici, je suis baignée de chaleur comme Ilorin baigne dans l'océan.

Un cadeau, me dis-je, enfin en paix dans l'obscurité de l'alâfia. La juste rétribution de mon sacrifice.

Quelle meilleure récompense que de voir s'achever un combat qui semblait sans fin ?

– *Mama, Òrìsà Mama, Òrìsà Mama, àwá ún dúpẹ́ pé egbọ́ igbe wa…*

L'écho d'un chant effleure ma peau et résonne dans le noir. Des voiles argentés dansent et m'enveloppent de leurs notes célestes. Tandis que la mélopée se poursuit, un flocon de lumière traverse la pénombre ; d'une voix forte, il dirige le chœur de louanges.

Mama, Mama, Mama…

Aussi lisse que la soie, aussi douce que du velours, cette voix lumineuse s'enroule autour de moi et me prodigue sa chaleur. Bien que je ne sente pas mon corps, je flotte vers elle dans la nuit.

J'ai déjà entendu cette voix-là.

Je la connais. Je connais cet amour.

Le chant résonne de plus en plus fort, générant de la lumière tandis que le flocon se transforme sous mes yeux.

Ce sont d'abord des pieds qui émergent. Aussi noirs que la nuit, ils tranchent avec la robe en soie rouge qui flotte, irréelle. Des bijoux en or enserrent les poignets, les chevilles et le cou, rehaussant l'éclat de la tiare étincelante posée sur son front.

Je m'incline, stupéfaite d'être allongée aux pieds d'Oya. Mais lorsque la déesse ôte sa tiare de son imposante chevelure blanche, son regard brun foncé me coupe le souffle.

Quand je les ai vus pour la dernière fois, ces yeux étaient vides ; ils ne reflétaient pas l'âme de la femme que j'aimais. Mais à présent, ils dansent et laissent échapper des larmes étincelantes.

– Mama ?

Ce n'est pas possible.

Ma mère avait beau être aussi resplendissante que le soleil, elle n'en était pas moins humaine. Elle faisait partie de moi.

Mais lorsque l'esprit effleure mon visage, je reconnais aussitôt cet amour si familier qui envahit mon corps. En larmes, elle murmure :

– Bonjour ma petite Zél.

Des larmes brûlantes me piquent aussi les yeux tandis que je m'abandonne à son étreinte spirituelle.

Sa chaleur imprègne tout mon être, elle comble mes fissures. Tous mes sanglots, toutes mes prières adressées au ciel me reviennent. Je revois toutes les fois où j'entrais dans notre ahéré en espérant la trouver là, assise.

– Je pensais que tu avais disparu, dis-je d'une voix étranglée.

– Tu es une sœur d'Oya, ma chérie. Tu sais bien que nos esprits ne meurent jamais. (Elle se dégage pour essuyer mes larmes avec la douce étoffe de sa robe.) Je n'ai jamais cessé d'être à tes côtés.

Je m'accroche à elle, comme si à chaque instant son esprit pouvait me filer entre les doigts. Si j'avais su qu'elle m'attendait dans la mort, je m'y serais précipitée. Auprès d'elle, je retrouve tout ce que je cherchais, je retrouve ce sentiment de paix que j'ai perdu lorsqu'elle nous a quittés. Auprès d'elle, je suis enfin en sécurité.

Après tout ce temps, je suis de nouveau chez moi.

Elle passe ses mains sur mes tresses avant de déposer un baiser sur mon front.

– Tu ne sauras jamais combien nous sommes fiers de tout ce que tu as fait.

– Nous ?

Elle sourit.

– Baba est ici, désormais.

– Et il va bien ?

– Oui, ma chérie. Il est en paix.

Même en clignant des yeux, je n'arrive pas à chasser de nouvelles larmes. Peu d'hommes méritaient autant que lui de connaître la paix. Savait-il que son esprit finirait par trouver le repos auprès de sa femme bien-aimée ?

Mama, Mama, Mama…

Les voix chantent plus fort. Mama me serre de nouveau contre elle et je respire son odeur. Elle exhale toujours ces délicieuses épices dont elle assaisonnait son riz wolof.

– Ce que tu as fait dans ce temple, les esprits n'avaient jamais vu une telle chose.

– Je ne reconnaissais pas l'incantation, dis-je en secouant la tête. Je ne savais même pas ce que je faisais.

Mama prend ma tête entre ses mains et embrasse mon front.

– Tu l'apprendras bientôt, ma vaillante Zél. Et durant ton apprentissage, je serai toujours à tes côtés. Quoi que tu éprouves ou doives affronter quand tu crois être seule…

– Tzain… je réalise. (D'abord Mama, puis Baba, et maintenant moi ?) On ne peut pas le laisser. Comment l'amener jusqu'ici ?

Mama, Òrisà Mama, Òrisà Mama…

Les voix prennent de l'ampleur, elles sont presque assourdissantes. Mama me serre plus fort. Son front se plisse.

– Sa place n'est pas parmi nous, ma chérie. Pas encore.

– Mais Mama…

– Et la tienne non plus, d'ailleurs.

Les voix font un tel vacarme que je ne sais plus si ce sont des chants de louange ou des cris. Les paroles de Mama me bouleversent.

– Mama, non… s'il te plaît !

– Zél…

Je m'accroche à elle, la peur au ventre.

— Mais je veux rester ici avec toi et Baba !

Je ne peux pas revenir sur terre. Je ne survivrais pas à tant de douleur.

— Zél, Orïsha a encore besoin de toi.

— Je m'en fiche. Moi, j'ai besoin de toi !

Elle parle de plus en plus vite ; son aura se dissipe en même temps que le chœur céleste. Autour de nous, l'obscurité s'éclaircit avant d'être engloutie par une vague de lumière.

— Mama, ne me quitte pas… Je t'en supplie, ne m'abandonne pas une deuxième fois !

Ses yeux sombres sont pleins de larmes ; elles tombent, brûlantes, sur mon visage.

— Ce n'est pas la fin, petite Zél. Ce n'est que le début.

ÉPILOGUE

À PEINE AI-JE OUVERT LES YEUX que je les cherche du regard. Je voudrais tant les avoir près de moi. Je veux revoir ma mère. Je veux être enveloppée de la chaude obscurité de la mort, et non contempler les lueurs pourpres du ciel.

Au-dessus de ma tête, le ciel se balance d'avant en arrière et me berce. Ce va-et-vient, je le reconnais immédiatement : c'est le flux et le reflux de l'océan.

Tandis que je retrouve mes esprits, tout mon corps est douloureux. De cette douleur qui accompagne la vie.

Je laisse échapper un gémissement. Des pas s'approchent.

— Elle est vivante !

Aussitôt, mon champ de vision se peuple de visages : celui d'Amari, plein d'espoir, celui de Tzain, exprimant un intense soulagement. Puis ils se retirent. Ne reste que Roën et son sourire moqueur.

— Kenyon ? je parviens à articuler. Et Käto ? Et Rehema…

— Ils sont en vie, me rassure Roën. Ils attendent sur le bateau.

Avec son aide, je me redresse et m'adosse contre le bois froid de la chaloupe avec laquelle nous avons accosté sur l'île sacrée. Le soleil plonge derrière l'horizon, nous reléguant dans l'ombre de la nuit.

Le temple me revient soudain à l'esprit. Me préparant à poser la question si redoutée, je sonde les yeux sombres de Tzain. Si nous avons échoué, je veux l'apprendre de sa bouche.

— Alors ? On a réussi ? La magie est revenue ?

Il se tait. Son silence m'étreint le cœur. Après tout cela. Après Inan. Après Baba.

– Ça n'a pas fonctionné ? je demande de nouveau.

Amari secoue la tête. Elle lève une main écarlate. Une lueur bleue s'en échappe et se met à tournoyer dans la nuit. Tel un éclair, une mèche blanche crépite dans ses cheveux noirs.

Cette vision me laisse un moment perplexe.

Puis mon sang se glace.

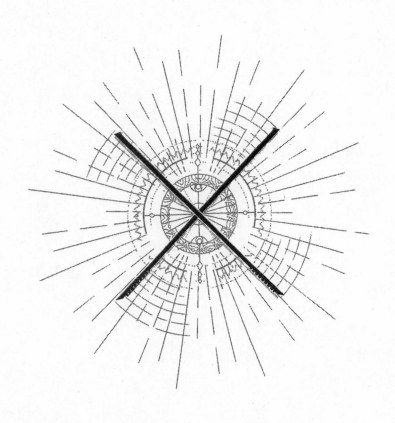

NOTE DE L'AUTRICE

J'ai versé beaucoup de larmes avant d'écrire ce livre. Beaucoup de larmes, aussi, en le révisant. Et quand vous le tiendrez entre vos mains, je sais que j'en verserai encore.

Si le fait de chevaucher de gigantesques lionaires ou d'accomplir des rites sacrés relève bien de la fantasy, tout ce que ce roman recèle de chagrin, de peur, de tristesse et de perte est réel.

Lorsque j'ai écrit *De sang et de rage*, je regardais constamment le journal télévisé. On y voyait des hommes, des femmes et des enfants noirs se faire tirer dessus par la police alors qu'eux-mêmes étaient désarmés. Écrire ce roman a été pour moi la seule façon de surmonter la peur, la colère et l'impuissance qui m'accablaient.

Je me disais que s'il pouvait changer le cœur et l'esprit ne serait-ce que d'une seule personne, alors j'aurais répondu à ma manière à un problème face auquel je me sens si souvent dépassée.

À présent, ce livre existe, et vous êtes en train de le lire.

Du fond du cœur, merci.

Et s'il vous a ému d'une manière ou d'une autre, mon vœu le plus cher est que cette émotion ne se cantonne pas uniquement aux personnages de ce roman.

Si vous avez pleuré sur le sort de Zu et Salim, j'espère que vous pleurerez aussi sur le sort de Jordan Edwards, de Tamir Rice et d'Aiyana Stanley-Jones, des enfants innocents abattus par la police à l'âge de quinze, douze et sept ans.

Si le chagrin de Zélie causé par la mort de sa mère vous a brisé le cœur, pensez à tous ceux qui ont survécu à la brutalité de la police mais dont les proches ont été tués sous leurs yeux. À Diamond Reynolds et à sa petite sœur de quatre ans, qui étaient dans la voiture lorsque leur père Philando Castile a été arrêté puis abattu.

Jeronimo Yanez, l'officier de police qui l'a tué, a été acquitté de tous les chefs d'accusation.

Ce ne sont que quelques-uns des noms de la longue liste des Noirs assassinés. Mères arrachées à leurs filles, pères arrachés à leurs fils, et parents condamnés à endurer jusqu'à la fin de leurs jours un chagrin qu'ils n'auraient jamais dû connaître.

Ce n'est qu'une injustice parmi tant d'autres qui gangrènent le monde et face auxquelles nous nous sentons si souvent impuissants. Puisse ce roman être la preuve qu'il y a toujours quelque chose à faire pour riposter.

Comme le dit Zélie au moment du rite, *Àwa ni ọmọ rẹ nínú ẹ̀jẹ̀ àti egungun.* Nous sommes des enfants de sang et d'os.

Et tout comme Zélie et Amari, nous avons le pouvoir de transformer les maux de notre monde.

Cela fait trop longtemps qu'ils nous asservissent.

À présent, dressons-nous.

REMERCIEMENTS

J'ai eu la chance de rencontrer les meilleurs êtres humains qui soient et de travailler avec eux. Je rends grâce à Dieu de les avoir mis sur mon chemin, et pour tous les bienfaits dont il m'a comblée.

Papa et maman, merci d'avoir renoncé à tant de choses que vous aimiez afin de nous offrir les meilleures opportunités. Mon éternelle gratitude pour m'avoir soutenue quand je me suis embarquée dans cette aventure. Papa, tu m'as appris à ne pas me reposer sur mes lauriers et à toujours faire de mon mieux. Je t'aime, et je sais que grand-mère veille sur nous chaque jour. Maman, si mes personnages ont perdu leur mère très jeunes, c'est parce que c'était ton cas, et que cela a toujours été ma plus grande peur. Votre amour et votre soutien se déclinent de tant de manières différentes que je ne peux même plus en faire la liste. Merci aussi à mes tantes et à mes oncles pour les traductions en yoruba !

Tobi Lou, si nous ne t'avions pas eu comme modèle, jamais l'enfant égoïste que j'étais n'aurait trouvé la motivation de devenir meilleure. En allant au bout de tes rêves, tu m'as donné l'audace d'aller au bout des miens. Toni, tu as été ma pire ennemie les quinze premières années de ton existence, et tu t'es si mal comportée avec moi, ce 25 novembre 2017. (Je t'avais bien dit que tu le regretterais !) *Néanmoins*, je t'aime de tout mon cœur, je suis fière de toi et je sais que tu deviendras la plus célèbre des Adeyemi.

Jackson, mon lecteur chéri. Tu as cru en moi et en mon livre avant même que je ne le commence. Merci d'être mon premier fan et supporter, merci de m'avoir encouragée dans les moments de doute. Marc, Deb et Clay, merci de m'avoir accueillie à bras ouverts dans votre famille et de m'avoir nourrie de fromage fondu. Je vous aime tous et Clay, je ne suis pas peu fière de pouvoir t'appeler mon petit frère.

DJ Michelle « Meesh », tu es une fille incroyable, doublée d'une artiste non moins incroyable. Merci pour tous ces magnifiques symboles dont tu as orné ce livre !

Brenda Drake, merci de te dévouer de manière si désintéressée auprès tant d'écrivains et de les aider à réaliser leur rêve. Ashley Hearn, en mettant ton cœur et ta si vive intelligence au service de ce manuscrit, tu m'as aidée à accoucher de cette histoire que j'avais dans la tête. Je t'aime et me sens tellement privilégiée de t'avoir eu comme maître !

Hillary Jacobson et Alexandra Machinist, vous qualifier d'« agents de rêve » serait encore un euphémisme. Votre efficacité dépasse de loin tout ce dont j'aurais pu rêver. Quelle chance j'ai eue de travailler avec des filles aussi douées et pugnaces ! Merci d'avoir rendu possible l'impossible. Josie Freedman, l'agent artistique de cinéma la plus héroïque de tous les temps : grâce à toi, mon rêve de faire un jour *un* film est devenu réalité quand tu m'as présentée aux gens les plus cool d'Hollywood pour discuter de *mon* film. Merci ! Hana Murrel, Alice Dill, Mairi Friesen-Escandell et Roxane Edouard, merci d'avoir exploité mon histoire à l'échelle mondiale.

Jon Yaged et Jean Feiwel, vous avez cru en moi et dans cette série comme personne n'y avait cru jusqu'ici. Vous avez fait de Macmillan ma deuxième maison, et j'ai une chance folle d'avoir pu publier ce livre avec vous. *Merci*, les gars.

CHER CHRISTIAN TRIMMER ! Tu es ma Mama Agba. L'aîné magique et toujours chic qui m'offre une tasse de thé, un bâton de métal et ses conseils avisés quand j'en ai le plus besoin. Mon livre et moi te remercions d'avoir été notre champion !

CHÈRE REINE IMPÉRATRICE TIFFANY LIAO ! Tu es mon Amari. Pour moi, tu as tout enduré, allant même jusqu'à poignarder le capitaine de l'arène pour me sauver la vie. Tu as natté mes cheveux sur le bateau, m'as répété jusqu'à plus soif à quel point tu me faisais confiance, même dans les moments où je doutais de mes capacités. Tiff, tu es la meilleure et je suis bénie des dieux d'avoir pu travailler avec une femme aussi incroyable et talentueuse. Rich Deas, pas une ligne, pas un mot de ce livre qui ne soit magnifique. Merci d'avoir réalisé cette stupéfiante couverture du livre de mon cœur.

À mon équipe pub et marketing de chez Macmillan : VOUS ÊTES TOUT BONNEMENT INCROYABLES ! Merci pour votre belle énergie à faire connaître ce livre au monde entier. À ma merveilleuse publicitaire Molly Ellis, à qui je suis capable d'envoyer jusqu'à dix mails par jour. Quelle chance de travailler avec toi ! Kathryn Little, tu es une directrice artistique aussi géniale que pugnace, et j'ai adoré chaque moment où j'ai eu affaire à toi. Mary Van Akin, impossible d'écrire ton nom sans m'esclaffer en pensant à « ET TU ES UN RENÉGAT ! » Tu es la MEILLEURE chargée de communication de tout le monde de l'édition. Mariel Dawson, tu es une déesse, et tout ce que tu as fait pour ce livre est à ton image : magnifique et héroïque. Ashley Woodfolk, quel merveilleux écrivain, distributeur et ami tu fais ! Je t'aime, et joyeux anniversaire à ton livre *La Beauté qui reste* ! Allison Verost, je sais que rien durant cette campagne incroyable n'aurait fonctionné sans tes conseils et ton soutien. Et spéciale dédicace à tous les autres de l'équipe, y compris Brittany Pearlman, Teresa Ferraiolo, Lucy Del Priore, Katie Halata, Morgan Dubin, Robert Brown et Jeremy Ross.

Merci à l'équipe des ventes Macmillan d'avoir aimé et soutenu ce livre. Et particulièrement à Jennifer Gonzalez, Jessica Brigman, Jennifer Edwards, Claire Taylor, Mark Von Bargen, Jennifer Golding, Sofrina Hinton, Jaime Aziza et AJ Murphy. Et aussi, Tom Nau et tous ceux qui ont su jongler avec les délais ! Merci à Melinda Ackell, à Valerie Shea et aux correcteurs pour le travail fourni. À Patrick Collins, qui a su rendre ce livre aussi beau à l'intérieur qu'à l'extérieur. À Laura Wilson, Brisa Robinson et Borana Greku du département Audio. Merci, du fond du cœur, à chaque personne qui a participé à la fabrication de ce livre.

Quant à l'équipe cinéma CBB, je n'ai même plus les mots pour dire ma fierté de vous voir figurer bientôt au générique de mon film. Merci pour votre enthousiasme et votre passion. Patrick Medley et Clare Reeth, votre sourire est merveilleux. Merci d'avoir aimé ce livre et d'avoir contribué à ce qu'il trouve un producteur. Elizabeth Gabler, Gillian Bohrer et Jiao Chen, merci de lui avoir *trouvé* une maison de production si incroyable, sans parler du studio où tant de mes films préférés ont été réalisés. J'ai adoré chaque minute passée en votre compagnie, et j'ai vraiment hâte de voir la suite. Karen Rosenfelt, merci de mettre ton talent au service de la production de ce film. Wyck Godfrey, merci de m'avoir prodigué aussi longtemps que tu as pu ton amour et ton enthousiasme ! Marty Bowen, John Fischer et Temple Hill Productions, merci d'avoir produit tous ces films que j'aime depuis l'adolescence, et merci d'avoir ajouté mon livre à cette liste. David Magee et Luke Durett, merci d'avoir écrit ce formidable scénario.

Barry Haldeman, Joel Schoff, Neil Erickson, merci d'avoir fait tout votre possible pour me guider dans ce processus de ouf !

Romina Garber, lumière de l'univers, et soleil radieux de ma propre vie. Merci pour ton amitié et ton soutien. Marissa Lee, ton talent est au-delà des mots, tu as fait de moi une meilleure personne et une meilleure autrice. Merci pour tout l'amour et toute la joie que vous m'avez apportés ! Kristen Ciccarelli, mon éternelle reconnaissance pour toutes les fois où tu m'as aidée à aller au bout de cette histoire, mais aussi à traverser mes propres combats ! Ma vie, mon livre et mon cœur se sont bonifiés grâce à toi. Kester « Kit » Grant, ma chère compagne d'écriture ! Tu es une personne magnifique, et j'ai tellement hâte que le public découvre ton premier roman. Hillary's Angelz, merci d'être une source inépuisable d'amour, de soutien et de rigolade !

Shea Standefer, tu es l'être le plus empathique que je connaisse, et ton talent est sans limite. Adalyn Taylor Grace, LOLOLOLOMG ! mon éternelle complice, tu es une *vraie* amie. Merci à vous deux d'avoir toujours été là pour moi et pour mon livre.

Daniel José Older, Sabaa Tahir, Michael Dante DiMartino et Bryan Konietzko, merci d'avoir écrit des histoires qui m'ont donné envie d'écrire la mienne. Dhonielle Clayton, Zoraida Cordova et DJO, merci de m'avoir aidée à faire de *De sang et de rage* une histoire que je suis fière de délivrer au monde. Angie Thomas, Leigh Bardugo, Nic Stone, Renée Ahdich, Marie Lu et Jason Reynolds, merci pour l'amour, le soutien, les conseils et l'inspiration prodigués à divers moments de l'aventure. Je suis tellement fière d'être la contemporaine d'auteurs de si grand talent !

Morgan Sherlock et Allie Stratis, je ne sais pas si je mérite d'avoir de si merveilleuses meilleures amies, mais je suis tellement heureuse d'avoir pu grandir en votre compagnie et de toujours vous avoir à mes côtés. Je vous aime et suis extrêmement fière des femmes que vous êtes devenues – cela dit, jamais je ne vous pardonnerai de m'avoir encouragée à me laisser pousser la frange. Shannon Janico, tu as toujours été une amie merveilleuse, et tu es devenue une femme extraordinaire. Je t'aime, et tous les enfants qui t'ont comme prof sont les plus chanceux de la terre. Mandi Nyambi, tu es la femme la plus intelligente, la plus passionnée et la plus travailleuse que je connaisse. Merci d'être comme une sœur pour moi. Je t'aime et je suis fière de toi. Tu vas conquérir le monde ! Yasmeen Audi, Elise Baranouski et Juliet Bailin, vous m'avez toujours soutenue et encouragée à réaliser mes rêves. Je vous aime et suis si fière de vous avoir comme amies, si fière aussi de vos accomplissements passés et à venir. Elise, si d'aucuns venaient à douter de notre amitié, tu pourras toujours leur montrer ce texte en guise de preuve.

À mes amis de TITLE Boxing et à Cody Montarbo, merci d'avoir pris soin de ma santé mentale ! Lin-Manuel Miranda, merci pour votre travail artistique si inspirant qui m'a tenu compagnie durant les nuits de charrette. Vous tous, Noirs talentueux, merci d'être pour moi une source d'inspiration et de motivation. Spéciale dédicace à Michelle et Barack Obama, à Chance the Rapper, Viola Davis, Kerry Washington, Shonda Rhimes, Lupita Nyong'o, Ava DuVernay, Zulaikha Patel, Kheris Rogers, Patrisse Cullors, Alicia Garza et Opal Tometi.

À mes professeurs, merci de m'avoir fait découvrir qui j'étais et ce que j'avais à dire. Spéciale dédicace à Mr. Friebel, Mrs. Colianni, Mr. McCloud, Mr. Woods, Mr. Wilbur, Joey McMullen, Maria Tartar, Christina Phillips Mattson, Amy Hempel et John Stauffer.

Enfin et surtout : merci à mes lecteurs. Rien de tout cela n'aurait été possible sans vous. Merci d'avoir fait ce voyage jusqu'à Orïsha. J'ai tellement hâte de poursuivre cette aventure en votre compagnie.

L'AUTRICE

Tomi Adeyemi est autrice et coach en écriture créative. Américaine d'origine nigériane, elle vit en Californie. Après des études de littérature à l'université de Harvard, elle a étudié au Brésil la mythologie, la religion et la culture de l'Afrique de l'Ouest. Quand elle n'est pas en train d'écrire ou de regarder des clips de BTS, elle blogue sur l'écriture créative sur son site tomiadeyemi.com.

Children

of
Blood
and
Bone

Découvrez le tome 2
en 2020

ENVIE DE DÉCOUVRIR
DES EXTRAITS D'AUTRES ROMANS?
ENVIE DE PARTAGER
VOS AVIS SUR VOS LECTURES PRÉFÉRÉES?
ENVIE DE GAGNER DES ROMANS EN EXCLUSIVITÉ?
REJOIGNEZ-NOUS SUR

www.lireenlive.com

ET SUIVEZ EN DIRECT L'ACTUALITÉ
DES ROMANS NATHAN

Mise en pages : Nord Compo à Villeneuve-d'Ascq

Cet ouvrage a été achevé d'imprimer en mars 2019
dans les ateliers de Normandie Roto Impression s.a.s.
61250 Lonrai
N° d'imprimeur : 1900919

Imprimé en France